Cymru mewn
Oes o Newidiadau,
1815-1918

## Cydnabyddiaethau

Comisiynwyd gyda chymorth ariannol Awdurdod Cymwysterau, Cwricwlwm ac Asesu Cymru
(h) Awdurdod Cymwysterau, Cwricwlwm ac Asesu Cymru
Cyhoeddwyd gan Y Ganolfan Astudiaethau Addysg, Aberystwyth
Cyfieithydd: Eirlys Roberts
Dylunydd: Enfys Beynon Jenkins
Ymchwil Lluniau: Gwenda Lloyd Wallace
Argraffwyr: Gwasg Gomer  2002
ISBN: 1 85644 680 8

Dymuna'r Cyhoeddwr ddiolch i'r canlynol am ganiatâd i atgynhyrchu lluniau yn gyfrol hon:
Clawr blaen: Llyfrgell Genedlaethol Cymru (Darlun o Gymru fel Owain Glyndŵr, argraffwyd gan Vincent Brooks, Day and Son, Llundain)

*An Introduction to Nineteenth-Century British History 1800-1914*, Michael Lynch, atgynhyrchwyd gyda chaniatâd Hodder and Stoughton Educational Limited t. 42, 43(t), 45(t,c), 51, 58; Hughes a'i Fab t. 48, 49, 96; Adran Diwydiant Amgueddfa Genedlaethol Cymru t. 55(t) (76.35); Mary Evans Picture Library t. 55(g), 60; © Hawlfraint Yr Amgueddfa Brydeinig t. 61, 273; *Some Aspects of the Spatial Structure of Two Glamorgan Towns in the Nineteenth Century*, Harold Carter ac S. Wheatley, *The Welsh History Review*, 1978, Gwasg Prifysgol Cymru t. 73; Rex Features t. 83; NWP132619 Ymosodiad y Siartwyr ar Westy'r Westgate, Casnewydd, Tachwedd 4ydd 1840, 1893 (litho) gan James Flewitt Mullock (1818-92), Amgueddfa ac Oriel Gelfyddyd Casnewydd/Bridgeman Art Library t. 87; Hulton Archive t. 94, 153, 156(t), 298; Y Brifysgol Agored/*Wales 1880-1914*, gol. Trevor Herbert a Gareth Elwyn Jones, Gwasg Prifysgol Cymru, 1988 t. 98, 99, 104, 105, 203; Amgueddfa Werin Cymru t. 102; The Illustrated London News Picture Library t. 113, 356; © David Jones 1989. Ailargraffwyd o *Rebecca's Children: A Study of Rural Society, Crime and Protest* gan David Jones (1989), gyda chaniatâd Gwasg Prifysgol Rhydychen t. 114, 116, 170; Archifdy Sir Caerfyrddin t. 115; Yr Archifdy Gwladol t. 119 (HO45/265), 120 (HO52/6); gyda chaniatâd y Llyfrgell Brydeinig t. 125 (LD.22); © Punch Cyf. t. 140, 161, 193, 293; Llyfrgell Genedlaethol Cymru t. 141 (JHD XI 101), 176, 196, 207, 208, 230, 240, 242, 248, 254 (Ffolio 189), 324(g,d a ch), 326, 327; *Hanes Cymru* (t. 356) gan John Davies (Allen Lane The Penguin Press 1990) Hawlfraint © John Davies, 1990 t. 152; BL 22499 '*Just Starve Us. Tell Ah! Tell Us, Can Aught be Worse? Than Hungry Maw and Empty Purse! Mercy Show and Pity Us. Great Overseer*' (print) gan Isaac Robert Cruikshank (1789-1856). Y Llyfrgell Brydeinig, Llundain, y Deyrnas Unedig/Bridgeman Art Library t. 156(g); Archifdy Morgannwg t. 167; *Crime and Punishment* gan Roger Whiting, Llyfrfa ei Mawrhydi/atgynhyrchwyd gyda chaniatâd caredig yr Arolwg Ordnans © Hawlfraint y Goron NC/01/026, 1986 t. 172; Archifdy Sir Ddinbych t. 197; *The Western Mail and South Wales Echo Limited* t. 209, 324(t); *Wales 1880-1914*, gol. Trevor Herbert a Gareth Elwyn Jones, Gwasg Prifysgol Cymru, 1988 t. 220; Gwasanaeth Archifau Gwynedd t. 318; C. Batstone/Casgliad Maes Glo De Cymru, Prifysgol Cymru Abertawe (PHO/DIS/25) t. 323; Llyfrgell Glowyr De Cymru, Prifysgol Cymru Abertawe t. 328;

Diolch i'r Llyfrgell Genedlaethol am olrhain y dyfyniad o *Baner ac Amserau Cymru*, tt. 99-100
Diolch i Roy Saer am olrhain y dyfyniad o faled Levi Gibbon (tud. 118). Fe'i dyfynnir yn llyfr Tegwyn Jones, *Hen Faledi Ffair*, Y Lolfa, 1971

Ni fu'n bosibl olrhain perchennog pob hawlfraint yn y gyfrol hon. Gwahoddir y perchenogion hynny i gysylltu â'r cyhoeddwyr.
Diolchir i'r panel fu'n gysylltiedig â'r project hwn am eu harweiniad gwerthfawr: Yr Athro Gareth Elwyn Jones, Prifysgol Abertawe; Vaughan Davies; Gareth Holt; Paul Nolan; Dylan Rees.

# Cymru mewn Oes o Newidiadau, 1815-1918

Roger Turvey

I
II
III
IV
V
VI
VII
VIII
IX
X

1

# Cynnwys

I

II

III

IV

V

VI

VII

VIII

IX

X

**Pennod III**

Newid yng Nghefn Gwlad a Phrotest Boblogaidd, tua 1830-95

1. Newid
   - a) Bywyd cefn gwlad a'r Economi
   - b) Ymfudo
   - c) Pwnc y Tir
2. Protest
   - a) Beca
   - b) Rhyfeloedd y Degwm

**Pennod IV**

Diwygio Cymdeithasol ac Ystyriaethau Cymdeithasol

1. Iechyd
   - a) Agweddau Cyfoes
   - b) Problemau Iechyd y Cyhoedd: Achosion a Chanlyniadau
   - c) Gwella drwy Ddiwygio
2. Tlodi
   - a) Agweddau at y Tlawd ac Ymdrin â Thlodi
   - b) Tlodi a Pholisi: Deddf Diwygio Deddf y Tlodion 1834
   - c) Booth a Rowntree
   - ch) Gwelliannau Lles y Llywodraeth Ryddfrydol, 1906-14
3. Trosedd
   - a) Diffiniad
   - b) Achosion a Natur Trosedd
   - c) Cyfraith a Threfn
   - ch) Cosbi Troseddwyr

**Pennod V**

Addysg a Chrefydd

1. Addysg
   - a) Ysgolion, Addysgu a Disgyblion cyn 1847
   - b) Adroddiad [y Llyfrau Gleision] ar gyflwr Addysg yng Nghymru, 1847
   - c) Addysg, Addysgwyr a Disgyblion ar ôl 1847
2. Crefydd
   - a) Cyfrifiad Crefyddol 1851
   - b) Agweddau ar Gredoau Poblogaidd: Diwygiadau a Diwygiadaeth
   - c) Diwygiad 1904-5
   - ch) 'Cenedl o Anghydffurfwyr'?

I
II
III
IV
V
VI
VII
VIII
IX
X

**4**

**Pennod IX**

Anghydfod y Llafurlu: Anghydfod Cymdeithasol a Diwydiannol, 1895-1914

1. Gwreiddiau Gwrthdaro Diwydiannol
2. Anghydfod Cwm Taf
3. Cau Allan y Penrhyn
4. Streiciau a Therfysgoedd:
    - a) Tonypandy
    - b) Llanelli
    - c) *The Miners' Next Step* a'r Cynghrair Triphlyg

**Pennod X**

Rhyfel ac Effeithiau'r Rhyfel, 1914-18

1. Rhyfel
    - a) Agweddau at Ryfel
    - b) Lloyd George a'r Ymdrech Ryfel ym Mhrydain
    - c) Polisi'r Llywodraeth: DORA a'r Canlyniadau
    - ch) Rhyfel, Lles a 'Sosialaeth ryfel'
2. Effaith y Rhyfel
    - a) Newidiadau Cymdeithasol ac Economaidd
    - b) Y Newid yn Rôl Merched

**Mynegai**

I

II

III

IV

V

VI

VII

VIII

IX

X

# Rhagair

Rhwng 1815 ac 1914 gwelwyd un o'r cyfnodau mwyaf cyffrous a thyngedfennol yn hanes Cymru. I wneud cyfiawnder â'r cyfnod rhaid talu sylw i'r prif ddatblygiadau diwydiannol, cymdeithasol, crefyddol a diwylliannol yn ystod yr oes wir ddeinamig hon. Fodd bynnag, ni ellir ymdrin â hanes canrif mor gymhleth â'r bedwaredd ar bymtheg yn foddhaol mewn cyfrol gymharol fer. Felly, mae ysgrifennu llyfr tebyg i hwn yn her i awdur oherwydd mae'n anorfod y bydd eraill yn anghytuno â'r dewis a wna wrth ddethol y prif ddigwyddiadau a'r ystyriaethau allweddol. Hefyd mae'n bosibl gor-symleiddio wrth ddisgrifio rhai o'r digwyddiadau a chwtogi'n ormodol wrth ymdrin ag eraill, ond y nod drwyddi draw fu cyflwyno prif themâu hanes y bedwaredd ganrif ar bymtheg a blynyddoedd cynnar yr ugeinfed ganrif mewn dull darllenadwy, darparu cyfoeth o ffynonellau ac ysgogi diddordeb. Y darllenwyr a'u hathrawon all benderfynu a lwyddwyd i gyrraedd y nod, oherwydd ysgrifennwyd y llyfr hwn yn benodol ar gyfer myfyrwyr fydd yn sefyll arholiadau lefelau AS ac A.

Dymunaf achub ar y cyfle i ddiolch i Glyn Saunders Jones, Cyfarwyddwr y Ganolfan Astudiaethau Addysg, Prifysgol Cymru, Aberystwyth, am fy nghomisiynu i ysgrifennu'r llyfr hwn ac am ganiatáu i mi'r rhyddid i'w lunio fel y dymunwn. Hoffwn hefyd ddiolch i'm golygydd, Eirlys Roberts, am ei help a'i chefnogaeth, ond yn arbennig am gydymdeimlo â'r anawsterau ymarferol y bu'n rhaid eu hwynebu wrth geisio llunio llyfr o'r fath pan nad oedd y cwrs AS/A y bwriedid ymateb iddo mewn bodolaeth.

Yn olaf, hoffwn gydnabod fy nyled fawr i weithiau a syniadau yr haneswyr, rai ohonynt bellach wedi ein gadael, a fu'n torri cwysi yn y maes hwn o'm blaen. Yn flaenaf ymysg y rhai rwy wedi dibynnu ar eu gweithiau mae David V.J. Jones, Gareth Elwyn Jones, Ieuan Gwynedd Jones, Kenneth Morgan, Gwyn A. Williams, John Davies, David Egan, Gareth Evans a David Howell. Os perthyn unrhyw ragoriaeth i'r llyfr hwn rwy'n ddyledus iddynt hwy, fi fy hun biau unrhyw wendidau! Os bydd i'r llyfr gyrraedd y nod o helpu myfyrwyr i ennill tystysgrif a'u galluogi i fod yn well haneswyr, yna rwy'n sicr y byddwn i gyd wrth ein bodd.

# Rhestr o Fapiau, Lluniau a Thablau

## Rhestr o Fapiau

## Rhestr Luniau neu Ddiagramau

I

II

III

IV

V

VI

VII

VIII

IX

X

I
II
III
IV
V
VI
VII
VIII
IX
X

## Rhestr Tablau

I

II

III

IV

V

VI

VII

VIII

IX

X

I
II
III
IV
V
VI
VII
VIII
IX
X

# Sut i Astudio

## 1. Cyffredinol

Hanes Cymru rhwng 1815 ac 1918 sydd yn y llyfr hwn. Ond, fodd bynnag, nid hanes Cymru yn y dull cwbl gonfensiynol sydd yma oherwydd, er ei fod yn dilyn trefn gronolegol, ni fwriadwyd o gwbl iddo fod yn hollgynhwysol. Fe'i lluniwyd gyda'r nod o gynnig cyflwyniad i'r pwnc fydd yn hygyrch i fyfyrwyr sydd ar fin cychwyn astudio hanes Cymru yn y bedwaredd ganrif ar bymtheg a blynyddoedd cynnar yr ugeinfed ac a fydd yn eu hysgogi i feddwl. Dylid ei ddefnyddio ochr yn ochr â thestunau eraill a awgrymir ar ddiwedd pob pennod ar gyfer darllen pellach. Yn ogystal â chyflwyno gwybodaeth graidd, y nod yw annog myfyrwyr i ddarllen, ystyried, ymchwilio a gweithio drostynt eu hunain. Felly, y mae hefyd yn llyfr gwaith sy'n cynnwys dogfennau, gweithgareddau a chyngor, y cyfan wedi eu llunio mewn ymgais i ymateb i ofynion y cyrsiau AS ac A newydd sydd yn gyfredol yn cael eu cynnig gan CBAC.

Mae'r siart hwn yn dangos y cyrsiau a'r cynlluniau asesu sy'n cael eu hargymell ac y delir â hwy naill ai mewn dull cyflawn neu'n rhannol yn y penodau yn y llyfr hwn:

### Astudiaeth o Gyfnod 3

### Agweddau ar Hanes Cymru a Lloegr, tua 1815-1914

| Modiwl | Pennod | Asesiad |
|---|---|---|
| HI1 | Pennod 4 | Cwestiynau Strwythuredig |
| HI2 | Penodau 2, 4, 6, 8 | Traethodau Agored (Dehongliad Hanesyddol) |
| HI4 | Penodau 6, 7, 8, 9 | Traethodau Agored |
| HI6 | Penodau 1, 2, 4, 6, 7, 8, 9 | Traethodau Agored (Synoptig) |

### Astudiaeth o Gyfnod 4

### Agweddau ar Hanes Cymru a Lloegr, tua 1880-1980

| Modiwl | Pennod | Asesiad |
|---|---|---|
| HI1 | Penodau 8, 10 | Cwestiynau Strwythuredig |
| HI6 | Penodau 1, 8, 9, 10 | Traethodau Agored (Synoptig) |

I
II
III
IV
V
VI
VII
VIII
IX
X

### Astudiaeth Fanwl 3

**Diwygio a Gwrthdystio yng Nghymru a Lloegr, tua 1830-48**

| Modiwl | Pennod | Asesiad |
|---|---|---|
| HI3 | Penodau, 2, 3, 4 | Cwestiynau Dogfen, Un ac Aml Ffynhonnell |
| HI5 | Pennod 3 | Ysgrifennu Estynedig (Gwaith Cwrs seiliedig ar Dystiolaeth) |
| HI6 | Penodau 1, 2, 3 | Traethodau Agored (Synoptig) |

### Astudiaeth Fanwl 4

**Newid a Gwrthdaro yng Nghymru, tua 1900-14**

| Modiwl | Pennod | Asesiad |
|---|---|---|
| HI3 | Penodau 5, 6, 8, 9 | Cwestiynau Dogfen, Un ac Aml Ffynhonnell |
| HI5 | Pennod 9 | Ysgrifennu estynedig (gwaith Cwrs seiliedig ar Dystiolaeth) |
| HI6 | Penodau, 1, 8, 9 | Traethodau Agored (Synoptig) |

## 2. Ystyriaethau Allweddol a Sgiliau Allweddol

Ysgrifennwyd y llyfr hwn gan roi sylw i ddwy egwyddor sylfaenol, sef ystyriaethau allweddol a sgiliau allweddol (hanesyddol a chyffredinol). Bwriedir i'r ystyriaethau allweddol ymdrin â'r digwyddiadau a'r themâu mwyaf arwyddocaol yn ystod y cyfnod a syniadau pwysicaf, prif gysyniadau a chwestiynau'r pwnc. Dylent o'r herwydd gynorthwyo

    (i)    i ffocysu sylw ar y prif elfennau a gynhwysir o fewn pob pennod

    (ii)    i hybu gwybodaeth

    (iii)    i brofi dealltwriaeth

    (iv)    i ysgogi trafodaeth

    (v)    i ddarparu fframwaith ar gyfer ysgrifennu nodiadau strwythuredig ac effeithiol.

Yr allwedd i lwyddiant yn yr arholiad AS ac A mewn Hanes yw ennill ac ymarfer sgiliau'r hanesydd, sef

    (i)    ennill gwybodaeth ffeithiol gywir

    (ii)    dadansoddi ffynonellau

(iii)   gwerthuso tystiolaeth a dod i gasgliadau
(iv)   deall natur deongliadau hanesyddol
(v)   deall natur cysyniadau megis newid a pharhad sy'n ymwneud â phynciau a themâu penodol dros gyfnod maith ac achosion a chanlyniadau digwyddiadau hanesyddol
(vi)   ymchwil bersonol ac astudiaeth annibynnol
(vii)   llwyddo i gyfathrebu ar lafar ac, yn bwysicach fyth, ar bapur.

Bydd ennill ac ymarfer sgiliau'r hanesydd yn help i ehangu ac i ddatblygu Sgiliau Allweddol (SA) ac felly gall myfyrwyr sy'n astudio AS ac A arddangos eu gallu i ymdopi â phob un o'r gofynion hyn:
(i)   cyfathrebu
(ii)   technoleg gwybodaeth
(iii)   datrys problemau
(iv)   cydweithio ag eraill
(v)   gwella dysgu a pherfformiad yr ymgeisydd ei hun

## 3. Canllaw i Astudio ar gyfer Myfyrwyr

Mae'r canllawiau i astudio yn y llyfr hwn i'w gweld dan y pennawd **Cyngor a Gweithgareddau** ac fe'u ceir ar ddiwedd pob pennod. Fe'u lluniwyd gyda'r bwriad o gynnig cyngor byr ond ymarferol ac yna ceir ystod o weithgareddau a ddylai gyfoethogi eich profiad o Hanes Lefel AS/A.

### Cyngor a Gweithgareddau i'r Myfyrwyr
Ar ddiwedd pob pennod mae amrywiaeth o weithgareddau a gynhwyswyd i gyfoethogi ac i ymestyn eich astudiaeth. Mae'r gweithgareddau wedi eu rhannu'n fras i ddwy adran:
(i)   cyffredinol – darllen, ymchwil, dadl/trafodaeth a chwestiynau ar ffynonellau ar gyfer pob pennod yn rhoi cyfle i ddatblygu Sgiliau Allweddol;
(ii)   penodol ar gyfer arholiadau – cwestiynau wedi eu strwythuro, cwestiynau ar ffynonellau a thraethodau – yn unol â'r cynllun asesu a gymeradwyir yn y fanyleb ac yn rhoi cyfle i ddatblygu sgiliau'r hanesydd.

13

## (i) Cyffredinol

### Darllen ac Ymchwil

Y nod yma yw ehangu eich gwybodaeth a'ch dealltwriaeth gan dargedu'n arbennig y rhai sy'n bwriadu astudio'r cwrs llawn ar gyfer Lefel A (A2) ac sy'n dymuno astudio yn annibynnol neu i'ch darparu ar gyfer ymdopi ag aseiniadau a/neu waith cwrs.

Dylai fod yn ddefnyddiol i'ch helpu i wella eich dysgu a'ch perfformiad personol **(SA v)**. Rhywbryd mae'n debyg y byddwch angen defnyddio'r rhyngrwyd a deunyddiau eraill fel encarta i'ch helpu gydag ymchwil. Gallech ddefnyddio prosesydd geiriau i gyflwyno eich casgliadau i'ch athrawon. Byddai hyn yn arddangos eich medr ym maes technoleg gwybodaeth **(SA ii)**.

### Ystyriaethau all ysgogi Dadl neu Drafodaeth

Mae dadlau a thrafod yn ganolog wrth ymdrin â hanes a dylech fanteisio ar bob cyfle i ymarfer eich sgiliau trwy wynebu ystyriaethau allweddol a phroblemau. Dylai'r adran hon eich helpu i feddwl yn glir, i gynllunio dadl ac i lunio barn a'i mynegi. Bydd hyn yn eich helpu i arddangos eich medr yn y sgil o gyfathrebu (SAi) a datrys problemau (SA iii) a gallai roi'r cyfle i chi gydweithio ag eraill (SA iv).

## (ii) Penodol ar gyfer arholiadau

### Cwestiynau AS
### Cwestiynau Strwythuredig (Astudiaeth o Gyfnod HI 1)

Bydd gofyn i chi ateb cwestiynau strwythuredig sydd mewn dwy ran:

(i)   Bydd rhan gyntaf y cwestiwn yn targedu gwybodaeth a dealltwriaeth hanesyddol – e.e. Esboniwch yn gryno …

(ii)  Bydd yr ail ran yn targedu gwerthuso a dadansoddi hanesyddol – e.e. I ba raddau …? Pa mor belll …?

### Traethodau agored (Astudiaeth o Gyfnod HI 2)

Bydd y cwestiynau ar y papur hwn yn gofyn i chi roi sylwadau ar ddilysrwydd un dehongliad o destun rydych chi wedi ei astudio fel rhan o'ch cwrs. Bydd disgwyl i chi werthuso'r dehongliad a llunio dadl gydlynol yn defnyddio eich gwybodaeth o'r testun ac o'r modd y mae wedi cael ei ddehongli.

### Cwestiynau ar Ddogfennau Un Ffynhonnell ac Aml-Ffynhonnell (HI 3)

Y mae dwy ran i'r papur hwn.

Yn rhan A, gofynnir i chi roi sylwadau ar un ffynhonnell gan ddilyn tri cham:

1. esbonio ystyr un ymadrodd yn y ffynhonnell;
2. casglu gwybodaeth o'r ffynhonnell yn ei chyfanrwydd ac
3. asesu cryfderau a gwendidau'r ffynhonnell o safbwynt y testun sydd dan ystyriaeth.

Yn rhan B bydd nifer o ffynonellau i'w hastudio. Eto, mae tair rhan i'r cwestiwn. Gofynnir i chi:

1. gymharu cynnwys dwy o'r ffynonellau
2. gymharu dibynadwyedd dwy ffynhonnell arall
3. werthuso cryfderau a gwendidau y ffynonellau i gyd.

## Cwestiynau A2

### Traethodau Agored (Astudiaeth o Gyfnod HI 4)

Gofynnir i chi ysgrifennu traethawd i ateb cwestiwn ar destun y byddwch wedi ei astudio fel rhan o'r modiwl hwn. Disgwylir i chi lunio dadl gydlynol i werthuso'r farn a fynegir yn y cwestiwn.

### Aseiniad (Astudiaeth Fanwl HI 5)

Gellir asesu'r uned hon yn allanol neu'n fewnol. Byddwch yn cael eich asesu, y naill ffordd neu'r llall, ar eich gwybodaeth a'ch dealltwriaeth o amrediad o ffynonellau (rhwng 10 a 15). Bydd y rhain yn cynnwys o leiaf ddau ddehongliad hanesyddol sy'n gwrthddweud ei gilydd. Disgwylir i chi ysgrifennu traethawd sylweddol (rhwng 3,000 - 4,000 o eiriau i'r gwaith a asesir yn fewnol ac am dair awr i'r asesiad allanol). Disgwylir i chi ystyried amrediad o ffynonellau a deongliadau hanesyddol a dod i gasgliadau rhesymegol.

### Traethawd synoptig (Astudiaeth o Gyfnod HI 6)

Mae dwy ran i Uned 6, un yn ymwneud â'r gwaith a wnaethoch yn eich Astudiaeth o Gyfnod a'r llall yn ymwneud â gwaith yr Astudiaeth Fanwl. Yn y cwestiwn ar Astudiaeth o Gyfnod, bydd gofyn i chi ymdrin â dehongliad yr hanesydd o ddigwyddiadau a datblygiadau yn ystod y cyfnod a astudiwyd gennych. Disgwylir i chi lunio dadl synoptig gydlynol gan werthuso, dwyn ynghyd ddatblygiadau o'r cyfnod cyfan a astudiwyd gennych ac o ystod o wahanol bersbectifau, yn ôl y galw.

I
II
III
IV
V
VI
VII
VIII
IX
X

**Traethawd Synoptig (Astudiaeth Fanwl HI 6)**

Gofynnir i chi ddadansoddi a gwerthuso dau ddehongliad hanesyddol gwahanol ar ddigwyddiadau a phynciau, gan arddangos dealltwriaeth o'r cwrs cyfan a astudiwyd o wahanol bersbectifau addas.

## Ystyriaethau Cyffredinol

### Cwestiynau ar ffynonellau

Yn y penodau lle cynhwyswyd adrannau ar Archwilio'r Dystiolaeth bydd cyfle i chi Gwestiynu'r Dystiolaeth. Efallai y bydd gennych gwestiynau eraill i'w gofyn neu y bydd eich athrawon yn gosod cwestiynau i chi ar y dystiolaeth. Wrth astudio'r adrannau Archwilio'r Dystiolaeth dylech fod yn feirniadol a pheidio â chymryd dim yn ganiataol. Sicrhewch eich bod yn deall beth mae pob ffynhonnell yn ei ddweud. Ystyriwch beth yw'r wybodaeth a geir ym mhob ffynhonnell, naill ai trwy dynnu casgliadau neu ddidwythiad. Yr un pryd gwerthuswch y ffynhonnell yng ngoleuni'r hyn rydych chi'n ei wybod eisoes.

### Cwestiynau Traethawd

Dyma elfen allweddol wrth sôn am Hanes Lefel AS/A. Mae meistroli'r grefft o ysgrifennu traethawd yn sgil hanfodol bwysig ac un y bydd yn rhaid treulio amser arno a gwneud ymdrech i'w ddysgu. Yr allwedd i lwyddiant yw ymarfer. Mae'r rhestri o gwestiynau traethawd yma er mwyn i chi gael ymarfer ond hefyd maen nhw'n ddefnyddiol gan eu bod yn awgrymu i chi pa ystyriaethau hanesyddol allweddol ddylech chi eu hastudio. Maen nhw hefyd yn rhoi syniad bras i chi am yr hyn mae arholwyr yn chwilio amdano a beth maen nhw'n debyg o'i ofyn mewn arholiad.

Mae'r cwestiynau traethawd strwythuredig ar gyfer HI 1 yn eich helpu i saernïo eich ateb. Mae'r cwestiynau traethawd i'r unedau eraill i gyd yn rhai agored, ond ar gyfer AS ac A2 disgwylir i chi lunio dadleuon a dadansoddi a gwerthuso barn a deongliadau. Canolbwyntiwch ar y cwestiynau sy'n debyg o gael eu gosod:

Pa mor ddilys yw'r dehongliad hwn …?

I ba raddau …?

Pa mor bell …?

Nid yw'r cwestiynau hyn yn gofyn am ddisgrifiad na naratif, maent yn gofyn i chi ddefnyddio eich gwybodaeth a'ch dealltwriaeth i ateb y cwestiwn yn effeithiol.

I

II

III

IV

V

VI

VII

VIII

IX

X

Pennod I
Map 1: Siroedd a Threfi Cymru

# Pennod I

# Cyflwyniad: Arolwg – Cymru 1815-1918

## 1. Diwydiannu, Newid a Phrotest Boblogaidd

■ **Y Brif Ystyriaeth:**
Ym mha ffyrdd ac i ba raddau y bu i'r newidiadau a achoswyd gan ddiwydiannu effeithio ar bobl Cymru?

Hyd ganol i ddiwedd y ddeunawfed ganrif roedd y mwyafrif o bobl Cymru yn byw, yn gweithio ac yn ennill eu bywoliaeth ar y tir. Roedd cylch y tymhorau yn hollbwysig iddyn nhw – y cynhaeaf, bywyd pentref ac arferion cefn gwlad.

Hanes y bedwaredd ganrif ar bymtheg yng Nghymru yw hanes y newid. Fel roedd diwydiant yn ennill pwysigrwydd roedd amaethyddiaeth yn dirywio, pobl yn symud, pentrefi'n tyfu'n drefi ac, ar ôl 1905, rhai trefi'n tyfu'n ddinasoedd.

### • Diwydiannu

De-ddwyrain Cymru oedd un o'r mannau cynharaf i wynebu chwyldro diwydiannol. Datblygwyd maes glo a diwydiant haearn ac yn fuan wedyn ddiwydiannau trwm eraill fel llechi, tunplat a chopr.

### • Trefoli

Roedd trwch y gweithwyr yn Gymru brodorol oedd wedi eu denu i'r cymoedd yn y de-ddwyrain a'r tir isel o ardaloedd gwledig y canolbarth, y gogledd a'r gorllewin. Rhwng 1860 ac 1910 symudodd dros 320,000 o bobl i faes glo de Cymru o'r ardaloedd gwledig. Golygai hyn fod cymoedd de Cymru wedi eu trefoli yn gyflym. Bu'n ddigon anodd i'r cymoedd ymdopi â'r twf aruthrol yn y boblogaeth.

I
II
III
IV
V
VI
VII
VIII
IX
X

19

• **Trafnidiaeth a Chysylltiadau**

Bu chwyldro tebyg ym myd trafnidiaeth a chysylltiadau. Er bod y cynllun ffyrdd wedi gwella, y prif ddull o gludo nwyddau diwydiannol oedd ar y rheilffyrdd a'r môr.

• **Tyndra a Thrais**

Yn wyneb y fath newid economaidd a chymdeithasol anferth roedd tyndra anorfod a thrais ambell waith. Yn y ganrif o flaen hon cafwyd sawl anghydfod lleol, yn bennaf oherwydd prinder bwyd, a rhyw fân brotestiadau eraill ond nawr gwelwyd terfysgoedd ar raddfa fawr fel ym Merthyr yn 1831 a mudiadau protest grymus fel Siartiaeth.

Roedd y Gymru wledig llawn mor 'dreisgar' a 'throseddol' â Chymru drefol. Nid oedd y gwahaniaethau rhwng Cymru drefol, ddiwydiannol a Chymru wledig mor glir a phendant ag y tybiwyd weithiau. Nid oedd y Siartwyr trefol a'r Rebeciaid gwledig yn byw ar ddwy blaned, roedden nhw'n cyd-fyw ac ambell waith yn cydweithredu. Roedd rhai o ddilynwyr Beca yn Siartwyr a rhai Siartwyr yn gefnogwyr Beca.

## 2. Newidiadau yn y Gymru Wledig a Phrotest Boblogaidd

■ **Y Brif Ystyriaeth:**
Beth oedd natur y newid yn yr ardaloedd gwledig ac i ba raddau y bu iddo achosi anfodlonrwydd yng nghefn gwlad a phrotest yn y gymdeithas?

• **Diboblogi cefn gwlad**

Oherwydd datblygiad trefi fel Merthyr, Caerdydd, Pontypridd, Wrecsam ac Abertawe a'r cyfle am waith a gynigiai diwydiant gwelwyd llawer yn gadael cefn gwlad i chwilio am fywyd gwahanol, os nad un gwell. Yn 1800 roedd tua 54 y cant o boblogaeth Lloegr a Chymru yn byw ac yn gweithio yng nghefn gwlad ond erbyn 1911 roedd y canran wedi gostwng i 20 y cant.

Canlyniad hyn fu diboblogi cefn gwlad a chafodd hynny effaith bendant ar ddiwylliant ac iaith y Cymry.

- **Dirwasgiad**

Ar waethaf help peiriannau, roedd dirwasgiad yn y diwydiant amaethyddol. Erbyn 1914 roedd Prydain yn mewnforio dros 50 y cant o'i bwyd, gan gynnwys tua 75 y cant o'r grawn i wneud bara.

- **Gormes a Thrais**

Gwelwyd meistri tir a'r rhai oedd mewn awdurdod yn gormesu. O'r herwydd ffurfiwyd mudiadau cudd a chafwyd protestiadau treisiol, fel y *Swing Riots* (1830-31) yn Kent a de-ddwyrain Lloegr a Therfysgoedd Beca (1839-44) yn ne-orllwein Cymru. Yng Nghymru ceisiodd merched Beca a phrotestwyr Rhyfel y Degwm ddangos i'r awdurdodau lleol a'r llywodraeth wladol eu bod yn anfodlon trwy wrthod talu tollau a'r degwm, trwy ddinistrio clwydi'r doll a thlotai a chreu helynt cyffredinol hyd nes y byddid yn delio â'u cwynion.

## 3. Ystyriaethau Cymdeithasol a Diwygio Cymdeithasol

■ **Y Brif Ystyriaeth:**
    I ba raddau roedd galw ac angen am ddiwygio cymdeithasol yn y cyfnod 1815-1918?

Yn y cyfnod rhwng degawdau olaf y ddeunawfed ganrif a blynyddoedd cynnar yr ugeinfed, gellir yn deg ddweud fod Cymru wedi symud o 'Oes Oleuedig' i 'Oes Ddiwygio'. Gwireddwyd gobeithion ac uchelgais pobl un oes gan bobl oes arall.

- **Galw am ddiwygio**

Barn Jeremy Bentham (m. 1832), yr athronydd cymdeithasol oedd yn credu mewn Defnyddiolaeth, oedd y dylid ystyried yr elfen foesol wrth lunio polisi a deddfwriaeth gan amcanu at sicrhau y gorau i'r mwyafrif.
Datblygwyd y newidiadau cymdeithasol oedd yn nod gan Jeremy Bentham gan genhedlaeth newydd o feddylwyr radical, fel Edwin Chadwick. Roedd hon yn etifeddiaeth rymus a ddylanwadodd ar lywodraethau am nifer fawr o flynyddoedd y bedwaredd ganrif ar bymtheg.

I
II
III
IV
V
VI
VII
VIII
IX
X

I

II

III

IV

V

VI

VII

VIII

IX

X

Roedd yn gyfnod o arbrofi cymdeithasol gan geisio rhoi gwedd ymarferol i'r syniadaeth er nad oedd y canlyniadau bob amser yr hyn a fwriedid neu a ddisgwylid. Yn rhannol, y rheswm am hyn oedd anwybodaeth y rhai oedd yn ceisio diwygio. Nid oeddent yn deall yr ystyriaethau cymdeithasol na'r problemau. Roedd hyn yn arbennig o wir am iechyd a thlodi a'r rhai oedd yn gyfrifol am ddiwygio yn gyffredinol yn mwynhau iechyd llawer gwell na'r rhan fwyaf o bobl ac heb erioed brofi llesgedd y tlawd.

- **Ystyriaethau:**

- **Iechyd**

Gwelwyd y llywodraeth yn ymyrryd yn iechyd y cyhoedd yn ystod y bedwaredd ganrif ar bymtheg yn rhannol oherwydd lledaeniad y colera nad oedd yn parchu gwahaniaethau dosbarth.

Sail yr ymyrraeth oedd syniadau am y berthynas rhwng iechyd a chyflenwadau o ddŵr glân a charthffosiaeth ac am lawer o flynyddoedd y ganrif, yn enwedig rhwng yr 1840au a'r 1870au, cyfrifid mai problem drefol bron yn unig oedd problem iechyd.

Gallai llywodraethau adnabod a dadansoddi tueddiadau arwyddocaol o safbwynt poblogaeth oherwydd

- casglu ystadegau yn drefnus drwy Gyfrifiadau bob degawd ar ôl 1801
- bod yn rhaid cofrestru geni, priodi a marw ar ôl 1837
- bod rôl casglu data Swyddfa'r Prif Gofrestrydd ar ôl 1840 wedi ei hehangu. Roedd cyfradd marwolaethau babanod dan flwydd oed yn ddangosydd sensitif wrth fesur iechyd y genedl.

- **Trosedd**

Yn ystod y bedwaredd ganrif ar bymtheg y sylweddolwyd gyntaf fod trosedd yn broblem gymdeithasol fawr. Tlodi, angen ac ofn llwgu oedd y prif resymau dros droseddu. Ond roedd trosedd yn broblem roedd yn rhaid ei datrys yn fuan.

O ganlyniad gwelwyd

- dechrau ystyried troseddeg fel disgyblaeth wyddonol,
- casglu ystadegau lleol, ac yn ddiweddarach rai cenedlaethol, am droseddau.

Roedd yn ganrif o newid a dderbyniodd y syniad o
- ddefnyddio heddlu proffesiynol
- diwygio cyfraith trosedd trwy ei gwneud yn fwy dyngarol
- defnyddio carchardai er mwyn cosbi, y rheini hefyd wedi eu diwygio yn unol â'r awgrymiadau a wnaed gan Gymdeithas Howard a'r Cynghrair Diwygio Carchardai.

## 4. Crefydd ac Addysg

### ■ Y Brif Ystyriaeth:
I ba raddau roedd agweddau tuag at addysg a darpariaeth addysgol wedi newid rhwng 1815 ac 1918? Pa mor grefyddol oedd y Cymry a faint o ddylanwad a gafodd newidiadau crefyddol arnynt?

### • Crefydd

Dichon mai Eglwys Loegr neu'r Eglwys Anglicanaidd oedd crefydd y wladwriaeth ond yng Nghymru nid oedd yn boblogaidd o bell ffordd. Fe'i gwelid gan lawer fel crefydd y dosbarth canol a'r bonedd – y tirfeddiannwr, perchennog y gwaith a'r ffatri – a chyda rhai eithriadau, cynhelid y gwasanaethau yn bennaf yn yr iaith Saesneg.

Yng Nghyfrifiad Crefyddol 1851 dangoswyd nad oedd ond 9% o'r bobl oedd yn mynd i le o addoliad yn mynychu'r Eglwysi Anglicanaidd ac 87% yn mynychu'r capeli Anghydffurfiol. Dangosai'r Cyfrifiad hefyd mai dim ond traean o'r boblogaeth oedd yn mynd i'r naill na'r llall. Roedd yn ymddangos fod lleihad yn y nifer oedd yn ymlynu wrth ddefodau crefyddol.

Roedd grwpiau Anghydffurfiol yn boblogaidd, gan amlaf, am eu bod yn dod â chrefydd at y bobl mewn dull cyffrous ac mewn iaith y gallent ei deall. Ambell waith byddai'r brwdfrydedd yn peri diwygiadau crefyddol fel un 1904-5 a arweiniwyd gan Evan Roberts, cyn-löwr o Gasllwchwr, oedd yn bregethwr grymus a dylanwadol. O ganlyniad i'r diwygiad hwn awgrymwyd bod y niferoedd oedd yn mynychu eglwys a chapel yn uwch nag erioed yng Nghymru.

I

II

III

IV

V

VI

VII

VIII

IX

X

## • Crefydd ac Addysg

Yn y bedwaredd ganrif ar bymtheg gwelwyd pobl yn dangos diddordeb mawr mewn addysg a'r ysbrydoliaeth i raddau mawr oedd crefydd. Roedd ysgolion Eglwys a rhai elusennol yn gofalu am ddarparu peth addysg i'r werin bobl.

## • Y Wladwriaeth ac Addysg

Wedi eu hysbrydoli gan athronwyr fel Bentham a John Stuart Mill, ymunodd Radicaliaid yn y ddadl ar addysg. Barn y rhain oedd fod addysg yn fraint a ddylai fod ar gael i bawb ond byddai hynny'n golygu fod yn rhaid i'r wladwriaeth ymyrryd.

Y ddau brif gwestiwn oedd yn peri dryswch i wleidyddion oedd:
(i)   I ba raddau y dylid addysgu'r tlawd, a barnu y dylent gael addysg? a
(ii)  Pa fath o ddarpariaeth oedd ei hangen i sicrhau hynny, cynllun cenedlaethol neu un gwirfoddol?

Aeth saith deng mlynedd heibio cyn i'r llywodraeth ateb y ddau gwestiwn gyda Deddf Addysg Forster yn 1870.

Yn anorfod nawr, cafodd addysg ei seciwlareiddio ac ehangwyd y cwricwlwm. Wedi dysgu darllen, trodd y bobl lythrennog at ddeunydd darllen seciwlar ac ehangwyd eu gorwelion. Daeth y byd ehangach i'w sylw. Yn gynyddol, byd Seisnig oedd hwn ac yn araf, trwy gyfrwng addysg oedd fwy na heb am ddim, cymathwyd y Cymry i'r byd hwnnw. Roedd yr hen ffordd o fyw yn datblygu'n ffordd newydd.

## 5. Diwylliant, Iaith a'r Adfywiad Cenedlaethol

### ■ Y Brif Ystyriaeth:

Beth oedd natur diwylliant Cymru yn y bedwaredd ganrif ar bymtheg a pha ran oedd gan yr iaith Gymraeg i'w chwarae yn yr 'Adfywiad Cenedlaethol' yng Nghymru?

Diffinnir diwylliant fel y celfyddydau, yr arferion ac arwyddion eraill o lwyddiannau deallusol y ddynoliaeth y gellir dweud eu bod, o'u hystyried yn eu cyfanrwydd, yn diffinio pobl a chenedl.

### • Yr Iaith Gymraeg

Un o'r elfennau pwysicaf sy'n pennu hunaniaeth diwylliannol cenedl yw ei hiaith. Mae'r iaith Gymraeg o dras hynafol a defnyddiodd cenedlaethau o Gymry hi i'w mynegi eu hunain mewn barddoniaeth, rhyddiaith, cerddoriaeth, cyfraith a chrefydd. Llwyddodd yr etifeddiaeth hanesyddol a diwylliannol hon i ddiogelu ymwybyddiaeth o hunaniaeth Gymreig.

Yn ystod y bedwaredd ganrif ar bymtheg daeth yr iaith i gynrychioli'r prif wahaniaeth rhwng y Cymry a'u cymdogion Seisnig. Yr ymwybod graddol hwn â'u harbenigrwydd fel pobl wahanol i'r Saeson, yr Albanwyr neu'r Gwyddyl ddaeth yn symbol o'r cenedlaetholdeb oedd ar ei dwf a rhoi mynegiant iddo. Dyma'r elfen y mae haneswyr yn cyfeirio ati fel yr 'Adfywiad Cenedlaethol' neu'r 'Deffroad Cenedlaethol'.

### • Y Diwylliant

Er nad oedd cymdeithas y bedwaredd ganrif ar bymtheg yng Nghymru yn agos mor aml-ddiwylliannol â'r gymdeithas heddiw, nid oedd ychwaith yn gymdeithas gydag un diwylliant yn unig. Yn hytrach, gellid dweud yn fras fod tri diwylliant:

    (i)    un y Cymry' [brodorion Cymraeg eu hiaith]
    (ii)   un yr 'Eingl-Gymry' [brodorion nad oeddent yn siarad Cymraeg]
    (iii)  un y mewnfudwyr nad oedddent yn siarad dim ond y Saesneg.
          Mae'n bosibl na effeithiwyd ar y tri gan yr 'Adfywiad Cenedlaethol'.

Yr hyn a welwyd yn y bedwraedd ganrif ar bymtheg oedd hau hadau ac yna dwf diwylliant newydd neu un amgen, diwylliant Eingl-Gymreig os mynnwch, er nad yw'r label hwn yn gwneud cyfiawnder ag ef ychwaith, un

I

II

III

IV

V

VI

VII

VIII

IX

X

25

oedd erbyn degawdau cynnar y ganrif ganlynol yn berthnasol i dros hanner poblogaeth Cymru.

Ar ddiwedd y bedwaredd ganrif ar bymtheg, roedd hanner poblogaeth Cymru yn dal i siarad Cymraeg. Roedd hyn yn golygu y gallent, pe dymunent, fod yn rhan o'r traddodiad diwylliannol oedd ers cenedlaethau wedi ei sylfaenu ar yr iaith yn bennaf, ei llenyddiaeth fydol a chrefyddol, yr Ysgol Sul a'r capel.

## 6. Cenedlaetholdeb a'r Mudiadau Cenedlaethol

■ **Y Brif Ystyriaeth:**
Beth oedd prif nodweddion cenedlaetholdeb Cymreig a beth barodd ei dwf yn y cyfnod 1850-1914?

I'r rhai o'r tu allan, yr ymwelwyr, y mewnfudwyr a'r rhai oedd yn amlygu cywreinrwydd yn unig, a hynny o bell, ystyrid fod y Cymry yn grefyddwyr brwd Anghydffurfiol, hoff o ganu emynau a hoff o farddoniaeth a cherddoriaeth a'u diwylliant yn un Cymraeg ei iaith. Yn ogystal, roeddent yn bobl ddifrifol, dirwestol, serchog a syml, amharod i greu helynt oni bai eu bod yn cael eu cythruddo neu eu hannog gan derfysgwyr. Y ddelwedd gwbl ffals neu nawddoglyd hon o'r Cymry a barodd y fath syfrdandod pan fu'n rhaid wynebu terfysgoedd Beca a'r Siartwyr.

• **Cenedlaetholdeb**

Fel a ddigwyddodd yng ngweddill Ewrop, gwelwyd ton o ddiddordeb mewn cenedlaetholdeb ymysg y Cymry. Amlygwyd hynny yn eu crefydd (Anghydffurfiaeth), eu diwylliant (yr Eisteddfod), chwaraeon (rygbi) a gwleidyddiaeth (Cymru Fydd).

- ffurfiwyd y mudiad Cymru Fydd yng nghanol yr 1880au gyda'r gobaith o hybu chwyldro diwylliannol a gwleidyddol a fyddai'n arwain at ymreolaeth. Yn anffodus, bu'n fethiant.
- y rheswm dros dranc y mudiad oedd 'yr ymraniad dwfn rhwng arfordir y de, ardal gosmopolitan, gyfoethog byd masnach a gweddill Cymru'.

Roedd arwahanrwydd Cymreig neu genedlaetholdeb gwleidyddol naill ai'n rhy wan neu'n rhy gul i gynnal mudiad oedd yn amcanu at briodi'r ddau.

## 7. Gwleidyddiaeth ac Ystyriaethau Gwleidyddol

■ **Y Brif Ystyriaeth:**

Ym mha fodd roedd gwleidyddiaeth a'r system wleidyddol wedi newid yn ystod y cyfnod 1815-1914 ac i ba raddau roedd pobl wedi llwyddo i gael mwy o lais mewn llywodraethu?

Ar ddechrau'r bedwareddd ganrif ar bymtheg y cyfoethog oedd â grym gwleidyddol, erbyn ei diwedd roedd bron bob oedolyn gwrywaidd wedi ei ryddfreinio ac roedd yn rhaid i'r bobl gyfoethog rannu eu grym gwleidyddol.

• **Gwreiddiau'r newid – y rhesymau:**

  • amgylchiadau economaidd a chymdeithasol blynyddoedd cynnar y ganrif
  • anfodlonrwydd crefyddol yr Anghydffurfwyr a barodd dwf radicaliaeth wleidyddol yng Nghymru
  • radicaliaeth y dosbarth gweithiol oherwydd trueni economaidd a thlodi cymdeithasol.

Efallai bod ymderfysgu, fel ag a ddigwyddodd ym Merthyr yn 1831, yn adwaith traddodiadol yn wyneb anfodlonrwydd cymdeithasol ond yn ystod y bedwaredd ganrif ar bymtheg daeth yn gynyddol yn wleidyddol ei natur.

• **Arweinwyr**

Roedd yr argyfwng Diwygio cyn 1832 yn fath o drobwynt – gwelwyd arweinwyr gwleidyddol yn dod i'r amlwg. Fe'u hysbrydolid nid yn gymaint gan Anghydffurfiaeth frodorol ond gan radicaliaeth Lloegr a arweinid gan bobl fel Henry 'Orator' Hunt (m. 1835), William Cobbett (m. 1835), Jospeh Hume (m. 1855) a Richard Cobden (m.1865).

• **Diwygio**

Am gryn dipyn o weddill y ganrif y brif ystyriaeth wleidyddol oedd diwygio ac ni chafodd y broblem ei datrys hyd nes y cafwyd cyfres o Ddeddfau Diwygio – yn 1832, 1867 ac 1884 ynghyd â Deddf y Tugel yn 1872. O ganlyniad i'r deddfau hyn, yn raddol, aeth y grym gwleidyddol o ddwylo'r cyfoethog, sef boned Tŷ'r Arglwyddi a thirfeddianwyr Tŷ'r Cyffredin, i ddwylo'r dosbarth canol a gafodd bleidleisiau'r tlodion a'r dosbarth gweithiol oedd newydd gael eu rhyddfreinio.

- **Y Blaid Ryddfrydol**

Roedd twf y Blaid Ryddfrydol yng Nghymru yn wir drawiadol oherwydd nid yn unig roedd yn herio'r Blaid Geidwadol ond hefyd ffurfiodd cynrychiolwyr y Blaid Ryddfrydol yn y Senedd, dros gyfnod byr, 'Blaid Cymru', lac ei chyfansoddiad, oedd yn honni ei bod yn cynrychioli pobl Cymru.

- **Twf Llafur**

Erbyn dechrau'r ugeinfed ganrif daeth y Rhyddfrydwyr dan bwysau oherwydd twf mudiad Llafur newydd. Ar y cychwyn fe'i cofleidiodd ond yn fuan fe'i gwrthododd. Cyhoeddodd y Blaid Lafur ei her pan etholwyd Keir Hardie, yn etholiad 1900, yn aelod dros gadarnle rhyddfrydol Merthyr Tudful.

Ond, ar waethaf ei lwyddiannau etholiadol a'i thwf nid y Blaid Lafur ond Rhyddfrydiaeth oedd yn ben dros y deng mlynedd ar hugain cyn dechrau'r Rhyfel yn 1914. Roedd eto angen datrys dwy broblem, sef Datgysylltiad yr Eglwys yng Nghymru ac Ymreolaeth.

## 8. Anfodlonrwydd Cymdeithasol a Diwydiannol

■ **Y Brif Ystyriaeth:**
  Beth oedd achos a natur yr anghydfod rhwng gweithwyr a chyflogwyr yn y ddau ddegawd cyn dechrau'r rhyfel?

- **Gweithwyr a Chyflogwyr**

Nid oedd cyfoeth diwydiannol Prydain wedi ei ddosbarthu yn gyfartal ac un o brif ganlyniadau cymdeithasol diwydiannu a thwf economaidd oedd y gwrthdaro rhwng y cyfoethog a'r tlawd.

Y cyfoethog oedd y diwydianwyr oedd yn feistri ar ddiwydiant ac yn wŷr busnes hirben, ond ymddangosai fel pe baent yn methu deall, neu'n amharod i ymdrechu i ddeall, y gweithwyr roeddent yn eu cyflogi ac yn eu gorchymyn.

Y difreintiedig oedd y gweithwyr a'u teuluoedd. Ar eu gwaith caled nhw, dan amgylchiadau truenus, y dibynnai cyfoeth y diwydianwyr a'r genedl. Aberthodd y rhain eu hiechyd gan weld ffyniant ambell waith a diswyddiad dro ar ôl tro ond heb unrhyw fodd i wella eu byd.

### • Achosion Anghydfod

Yn y ddau ddegawd cyn dechrau'r rhyfel cafwyd streiciau chwerw ym Mhrydain a gwrthdaro arfog fu bron yn fodd i andwyo diwydiant Prydain ac economi'r deyrnas.

Achos yr anghydfod diwydiannol oedd:
- agwedd drahaus cyflogwyr a'u difrawder tuag at eu gweithwyr,
- twf diweithdra oherwydd, yn bennaf, y gystadleuaeth o dramor.

Penderfynodd cyflogwyr Prydain ddod yn fwy cystadleuol a gwrthweithio'r costau uwch, oedd yn rhaid eu hwynebu er mwyn cynhyrchu defnyddiau, trwy ddiswyddo gweithwyr yn hytrach na buddsoddi mewn technoleg newydd. Am eu bod yn anwybyddu safonau diogelwch cyhuddwyd rhai cyflogwyr o ystyried fod elw yn bwysicach na bywydau eu gweithwyr.

### • Terfysgoedd

Aeth agwedd yr undebau llafur yn fwy milwriaethus a'r cyflogwyr yn fwy styfnig gan apelio at y llywodraeth ganolog i ofyn iddi ddatrys yr hyn a alwent yn derfysgoedd gweithwyr a gâi eu trefnu a'u harwain gan gynhyrfwyr gwleidyddol. Daeth defnyddio milwyr yn y canolfannau diwydiannol lle roedd helynt – Tonypandy a Llanelli er enghraifft – yn nodwedd ar berthynas cyflogwr a gweithiwr diwydiannol yng Nghymru cyn y rhyfel.

## 9. Rhyfel ac Effaith Rhyfel, 1914-18

### ■ Y Brif Ystyriaeth:
Pa mor arwyddocaol oedd effaith y Rhyfel Byd Cyntaf ar Gymru?

### • Arwyddocâd y Rhyfel

Roedd y Rhyfel Byd Cyntaf, y rhyfel byd-eang cyntaf yn hanes y ddynoliaeth, yn ddigwyddiad hynod arwyddocaol.
Yn fwy felly nag unrhyw ryfel cyn hynny :
- effeithiodd ar fwy o ddynion, merched a phlant o fwy o wledydd
- lladdwyd mwy
- bu'n fodd i ddatblygu technoleg newydd
- effeithiodd ar economi'r byd ac ar economi gwledydd unigol
- newidiodd agweddau a phatrwm traddodiadol bywyd.
- Yn lle'r rhith fod brwydro yn beth arwrol cafwyd realaeth mwd a gynnau mawr, marwolaeth a difrod. Ar ffilmiau newyddion y sinema darluniwyd yr erchyllterau yn fwy byw nag erioed cyn hynny.

### • Gwasanaeth Milwrol

Ar drothwy'r rhyfel rhyw 2,350,000 oedd poblogaeth Cymru a tua 400,000 yn ddynion rhwng 18 a 40 oed, sef oed gwasanaeth milwrol. Yn ystod y rhyfel y nifer o ddynion a ymunodd neu a gafodd eu gorfodi i ymuno o Gymru oedd tua 280,000, sy'n golygu fod ychydig dros 70% o ddynion oedd o fewn yr oedran wedi eu recriwtio i'r lluoedd arfog.

### • Effaith y Rhyfel

- ar y rhai a ddychwelodd o'r ffrynt – byddai eu bywydau a'u hagweddau yn gwbl wahanol hyd byth
- ar y rhai a'u derbyniai yn ôl i'w bywydau, i'w teuluoedd a'u cartrefi ac i'w lleoedd gwaith – ni wyddent am yr erchyllter roedd y dynion wedi ei oddef ac roeddent yn aml yn camddeall y newid ym mhersonoliaeth a chymeriad y milwr.

- ar economi Cymru – newidiwyd patrwm gwaith, effeithiwyd ar incwm teuluoedd a recriwtiwyd miloedd o ferched i weithio yn y ffatrïoedd ac ar y ffermydd. Ar ddiwedd y rhyfel nid oedd diwydiant Cymru mor bwysig ag y bu cyn 1914: roedd y rhyfel wedi tarfu ar fasnach, collwyd marchnadoedd ac nid oedd bellach gydbwysedd o safbwynt mewnforio ac allforio.
- ar grefydd. I lawer, roedd y rhyfel wedi dryllio eu darlun o Dduw ac roedd eraill, oedd yn chwilio'n daer am atebion fyddai'n gwneud synnwyr o'r gyflafan, yn ceisio Duw mewn eglwys a chapel.
- ar ddiwylliant Cymru. Cafwyd adwaith i'r rhyfel yn llenyddiaeth Cymru a beirdd a llenorion yn myfyrio ar y rhyfel mewn amryw weithiau fel rhai Saunders Lewis, y dramodydd a oroesodd, a'r bardd Hedd Wyn a laddwyd.
- ym mywyd merched a gafodd eu rhyddhau. Ar waethaf ymgyrchu milwriaethus y blynyddoedd cyn y rhyfel nid oedd y swffragetiaid wedi llwyddo i sicrhau'r bleidlais i ferched. Newidiodd y rhyfel y sefyllfa hon. Cydnabu'r llywodraeth fod merched wedi cyfrannu at yr ymdrech ryfel a chawsant hawl, os rhannol – i rai dros 30 oed – i gael dewis cynrychiolwyr i'r Senedd yn 1918.

I

## Tabl 1

### Llinell Amser/ Y Prif Ddigwyddiadau, 1815-1918

II

III

IV

V

VI

VII

VIII

IX

X

|  | Blwyddyn |  |
|---|---|---|
|  | **1815** | Diwedd Rhyfeloedd Napoleon. Cyflwyno'r Ddeddf Ŷd. |
| Gweithwyr haearn de Cymru ar streic a gwrthdystio ym Merthyr Tudful. | **1816** |  |
| Gwrthdystio yng Nghaerfyrddin oherwydd prinder bwyd. | **1818** |  |
|  | **1819** | Cyflafan Peterloo. |
| Glowyr ar streic yn Sir Fynwy. Y Teirw Scotch yn ymgasglu. | **1822** |  |
|  | **1824** | Diddymu'r Ddeddf Ymgynnull oedd wedi gwahardd undebaeth lafur. |
| Anghydfod yn Chwareli'r Penrhyn. | **1825** |  |
| Diddymu'r Ddeddf Brawf a Chorfforaethau oedd wedi anghymwyso Anghydffurfwyr. | **1828** |  |
|  | **1829** | Deddf Heddlu Llundain (Peel). |
| Y geri marwol yng Nghymru. Argyfwng diwygio. Terfysg Merthyr a chrogi Dic Penderyn. | **1831** | Yr Arglwydd John Russell yn cyflwyno'r Mesur Diwygio cyntaf – yn ymddiswyddo wedi iddo fethu. |
| Deddf Diwygio'r Senedd. Diwygiad Crefyddol. | **1832** | Y Ddeddf Ddiwygio gyntaf. |
| Diwygio Deddf y Tlodion. | **1834** |  |
| Teirw Scotch o flaen eu gwell. | **1835** |  |
| Deddf Cyfnewid y Degwm | **1836** |  |
| Sefydlu Cymdeithas i'r Gweithwyr – y gyntaf – yng Nghaerfyrddin. | **1837** | Coroni'r Frenhines Fictoria. |
| Cyhoeddi Siarter y Bobl. | **1838** | Sefydlu Cynghrair yn gwrthwynebu'r Deddfau Ŷd. |

| | | |
|---|---|---|
| Gwrthdystiad Siartwyr yn Llanidloes. | **1839** | Gwrthryfel Siartwyr yn Birmingham. |
| Gorymdaith y Siartwyr i Gasnewydd. | | |
| Ymosodiadau cyntaf Beca. | | |
| Beca'n ail gydio yn yr ymosod. | **1842** | |
| Adfywiad Siartiaeth a streic yn Ne Cymru. | | |
| Beca ar ei anterth. | **1843** | |
| Ffurfio'r Gymdeithas Ryddhad. | **1844** | |
| Diwygio'r Cwmnïau Tyrpeg. | | |
| | **1846** | Diddymu'r Deddfau Ŷd. |
| Comisiwn ar Addysg yng Nghymru ('Y Llyfrau Gleision'). | **1847** | |
| Y geri marwol yn lledaenu. | | |
| Deddf Iechyd y Cyhoedd yn creu Byrddau Lleol. | **1848** | Cyflwyno trydedd deiseb y Siartwyr. Blwyddyn y Chwyldroadau yn Ewrop. |
| Diwygiad crefyddol. | **1849** | |
| Cyfrifiad Crefydd. | **1851** | |
| Adfywiad Siartiaeth. | **1853** | |
| | **1854-6** | Rhyfel y Crimea. |
| | **1855** | Diddymu'r dreth ar bapurau newyddion. |
| Deddf yn gorchymyn ffurfio heddlu ym mhob sir a bwrdeistref. | **1856** | |
| Troi allan ym Meirionnydd ar ôl yr Etholiad Cyffredinol. | **1859** | |
| Diwygiad crefyddol. | | |
| Thomas Gee yn cychwyn *Baner ac Amserau Cymru*. | | |
| Sefydlu Undeb Diwygio Cenedlaethol i ymgyrchu dros roi'r rhyddfraint i berchenogion tai. | **1864** | |
| Ymgais gyntaf i sefydlu undeb llafur yn Chwarel y Penrhyn. | **1865** | Deddf yn datgysylltu Eglwys 'Loegr' yn Iwerddon. |

I

II

III

IV

V

VI

VII

VIII

IX

X

| | | |
|---|---|---|
| Sefydlu Cynghrair Diwygio Cenedlaethol i ymgyrchu dros ryddfreinio dynion a phleidlais gudd. | **1866** | |
| Ail Ddeddf Ddiwygio yn rhyddfreinio perchenogion tai'r dosbarth gweithiol yn y trefi. | **1867** | |
| Buddugoliaeth i'r Rhyddfrydwyr yng Nghymru yn yr Etholiad Cyffredinol. | **1868** | Ffederasiwn Cenedlaethol yr undebau llafur yn dechrau cwrdd yn flynyddol. |
| | **1870** | Deddf Addysg Forster |
| Deddf y Tugel yn sicrhau pleidlais gudd. | **1872** | |
| | **1874-6** | Llywodraeth Disraeli yn cyflwyno diwygiadau pwysig. |
| Sefydlu Undeb Chwarelwyr Gogledd Cymru. | **1874** | |
| | **1875** | Deddf Iechyd y Cyhoedd. |
| | **1879** | Rhyfel y Zulu. Sefydlu Cynghrair Tir Cenedlaethol Iwerddon. |
| Rhyddfrydwyr – 29 allan o 33 sedd. Sefydlu Cynghrair Rygbi Cymru. Sefydlu Cymdeithas yr Eisteddfod Genedlaethol. | **1880** | Etholiad Cyffredinol – Gladstone yn Brif Weinidog. Deddf Addysg – gorfodol i blant 5-10 oed. |
| Deddf Cau ar y Sul (Cymru). Adroddiad Pwyllgor Aberdâr ar Addysg. | **1881** | |
| Deddf Ddiwygio yn rhyddfreinio perchenogion tai dosbarth gweithiol yng nghefn gwlad. | **1884** | Deddf Diwygio'r Senedd. |
| Rhyddfrydwyr – 30 allan o 34 sedd. | **1885** | Deddf Ail-ddosbarthu etholaethau. Etholiad Cyffredinol (Tachwedd). |

| | | |
|---|---|---|
| Sefydlu Cynghrair Tir Cymru. Rhyddfrydwyr – 25 allan o 36 sedd. Dechrau Rhyfel y Degwm. | **1886** | Mesur Ymreolaeth i Iwerddon. Etholiad Cyffredinol (Gorffennaf). Marcwis Salisbury'n Brif Weinidog. |
| Creu Dau Ffederasiwn Rhyddfrydol Gogledd a De Cymru. | **1886/7** | |
| | **1888** | Deddf Llywodraeth Leol yn creu Cynghorau Sir. |
| Deddf Addysg Ganolradd Cymru. Agor Dociau'r Barri. | **1889** | |
| Lloyd George yn AS dros Fwrdeistrefi Caernarfon. | **1890** | |
| Deddf Treth y Degwm. O.M. Edwards yn sefydlu *Cymru* (cylchgrawn). | **1891** | |
| Rhyddfrydwyr – 31 allan o 34 sedd. Lansio *Cymru Fydd*. | **1892** | Etholiad Cyffredinol (Gorffennaf). Gladstone yn Brif Weinidog. |
| Siarter i Brifysgol Cymru. | **1893** | |
| Comisiwn Brenhinol – Tir. Ffrwydrad yng nglofa Cilfynydd, lladd 250. | **1894** | Tom Ellis yn Brif Chwip y Rhyddfrydwyr. Iarll Rosebery yn Brif Weinidog. |
| Tranc Cymru Fydd. Adroddiad y Comisiwn Tir. Creu Bwrdd Canol Cymru. | **1896** | |
| 6 mis segur yn y diwydiant glo. Sefydlu Ffederasiwn Glowyr De Cymru. | **1898** | |
| Marw Tom Ellis. | **1899** | Dechrau Rhyfel y Boer. |
| Rhyddfrydwyr – 28 allan o 34 sedd. Ethol Keir Hardie yn AS yr ILP dros Ferthyr. Dechrau Anghydfod Chwarel y Penrhyn. | **1900** | Etholiad Cyffredinol (Hydref). Salisbury yn Brif Weinidog. Anghydfod Rheilffordd Cwm Taf. |

I
II
III
IV
V
VI
VII
VIII
IX

I

II

III

IV

V

VI

VII

VIII

IX

X

| | | |
|---|---|---|
| 'Gwrthryfel y Cymry'. | **1902** | |
| Dechrau Diwygiad (Evan Roberts). | **1904** | |
| Cymru'n trechu'r *All Blacks* yng Nghaerdydd. | **1905** | Lloyd George yn llywydd y Bwrdd Masnach. |
| Caerdydd yn ddinas. | | |
| Rhyddfrydwyr – 33 allan o 34 sedd. | **1906** | Etholiad Cyffredinol – Campbell - Bannerman yn Brif Weinidog. |
| Creu Adran Gymraeg y Bwrdd Addysg. | **1907** | |
| | **1908** | Ffederasiwn Glowyr Prydain Fawr yn ymgysylltu â'r Blaid Lafur. |
| | | H.H.Asquith yn Brif Weinidog. |
| Sefydlu Llyfrgell Genedlaethol Cymru. | **1909** | |
| Anghydfod Glofa'r Cambrian. | **1910** | Ymgyrch 'Cyllid y Bobl' Lloyd George. |
| Terfysgoedd Tonypandy. | | |
| Arwisgo Tywysog Cymru. | **1911** | Deddf Yswiriant Iechyd Lloyd George. |
| Milwyr yn saethu dau weithiwr rheilffordd yn Llanelli. | | Streic Genedlaethol Gweithwyr y Rheilffyrdd. |
| Sefydlu Cyngor Amaeth Cymru. | **1912** | |
| Comisiwn Cymreig – Deddf Yswiriant Iechyd. | | |
| Cyhoeddi'r *Miners' Next Step*. | | |
| Trychineb glofa Senghennydd – lladd 439. | **1913** | |
| Deddf yr Eglwys yng Nghymru – Datgysylltiad. (dod i rym 1920) | **1914** | Dechrau'r Rhyfel Byd Cyntaf (Awst). |
| Streic Glowyr De Cymru. | **1915** | |
| | **1916** | Brwydr y Somme. |
| | | Gorfodaeth filwrol. |
| | | Lloyd George yn Brif Weinidog. |
| Lladd Hedd Wyn. | **1917** | Lloyd George yn ennill etholiad. |
| | **1918** | Diwedd y Rhyfel Byd (Tachwedd). |

# Cyngor

## Y Cam Cyntaf

Nod pob pennod yw cyflwyno i chi wybodaeth gefndirol ddefnyddiol fydd o fudd i chi fel man cychwyn os nad ydych eisoes yn gyfarwydd â'r cyfnod. Sylwch ar yr ystyriaethau allweddol a'u cadw mewn cof pan fyddwch yn darllen pob rhan. Defnyddiwch y llinell amser gan gyfeirio nôl ati yn gyson. Efallai yr hoffech ychwanegu ati eich hun.

Os mai newydd ddechrau ar eich cwrs rydych chi, dylech ysgrifennu ystyron unrhyw dermau nad ydych wedi eu clywed o'r blaen. Mae hwn yn ymarfer da a dylech ei ailadrodd wrth ddarllen pob pennod, ac felly hefyd ystyron geiriau sy'n ddieithr i chi. Gofalwch fod geiriadur wrth law bob amser.

Efallai y byddwch eisiau ehangu eich gwybodaeth am y cyfnod. Os felly, bydd yn rhaid i chi ddethol beth i'w ddarllen. Mae rhestr o lyfrau hanes cyffredinol yn yr adran ar Ddarllen Pellach.

## Darllen

Dyma sgil y dylech ei ymarfer yn gyson ac oherwydd ei fod yn rhan hanfodol o'r cwrs lefel AS/A mae darllen effeithiol yn angenrheidiol os ydych am lwyddo. Bydd eich dull o ddarllen yn dibynnu ar bwrpas y darllen.

Rydych yn darllen (i) i gywain gwybodaeth *(knowledge)* (ii) i gael gwybodaeth *(information)* (iii) i ennill dealltwriaeth. Gall darllen hefyd ychwanegu at eich geirfa a gwella eich arddull wrth ysgrifennu. Mae darllen llyfrau gan wahanol awduron yn rhoi i chi:

(i) syniadau ar sut y gallech amrywio eich ymateb i dasgau ysgrifennu y bydd eich tiwtor yn eu gosod (ii) olwg gytbwys ar bwnc arbennig (iii) y cyfle i ffurfio barn drosoch eich hun.

Mae nifer o sgiliau y gallech eu defnyddio er mwyn sicrhau fod eich darllen yn effeithiol ac yn bleserus:

   (i) sganio – os ydych chi'n chwilio am wybodaeth am berson arbennig (Edwin Chadwick), sefydliad neu fudiad (Cymru Fydd) neu ddigwyddiad (Terfysgoedd Merthyr) sganiwch y mynegai. Os ydych chi eisiau gwybodaeth am bwnc ehangach fel undebaeth lafur neu genedlaetholdeb, edrychwch ar y dudalen cynnwys. Wrth sganio gofalwch am nodi'r tudalennau perthnasol ar ddarn o bapur, peidiwch â cheisio'u cofio.

I

II

III

IV

V

VI

VII

VIII

IX

X

**I**

**II**

**III**

**IV**

**V**

**VI**

**VII**

**VIII**

**IX**

**X**

(ii) llithr-ddarllen – os ydych chi eisiau dod o hyd i'r pwyntiau allweddol mewn pennod darllenwch y frawddeg gyntaf a/neu'r ail frawddeg ym mhob paragraff. Nod awduron sy'n ysgrifennu hanes yw cyflwyno gwybodaeth a dull effeithiol o wneud hyn yw cyfeirio at y pwynt allweddol ar ddechrau paragraffau. Yna, mae'r awdur yn egluro, datblygu ac enghreifftio'r pwynt hwnnw.

(iii) darllen – os ydych chi angen gwybodaeth ddwys ac eisiau deall pwnc yn ei gyfanrwydd bydd angen i chi ddarllen yn fanwl. Does dim angen i chi ddarllen y llyfr i gyd, dim ond y penodau a/neu'r is-rannau sy'n berthnasol ac yn angenrheidiol. Er mwyn elwa'n llwyr ar eich darllen (i) ystyriwch beth yw'r pwrpas neu'r nod cyn dechrau darllen y bennod neu'r is-ran (ii) darllenwch y cynnwys i gyd (iii) cymerwch seibiant ac yna ewch yn ôl at y bennod gyda phapur a biro i nodi'r pwyntiau allweddol neu'r prif syniadau. Ceisiwch amrywio eich darllen gan ei wneud yn hwyl ac yn ddiddorol.

## Gwneud Nodiadau

Efallai y byddwch chi awydd, neu y bydd eich tiwtor yn gofyn i chi, ysgrifennu nodiadau ar wahanol rannau o'r penodau yn y llyfr hwn. Cyn i chi wneud hynny mae'n bwysig i chi ddeall pam rydych chi'n gwneud nodiadau ac i ba bwrpas. Gellir dadlau fod tri rheswm dros wneud nodiadau:

(i) i'ch helpu i ganolbwyntio

(ii) i'ch helpu i ddeall a chrisialu gwybodaeth

(iii) i gael cofnod y gellir ei ddefnyddio yn y dyfodol – i adolygu neu i ysgrifennu.

Mae ysgrifennu nodiadau yn sgil y bydd angen i chi ei ymarfer a bydd yn golygu darllen gweithredol, felly dylai fod gennych bapur a biro wrth law. Bydd yr hyn fyddwch chi'n ei ysgrifennu yn dibynnu ar beth ydych chi eisiau ei wneud â'r nodiadau:

- gwneud rhestr o'r geiriau a'r cymalau allweddol
- rhestru ystyron geiriau
- ymholi i'r deunydd rydych chi wedi ei ddarllen
- ysgrifennu cwestiynau y gallwch chi eich hun eu hateb yn nes ymlaen neu ofyn i'ch tiwtor eu hateb a'u hegluro. Neu
- eich bod angen rhyw wybodaeth fwy cynhwysfawr fel fframwaith o syniadau neu gofnod o'r prif bwyntiau a'r dadleuon.

Bydd hyn yn golygu strwythuro eich nodiadau ac y mae tri dull o wneud hynny:

(i) crynodeb – crynhoi'r prif bwyntiau trwy eu hysgrifennu mewn brawddegau llawn a pharagraffau. Bydd hyn yn rhoi i chi grynodeb o'r gwreiddiol.

(ii) cynllun sgerbwd neu fraslun – rhestr fer o eiriau a chymalau fydd yn sbardun i chi i'ch helpu i gofio pwyntiau allweddol y bennod.

(iii) crynodeb ar lun diagram – gallai fod yn gwestiynau neu eglurhad byr ar ffurf corryn neu ddiagram gyda theitl neu brif ystyriaeth yn y man canol.

Wrth gwrs, peidiwch ag anghofio'r prif ystyriaethau. Mae'n ddigon posibl y bydd eich atebion i'r rhain yn rhoi crynodeb o'r bennod i chi.

## Ymchwil

Yn ystod eich cwrs, mae'n debyg y bydd yn rhaid i chi wneud ymchwil neu astudiaeth bersonol. Os felly, rhaid i chi fod wedi paratoi a bod yn drefnus. Mae pob ymchwil yn dechrau trwy ddarllen: llithr-ddarllen y llyfryddiaeth, dewis y llyfr neu'r erthygl a llithr-ddarllen y cynnwys nes eich bod yn hyderus eich bod yn siŵr pa wybodaeth ydych chi ei heisiau a pham rydych chi'n darllen y cyhoeddiad arbennig hwnnw. Bydd eich dewis yn dibynnu ar beth ydych chi'n ei ddisgwyl neu beth mae eich tiwtor yn ei ddisgwyl gennych chi, a beth yw gofynion eich manyleb. Ni fydd disgwyl i chi ddarllen pob llyfr a phob erthygl a restrir yn yr Adrannau Darllen Pellach, fydd amser ddim yn caniatáu hynny. Felly, bydd yn rhaid i chi ddethol yn feirniadol – beth sydd ei angen arnoch neu beth mae'ch tiwtor yn ei argymell.

Un o'r dulliau gorau o wynebu pwnc newydd yw defnyddio cyfeirlyfrau hanes sydd yn cynnig cyfeiriadau at bobl allweddol, digwyddiadau a sefydliadau. Gellir dod o hyd i'r canlynol mewn llyfrgell dref neu ysgol a byddant yn hynod werthfawr i chi:

*Dictionary of British History*
*Dictionary of Labour Biography*
*Dictionary of National Biography*
*Dictionary of Welsh Biography*
*The Oxford Companion to British History*

Mae'r cyfeirlyfr a nodir isod yn darparu rhestr gynhwysfawr, ddiweddar o'r cyhoeddiadau pwysig ar hanes Cymru. Gofalwch eich bod yn dethol yn ofalus.

P.H. Jones (gol.), *A Bibliography of the History of Wales* (Caerdydd, 1989, argraffiad microfiche.).

Cofiwch ddefnyddio'r 'canllawiau i astudio'/*study guides* diweddaraf a'r We!

I

II

III

IV

V

VI

VII

VIII

IX

X

I

II

III

IV

V

VI

VII

VIII

IX

X

Ar gyfer hanes Lloegr yn y bedwaredd ganrif ar bymtheg edrychwch ar y canllawiau i astudio diweddaraf, megis y rhai a gyhoeddwyd gan Letts: D. Weigall & Michael Murphy, *Modern History A Level Course Companion* (Letts Study Aids) a Longman: E. Townley, *A level and AS Level Modern History* (Longman Revise Guides).

## Paratoi ar gyfer Arholiadau

Dyma awgrymiadau i'ch helpu

(i) Afraid dwued fod yn rhaid adolygu os ydych am lwyddo mewn arholiadau ond mae Lefel AS/A Hanes yn golygu mwy na gwybod beth a ddigwyddodd, rhaid gwybod pam a sut. Bydd yn rhaid i chi ddefnyddio'r hyn rydych chi'n ei wybod. Os mai gwybod y ffeithiau yn unig yr ydych atebion disgrifiadol, storïol yn unig a ellir eu disgwyl. Cofiwch ni fydd neb byth yn gofyn i chi wneud dim ond disgrifio beth a ddigwyddodd. Bydd defnyddio'r sgiliau rydych chi wedi eu dysgu yn eich helpu i ddadlau ac i ymholi gan beri fod eich atebion yn fwy cynhwysfawr ac yn fwy perthnasol. Wrth adolygu dylech gadw hyn mewn cof a cheisio cwestiynu'r wybodaeth yn hytrach na'i dysgu yn unig.

(ii) Dylech fod yn gwybod yn union beth yw'r fanyleb rydych yn ei hastudio – Y nifer o bapurau arholiad a'u strwythur. Defnyddiwch lyfrynnau 'canllaw i astudio' ar bob cyfrif ond hefyd dylech edrych ar hen bapurau arholiad eich cwrs. Bydd gwybod beth i'w ddisgwyl cyn mynd i'r arholiad yn rhoi hyder i chi. Cynlluniwch ym mha fodd y byddech yn wynebu'r arholiad ymlaen llaw. Sicrhewch eich bod yn gwybod faint o ddewis fydd gennych. Dylech ateb y cwestiwn hawsaf i chi yn gyntaf a gadael yr un anoddaf tan yr olaf.

(iii) Edrychwch ar gynllun marcio hen bapurau yn ogystal â'r cwestiynau.

(iv) Yn yr arholiad ei hun, ceisiwch beidio â chynhyrfu. Llithr-ddarllenwch drwy'r papur arholiad a dewis y cwestiynau i'w hateb yn ofalus. Darllenwch y cwestiynau yn ofalus, nodwch y geiriau allweddol a sylwi'n fanwl ar unrhyw ddyddiadau. Cynlluniwch eich ateb cyn dechrau a'ch amseru eich hunan wrth ysgrifennu. Cofiwch fod ansawdd yn bwysicach na hyd.

(v) Cofiwch beth yw targed pob cwestiwn a chanolbwyntiwch ar hynny yn eich ateb. Fyddwch chi ddim yn ennill marciau am werthuso manwl os yw'r cwestiwn yn gofyn am eglurhad byr, nac yn ennill marciau am ddisgrifiad maith pan fydd y cwestiwn yn gofyn am ddadansoddi a gwerthuso.

**40**

## Pennod II
# *Diwydiannu, Newid a Phrotest Boblogaidd*

## 1. Diwydiannu a Newid

■ **Y Brif Ystyriaeth:**
I ba raddau y bu i Gymru'r bedwareddd ganrif ar bymtheg brofi chwyldro diwydiannol a threfol?

### a) Y Prif Ddiwydiannau

O ran maint, cyfoeth, cyflogaeth a phwysigrwydd economaidd, y prif ddiwydiannau yng Nghymru yn y bedwaredd ganrif ar bymtheg oedd glo, haearn (a'r diwydiannau metolegol a berthynai iddo), llechi a gwlân.

Bu i'w lleoliad a'u datblygiad wneud llawer i newid Cymru:

(i) symudodd llawer o'r boblogaeth gan achosi diboblogi yng nghefn gwlad

(ii) gwelodd llawer o bobl fod cyfleoedd newydd ym myd gwaith ac felly newidiwyd patrwm traddodiadol gwaith a sgiliau

(iii) mabwysiadodd pobl fywyd trefol yn lle bywyd gwledig a thyfodd trefi mawr yn ne-ddwyrain Cymru

(iv) effeithiodd ymfudo, y mewnlifo a'r symud ar ddiwylliant yng Nghymru a pharodd hynny ddirywiad yr iaith Gymraeg.

I
II
III
IV
V
VI
VII
VIII
IX
X

I

**II**

III

IV

V

VI

VII

VIII

IX

X

## Map 2

### Cymru ddiwydiannol erbyn 1885

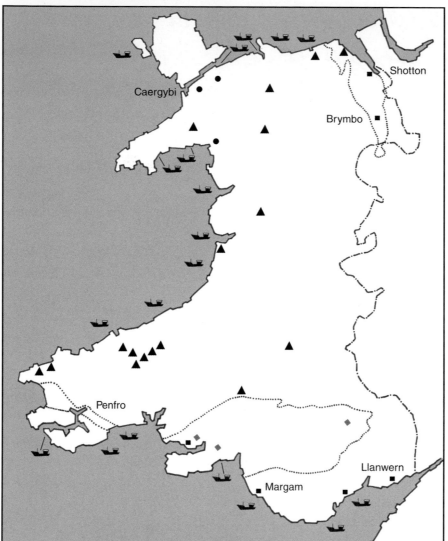

**Beth oedd prif nodweddion ystadegol diwydiant Cymru a Phrydain?**

Dyma'r diwydiannau yng Nghymru yn nhrefn eu pwysigrwydd economaidd a'u maint:

(i)   Glo

(ii)  Haearn a dur

(iii) Copr, Sinc, Tunplat a metalau eraill

(iv) Llechi

(v)  Gwlân

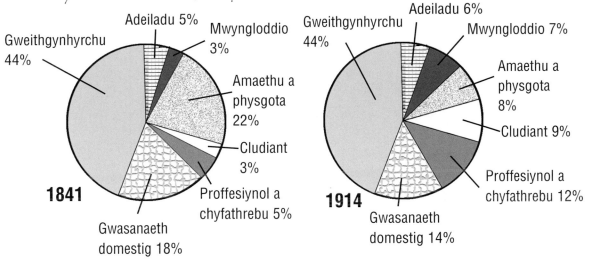

Llun 1
Siartiau cylch yn dangos gwaith ym Mhrydain yn 1841 ac 1914

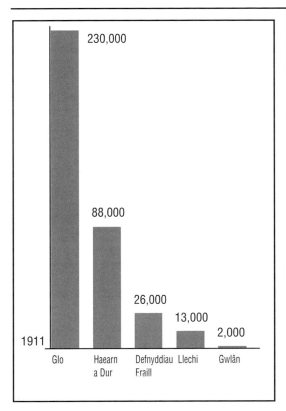

Llun 2
Graff yn dangos y nifer a gyflogid mewn
diwydiannau yng Nghymru (1911)

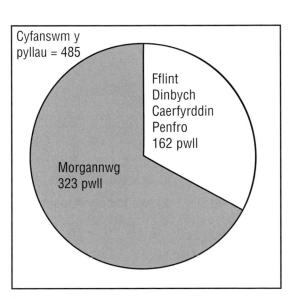

Llun 3
Siart cylch yn dangos nifer a dosbarthiad y
glofeydd yng Nghymru (1911)

I

II

III

IV

V

VI

VII

VIII

IX

X

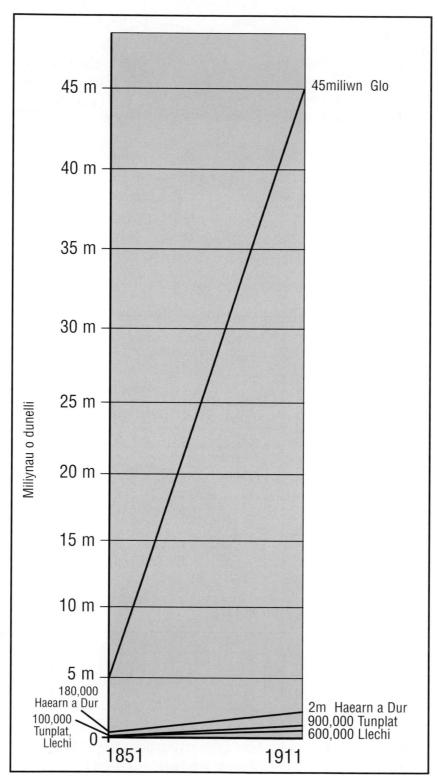

Llun 4

Graff yn dangos cynnyrch diwydiannol Cymru (1851-1911)

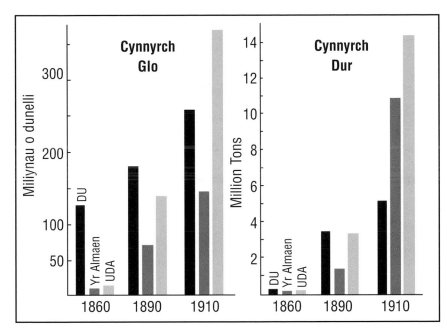

Llun 5
Graffiau yn dangos cynnyrch glo a dur Prydain, Yr Almaen ac America 1860-1910

Llun 6
Graff yn dangos siâr Prydain o fasnach y byd (1800-1918)

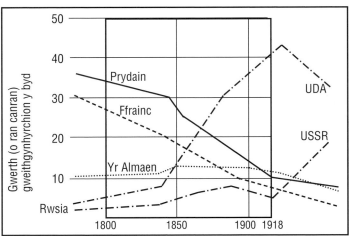

Llun 7
Allforion glo o brif borthladdoedd Cymru yn 1875

| Milffwrdd | Llanelli | Abertawe | Caerdydd | Casnewydd |
|---|---|---|---|---|
| ↓ | ↓ | ↓ | ↓ | ↓ |
| 47,000 tunnell | 283,000 tunnell | 770,000 tunnell | 3,578,000 tunnell | 1,028,000 tunnell |
| ↓ | ↓ | ↓ | ↓ | ↓ |

I

II

III

IV

V

VI

VII

VIII

IX

X

## Pwy oedd yn bennaf gyfrifol am ddatblygu diwydiannau yng Nghymru?

Adwaenid y rhain fel 'Capteiniaid Diwydiant', dynion oedd wedi peri chwyldro yn eu gwahanol ddiwydiannau oherwydd eu sgil, egni a chyfoeth. Fodd bynnag, dynion caled oedd y rhain yn llawn uchelgais ac nid oeddent bob amser yn deall na chydymdeimlo â'u gweithwyr.

### (i) Brenhinoedd y Glo

- Walter Coffin – un o'r rhai cynharaf a'r cyntaf, o bosibl, i weld y manteision o dorri'n rhydd o reolaeth meistri haearn de Cymru a dod yn ddiwydiannwr gyda chyllid annibynnol.
- David Davies – dyn llawn egni a hyrwyddodd a datblygu annibyniaeth y diwydiant glo oedd erbyn ei gyfnod ef wedi dod yn bwysicach na'r diwydiant haearn.
- David Alfred Thomas (Barwn y Rhondda yn ddiweddarach), y mwyaf pwerus ohonynt i gyd, fe ellid dadlau, oedd yn benderfynol o ddod yn ddiwydiannwr mwyaf llwyddiannus de Cymru. Sefydlodd Gwmni Glo, y *Cambrian Coal Combine*, yn 1908, cwmni oedd yn werth £2 filiwn. Ond nid oedd yn boblogaidd. Fe gyhuddodd yr undebau ef o ymelwa. Roeddent yn ddig am iddo wrthod trafod cyflogau ac amodau gwaith ei lowyr, a'r rheini erbyn 1910 tua 12,000 o nifer. Penderfyniad ei gwmni i ddiswyddo 900 o lowyr yn y Rhondda, y math o weithred oedd yn arferol dan ei reolaeth, oedd yn rhannol gyfrifol am y terfysgoedd yn Nhonypandy. Fel dyn busnes roedd Thomas yn llwyddiannus iawn ac erbyn dechrau'r Rhyfel Mawr roedd ymysg y cyfoethocaf a'r mwyaf dylanwadol o 'frenhinoedd' diwydiant Cymru.

### (ii) Y Meistri Haearn

Nhw oedd y rhai cyntaf i ddatblygu a dominyddu ar ddiwydiant trwm yng Nghymru. Teuluoedd, nid unigolion oedd yn tra-arglwyddiaethu yn y diwydiant haearn. Roedd eu llafurlu anferth, ac eraill dros gryn bellter, yn adnabod y Crawshays, Guests, Wilkinsons a'r Bacons gan mai nhw fu'n bennaf gyfrifol am dwf Merthyr Tudful, i ddod yn dref fwyaf Cymru ac yn un o'r trefi mwyaf pwerus ym Mhrydain. Fodd bynnag, nid mêl i gyd oedd hyn achos roedd y meistri – William a Richard Crawshay, John Guest, Isaac Wilkinson ac Anthony Bacon yn rheoli'n gadarn ac ychydig iawn a wnaeth yr un ohonynt i wella amodau byw truenus y mwyafrif o'u gweithwyr. Diffyg arweinyddiaeth gref a negeseuon camarweiniol William Crawshay II, oedd yn bleidiol i'r radicaliaid, oedd yn rhannol gyfrifol am helyntion Terfysg Merthyr ŷn 1831. Roedd y tad, William Crawshay I, wedi gormesu'n greulon a'r mab yn dadol garedig. Parodd y newid benbleth a dig ymysg gweithwyr Merthyr. Trwy anogaeth radicaliaid a dylanwad undebaeth lafur daeth y gweithwyr i gasáu'r meistri a phopeth roeddent yn ei gynrychioli.

### (iii) Perchenogion y Chwareli Llechi

Prif berchennog y chwareli llechi yng ngogledd Cymru yn sicr oedd Pennant (o 1841 y teulu Douglas-Pennant) Penrhyn. Tirfeddianwyr a pherchenogion stadau gwledig enfawr yng ngogledd-orllewin Cymru oedd y teulu hwn i gychwyn – yn wahanol i'r mwyafrif o ddiwydianwyr de Cymru. Disgrifiodd Gwyn A. Williams nhw fel 'criw o fasnachwyr o Lerpwl' er eu bod wedi cael y teitl Barwniaid y Penrhyn! Roeddent yn landlordiaid hael oedd yn trin eu llafurwyr gwledig yn dda ond anaml y cytunent â gweithwyr y chwareli llechi oedd yn prysur ddatblygu. Er mwyn ymelwa i'r eithaf roedd y perchenogion yn barod i anwybyddu patrwm traddodiadol y gwaith ac felly roeddent yn ceisio dileu'r gwahaniaeth rhwng gweithiwr di-sgil a gweithiwr â sgil, yn rhoi gwaith i is-gontractwyr, yn gwrthod gadael i'r gweithwyr ymuno ag undeb ac yn barod i gyflogi bradwyr os byddai'r chwarelwyr yn cwyno. O ganlyniad cafwyd y streic hwyaf a mwyaf chwerw yn hanes Cymru ddiwydiannol.

## Beth oedd prif nodweddion cludiant a chysylltiadau?

Roedd yn rhaid cael chwyldro mewn cludiant yn ogystal â chwyldro mewn diwydiant. Heb sefydlu cysywllt hwylus ni ellid cludo cynnyrch diwydiannol o'r glofeydd, y chwareli, ffowndrïau a melinau i'r marchnadoedd, na'u hallforio o'r porthladdoedd. Angen economaidd oedd y tu cefn i'r chwyldro ym myd cludiant. Dros gyfnod o ddwy ganrif datblygwyd ffyrdd, camlesi a rheilffyrdd. Cafwyd gwaith i filoedd o weithwyr brodorol a gweithwyr symudol i'w hadeiladu a'u cynnal.

## (i) Ffyrdd

Beth ddywedaf am y ffyrdd yn y wlad hon! Y ffyrdd tyrpeg! fel y maent yn
eu galw ac yn beiddio gofyn i rywun dalu am eu defnyddio. O Gas-gwent
i'r tŷ hanner ffordd rhwng Casnewydd-ar-Wysg a Chaerdydd, mae mwy o
lonydd caregog sy'n llawn o feini anferth o faint ceffyl a thyllau difrifol.
Roedd y chwe milltir cyntaf o Gasnewydd mor ofnadwy ac heb arwyddbyst na    5
cherrig milltir fel na allwn gredu fy mod ar y ffordd dyrpeg, ond fy mod wedi
colli'r ffordd!

Dyna ymateb Arthur Young, ffermwr a gohebydd a ysgrifennodd i
boblogeiddio'r chwyldro amaethyddol. Argraff wael iawn a gafodd o'r ffyrdd
pan ddaeth i ymweld â Chymru. Roedd ei brofiad mor wael, fe dyngodd na
fyddai fyth wedyn yn dod i Gymru. Ysgrifennodd ei ddisgrifiad yn y flwyddyn
1768 ond dyna farn llawer o deithwyr gydol y ganrif ddilynol bron. Gwaeth
fyth, cyn bo hir bu anghydfod a therfysg yn ne-orllewin Cymru dros gynnal
a chadw'r ffyrdd hyn.

### Map 3

Y Rhwydwaith
Ffyrdd yng Nghymru
(erbyn 1850)

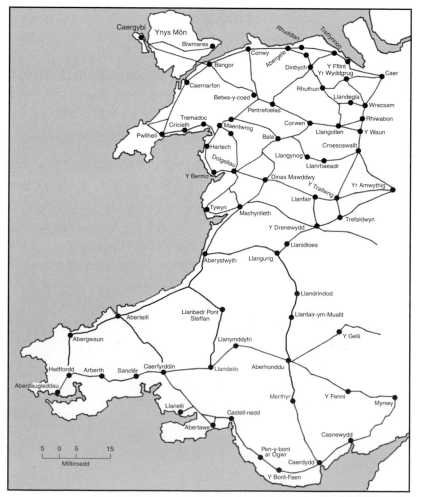

### (ii) Camlesi

Er na fu'r camlesi yng Nghymru erioed mor niferus na mor bwysig â rhai Lloegr fe gawsant oes aur, rhwng 1760 ac 1819, pan oedd diwydianwyr yn ceisio lleihau costau ac osgoi defnyddio'r ffyrdd oedd yn wael ac yn ddrud.

### Map 4

Y Rhwydwaith Camlesi yng Nghymru (1766-1819)

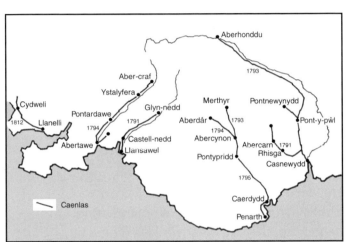

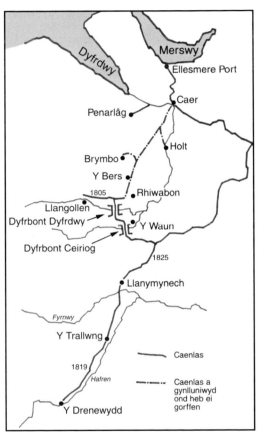

### (iii) Rheilffyrdd

Yn y flwyddyn 1791 doedd dim un llathen o reilffordd haearn yn Ne Cymru. Ym Medi 1811 roedd rheilffyrdd cyflawn wedi eu cysylltu â chamlesi, glofeydd, gweithfeydd haearn a chopr, yn siroedd Mynwy, Morgannwg a Chaerfyrddin, yn ymestyn dros bron 150 milltir.

I gyfoeswyr fel Walter Davies (Gwallter Mechain), clerigwr o ogledd-Cymru, bardd ac eisteddfodwr, roedd datblygiad y rheilffyrdd ac ymlediad diwydiant yn wyrth. Os oedd y rheiliau cynnar hyn – nad oeddent yn ddim mwy na ffyrdd tram, a cheffyl yn tynnu wagen ar eu hyd – yn creu argraff, ni allwn ond dychmygu ei syndod pan welodd y rheilffordd ryw ddeng mlynedd ar

I

II

III

IV

V

VI

VII

VIII

IX

X

hugain yn ddiweddarach. Erbyn ei farw, ac yntau'n 88 oed, yn 1849 roedd wedi gweld uchafbwynt y datblygiad ym myd technoleg cludiant, oherwydd y rheilffordd yn siŵr yw'r gwir chwyldro yn y byd hwnnw. Adeiladwyd y peiriant ager cyntaf, *'Trevethick's High Steam Tram Engine'*, a'i dreialu ym Merthyr, canolfan y gwaith haearn yng Nghymru. Erbyn 1839 roedd y gwaith o adeiladu rheilffyrdd wedi dechrau yng Nghymru a bron o'r dechrau roedd y wlad drwyddi draw yng ngafael 'y dwymyn reilffordd'. Ymysg y rhai cyntaf i gael eu gorffen roedd Rheilffordd Cwm Taf (1841) oedd yn cysylltu ffowndrïau Merthyr gyda phorthladd Caerdydd. Manteisiodd ffowndrïau Merthyr ar hwylustod y cludo a chynyddwyd eu hallforion o haearn a dur. Nhw hefyd oedd yn darparu'r rheiliau i gario'r nwyddau.

Ymysg y mentrwyr oedd yn adeiladu'r rheilffyrdd roedd y brenin-glo, David Davies, a adeiladodd ddociau'r Barri ac ymestyn y rheilffordd i ganol Cymru gan gynnwys ei gartref ei hun, Llandinam. Credai y byddai'n hybu diwydiant cynhyrchu yng Nghymru. Fodd bynnag, yn groes i gred Davies, cafodd y rheilffyrdd effaith wahanol ar Gymru. Nid yn unig daeth llu o ymwelwyr o dros y ffin, fe ehangodd orwelion y Cymry. Erbyn yr 1880au roedd gorsafoedd rheilffordd hyd yn oed mewn rhai o leoedd anghysbell Cymru ac effaith y rhain fu peri newid mawr yn gymdeithasol a diwylliannol. Dioddefodd yr iaith Gymraeg am ei bod dan bwysau dylanwad Saeson – eu hiaith a'u ffordd o fyw. Mae rhai haneswyr yn barod i ddweud fod y rheilffyrdd wedi llwyddo i newid iaith a diwylliant Cymru o fewn ychydig ddegawdau lle roedd llywodraeth o Lundain wedi methu dros ganrifoedd. Fel gyda'r camlesi, roedd adeiladu'r rheilffyrdd yn cynnig gwaith ac, yn bennaf, gweithwyr o'r tu allan i Gymru, y di-Gymraeg, a fanteisiodd ar y cyfle.

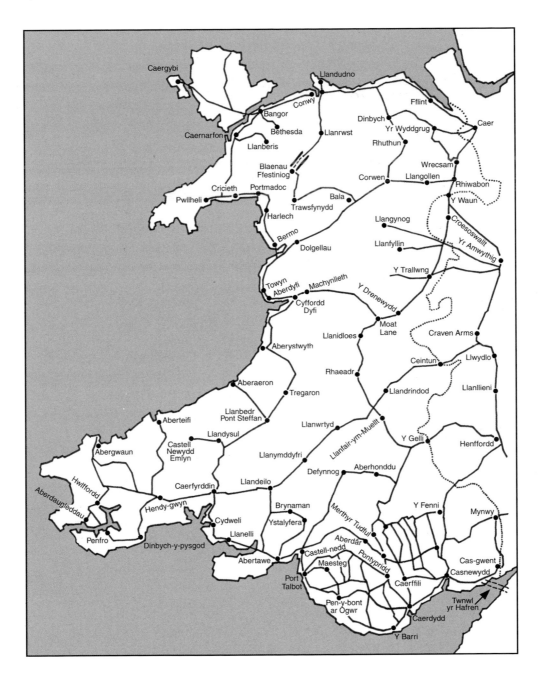

**Map 5**

Datblygiad y Rhwydwaith Rheilffyrdd (1825-1914)

I

II

III

IV

V

VI

VII

VIII

IX

X

## b) Bywyd Diwydiannol, Amodau Gwaith a Diwygio'r Ffatrïoedd

Roedd diwydiannu yn fanteisiol yn y pen draw, ond ymhell o fod yn fendith i'r sawl oedd yn byw trwyddo. Roedd bywyd yn galed i'r gweithiwr diwydiannol:

- oriau gwaith – 12 i 14 awr y dydd
- cyflog yn amrywio ac ansicrwydd cyflogaeth
- diffyg mesurau diogelwch na budd-dal salwch
- tai gwael gyda chynlluniau carthffosiaeth annigonol a dŵr wedi ei lygru.

Er nad oedd pob gweithiwr yn byw dan yr amodau hyn, hyd yn oed ymysg cyfoeswyr, y farn gyffredinol oedd fod safon byw y gweithiwr mewn glofa a ffatri ymhell o fod yn dderbyniol. Wrth gwrs, dyna farn bendant y rhai oedd yn ceisio annog y llywodraeth i ddiwygio, dynion fel Robert Owen, Michael Sadler a Richard Oastler oedd yn credu mewn egwyddorion dyngarol h.y. yn pryderu ynghylch eraill oedd yn dioddef. Roedd yr amodau gwaith gwael a ddaeth yn sgîl diwydiannu yn eu gofidio ac er iddynt wneud hynny a allent i wella bywydau eu gweithwyr nhw eu hunain (roeddd Owen a Sadler yn berchenogion ffatrïoedd) roeddent yn sylweddoli fod angen gwneud mwy ar ran gweithwyr ledled Prydain. Dyna pam roeddent yn ymgyrchu dros ddiwygio ffatrïoedd. Roedd Ashley Cooper (m. 1885) – Arglwydd Ashley nes iddo etifeddu teitl ei dad, Iarll Shaftesbury yn 1851 – ymysg y mwyaf brwd dros ddiwygio. Yn ystod ei yrfa wleidyddol, yn ymestyn dros rhyw chwe deg mlynedd, hyrwyddodd gyfres o fesurau diwygio e.e. Mesur Deng Awr; Deddf Mwynfeydd 1842; diwygio deddfau gwallgofrwydd; dileu hawl i gyflogi plant i lanhau simneiau; iechyd y cyhoedd a slymiau; amodau byw llafurwyr ar y tir; hyfforddiant i blant digartref (cartrefi Shaftesbury); ond efallai yn bwysicach na dim Deddf Diwygio'r Ffatrïoedd 1833.

Nid oedd cyd-berchenogion glofeydd a ffatrïoedd yn cyd-fynd â syniadau dyngarol Owen a Sadler. Roedd yn ymddangos nad oedd ganddynt fawr o gydymdeimlad â'u gweithwyr. Elw a cholled oedd yn bwysig iddyn nhw. Rhaid cofio, er tegwch iddyn nhw eu bod hwythau wedi eu syfrdanu gan mor sydyn roedd diwydiannu wedi digwydd ym Mhrydain ac yn aml ni wyddent sut i ddelio â'r amrywiol broblemau oedd yn rhaid eu hwynebu am fod mwy a mwy o weithwyr ganddynt. Er enghraifft, roeddent yn adeiladu tai i'w gweithwyr, yn rhy gyflym ac yn rhy rad efallai ond bai'r bobl oedd yn byw yn y tai hyn, yn gymaint â bai'r rhai a'u gosodai ar rent, oedd eu bod

I

II

III

IV

V

VI

VII

VIII

IX

X

wedi dirywio i fod yn slymiau gwael. Yn aml, roedd y gweithwyr eu hunain yn gwrthwynebu diwygio'r ffatrïoedd yn enwedig pan olygai reoli gwaith merched a phlant. Roedd sawl teulu yn dibynnu ar gyflogau merched, meibion a merched ifanc ac ni allent fforddio colli'r incwm. Defnyddiodd rhai cyflogwyr y ddadl hon i wrthwynebu diwygio ffatrïoedd. Gan mai'r Senedd oedd yr unig gorff a allai ddeddfu a mynnu gweithredu rheolau newydd, yno y byddai'n rhaid brwydro nes ennill neu golli.

Cyn dadlau'r achos roedd yn rhaid casglu tystiolaeth – adroddiadau a lluniau. Fel mae'r dyfyniadau a ganlyn yn dangos, sylwodd Aelodau Seneddol yn arbennig ar gyflwr plant a down i wybod llawer am agweddau cyfoeswyr.

## Archwilio'r dystiolaeth

**A**

Dywedodd Mr. [bwlch] na allai dim fod yn fwy o fantais i wlad na'i chynhyrchwyr. 'Dych chi'n gweld y plant yma, Syr,' meddai 'Yn y rhan fwyaf o leoedd yn Lloegr mae plant tlawd yn faich ar y plwyf; yma does dim cost ar y plwyf; maen nhw'n cael eu bara bron cynted ag y gallant redeg
5      o gwmpas ac erbyn iddyn nhw ddod yn saith neu wyth oed maen nhw'n ennill arian. Does dim diogi yn ein plith; maen nhw'n dod am bump o'r gloch y bore ac yn gadael y gwaith am chwech, a chriw arall yn cymryd eu lle dros nos; dydy'r olwynion byth yn segur.' Tra siaradai roeddwn i'n edrych ar fysedd y creaduriaid bach hyn yn ddeheuig yn chwarae gyda'r peiriannau.

[Y bardd Robert Southey yn cyf-weld perchennog melin gotwm
yn *Espriella's Letters from England* (1809)]

**B**

Mae'r creulonderau y mae'r plant bach yn eu dioddef yn bersonol heb sôn am yr oriau hynod hir maen nhw'n gorfod eu gweithio o'r fath fyddai'n warthus mewn planhigfa yn India'r Gorllewin … rwy'n gwybod am sawl achos lle mae'r creaduriaid ifanc sy'n gorfod gweithio mewn ffatrïoedd wedi eu llethu
5      gan y system ac, wedi byw eu bywydau yn y caethwasiaeth hwn, yn cael eu cadw mewn tlotai, nid gan y meistri y buont yn gweithio iddyn nhw, fel y byddai'n arferol pe baent yn gaethweision negroaidd, ond gan bobl eraill …

[Tystiolaeth Richard Oastler o Adroddiad Pwyllgor y Mesur i reoleiddio
llafur plant yn y melinau a'r ffatrïoedd … (1832)]

I
II
III
IV
V
VI
VII
VIII
IX
X

**C**

Mae llafur y ffatri yn llai blinderus na gwaith y gwehydd, yn llai caled na gwaith y gof, yn llai niweidiol i'r ysgyfaint, yr asgwrn cefn a'r aelodau na gwaith y crydd a'r teiliwr … Yr unig beth sy'n gwneud gwaith ffatri yn annifyr, hyd yn oed i blant gwannaidd, yw eu bod wedi eu cadw i mewn am oriau hir heb awyr iach; mae hynny'n eu gwneud yn llwydaidd ac yn byrhau'r corff ond anaml y mae'n achosi salwch.

5

> [Edward Baines, dyn busnes o Leeds, perchennog papur newydd ac awdur *History of the Cotton manufacture in Great Britain* (1835)]

**CH**

C.  Am faint o'r gloch yn y bore, ar adegau prysur oedd y merched hyn yn mynd i'r melinau?

A.  Ar adegau prysur, am ryw chwech wythnos, 3 o'r gloch y bore a gorffen am 10, neu bron hanner awr wedi deg y nos.

C.  Faint o gyflog oedden nhw'n ei gael yn ystod yr oriau byr?

5

A.  Tri swllt yr wythnos yr un (15c).

C.  Pan oedden nhw'n gweithio'r oriau hir yna, faint oedden nhw'n ei gael?

A.  Tri swllt a saith geiniog a hanner (18c).

> [Cyfweliad gyda phlentyn yn Adroddiad y Pwyllgor ar Lafur Plant yn y Ffatrïoedd (1831)]

Yn y dyddiau cyn bod lluniau addas, dim ond mewn llinluniau fel y rhai hyn y gellid cyfleu realaeth yr amodau gwaith roedd y Senedd yn eu trafod.

**D**

Llun 8: Gwaith haearn Abersychan

**DD**

Llun 9

Llun cyfoes o'r Arglwydd Ashley (Shaftesbury) yn gweld drosto'i hun beth oedd amodau gwaith plant

I
II
III
IV
V
VI
VII
VIII
IX
X

## Tabl 2

### Prif Ddeddfau'r Senedd ar Ddiwygio Ffatrïoedd

| | | |
|---|---|---|
| **1819** | Deddf Ffatri dan nawdd Peel | • plant dan 9 ddim i'w cyflogi<br>• plant rhwng 9 a 12 i weithio dim mwy na 12 awr y dydd. |
| **1833** | Deddf Ffatri Ashley | • plant dan 9 ddim i weithio mewn ffatrïoedd gweolion<br>• plant rhwng 9 a 12 i weithio dim mwy na 9 awr y dydd.<br>• plant rhwng 13 ac 18 i weithio dim mwy na 12 awr y dydd. |
| **1842** | Deddf Mwynfeydd | • dim merched i'w cyflogi.<br>• dim bechgyn dan 10 dan ddaear.<br>• arolygwyr i ofalu am gadw'r rheolau. |
| **1844** | Deddf Ffatri Ashley | • plant dan 13 i weithio dim mwy na 6 awr y dydd.<br>• merched a phobl ifanc dan 18 i weithio dim mwy na 12 awr. |
| **1847** | Deddf Ffatri Fielden | • diwrnod 10 awr i ferched a phobl ifanc. |
| **1850** | Deddf Ffatri Grey | • mwy o rym i arolygwyr ffatrïoedd. |
| **1864** | Deddf 'Bechgyn yn Dringo' | • dim cyflogi bechgyn dan 16 i lanhau simneiau. |
| **1878** | Deddf Gadarnhau | • rheoleiddio arolygiaeth ffatrïoedd. |

I

II

III

IV

V

VI

VII

VIII

IX

X

## c) Trefoli

Mae pob glofa yn creu ei thref fechan ei hunan o ryw 6,000 neu 7,000 o drigolion; ac os yw'r gweithwyr yn cael cyflogau da mae holl gymeriad y dref yn wahanol. Yn Ne Cymru a Mynwy, yn y trefi lle mae'r cyflogau yn uchel, mae yna bob amser Ganolfan y Gweithwyr (*Workmen's Institute*) sy'n neuadd braf, mewn man amlwg.

Yn ei lyfr *The British Coal Trade* (1915), mae H.S. Jevons yn crisialu beth oedd diwydiannu yn ei olygu i rai mannau yng Nghymru. Gwelodd Cymru ddiwydiannol dwf madarch trefi newydd a chymunedau newydd ond ni ddigwyddodd gyda'r un cyflymder ac nid oedd natur y newid yr un fath ym mhobman. Gwelwyd effeithiau trefoli mewn rhai mannau ond arhosodd lleoedd eraill yn gymharol wledig ac heb eu difetha. Roedd natur y trefi diwydiannol hyn yn amrywio hefyd. Ar dir gwastad agored yr arfordir, oedd yn gyfoethocach ac yn iachach, roedd gwell cyfle i gynllunio a rheoleiddio, er na ddigwyddodd hynny bob tro. Ar dir uchel ac mewn cymoedd cul lle nad oedd digon o le i adeiladu tai cafwyd amodau gwael – gorlenwi peryglus ac afiach. Dim ond y cyfoethog allai fforddio prynu'r tir gorau ac adeiladu'r tai gorau, oedd, fel rheol, ar wahân i'r blerwch trefol lle roedd y llai breintiedig yn gorfod byw.

Dywedodd I.G. Jones fod y trefi hyn wedi dechrau fel '*condensations of people*'. Roedd bywyd cymunedol yn y 'trefedigaethau diwydiannol' hyn yn ddigon amrywiol a hwyliog. Ceid adeiladau cyhoeddus – llyfrgelloedd, canolfannau gweithwyr, eglwysi, capeli, ysgolion, neuaddau cymuned a neuaddau tref. Agorwyd tafarndai a chlybiau yfed ac yn fuan wedyn sefydlodd Anghydffurfwyr gymdeithasau dirwest i wrthweithio'r ddiod ddieflig a'i heffeithiau.

Cyn bo hir roedd y tai a adeiladwyd ar frys yn slymiau a ffosydd carthion agored ochr yn ochr â'r pwmp dŵr yfed. Yn fuan hefyd, gwelwyd puteindai a thai gamblo yn y trefi diwydiannol a throsedd yn ffynnu. Roedd enwau Merthyr Tudful a Chasnewydd, yn ôl David Jones, yn gyfystyr â thrais, medd-dod a mân-ladrata. 'Roedd siroedd mwyaf diwydiannol Cymru yn ddihareb ym Mhrydain oherwydd fod ystadegau trosedd wedi cynyddu cymaint'. Dichon eu bod yn ganolfannau trosedd ac yn afiach ond roeddent yn ganolfannau masnach pwysig gyda'u siopau, marchnadoedd ac adeiladau busnes eraill.

I II III IV V VI VII VIII IX X

Hybwyd eu twf gan ddatblygiad y rheilffyrdd ac fe'u cysylltwyd yn fwy effeithiol tra'r ymsefydlodd trefi porthladd yn ganolfannau masnach Ewropeaidd a byd-eang. Yn raddol, newidiwyd rhai o'r trefi hyn – fe ddaethant yn ganolfannau mawr a hunan-lywodraethol, gydag adeiladau hardd. Digwyddodd hynny oherwydd mewnlifiad poblogaeth amlddiwylliant, effeithiau'r cyfoeth a grëwyd a dylanwad rheolaeth y llywodraeth. Tyfodd Caerdydd yn enwedig, o ganlyniad i'r masnach, yr arian a'r mewnlifiad, i ddod y dref fwyaf yng Nghymru. Yn 1905 roedd wedi dod yn brifddinas Cymru ac o fewn ei ffiniau adeiladwyd prifysgol, canolfan chwaraeon, adeiladau Baróc hardd fel neuadd y ddinas a'r amgueddfa genedlaethol. Erbyn 1914 roedd gan y ddinas hefyd barc hyfryd, Cathays, ynghanol y ddinas. Adeiladwyd Caerdydd ar y cyfoeth a'r cyfleoedd roedd glo wedi eu darparu, y glo oedd erbyn 1913 yn frenin economi diwydiannol Cymru.

## Map 6

**Twf y Boblogaeth a Datblygiad Trefi ym Mhrydain (1801-1901)**

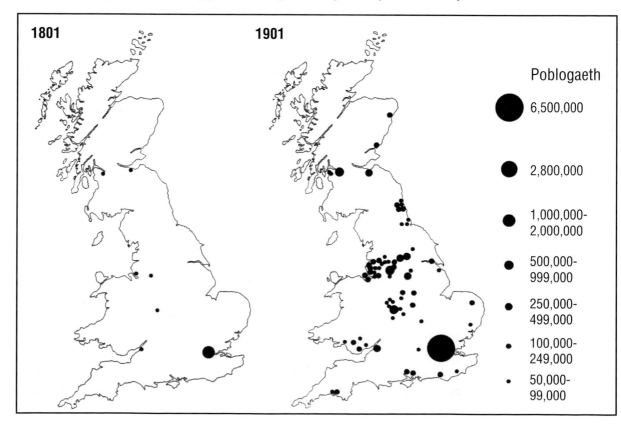

Yn ôl Cyfrifiad 1816 roedd tua thraean poblogaeth Cymru yn drefol, sy'n golygu o safbwynt ystadegau llywodraeth leol eu bod yn byw naill mewn tref, mewn bwrdeistref seneddol neu ardaloedd. Gellir darlunio'r twf yn y boblogaeth trwy ddethol ystadegau (o Gofnodion Cyfrifiadau: 1801-1901) ar gyfer trefi ac ardaloedd diwydiannol Cymru:

## Tabl 3

### Twf detholiad o drefi ac ardaloedd diwydiannol Cymru (1801-1901)

| Ardal | 1801 | 1851 |
|---|---|---|
| Tredegar/Uchlawrcoed | 513 | 15,424 |
| Coed Duon/Mynydd Islwyn | 1,846 | 8,633 |
| **Tref** | **1851** | **1901** |
| Caerdydd | 18,351 | 164,333 |
| Merthyr Tudful | 46,378 | 69,228 |
| Casnewydd | 19,323 | 67,270 |
| Abertawe | 21,533 | 94,537 |

Erbyn 1911 roedd dau ymhob tri o'r Cymry yn byw mewn tref, felly Cymru oedd y wlad gyntaf yn y byd lle roedd mwy o bobl yn byw mewn ardaloedd trefol yn hytrach nag ardaloedd gwledig. Yn siŵr, mae Neil Evans yn iawn wrth honni – 'Erbyn diwedd y bedwaredd ganrif ar bymtheg diwydiant, nid tir, oedd curiad calon Cymru'.

## 2. Protest

■ **Y Brif Ystyriaeth:**
'Cenedl wedi ei harteithio oherwydd terfysg a chwyldro'. Pa mor addas yw'r disgrifiad hwn o Gymru rhwng 1815 ac 1885?

Roedd y cyfnod wedi diwedd Rhyfel Napoleon yn 1815 yn adeg gofidus yng Nghymru. Cafwyd llawer o brotestio poblogaidd oherwydd bod cymaint o anfodlonrwydd, gyda chwynion cymdeithasol, economaidd a gwleidyddol.

Roedd protestiadau a therfysgoedd yn Lloegr yn ogystal dros bris bwydydd sylfaenol ac mewn rhai mannau oherwydd prinder. Gwelwyd rhai o'r terfysgoedd gwaethaf, er enghraifft, yn ninasoedd Manceinion a Llundain:

(i) Terfysgoedd Spa Fields yn 1816 – roedd nifer o weithwyr wedi ymgynnull i gyfarfod gwleidyddol ac i wrando ar Henry Hunt (a lysenwyd *'Orator'*), radical amlwg, yn sôn am ddiwygio'r Senedd. Cynhyrfodd rhai yn y dyrfa ac wedi difrodi a dwyn o rai siopau cyfagos a gorymdeithio i'r ddinas, fe'u gwasgarwyd gan lu'r Arglwydd Faer.

(ii) Gorymdaith y *'Blanketeers'* yn 1817 – cynlluniodd nifer o weithwyr cotwm Manceinion i orymdeithio i Lundain. Eu bwriad oedd cyflwyno deiseb i'r llywodraeth. Ond cyn iddynt wneud hynny cafodd eu harweinwyr eu restio a gwasgarwyd y gorymdeithwyr.

(iii) Terfysgoedd St. Peter's Fields yn 1819 – am eu bod yn ofni maint y dyrfa oedd yn gwrando ar Henry Hunt ym Manceinion, yn areithio ar fanteision diwygio seneddol a chymdeithasol, darllenodd yr ynadon y Ddeddf Derfysg i'w gwasgaru. Pan wrthododd y dyrfa ufuddhau gorchymynwyd i'r march-filwyr ymosod a lladdwyd un ar ddeg ac anafu dros 200 o'r dyrfa – dyna Gyflafan Peterloo. Cyfieithwyd areithiau Hunt i'r Gymraeg yn ddiweddarach a'u dosbarthu yng Nghymru.

Llun 10
Cartŵn cyfoes yn dangos Cyflafan Peterloo (1819).
Y cadfridog yn gweiddi, *'Down with 'em! chop 'em down my brave boys.*
*Give them no quarter'*

Llun 11

Cartŵn cyfoes yn difrïo'r Ddeddf Ŷd

Pasiodd tirfeddianwyr yn y Senedd y Deddfau Ŷd er mwyn cadw pris ŷd yn uchel ac er mwyn ymelwa. Roedd y Deddfau Ŷd yn hynod amhoblogaidd. Fe'u targedid yn aml gan y dyrfa ac roeddent yn slogan boblogaidd i'r terfysgwr.

Defnyddiwyd y Ddeddf Derfysg 1716 yng Nghymru hefyd – ym Merthyr yn 1831, yng Nghasnewydd yn 1839, Caerfyrddin a Phontarddulais yn 1843 – i wasgaru tyrfaoedd enfawr, oherwydd unwaith y byddai'r rhybudd wedi ei ddarllen gallai ynadon ddefnyddio faint bynnag o rym roedden nhw'n dybio oedd ei angen i wasgaru'r bobl. Dyma ddyfyniad o'r Ddeddf:

> Gorchymyn Ein Mawrhydi'r Brenin (Y Frenhines) i bob person sydd wedi ymgynnull ymadael yn syth a dychwelyd i'w cartrefi neu i'w lleoedd gwaith mewn modd heddychlon dan amodau'r ddeddf a luniwyd er mwyn gwahardd ymgynnull torfol ac atal terfysg. Duw gadwo'r Brenin (Y Frenhines)
>
> 5 [Byddai rhywun oedd mewn awdurdod yn trosi gorchymyn y Ddeddf i'r Gymraeg yn y fan a'r lle.]

Wedi'r Chwydro Ffrengig yn 1789, a barodd gwymp a dienyddiad y brenin, roedd y mwyafrif o lywodraethau Ewrop, gan gynnwys Prydain, yn ofni y gallai'r un peth ddigwydd yn eu gwledydd nhw ac felly defnyddid gormes i atal protest a gwrthdystio ac i wahardd cynulliadau o weithwyr mewn clybiau neu undebau llafur neu gynghreiriau diwygio. Gwaethygwyd sefyllfa oedd eisoes yn anodd gan ddirwasgiad economaidd, anghyfiawnder cymdeithasol, gwahardd neu eithrio gwleidyddol, tlodi a newyn ambell dro.

Ffurfiwyd Undeb Cenedlaethol y Dosbarth Gweithiol yn yr 1820au gan brofi fod y llafurlu yn raddol yn ymdrefnu ac ymfyddino. Roedd yr awdurdodau, yn bennaf y dosbarth oedd ag eiddo, yn ofni twf grym a chryfder y dosbarth gweithiol ond roedd eraill, yn enwedig yr Anghydffurfwyr radical, yn croesawu'r datblygiad. Yn ystod terfysgoedd Beca ceisiodd cylchgrawn y Bedyddwyr *Seren Gomer* ddangos fod grym y bobl gyffredin wedi newid hanes ac nad oedd terfysg Cymry'r de-orllewin yn ddim ond parhad o'r traddodiad – 'Beca yw'r wlad … Beca a gafodd y Siarter gan y Brenin John (1215), a dorrodd ben Siarl I (1649) ac a enillodd Annibyniaeth America (1776); Beca ddienyddiodd Louis XIV (1793), Beca enillodd y mesur Diwygio' (1832). Mae'r slogan a fabwysiadwyd yn 1838 gan y Parch. David Rees, golygydd cylchgrawn yr Annibynwyr *Y Diwygiwr*, 'Cynhyrfer! Cynhyrfer! Cynhyrfer!' yn crisialu'r agwedd a'r awyrgylch ar y pryd.

## a) Ymwybyddiaeth o berthyn i'r dosbarth gweithiol

Bu haneswyr yn dadlau yn hir ynghylch i ba raddau roedd y gymdeithas ym Mhrydain yn gymdeithas ddosbarth yn ystod cyfnod y chwyldro diwydiannol. Erbyn yr 1840au derbynnid yn gyffredinol fod yna ddosbarth gweithiol gyda'i werthoedd ei hun a'i uchelgais ei hun. Mewn nifer o ardaloedd roedd yr awdurdodau yn bryderus gan fod yr ymwybyddiaeth hwn o berthyn i ddosbarth arbennig mor gryf.

5

[David J.V. Jones, 'Scotch Cattle and Chartism', yn *People and Protest: Wales 1815-80* (1988)]

Un o'r mannau ym Mhrydain lle roedd ymwybyddiaeth o berthyn i ddosbarth wedi datblygu'n gynnar ac wedi dod yn 'gryf' oedd Cymru, neu'n fwy manwl ac ym marn o leiaf ddau hanesydd, Merthyr Tudful.

> Pan gysylltir y dosbarth gweithiol yng Nghymru gyda'r enw Merthyr, yr enw yw 'genedigaeth' a'r ansoddair 'cyntaf'. Ni ellir deall yr hyn a ddigwyddodd ym Merthyr, hyd yn oed cyn yr 1840au, ond trwy ddefnyddio trosiad o'r fath.
> [David Smith, *Wales! Wales?* (1984)]

Mae'r hanesydd Gwyn A. Williams, a anwyd ym Merthyr, yn ategu barn yr Athro Smith. Credai ef mai'r terfysg dosbarth gweithiol ym Merthyr yn 1831 roddodd fod i'r syniad o 'ddosbarth gweithiol' yng Nghymru. Ar y llaw arall, gellid dadlau mai'r ffaith fod y 'dosbarth gweithiol' yn fwy na dim ond syniad roddodd fod i'r terfysg ym Merthyr! Wedi'r cyfan, dynion o'r un fryd oedd wedi ymgasglu ac ymdrefnu, pe na bai ddim ond er mwyn protestio. I fodloni'r galw dibendraw am lafur yn y ffatrïoedd haearn a'r pyllau glo, oedd yn ehangu'n gyflym, daeth gweithwyr mudol o Gymru benbaladr ac o siroedd gorllewinol Lloegr yn lluoedd i Ferthyr. Wedi eu casglu ynghyd gan amgylchiadau, mewn tref a adeiladwyd ar frys ac a oedd yn dal i dyfu, cynyddodd eu nifer a'u hymwybyddiaeth o frawdoliaeth, a luniwyd yn wyneb y caledi roedden nhw i gyd yn ei rannu. Roedd y mudwyr i Ferthyr hefyd yn rhannu eu gwerthoedd – rhai dosbarth gweithiol –

- cyflogau teg
- oriau gwaith ac amodau gwaith rhesymol
- cyfartaledd yng ngolwg y rhai a'u cyflogai.

Dioddefent yr un problemau –
- cyflogwyr anystyriol
- amodau gwaith caled
- cyflogau gwael ac ansicrwydd cyflogaeth.

Roedden nhw hefyd yn byw mewn tai gwael, yn wael eu hiechyd ac nid oedd ganddynt unrhyw obaith am wella'u stad, ddim drwy'r bwth pleidleisio na thrwy brotestio'n heddychlon.

Roedd poblogaeth Merthyr yn barod i weithredu ac i gael ei hysbrydoli neu ei thanio gan areithiau cynhyrfwyr gwleidyddol a threfnwyr undebau. Yn y terfysg yn 1831 cafodd Merthyr a Chymru ei merthyr cyntaf sef Richard Lewis neu Dic Penderyn, gŵr dieuog a gafodd ei grogi am drosedd nad oedd wedi ei gyflawni. O dan y fath amgylchiadau, cyn 1831 ond yn sicr wedyn, roedd, efallai, yn anorfod y byddai 'ymwybyddiaeth o berthyn' i'r dosbarth gweithiol neu o 'gyd-berthyn' o fod 'ynghlwm' yn datblygu mewn tref fel Merthyr. Nid yw hyn yn golygu nad oedd ymwybyddiaeth debyg yn bod mewn mannau eraill yng Nghymru (er bod profi neu enghreifftio

I
II
III
IV
V
VI
VII
VIII
IX
X

rhywbeth mor annelwig a haniaethol bron yn amhosibl) ond roedd yr angenrheidiau – diwydiannu, trefoli, poblogaeth, gwrthdaro, tlodi a gwrthdystio – yno ym Merthyr, ar eu canfed. Felly hefyd y deunydd i'r hanesydd – ffynonellau y gellir eu defnyddio i ddadansoddi patrymau newid ac ymddygiad yn y gornel hon o Gymru ddiwydiannol. Yn y pen draw, yr unig beth y gellir ei ddweud yn hyderus yw fod hanner cyntaf y bedwaredd ganrif ar bymtheg wedi gweld twf ymwybyddiaeth ymysg gweithwyr Cymru eu bod yn perthyn i ddosbarth o bobl oedd yn rhannu nifer o nodweddion ble bynnag roedden nhw'n byw – pa un ai ym Merthyr neu Aberpennar, Bethesda neu Bagillt. Ffurfiwyd diwylliant dosbarth gweithiol unigryw yng Nghymru trwy gyfrwng y capel, y Siartydd, yr undeb a'r Gymdeithas Gyfeillgar, canolfan y gweithiwr a'r hen arferion gwledig oesol y daeth y gweithiwr symudol â nhw i'w ganlyn.

## b) Undebaeth Lafur

I olrhain dechreuad undebaeth lafur rhaid edrych ar y ddeunawfed ganrif pan ymffurfiodd gweithwyr mewn grwpiau er mwyn eu diogelu eu hunain rhag cyflogwyr digydwybod neu ymuno â chymdeithasau cyfeillgar oedd yn amcanu at ddarparu budd ar adegau o galedi economaidd neu farwolaeth, henaint neu salwch. Gwaharddwyd y rhain gan y naill lywodraeth ar ôl y llall am eu bod yn ofni terfysg neu hyd yn oed chwyldro. Cyrhaeddwyd uchafbwynt pan basiwyd Deddfau Cynnull/Cyfuno 1799-1800. Er mai'r bwriad oedd symleiddio a chyflymu'r broses o ddelio â gweithwyr oedd wedi eu cael yn euog o weithredu ar ran undeb ni bu iddynt lwyddo. Daliwyd i gynnal cynulliadau yn y dirgel. Wedi i'r Deddfau Cynnull gael eu diddymu yn 1824 ac i undebau gael eu cyfreithloni yn 1825 gwelwyd cynnydd aruthrol mewn gweithgaredd undebol a sefydlwyd nifer o undebau er bod y mwyafrif yn undebau lleol, yn fychan a'r drefniadaeth yn wael. Ar waethaf y newid yn y gyfraith roedd cyflogwyr, llawer ohonynt yn seneddwyr, neu yn gallu dylanwadu ar seneddwyr, yn dal i wrthwynebu'r syniad o undebaeth lafur. Pan ffurfiodd chwech o weithwyr amaethyddol undeb llafur ym mhentref Tolpuddle yn Dorset yn 1834, cawsant eu restio yn syth, eu cael yn euog mewn llys barn a'u trawsgludo am saith mlynedd dan Ddeddf 1797 oedd yn gwahardd 'tyngu llwon anghyfreithlon'.

Roedd hyn yn bryder i'r Undeb Llafur oedd newydd ei ffurfio i gydlynu gweithgareddau'r amrywiol undebau ledled Prydain – yr Undeb Llafur

Cyfunol Cenedlaethol Mawreddog (*Grand National Consolidated Trade Union* (1834)) a geisiai, ond a fethodd, amddiffyn Merthyron Tolpuddle rhag cael eu herlyn. O fewn blwyddyn wedi iddo gael ei sefydlu, ac ar waethaf y ffaith fod yna bron 500,000 o weithwyr yn aelodau, darfu amdano – roedd prinder arian dybryd a gwaethygodd pethau oherwydd fod y trysorydd yn llwgr. Bu prinder arian a phroblemau trefniadaeth yn rhwystr i ddatblygiad gweithgaredd undebau llafur bron gydol y ganrif. Problem arall i undebaeth lafur oedd y ffaith fod ei harweinwyr yn methu gwahaniaethu rthwng 'llafur' a 'gwleidyddiaeth' a hynny'n fwriadol ambell waith. Hynny yw, yn lle gofalu am fuddiannau gweithwyr roeddent yn defnyddio'r gweithwyr fel gwerin gwyddbwyll mewn ymryson wleidyddol gydag awdurdodau lleol a llywodraethau gwladol.

Ar waethaf y problemau daliodd gweithwyr ati i ffurfio undebau llafur a chaent beth cymorth

   (i) gan Siartiaeth a ledaenodd neges undebaeth trwy annog gweithwyr gyda'r slogan *'Organise! Organise! Organise!'* a brintiwyd yn yr *English Chartist Circular* (1841) ac yn y *Northern Star* (1850);
  (ii) gan adfywiad mewn masnach ar ôl 1842 a barodd fod agwedd cyflogwyr yn fwy goddefgar ac a barodd godiad mewn cyflogaeth gan sicrhau fod mwy o aelodau yn tanysgrifio.

- Yn 1841 sefydlwyd *The Miners' Association of Great Britain and Ireland*. Bu'n fodd i hyrwyddo buddiannau ei aelodau ond yn ystod streic faith a dirwasgiad 1847-48 fe'i cafwyd yn brin.
- Sefydliad arall byr ei barhad a geisiodd gymodi rhwng cyflogwr a gweithiwr trwy ofalu, fel roedd wedi nodi yn ei siarter, 'cadw ystyriaethau llafur a gwleidyddiaeth ar wahân cymaint ag sy'n bosibl dan yr amgylchiadau' oedd *The National Association of United Trades for the Protection of Labour* (1845-1859).
- Yr undeb cyntaf i sicrhau trefniadaeth lwyddiannus a llwyddo i oroesi, hyd yn oed wedi gorfod ildio mewn anghydfod llafur ac ennill nerth o'r profiad, oedd undeb y peirianwyr, yr *Amalgamated Society of Engineers* (1851). Roedd ei rif aelodaeth yn 11,000, ei incwm yn £24,000 ac roedd y drefniadaeth yn dda gyda rheolau yn gwahardd y cyfrinachedd arferol a bethynai i weithgaredd undebau. Gosododd esiampl i undebau eraill i'w dilyn.
- Erbyn yr 1860au roedd gwell trefn ar undebau er eu bod eto'n gorfod wynebu gelyniaeth cyflogwyr ac yn aml weithredu gwleidyddol annoeth eu harweinwyr nhw eu hunain.

I

II

III

IV

V

VI

VII

VIII

IX

X

I

II

III

IV

V

VI

VII

VIII

IX

X

Yng Nghymru, rhaid dweud mai yn araf y datblygodd undebaeth. Er bod gweithwyr wedi ffurfio'n garfannau er mwyn dwyn pwysau ers peth amser yn ystod cyfnodau o ddirwasgiad neu anghydfod, nid oedd unrhyw drefniadaeth gydlynus, byr oedd eu parhad ac ambell waith roeddent yn dreisgar. Roedd y Cymdeithasau Cyfeillgar yn fwy llwyddiannus. Ffurfiwyd y rhain gyda'r bwriad o ddarparu amrywiol fuddiannau yswiriant i'r gweithwyr. Un o'r rhai mwyaf poblogaidd oedd Cymdeithas yr Odyddion (*The Independent order of Oddfellows)* a oedd wedi sefydlu 35 cangen yng Nghymru erbyn 1835. Er na fwriadwyd iddi gymryd unrhyw ran mewn unrhyw weithredu gwleidyddol, tebyg ei bod yn anorfod y byddai'n ymateb pan fyddai amodau ac oriau gwaith a chyflogau dan ystyriaeth.

O ganlyniad, roedd rhai Cymdeithasau Cyfeillgar yn gosod sail ar gyfer datblygu undeb llafur. Yn wir, gwelwyd y dystiolaeth gyntaf fod undeb llafur ffurfiol wedi ei sefydlu yng Nghymru yn Bagillt yn Sir Fflint yn 1830 pan sefydlwyd y *Friendly Associated Coal Miners Union*. Y gred ar y pryd oedd mai undebwyr oedd y tu cefn i wrthdystio difrifol yn y sir gyfagos, Sir Ddinbych, yn 1830-31. Ni faliai cyflogwyr lleol p'un a oedd hyn yn wir ai peidio. O fewn ychydig fisoedd roedd yr undeb wedi ei ddileu.

Cyn bo hir sefydlwyd undebau mewn mannau eraill yng Nghymru – y cyntaf ym Merthyr yn 1831, er mai adwaith oedd i anghyfiawnder, sef crogi Dic Penderyn, mwynwr a gafwyd yn euog o greu terfysg ac anafu gan fwriadu perygu bywyd. I'r awdurdodau a'r cyflogwyr yn ne Cymru roedd undebaeth mor beryglus â gwrthryfel, efallai'n fwy peryglus! Rhoddodd meistri haearn a meistri glo Merthyr ddewis i'w gweithlu – undebaeth neu gyflogaeth. Dewisodd 4,000 yr undeb ac fe'u diswyddwyd. Rhwng diweithdra, newyn, siom a'r pwysau o du'r cyflogwyr a'r awdurdodau lleol doedd dim gobaith i'r undeb ac o fewn ychydig fisoedd roedd wedi ei ddileu. Gweithiodd hyd yn oed meistri haearn oedd â pheth cydymdeimlad, fel Jospeph Tregelles Price o Gastell Nedd, yn galed i berswadio'u gweithwyr i ddileu'r clybiau undeb. Yng Nghastell Nedd o leiaf fe'u dilewyd trwy gytundeb nid gorfodaeth. Mewn mannau eraill, gorfodaeth oedd y grym. Ym Mehefin 1834, mewn cyfarfod o ynadon a chyflogwyr haearn a glo diwydiannau de Cymru 'Pasiwyd yn unfrydol … i beidio â chyflogi o hyn allan unrhyw ddyn sy'n ymwneud â Chymdeithas Undeb Llafur neu unrhyw sefydliad na chafodd ei awdurdodi gan gyfraith, ac y bydd pob Perchen Gwaith yn cyhoeddi rhybudd … i'r perwyl hwnnw …'

O hynny ymlaen, hyd yr 1870au, roedd undebaeth lafur yng Nghymru ym marn Ryland Wallace, 'yn ei hanfod yn fyr ei barhad, yn lleol ac yn ddisylwedd, gan amlaf yn dod i'r amlwg ar adegau o argyfwng ac yn aml yn ganlyniad i drais a bygythiad'. Hefyd roedd gwrthwynebiad o du'r Anghydffurfwyr oedd yn arswydo oherwydd y cyfrinachedd a'r ffaith fod aelodau'r undebau cynnar yn tyngu llw. Mor ddiweddar ag 1867 roedd Thomas Rees, gweinidog gyda'r Annibynwyr o Benpontbren, Llanfynydd yn Sir Gaerfyrddin a glöwr un amser yn Llwydcoed, Aberdâr, yn collfarnu undebau llafur fel dyfais Seisnig oedd yn ceisio camarwain Cymry gonest a ofnai Dduw! Mae ei agwedd ef, a llawer o Anghydffurfwyr o wahanol enwadau eraill, wedi ei grisialu yn y dyfyniad isod o'i lyfr *Miscellaneous Papers on Subjects Relating to Wales*.

Un bai amlwg ymysg ein gweithwyr yw eu parodrwydd i ganiatáu i ddynion cyfrwys a dichellgar eu twyllo. Gwelwyd sawl enghraifft o hyn yn siroedd Mynwy a Morgannwg o fewn y pum mlynedd ar hugain diwethaf. Tua'r flwyddyn 1833, gwelwyd Cymro cyfrwys o'r enw Twist, yn esgus bod yn
5     gyfaill didwyll i'r dosbarth gweithiol, yn ymweld â Merthyr a mannau eraill ar y Bryniau gan annog miloedd o bobl i ymffurfio yn rhyw fath o Undeb Gweithwyr er mwyn, fe honnid, amddiffyn eu hawliau rhag trais eu meistri a chodi pris llafur trwy wrthod hyfforddi unrhyw weithwyr amaethyddol sut i wneud gwaith mwynwyr. Llwyddodd trefnydd dichellgar yr Undeb i gael ei
10    ffordd trwy sicrhau fod y sawl a dwyllai wedi rhoi symiau mawr o arian iddo. Ond ni ddaeth dim gwell o'i gynllun argyhoeddiadol na gweithredoedd nos erchyll y Teirw Scotch, a chyfres o streiciau dinistriol a barodd fod cannoedd o deuluoedd wedi wynebu newyn.
Mewn modd tebyg y dechreuodd mudiad Siartiaeth 1839. Daeth nifer o
15    areithwyr y dorf o Loegr gan darannu yn erbyn gormes ac anghyfiawnder y dosbarth cyfoethog ac addo paradwys berffaith ar y ddaear i'r dosbarth gweithiol cynted ag y byddai pwyntiau'r siarter wedi dod yn gyfraith gwlad. Yn fuan roedd cannoedd o bobl oedd yn hyderus ddisgwyl gorau bywyd wedi ymgasglu o'u cwmpas. Ond, o fewn ychydig fisoedd, roedd y disgwyliadau gwych wedi arwain at derfysg gwarthus, tlodi, carchar a marwolaeth.

Heb fwriadu gwneud hynny, roedd y Parch Rees wedi dangos y rheswm pam roedd gweithwyr, yn rhwystredig am fod yr undebau, Siartiaeth a dulliau heddychlon eraill o brotestio wedi methu, yn troi fwyfwy at ddulliau mwy treisiol er mwyn gwella eu byd. Yn y deng mlynedd ar hugain ar ôl 1815, yng Nghymru ddiwydiannol, ac i raddau yng Nghymru wledig y gorllewin a'r canolbarth, gwelwyd terfysg, gwrthdystio, difrodi a bygwth.

I
II
III
IV
V
VI
VII
VIII
IX
X

67

### c) Y Teirw Scotch

Sylw gan berson di-enw yn 1867 oedd 'Dull a fabwysiadwyd gan y gweithiwr anwybodus ac anfodlon i orfodi ei gyd-weithiwr ac i'w rwystro rhag gweithio ond yn unig yn ôl datganiad ar y cyd a wnaed mewn cyfarfodydd a gynhaliwyd i'r diben hwnnw oedd Scotching'. Roedd yr awdur yn ysgrifennu dan y llysenw 'Ignotus'. Gallai ei lyfr *The Last Thirty Years in a Mining District* fod yn disgrifio gweithrediadau undeb llafur cynnar onibai am y ffaith fod y Teirw Scotch yn unigryw bron ac yn gwbl wahanol i unrhyw undeb arall ar y pryd.

Roedd y rhain yn gweithredu yn gyfrinachol, yn defnyddio tactegau braw yn erbyn cyflogwr a gweithiwr, i sicrhau eu nod. Gwelwyd y cyfeiriad cyntaf at fodolaeth y math hwn o fudiad yn Rhagfyr 1816 pan ymddangosodd y neges a ganlyn yng ngwaith haearn Tredegar:

> **Dalier sylw**
> Weithwyr tlawd Tredegar, byddwch yn barod gyda Mysgedau, Pistolau, Picellau, Gwaywffyn a phob math o Arfau i ymuno â'r Genedl a darostwng fel cenllif bob Brenin, Rhaglaw, Gormeswr o bob math ac alltudio o'r wlad bob Bradwr i'r Achos Cyffredin hwn a chladdu newyn a thrueni yn yr un bedd.

Yn ôl yr hanesydd David Jones, 'Am bron genhedlaeth roedd y "Teirw" yn hawlio teyrngarwch glowyr de Cymru mewn ffordd oedd yn ddychryn ac yn peri cenfigen i gyflogwyr, capel, undeb a chymdeithas gyfeillgar'. Pwy oedd y rhain ac o ble roedden nhw wedi dod? Dyna rai o'r cwestiynau y mae haneswyr yn eu gofyn.

Fe ddechreuodd y Teirw Scotch weithredu yng Ngwent, yn y rhan ganol ac ar y tir uchel ac yn y rhan ddwyreiniol o sir Forgannwg mewn ardal a ddisgrifiwyd gan gomisiynwyr y llywodraeth, oedd yn archwilio i'r amodau cymdeithasol yn ne Cymru yn yr 1840au fel 'y parthau duon'. Tyfodd y mudiad allan o'r pryder wedi'r rhyfel a dirwasgiad economaidd a daeth ei aelodau o blith y miloedd o weithwyr haearn a glowyr oedd, gan mwyaf, yn byw dan amodau truenus mewn cymoedd budr llawn mwg gyda'u teuluoedd afiach a thlawd. Gan nad oedd undeb i'w cynrychioli, na allent fargeinio am gyflog, sicrwydd cyflogaeth na modd i wella eu byd na chael clust i'w cwynion, trodd dynion llawn anobaith yn gyntaf at gymdeithasau hunan-gymorth cyn i'r rheini fethu eu helpu, am nad oedd ganddynt arian.

Yna, fe'u gorfodwyd i weithredu. 'Bargeinio ar y cyd trwy greu terfysg' oedd yn nodweddu streiciau 1816, 1818 ac 1819. Felly erbyn i'r Teirw Scotch ymddangos, rhywbryd yn ystod streic hir 1822, roedd eisoes draddodiad milwriaethus yn yr ardal. Mae cryn ddirgelwch o amgylch gwir ddechreuad y Teirw ond mae'n ymddangos fod y mudiad wedi cael ei enw am fod ei aelodau yn gwisgo crwyn anifeiliaid, yn rhannol rhag i neb eu hadnabod ac yn rhannol er mwyn codi ofn ar y sawl oedd yn cael ei fygwth. Bygythient gyflogwyr, rheolwyr, asiantwyr, landlordiaid, beiliaid, pobl o'r tu allan ac, ar adeg streic, y bradwyr. Hynny yw, gallai unrhyw un ddod dan lach cyfraith y Teirw unwaith y byddai'r mudiad wedi penderfynu ei fod yn darged. Mae'n amlwg y gellid dod o hyd i enghreifftiau o ymddygiad tebyg ymysg arferion cefn gwlad a'r gweithwyr oedd wedi symud i'r ardaloedd diwydiannol wedi dod â'r arferion i'w canlyn a'u haddasu i'w hardaloedd newydd. Un o arferion poblogaidd gorllewin Cymru wledig oedd 'y ceffyl pren' pan fyddai'r sawl y tybiai'r gymuned ei fod wedi tramgwyddo yn cael ei gosbi'n gyhoeddus a'i waradwyddo.

Nid oedd un arweinydd arbennig gan y Teirw Scotch ac mae'n ymddangos nad un corff trefnus ydoedd ond roedd yn ymddwyn fel petai hynny'n bod ac yn gweithredu'n gyflym ac yn effeithiol. Roedd nifer o gelloedd lleol gyda gwahanol nifer o aelodau a gallent weithredu ar y cyd neu yn annibynnol. Doedd dim problem gyfathrebu rhyngddynt a doedd neb yn ofni i rywun ollwng y gath o'r cwd. Roeddent yn cyfarfod yn gyfrinachol, yn y nos, ac yn eu cyfarfodydd yn llunio llythyrau bygwth a gâi eu hanfon at gwmni neu unigolyn, pwy bynnag oedd y targed. Dyma enghraifft:

> **I bob Glöwr, Bradwr, Gwrthgiliwr ac eraill**
> Rydym yn eich rhybuddio am yr ail dro a'r olaf. Rydym yn benderfynol o dynnu'r galon allan o bob un o'r rhai rydym wedi eu henwi uchod a gosod eu calonnau ar gyrn y Tarw; fel y gall pawb weld beth yw ffawd pob bradwr ac rydym yn eu nabod i gyd. Felly y tystiwn â'n gwaed.
>
> Castell Hoarfrost
> Ebrill 12 1832.

Anfonwyd hwn yn ystod streic yng ngwaith haearn Clydach ym mis Hydref 1832. Ysgrifennwyd y llythyr mewn inc lliw gwaed a'r canlyniad fu i'r gweithlu i gyd gerdded allan ac aros allan. Yn wyneb y fath fygwth nid oedd yr hen dactegau – newynu gweithwyr nes eu bod yn barod i fynd yn ôl i'r gwaith – yn dda i ddim. Os methai'r llythyr gwaed byddai'r Teirw yn dechrau

I

**II**

III

IV

V

VI

VII

VIII

IX

X

ymgyrch ddifrodi – yn dinistrio eiddo cwmni – offer a pheiriannau. Dull arall, os oedd rhywrai'n eu herio, oedd yr 'ymweliad nos'. Byddai criw o weithwyr, wedi gwisgo crwyn gwartheg, dillad merched neu hancesi i gelu pwy oeddent yn ymweld â chartrefi gweithwyr neu â'u lleoedd gwaith. Gallai'r ymosodiad bara o ychydig funudau i awr neu fwy a byddent yn difrodi eiddo ac yn ymosod ar bobl. Digwyddodd un o'r ymosodiadau mwyaf yn Ebrill 1832 pan frawychwyd pentrefwyr Trelyn. Ymosododd tua 300 o ddynion (y Teirw) a malu ffenestri tua chant o dai, saethu i'r awyr a gosod posteri, yn y Gymraeg a'r Saesneg, yn rhybuddio'r glowyr i beidio â dychwelyd i'r pwll lleol. Yn yr achos hwn roeddent yn gwrthdystio am fod y perchennog wedi gostwng lefel y cyflog am bob awr o waith er bod cytundeb lleol ar gael. Felly, roeddent yn cyfrif fod gweithwyr oedd yn bodloni ar y gostyngiad yn fradwyr. Gallai eu dull o weithredu beri fod graddfeydd tâl yn gostwng a dyna a ddigwyddodd. Roedd hyn yn golygu bod tasg y gweithwyr, oedd wedi gobeithio dileu'r arfer trwy fynd ar streic, yn fwy anodd. Yn ei lyfr *The History of the Iron, Steel, Tinplate, and Other Trades of Wales* (1903), mae Charles Wilkins yn dyfynnu beth ddywedodd llygad-dyst pan ofynnodd iddo ddweud ei farn am y Teirw a sôn am ei brofiad personol:

> Dim ond ifanc oeddwn i bryd hynny, ond roedd unrhyw sôn fod y Teirw Scotch yn dod y noson honno yn codi twymyn arnaf. Criw o ddynion oedden nhw oedd wedi dod ynghyd yn gyfrinachol yn y rhan fwyaf o'r trefi haearn gyda'r nod o leihau'r cynnyrch o fwynau er mwyn cadw pris haearn a chyflogau mwynwyr yn uchel. Un o'r rheolau oedd na ddylid dysgu'r grefft i [5] unrhyw ddyn dieithr … O leiaf, ni ddylid gwneud dim heb ganiatâd y Gymdeithas … Trais yn erbyn yr unigolyn oedd y prif ddull o sicrhau ufudd-dod i reolau'r Gymdeithas.

Ateb cyflogwyr ac ynadon oedd cyhoeddi na fyddent yn cyflogi 'unrhyw berson oedd yn helpu neu'n rhoi sêl ei fendith ar drais, yn erbyn pobl neu eiddo gweithwyr, ar ran drwgweithredwyr oedd yn ymgasglu liw nos dan arweiniad y Teirw Scotch'. Defnyddid milwyr a heddlu yn aml o fewn 'y parthau duon' ond nid oeddent yn effeithiol iawn. Nid yn unig roedd y Teirw yn llwyddo i osgoi cael eu hadnabod na'u dal, ond hefyd roedd y bobl leol yn amharod i gynnig help na gwybodaeth. Un o elynion pennaf y Teirw oedd y papur newydd pleidiol i'r Torïaid y *Merthyr Guardian* oedd nid yn unig yn adrodd hanes ymosodiadau'r Teirw ond hefyd yn gyson yn cyhoeddi erthyglau golygyddol yn condemnio eu dulliau. Mynegodd rhifyn 14 Mehefin 1834 rwystredigaeth:

Mae'r teithiwr ar ei daith yn mynd heibio mannau lle bu ymosodiadau gwarthus – bron yn ymddygiad llofruddion – yn dawel ac yn ofnus; ddaw dim gair dros ei wefusau llwyd, dim ystum i ddangos ei fod yn ymwybodol o'r trasiedi mae'n llygad-dyst ohono; ond eto mae popeth a wêl yn brawf NAD OES IDDO Ef UNRHYW GYFRAITH o Ddowlais i'r Fenni.

Trodd y llanw yn erbyn y mudiad yn 1835 pan ddechreuodd dioddefwyr roi tystiolaeth yn erbyn y dynion roedden nhw'n eu hadnabod neu yn eu hamau o fod ymhlith ymosodwyr y Teirw. Ym Mrawdlys Mynwy dyfarnwyd cosb o farwolaeth yn erbyn tri o'r Teirw – cafodd dau eu harbed a'u trawsgludo am oes, crogwyd y trydydd, glöwr 32 oed o'r enw Edward Morgan, yng ngharchar Mynwy. Yn anffodus iddo ef, pendefynodd yr awdurdodau y dylai dalu'r pris am ei fod wedi bod ar ymweliad nos ar achlysur pan saethwyd gwraig, yn anfwriadol. Y bwriad oedd rhybuddio ei gŵr. Ond, yn ddiweddarach, bu farw Joan Thomas o'i chlwyfau. Wedi hyn gwywodd y mudiad, er bod poblogrwydd a lledaeniad Siartiaeth yn cyfrif am hynny lawn cymaint â mesurau llym yr awdurdodau. Ond, mae'n sicr fod y cyhoeddusrwydd a gafwyd i achos a ffawd Edward Morgan wedi bod yn hoelen yn ei arch yn ogystal. Roedd yn rhybudd i eraill beth fyddai'n eu disgwyl pe dalient i gefnogi mudiad 'brawychwyr'. Gellid dwued fod yr adroddiad ar yr 11 Ebrill 1835 ar ddienyddiad Edward Morgan yn y *Monmouthshire Merlin* yn nodi tranc mudiad y Teirw Scotch.

Ddydd Llun diwethaf, gwelwyd, gan dyrfa o ryw dair i bedair mil, olygfa ofnadwy a ffiaidd, ac yn ffodus un anghyffredin ers blynyddoedd ym Mynwy, sef dienyddiad o flaen carchar y sir. Cafwyd Edward Morgan yn euog, yn groes i ddisgwyliadau pobl a lenwai'r llys barn, o lofruddio Joan Thomas, ym
5 mhlwyf Bedwellty, yn ystod terfysg y Teirw Scotch. Wrth dderbyn cosb eithaf y gyfraith, yn druenus ffwdanus cyfaddefodd Edward Morgan ei fod yn bresennol gyda chriw o derfysgwyr ar noson yr ymosodiad ar dŷ Thomas Thomas ond dywedodd eu bod wedi mynnu ei fod yn ymuno â nhw drwy ei fygwth; nad oedd wedi saethu'r gwn a laddodd Joan Thomas, ei fod tuag ugain
10 llath o bellter o'r sawl oedd wedi saethu, yr hyn a wnaed meddai heb unrhyw fwriad o lofruddio. Gobeithiai y byddai ei ddifodiant ef yn wers i ddrwgweithredwyr i ymatal rhag y dylanwadau oedd wedi ei ddwyn ef i farwolaeth waradwyddus ac y gwelid adfer bodlonrwydd ymysg y dosbarth gweithiol.

I

II

III

IV

V

VI

VII

VIII

IX

X

## 3. Terfysg Merthyr

### ■ Y Brif Ystyriaeth:
Ym mha ffyrdd roedd Terfysg Merthyr yn garreg filltir yn hanes twf mudiad y dosbarth gweithiol yng Nghymru?

Y gwrthryfel ym Merthyr yn 1831 (a gwrthryfel yn hytrach na reiat ydoedd) yw'r cynnwrf ffyrnicaf a mwyaf gwaedlyd a ddigwyddodd erioed yn y Brydain ddiwydiannol.

[John Davies, *Hanes Cymru* (1993)].

Gan ddechrau ar 31 Mai 1831, ac am y saith niwrnod wedi hynny, gwelwyd trais, protestiadau a gwrthdystiad ym Merthyr ar raddfa na welwyd mo'i thebyg cyn hynny yng Nghymru. Achoswyd y 'digwyddiad gwaedlyd' hwn pan geisiodd y beiliaid atafaelu eiddo glöwr lleol, Lewis Lewis. Roedd clerc y Cwrt Deisyfion wedi gorchymyn i'r beiliaid wneud hynny. Sefydlwyd y Cwrt yn 1809 i ddelio â dyledwyr oedd naill ai'n amharod neu'n methu talu eu dyledion. Roedd hawl gan y beiliaid i fynd i dai dyledwyr ac atafaelu eu heiddo ac yna'i werthu er mwyn talu'r dyledion. Afraid dweud nad oedd y Cwrt na'r swyddogion yn boblogaidd iawn ac yn yr achos hwn roedd cymdogion Lewis yn barod i herio'r beiliaid gan lwyddo yn y diwedd i'w cael i ildio. Yna, gyda chefnogaeth ynad y dref, J.B. Bruce, daeth y beiliaid yn ôl a cheisio atafaelu'r eiddo eto. Cafwyd cyfaddawd a Lewis yn cytuno i ildio peth o'i eiddo. Ond, roedd pethau wedi gwaethygu – daeth tyrfa ddig ynghyd, yn barod i weithredu oherwydd eu rhwystredigaethau, ac yn benderfynol o gael ei eiddo yn ôl i Lewis a chosbi'r beiliaid. Dros y dyddiau nesaf cynyddai'r dyrfa. Yn ôl cyfoeswyr gallai fod rhywle rhwng 2,000 a 10,000 ar unrhyw un adeg. Aethant ati i ddial gan fygwth trais yn erbyn siopwyr amhoblogaidd – difrodi eiddo rhai a dwyn o'u siopau; ymosod ar dai beiliaid oedd yn gweithio i Gwrt y Deisyfion; curo'r dynion a rhai oedd yn rhoi arian ar fenthyg ac un yn arbennig a gyhuddwyd o dwyllo a bygwth ei glientiaid.

Llun 12

Cynllun o ganol tref Merthyr ddiwydiannol. Seiliwyd ar Arolwg Degwm 1850

Nid yw'n syn mai'r prif darged oedd Cwrt y Deisyfion. Ymosododd tyrfa arno a'i ddifrodi a llosgwyd llawer o'r papurau niferus. Ymosodwyd ar gartref a pherson Jospeh Coffin, clerc y Cwrt. Dyna a ddisgrifir isod gan lygad-dyst:

> Dyna nhw'n mynnu cael llyfrau'r llys ac fe'u cawsant gyda'r holl lyfrau eraill oedd yn y tŷ ac fe'u llosgwyd yn y stryd; wedyn torrodd y terfysgwyr i mewn i'r tŷ a llusgo allan a llosgi pob dodrefnyn oedd biau Mr. Coffin, a gadael y tŷ wedi ei falurio'n llwyr.

I

II

III

IV

V

VI

VII

VIII

IX

X

A'r sefyllfa yn gwaethygu, daeth Bruce, yr ynad, o hyd i nifer o ddynion a dyngodd lw i weithredu fel plismyn ond sylweddolodd na fyddai'r rhain yn gallu ymdopi a gofynnodd am help meistri haearn lleol, William Crawshay, J.J. Guest ac Anthony Hill. Roedd llawer o'r rhai oedd yn y dyrfa yn gweithio i'r meistri hyn. Ceisiwyd ymresymu gydag arweinwyr y dyrfa ond roedd y dyrfa wedi blasu llwyddiant ac yn amharod i drafod gyda'r rhai roeddent hwy yn eu beio am eu hanfodlonrwydd. Amgylchynodd y dyrfa westy'r Castell ac am eu bod yn ofni mai cartrefi'r meistri haearn lleol fyddai'r darged nesaf anfonodd Bruce a'i gymdeithion am y milwyr gan honni nad oedd grym cyfraith a threfn yn ddigon bellach yn y dref. Ymhen diwrnod cyrhaeddodd llai na chant o filwyr arfog parhaol oedd wedi eu hyfforddi'n dda, Troedfilwyr (y 93rd Foot) Catrawd Ucheldiroedd yr Alban, o Aberhonddu. Disgwylid iddynt adfer trefn gan ddefnyddio pa ddulliau bynnag oedd eu hangen. Gwylltiodd y dyrfa ac roedd y dig tuag at y milwyr yn amlwg o'r cychwyn. Darllenwyd y Ddeddf Derfysg yn Saesneg ac yn y Gymraeg ac wedi i'r dyrfa wrthod ymwasgaru roedd peth dryswch ac yn yr awyrgylch llawn tyndra saethwyd rhai ergydion pan geisiodd rhai o'r dyrfa fynd i mewn i'r gwesty. Disgrifiodd William Crawshay'r digwyddiad:

> Bu ymladdfa ddychrynllyd … bu'n agos i'r milwyr orfod cilio; anafwyd yr uwchgapten a llawer o'i ddynion a'u bwrw i'r llawr gan bastynnau a'u gwanu gan fidogau oedd wedi eu dwyn oddi arnynt … Saethodd y milwyr oedd yn y ffenestri at y dyrfa … Lladdwyd tri yn syth … ar derfyn brwydro penderfynol a chadarn ar y naill ochr a'r llall dros chwarter awr o amser, llwyddodd y milwyr dewr i drechu'r dyrfa a ddihangodd. Roedd yr uwchgapten Falls wedi ei anafu, gyda briw agored difrifol yn ei ben a'i waed yn llifo; cariwyd dau o'r milwyr oddi yno bron yn farw gyda briwiau i'r ymennydd ac roedd y strydoedd a'r tŷ yn llifo o waed o'r anafiadau difrifol ym mhennau'r milwyr a achoswyd gan bastynau'r dyrfa …

5

Yn naturiol, gyda'r milwyr roedd Crawshay yn cydymdeimlo. Roedd chwech wedi eu hanafu. I'r gwrthwyneb, nid oedd ganddo ddim ond dirmyg tuag at y terfysgwyr, rhyw 22 o bosibl wedi eu lladd a chymaint â 60 wedi eu hanafu. Ar waethaf 'brwydr' Gwesty'r Castell roedd tyrfaoedd o bobl yn dal i herio'r milwyr a'r dref, er enghraifft, cipiwyd a dinistrio llond wagenni o ffrwydron a nwyddau oedd wedi eu bwriadu ar gyfer y milwyr. Pan glywodd llawer o'r gweithwyr anfoddog mewn trefi cyfagos am yr helynt yng Ngwesty'r Castell daethant yn orymdaith i gefnogi eu brodyr ym Merthyr. Yn wyneb y bygythiad newydd hwn anfonwyd mwy o filwyr, rhai parhaol a rhai dros dro, bron 400 o ddynion i wrthsefyll y gorymdeithwyr, rhyw 15,000 ohonynt i gyd. Ar ôl clywed darllen y Ddeddf Derfysg a bygythiad i saethu i ganol y dyrfa, gwasgaroddd y gorymdeithwyr. Y diwrnod wedyn daeth y terfysg ym Merthyr i ben.

Amcangyfrifwyd mai dim ond rhwng 300 a 400 o'r miloedd a gymerodd ran yn y terfysg oedd yn dwyn arfau ac nad oedd ganddynt unrhyw fwriad ond protestio yn erbyn yr annhegwch lleol. Ond, fe ymatebodd y llywodraeth fel pe bai'n chwyldro ar raddfa lawn ac am ei bod yn ofni y gallai ymledu i drefi diwydiannol eraill penderfynodd ddelio'n hallt â'r sefyllfa. Cynyddwyd y nifer o filwyr oedd yn lletya yn y dref neu o'i chwmpas am sawl mis ar ôl y terfysg. Cafodd yr arweinwyr, rhyw 20 ohonynt, eu dal a'u cyhuddo o nifer amrywiol o droseddau – annog terfysg, dinistrio eiddo, ymosod ac, yn fwy difrifol, anafu gan fwriadu peryglu bywydau'r milwyr. Trawsgludwyd y mwyafrif o'r rhai a ddedfrydwyd yn euog ond dyfarnwyd fod Lewis Lewis a Richard Lewis, neu Dic Penderyn, i'w crogi. Cafwyd storm o brotest yn erbyn y dyfarniad, yn enwedig gan fod Richard Lewis yn honni, ac eraill yn gyffredinol yn ei gredu, ei fod yn ddieuog o'r drosedd o anafu'r milwr Donald Black. Anfonwyd deisebau at y Gweinidog Cartref yn Llundain, ond yn ofer. Crogwyd Richard Lewis yng ngharchar Caerdydd ar 13 Awst 1831. Cafwyd prawf iddo gael ei grogi ar gam yn 1874 pan gyfaddefodd dyn o'r enw Ieuan Parker ar ei wely angau mai fe oedd yn euog. Mae'n eironi fod dedfryd Lewis Lewis, oedd yn sicr yn un o'r terfysgwyr, wedi ei newid i drawsgludiad am oes.

Does dim amheuaeth nad oedd y terfysg ym Merthyr yn ddifrifol ac er nad oedd yn ddim tebyg i'r 'chwyldroadau Ewropeaidd' a ofnai'r llywodraeth bu'n ysgytwad i'r awdurdodau. Mae hefyd yn amlwg nad sefyllfa Lewis Lewis oedd prif achos y terfysg – nid oedd hynny'n ddim ond y gwreichionyn a gyneuodd y fflam. Beth oedd y rheswm fod wythnosau o anfodlonrwydd yn sydyn wedi troi'n drais? Mae haneswyr wedi cynnig sawl eglurhad. Dyma'r prif gynigion:

I

**II**

III

IV

V

VI

VII

VIII

IX

X

## Achosion Terfysg Merthyr

**\* Meistri Haearn** – ar wahân yn gorfforol (oherwydd eu stadau), yn gymdeithasol (oherwydd eu dosbarth), yn economaidd (oherwydd eu cyfoeth) ac yn emosiynol (oherwydd eu hagwedd a'u dull o fyw) oddi wrth eu gweithwyr, nid oedd y meistri haearn yn deall fawr, ac yn malio llai am y caledi oedd yn wynebu eu gweithwyr o ddydd i ddydd. Yr hyn oedd yn bwysig iddyn nhw oedd busnes, y farchnad ariannol, masnach, elw a cholled. Darlunnir eu hagwedd ddifater gan ymddygiad William Crawshay yn penderfynu nid yn unig leihau cyflogau ei weithlu i gyd ond hefyd ddiswyddo 84 o ddynion wrth eu crefft er mwyn arbed arian. Dichon bod lleihau costau yn ystod adeg o ddirwasgiad yn gwneud synnwyr o safbwynt busnes ond roedd yn drychineb i'r gweithwyr a'u teuluoedd oedd yn byw o'r llaw i'r genau. Gwaeth fyth roedd y dull gweithredu wedi cynddeiriogi'r gweithwyr – nid oedd y cyflogwyr yn barod i drafod y posibilrwydd o dalu ymlaen llaw na bargeinio na derbyn cynrychiolwyr undeb. Ac yntau'n adrodd ar y berthynas rhwng cyflogwr a gweithiwr ar ôl helynt Casnewydd dywedodd H.S. Tremenheere, arolygwr y llywodraeth, na welai fawr o newid yn y sefyllfa i'r hyn oedd yn bod ym Merthyr ddegawd yn gynharach:

> Ac eithrio mewn rhai gweithfeydd, y berthynas waelaf bosibl oedd rhwng cyflogwyr a'r cyflogedig. Nid oedd y nesaf peth i ddim yn cael ei wneud i wella amodau gwaith y gweithwyr – o safbwynt cyfforddusrwydd na hwylustod … Roedd bron bawb o'r cyflogwyr yn gweithredu fel pe na bai ganddynt unrhyw gyfrifoldeb ar wahân i dalu cyflogau i'r dynion. Unrhyw beth arall roedd y dynion yn ei ddymuno roedd yn rhaid iddynt ei wneud drostynt eu hunain.

5

Ar ôl y terfysg ym Merthyr roedd y papur *The Observer* yn beio Crawshay gan ei gyhuddo, ar y naill law, o annog syniadau radicalaidd ac ar y llaw arall o ormes! Cyhoeddwyd ei ateb dig mewn pamffledyn gyda'r teitl *The Late Riots at Merthyr Tydfil* (1831) lle mae'n gwadu'r cyhuddiadau ac yn beio cynhyrfwyr o'r tu allan ac undebwyr llafur. A bod yn deg â Crawshay, nid oedd ganddo mo'r syniad lleiaf sut brofiad oedd byw yn slymiau Merthyr a phe bai wedi bod yn ymwybodol o'r amodau mae'n ddigon tebyg y byddai yntau, fel llawer o bobl o'r un dosbarth ag ef, mewn cyfnod pan oedd pwyslais ar ddirwest a hunan-gymorth, wedi beio'r bobl am eu cyflwr truenus.

**\* Amodau Gwaith** – Haearn a glo oedd prif ddiwydiannau Merthyr a chyflogid dros 13,000 o ddynion, merched a phlant, rhai mor ifanc â saith oed yn y gweithfeydd. Mae'r rhain yn ddiwydiannau peryglus hyd yn oed wedi gofalu am gynlluniau diogelwch ac offer, heb hynny maent yn wir frawychus. Yn anffodus, nid oedd y dynion oedd yn rheoli yn y diwydiannau hyn yn malio dim am ddiogelwch gan fod y gost o'i ddarparu yn rhy uchel. Disgwylid i weithwyr weithio hyd at 12 i 14 awr y dydd saith dydd o'r wythnos o bosibl, gyda dim ond Dydd Nadolig a Gwener y Groglith yn wyliau. Ceid damweiniau yn aml a marwolaethau, ond os oedd gweithiwr yn absennol o'r gwaith oherwydd anaf neu salwch doedd dim cyflog. Dieithriwyd gweithlu oedd eisoes yn anfoddog oherwydd agwedd ddifater eu cyflogwyr a'u rheolwyr a'u chwerwi pan ostyngwyd cyflogau heb unrhyw gyd-drafod na chynrychiolaeth. Er eu bod yn ddynion caled roedd y driniaeth a gaent yn peri anfodlonrwydd. Er bod yna rai cyflogwyr dyngarol a geisiodd wella amodau gwaith roedd eu hymdrechion yn rhy ychydig ac yn rhy hwyr. Roedd rhai, fel Jospeh Tregelles Price, meistr haearn o Gastell Nedd yn cydymdeimlo â'r gweithwyr haearn. Arweiniodd ymgyrch yn galw am i Lewis Lewis a Richard Lewis gael eu harbed. Ond roedd meistri eraill fel John Guest a William Crawshay yn dad-wneud unrhyw les heb fod yn ymwybodol o'r drwg roeddent yn ei wneud. Wrth i'r gweithwyr ddod yn fwy anfoddog roeddent yn dod yn fwy parod i wrando ar ddadleuon perswadiol undebwyr llafur a chynhyrfwyr gwleidyddol.

**\* Undebaeth** – Roedd llawer o gyflogwyr yn gwrthwynebu undebaeth am eu bod yn ofni ei effaith ar agweddau ac ymddygiad eu gweithwyr. Tueddent i fod yn llym tuag at y rhai oedd yn ymaelodi neu y tybid eu bod yn bleidiol i undebaeth ac roedd hynny'n aml yn ennyn cydymdeimlad ymysg gweithwyr anfoddog. Er nad oedd undebaeth yn cael fawr o sylw ar adegau o ffyniant roedd yn denu pan fyddai dirwasgiad economaidd ac y mae lle i gredu fod undeb y glowyr a berthynai i'r gymdeithas newydd *National Association of the Protection of Labour* wedi anfon ei threfnwyr i dde Cymru yn ystod misoedd y gaeaf 1830-31. Yn sicr, os gellir credu tystiolaeth John Petherick, oedd yn asiant i Waith Haearn Penydarren ym Merthyr, roedd trefnydd undeb, na wyddom ei enw, wedi annerch cyfarfod o'r gweithwyr yn y dref gan eu hannog 'i beidio â gweithio ddim hwy'. Pan glywodd Crawshay am hyn, yn wahanol i'w gyd-gyflogwyr yn y gweithfeydd haearn, roedd, yn rhyfeddol, yn barod i ganiatáu bodolaeth undeb cyn belled nad oedd yn fygythiad i'w rym ef ei hun. Anogodd y trefnwyr undeb hyn y gweithwyr i

I

II

III

IV

V

VI

VII

VIII

IX

X

edrych ar streicio fel arf pwerus a gwerthfawr yn y 'frwydr' gyda'u cyflogwyr. Mae'n arwyddocaol fod cyfarfod ar y diwrnod cyn yr helynt ar 30 Mai, wedi ei gynnal ar dir uchel tu allan i'r dref a bod dros 4,000 o weithwyr yno. Pwrpas y cyfarfod oedd trafod y gwrthdystiad a gynhaliwyd yn gynharach y mis hwnnw o blaid diwygio'r Senedd. Er na wyddom hynny i sicrwydd, mae'n bosibl fod gweithredwyr undebol wedi trefnu'r cynulliad. Mae'n werth nodi fod undeb wedi ei sefydlu ym Merthyr ar ôl y terfysg a bod cannoedd o weithwyr wedi ymuno ond cawsant eu diswyddo ac oherwydd dylanwad y meistri haearn cawsant eu gwahardd rhag derbyn cymorth y tlodion.

**\* Y System Dryc, Tai ac Iechyd y Cyhoedd** – Dyna dri 'drwg' arall oedd yn peri gofid i'r dosbarth gweithiol, fel pe na bai oriau ac amodau gwaith yn ddigon o faich.

**\* Y system dryc.** Câi rhai gweithwyr eu talu mewn 'tocynnau' (tryc). Ni ellid prynu dim gyda'r rhain ond yn siopau'r cwmni (*Tommy shops*) a'r cyflogwyr oedd yn gosod y prisiau yn y siopau hyn. Wrth gwrs, gwneud elw oedd yn bwysig i'r perchenogion ac nid oedd gan y cwsmeriaid unrhyw ddewis ond talu'r prisiau uchel. Ond roedd agweddau yn newid ac un o'r rhai cyntaf i gael gwared â'r system dryc oedd William Crawshay ond doedd ei gyd-feistri ddim yn barod i ddilyn ei esiampl.

**\* Tai:**
- wedi eu codi ar frys a'r gwaith adeiladu'n wael
- carthffosiaeth – cyntefig neu dim o gwbl
- dŵr glân yn brin
- lle yn brin – neb yn ystyried faint o bobl oedd mewn teulu
- rhent yn llawer uwch na'r disgwyl am leoedd mor wael
- y meistri haearn a glo oedd y landlordiaid (ac yn gyflogwyr)
- câi'r tenantiaid eu troi allan os nad oeddent yn gallu talu'r rhent a'u heiddo ei atafaelu gan Gwrt y Deisyfion.

**\* Iechyd:**
- lledaenid afiechydon yn y slymiau
- roedd cyfradd marwolaeth yr uchaf yn y wlad
- collai dynion eu cyflog oherwydd salwch
- os oeddent yn colli gwaith yn aml gallent gael eu diswyddo.

Nid yw'n syn fod cynhyrfwyr wedi cael croeso, yn enwedig gan fod esiamplau o foethusrwydd bywyd y meistri mor amlwg, fel Castell Cyfarthfa, er enghraifft, a'r gweithwyr druain yn byw mewn tlodi.

**\*Radicaliaeth.** Nid yw'n syn efallai fod Merthyr wedi bod yn ganolfan radicaliaeth ers diwedd y ddeunawfed ganrif. Roedd yn ddeublyg ei natur– radicaliaeth y dosbarth gweithiol a radicaliaeth y dosbarth canol ac er bod rhai pethau'n gyffredin rhyngddynt, fel diwygio gwleidyddol, roedd gwahaniaethau ynghylch ystyriaethau fel amodau gwaith, cyflogau ac yn enwedig undebaeth lafur. Hefyd roedd gwahaniaeth barn ar sut roeddent yn mynd i ennill y nod: y dosbarth gweithiol yn pleidio gwrthdystio treisiol a'r dosbarth canol o blaid dulliau heddychol. Roeddent yn gytûn ar un peth, sef diwygio'r Senedd a dyna'r ystyriaeth oedd flaenaf ym meddyliau radicaliaid Merthyr yn ystod y deunaw mis cyn y terfysg. Er bod poblogaeth Merthyr dros 30,000 nid oedd ganddi Aelod Seneddol i'w chynrychioli a daeth y diffyg hwn yn ystyriaeth a unodd nid yn unig y radicaliaid ond hefyd y meistri haearn (yn enwedig William Crawshay a anogodd y radicaliaid i gefnogi diwygio'r Senedd) oherwydd roeddent yn dymuno cael llais, eu llais nhw eu hunain yn ddelfrydol, yn y Senedd i gynrychioli eu buddiannau nhw.
Hybwyd sefydlu clybiau gwleidyddol ac athronyddol fel y rhai a sefydlwyd yn gynharach – Cymdeithas Athronyddol Cyfarthfa (1806), pan nad oedd croeso i'r fath gynulliadau yn gyffredinol. Ymatebodd radicaliaid, gweithwyr a dosbarth canol Merthyr yn frwd i'r alwad 'Cofrestru! Cofrestru! Cofrestru! Ni phasiwyd Deddf Diwygio hyd 1832 ac er bod Merthyr wedi ennill cynrychiolaeth a'r rhyddfraint wedi ei hymestyn yr ychydig breintiedig yn unig oedd â'r hawl eto. Erbyn Mai 1831 roedd yn amlwg i boblogaeth ddiamynedd na fyddai diwygio'n digwydd yn fuan nac yn rhwydd a gallai hynny eto fod wedi eu gwthio i ddefnyddio trais. Ar derfyn cyfarfod diwygio y dechreuodd yr helyntion.

I

II

III

IV

V

VI

VII

VIII

IX

X

I
II
III
IV
V
VI
VII
VIII
IX
X

**\*Dirwasgiad ym myd masnach a diweithdra** – Nid oedd fawr o sicrwydd gwaith ac er bod gweithwyr wrth grefft yn y diwydiannau haearn a glo, yn gyffredinol, yn cael eu talu'n dda, nid oedd hyn yn golygu dim pan oedd yn rhaid iddynt wynebu amrywiadau yn y cyflog, neu waeth ddiswyddiad, yn ystod cyfnodau o ddirwasgiad yn yr economi. Ar adegau felly roedd ofn diweithdra yn gwthio dynion i ystyried gweithredu yn wahanol i'w harfer. Yng nghefn eu meddyliau o hyd roedd bwgan y tloty a'r caledi roedd byw yno'n ei olygu a'r cymorth arall a gynigid dan amodau Deddf y Tlodion. Roedd ymdeimlad cyffredinol nad oedd cyflogwyr yn gwneud digon i esmwytháu'r amodau caled oedd yn wynebu'r diwydiant a'r gweithlu. Nid oedd yn ymddangos fod y llywodraeth chwaith yn rhy awyddus i ymyrryd ym musnes y diwydiannau haearn a glo ac eto roedd yn barod i gefnogi'r Deddfau Ŷd oedd yn ystumio pris ŷd a'i gadw'n uchel. Heb lais yn y Senedd, fe wyddai trigolion Merthyr, oedd wedi eu dadrithio ac yn anfodlon, nad oedd ganddynt fawr o obaith i fedru perswadio'r llywodraeth i newid ei pholisïau. Gweithredu'n ymarferol oedd yr unig ddewis ragor na gwneud dim, felly ymgasglodd y gweithwyr ar y strydoedd.

## 4. Siartwyr a Siartiaeth

■ **Y Brif Ystyriaeth:**
I ba raddau roedd amcanion a gweithredoedd y Siartwyr yn chwyldroadol a phell-gyrhaeddol?

### Beth oedd Siartiaeth a phwy oedd yr arweinwyr?

Cafwyd dau fudiad cyn Siartiaeth oherwydd cyfuno ymwybyddiaeth dosbarth gweithiol a radicaliaeth y dosbarth canol – *The London Working Men's Association* (1836) a *The Birmingham Political Union* (1837). Pan unodd y ddwy garfan i ffurfio *The National Charter Association* yn 1838 dyna roi bodolaeth i fudiad gwleidyddol gweithwyr. Fodd bynnag, nid oedd Siartiaeth un amser yn un mudiad cyfan ond yn gasgliad o garfannau gwahanol a'r rheini'n aml yn gwrthdaro. Yn syml gellir dweud fod rhai Siartwyr yn credu mewn defnyddio 'Grym Moesol' ac eraill yn barod i ddefnyddio 'Grym Corfforol' i ennill eu nod. Arweinwyr y Siartwyr 'Grym Moesol' oedd William Lovett, Francis Place a John Roebuck, a lysenwyd

'*Tear 'Em*' am ei fod ymosod yn llym ar gyfoeth a braint. Arweinwyr y garfan 'Grym Corfforol' oedd Feargus O'Connor, Henry Vincent, Henry Hetherington and John Watson. O'Connor oedd y mwyaf egnïol, carismatig a phwerus o'r arweinwyr a chan mai ef oedd biau prif bapur newydd y mudiad, y *Northern Star*, ei agweddau a'i syniadau ef a gâi'r cyhoeddusrwydd amlycaf yn y wasg.

### Beth oedd gofynion y Siartwyr?

Yn 1838 cyhoeddwyd y gofynion a ganlyn gan Gymdeithas Genedlaethol y Siartwyr yn Siarter y Bobl dan chwe phwynt:

1. Pleidlais i bob dyn dros 21 oed sy'n feddyliol abl a'i gymeriad yn dda (h.y. nid yw dan gosb am droseddu).
2. Pleidlais ddirgel – fel na ellid dial ar bleidleiswyr.
3. Dim rhaid i Aelodau Seneddol fod yn berchen eiddo – fel y gallai etholwyr bleidleisio i berson o'u dewis nhw heb ystyried ei statws ariannol.
4. Tâl i Aelodau Seneddol – fel y gallai gweithwyr wasanaethu yn y Senedd heb fynd i ddyled na wynebu colled ariannol.
5. Etholaethau cyfartal – i sicrhau cynrychiolaeth deg gyda thua'r un nifer o bleidleiswyr ym mhob etholaeth.
6. Etholiad Seneddol bob blwyddyn i osgoi llwgrwobrwyo a'r posibilrwydd i gynrychiolwyr fradychu eu pleidleiswyr.

### Pwy oedd i fod i ymateb i ofynion y Siartwyr?

Yn syml, y Senedd. Gobeithiai'r Siartwyr allu perswadio'u harweinwyr gwleidyddol i fabwysiadu chwe phwynt Siarter y Bobl a'u llunio'n ddeddf.

### Pa mor llwyddiannus fuon nhw?

Trefnwyd deiseb ac fe'i harwyddwyd gan rhyw 1.28 miliwn o bobl ond gwrthododd y Senedd hi. Barn David John, gohebydd y *Northern Star* oedd na fyddai waeth iddyn nhw ddeisebu Craig Gibraltar mwy na Thŷ'r Cyffredin. Ond, heb ddigalonni, daliodd y garfan 'Grym Moesol' ati ac ym Mai 1842 cyflwynwyd ail ddeiseb gyda 3.3 miliwn wedi ei llofnodi (48,000 yn Gymry ac o'r rheini 22,000 o Ferthyr), i'r Senedd, 'gwiriondeb a drygioni' yn

I
II
III
IV
V
VI
VII
VIII
IX
X

I

II

III

IV

V

VI

VII

VIII

IX

X

ôl y *Cardiff and Merthyr Guardian* (14 Mai 1842). Eto fe'i gwrthodwyd gyda 287 pleidlais yn erbyn a 49 o blaid.

Methiant fu ymgais y garfan 'Grym Corfforol' i roi pwysau ar yr *élite* oedd yn rheoli trwy drefnu streic genedlaethol yn Awst 1839. Wedi hynny, amrywiai dylanwad y mudiad gan adlewyrchu cylch yr economi – y llanw a'r trai. Er enghraifft, rhwng 1839 ac 1852 cyrhaeddodd gweithgaredd y Siartwyr uchafbwynt ar dri achlysur yn unig, yn ystod:

(i) gaeaf 1839 oherwydd effeithiau dirwasgiad difrifol ym myd masnach

(ii) haf 1842 am fod cyflogau wedi eu gostwng a bod diweithdra'n rhemp yn y melinau a'r ffatrïoedd yng ngogledd a chanolbarth Lloegr

(iii) gwanwyn 1848 yn dilyn gaeaf o ddirwasgiad economaidd ac wedi eu hysbrydoli gan y mân chwyldroadau oedd yn ymledu trwy Ewrop.

Ar y llaw arall, yn ystod cyfnodau llewyrchus gwelwyd lleihad sylweddol yn nifer yr aelodau ac yn y gefnogaeth i'r Siartwyr, er y dylid pwysleisio fod canghennau mewn rhai ardaloedd wedi dal yn gryf, yn egnïol ac yn brysur hyd yr 1850au. Ond, yn y pen draw, roedd Siartiaeth yn fethiant, yn bennaf gan na lwyddodd i sicrhau'r chwe phwynt. [Roedd y 6ed yn gwbl anymarferol yn sicr.]

## Beth oedd natur Siartiaeth yng Nghymru a pha mor llwyddiannus fu?

Mudiad trefol yn y Gymru ddiwydiannol, yn bennaf, oedd Siartiaeth, yn ymgyrchu am fwy o bŵer gwleidyddol i'r gweithwyr. Cyfreithiwr, yn wreiddiol o Fachynlleth, oedd ei bleidiwr cyntaf yng Nghymru – Hugh Williams (m. 1874). Roedd wedi ei hyfforddi yn Llundain a bu'n gyfreithiwr yno cyn sefydlu cwmni cyfreithiol yng Nghaerfyrddin.

Teimlai ddyletswydd i wella byd y gweithiwr ac o dan ddylanwad radicalwyr blaenllaw yn Llundain, llawer ohonynt yn gyfeillion iddo, yn Ebrill 1837 sefydlodd Williams gangen o Gymdeithas y Gweithwyr yng Nghaerfyrddin. Dyna'r gangen Siartaidd gyntaf yng Nghymru. Roedd dau o'i gyfeillion yn Llundain, Hetherington a Watson (ynghyd â deg arall) wedi llunio Siarter y Bobl. Gellir mesur llwyddiant cynnar y mudiad yng Nghymru trwy nodi fod dros 4,000 o bobl wedi dod i gyfarfod yng Nghaerfyrddin yn Ionawr 1839 i ethol Williams i'w cynrychioli yng Nghynulliad Cenedlaethol y Siartwyr yn Llundain. Pwrpas y Cynulliad oedd uno'r gwahanol garfannau a phenderfynu sut i fynd o'i chwmpas hi i berswadio'r Senedd i dderbyn eu gofynion. Lledaenodd Siartiaeth yn fuan ac erbyn haf 1839 roedd 34 Cymdeithas y Gweithwyr wedi eu sefydlu yn sir Forgannwg yn unig gyda changen Merthyr Tudful y fwyaf radical ohonynt i gyd. Amcangyfrifwyd fod rhyw 25,000 o bobl ledled de Cymru, llawer ohonynt o ardaloedd y meysydd glo, wedi ymaelodi mewn canghennau lleol erbyn Rhagfyr1839.

Llun 13
Cyfarfod o'r Siartwyr, llun cyfoes

I
II
III
IV
V
VI
VII
VIII
IX
X

83

Cafodd Siartiaeth dderbyniad yng nghanolbarth Cymru yn enwedig yn nhrefi gwlân sir Drefaldwyn. Sefydlwyd Undebau Gwleidyddol (tebyg i Gymdeithasau'r Gweithwyr) yn y Drenewydd (Ebrill 1837), Llanidloes a'r Trallwng. Yma eto etholwyd cynrychiolydd i fynd i Gynulliad Cenedlaethol y Siartwyr yn Llundain – Charles Jones o'r Trallwng, i gynrychioli gweithwyr y melinau yn Nhrefaldwyn. Fodd bynnag, wedi i ddeiseb y garfan 'Grym Moesol' fethu ym Mawrth 1839, ceisiwyd ennill eu brwydr trwy ddefnyddio trais. Anogwyd Siartwyr canolbarth Cymru i weithredu gan Henry Hetherington a aeth ar gylchdaith trwy'r prif drefi gwlân yn cynghori'r gweithwyr yn y melinau '… i ddod o hyd i arfau i'w hamddiffyn eu hunain'.

Yn ôl Edward Hamer, gŵr a anwyd yn Llanidloes, athro a hanesydd ac awdur *Brief Account of the Chartist Outbreak at Llanidloes* (1867),
'Parodd hyn syndod i'r arweinwyr lleol oherwydd nid oeddent wedi bwriadu mynd i'r fath eithafion ond cefnogwyd awgrym [Hetherington] yn frwd gan y dynion ifancach mwy eithafol ac fe'i derbyniwyd'.
Gan ddisgwyl cythrwfl casglodd yr ynadon lleol 300 o gwnstabliaid arbennig ynghyd i dyngu llw a gofyn i'r Swyddfa Gartref yn Llundain anfon tîm o swyddogion Heddlu Llundain i'w harwain, ac fe gyrhaeddodd tri. Yn anffodus, oherwydd presenoldeb y tri hyn, cafwyd sibrydion a chyffro disgwylgar reiat bychan yn y dref. Mewn gor-ymateb gan feddwl fod y gwrthdystio'n llawer gwaeth na'r hyn ydoedd, crefodd yr ynadon ar i'r Swyddfa Gartref anfon milwyr i adfer heddwch yn y dref. Pan gyrhaeddodd y milwyr gwasgarodd y terfysgwyr – llawer ohonynt heb fod yn Siartwyr p'un bynnag. Ond er nad oedd anghydfod bellach, mynnodd yr awdurdodau weithredu yn erbyn yr arweinwyr honedig. Restiwyd 32 o Siartwyr lleol a'u cyhuddo o amrywiol droseddau – o greu terfysg ac ymosod i 'hyfforddi ac ymarfer sut i ddefnyddio arfau'. Ymysg y rhai a gyhuddwyd o greu terfysg roedd Charles Powell, cadeirydd cangen Llanidloes o'r Undeb Gwleidyddol, a gyhuddwyd hefyd o draddodi 'araith yn annog brad yn y Drenewydd' rai wythnosau ynghynt. Amddiffynnydd Powell a'i gyd-ddiffynyddion yn y llys oedd Hugh Williams. Fe wnaeth hwyl am ben yr achos yn eu herbyn, a oedd wedi methu profi fod y diffynyddon wedi cynllunio terfysg. Ond ar waethaf ei amddiffyniad egnïol, fe'u cafwyd i gyd yn euog.

## Beth oedd Terfysg Casnewydd a pha mor ddifrifol ydoedd?

Roedd gwreiddiau Siartiaeth ym Mynwy yn rhan o draddodiad maith o anghydffurfiaeth. Gan elwa ar anfodlonrwydd diwydiannol a threfol a chasineb tuag at y deddfau tlodion newydd, roedd Siartiaeth yn casglu ynghyd elfennau o undebaeth lafur gynnar, Cymdeithasau'r Teirw Scotch a radicaliaeth anghydffurfiol i ffurfio mudiad gyda ffocws gwleidyddol newydd. Yr arweinydd yng Nghasnewydd oedd John Frost (m. 1877), masnachwr lleol a etholwyd yn gynrychiolydd i Gynulliad Cenedlaethol y Siartwyr yn Hydref 1838. Roedd Frost yn ddyn busnes llewyrchus a dylanwadol oedd wedi bod yn olynol yn gynghorydd a maer, ynad a gwarchodwr y tlodion yng Nghasnewydd. Yn wahanol i arweinwyr eraill y Siartwyr yng Nghymru, roedd yn ymddangos fod Frost yn biler y sefydliad ac yn ŵr y byddai'r awdurdodau yn credu y gallent ymddiried ynddo. Fodd bynnag, roedd Frost yn cydymdeimlo â thrueni'r tlawd a'r difreintiedig ac yn ymgyrchu'n frwd yn erbyn system y tlotai. Roedd yn gymedrolwr a bleidiai garfan y 'Grym Moesol' ond, yn anffodus iddo ef, llwyddodd Henry Vincent a ddaeth i siarad â Siartwyr Casnewydd yn Ebrill 1839, i ennill cefnogaeth y mwyafrif o'r 430 o aelodau i garfan y 'Grym Corfforol'. Dywedodd Vincent wrthynt:' … y dosbarth gweithiol yw'r dosbarth gweithgar, rhai diog yw'r dosbarth uwch … Mae'n debyg y bydd y bobl yn codi yn fuan … marwolaeth i'r bonedd! dyrchafiad i'r bobl a'r llywodraeth maen nhw wedi ei sefydlu'. Traddododd Vincent yr araith hon i ganghennau lleol o'r Siartwyr ledled de Cymru a chael canlyniadau tebyg – roedd Siartwyr Casnewydd wedi eu hysbrydoli ac yn barod i weithredu. Y cyfan oedd ei angen oedd esgus ac fe'i cafwyd pan restiwyd Vincent gan ynadon y dref ym mis Mai.

Roedd ynadon Casnewydd wedi gwahardd Vincent rhag dychwelyd i'r dref. Ei drosedd oedd eu herio. Roedd ei ymweliad cynharach wedi peri cymaint o bryder iddynt ac ofnent y byddai'n creu helynt pe câi annerch cyfarfodydd o Siartwyr lleol. P'un bynnag roedd cyfarfodydd wedi eu gwahardd. Trosedd Vincent nawr oedd eu herio. Restiwyd tri Siartwr lleol yn ogystal a chafwyd y pedwar yn euog o derfysg a chynnwrf a'u dedfrydu i garchar dros gyfnodau o chwe mis i flwyddyn. Gwylltiwyd Siartwyr Casnewydd oherwydd yr anghyfiawnder ac roeddent yn benderfynol o gael dial ar yr awdurdodau, yn enwedig ar Faer Casnewydd, Thomas Phillips, eu prif elyn fe dybient. Roedd Siartwyr lleol yn ddig wrth Phillips am ei fod yn cefnogi sefydliad gwrth-Siartiaeth sef y Gymdeithas i Amddiffyn Bywyd ac Eiddo a awgrymai nad oeddent ddim gwell na throseddwyr.

I
II
III
IV
V
VI
VII
VIII
IX
X

I

II

III

IV

V

VI

VII

VIII

IX

X

Penderfynwyd mewn cyfarfod o Gynulliad Cenedlaethol y Siartwyr yn Llundain gynllunio a gweithredu gwrthdystiad ar raddfa eang drwy'r wlad gyda chynnwrf Casnewydd yn rhan ohono. Yn anffodus i ddynion de Cymru, ni weithredwyd yn ôl y cynllun a dim ond nhw aeth i frwydr. Oherwydd y dig, achos y modd roedd Vincent ac eraill wedi cael eu trin, roedd yn amhosibl i Frost drefnu a rheoli Siartwyr Casnewydd. At hynny roedd problemau logistaidd wrth geisio cydlynu gweithrediadau carfannau eraill o Siartwyr o ardaloedd mor bell â'r Coed Duon (Frost yn arwain), Blaenau (Zephaniah Williams yn arwain) a Phont-y-pŵl (William Jones yn arwain). Mae'r *Monmouthshire Merlin* (9 Tachwedd 1839) yn disgrifio beth ddigwyddodd nesa':

> … Tua naw o'r gloch clywyd bonllefau llawer o leisiau yn y pellter, o gyfeiriad Stow Hill, gan achosi braw ofnadwy, fel oedd yn amlwg wrth weld wynebau'r trigolion a ddaeth i'w ffenestri. O fewn ychydig funudau wedyn, daeth rheng flaen nifer fawr o ddynion i'r golwg, yn cario gynnau, cleddyfau, picellau, pastynau ac arfau garw amrywiol, a throi o amgylch cornel y gwesty 5
> o Stow Hill gan dalu mwy o sylw i ddisgyblaeth eu symud nag sy'n arferol ymysg terfysgwyr; roedd llygad-dyst oedd yn eu gwylio'n symud i lawr Stow Hill yn amcangyfrif fod pum mil o Siartwyr yno. Pan gyrhaeddodd blaen y golofn y Westgate, roedd y rheng olaf yn ymyl tŷ Mr Swallows ac roedd yn edrych yn debyg eu bod bron yn ddeuddeg ochr yn ochr. Yna, ymffurfiodd y 10
> rhengau blaen o flaen y tŷ a cheisiodd nifer fawr fynd i mewn i'r iard sy'n arwain at y stablau, ond roedd y giât yn ormod o rwystr. Yna, fe droesant i gyntedd y dafarn gan ddal eu gynnau ac arfau eraill mewn modd bygythiol. Parhaodd y frwydr am ryw chwarter awr ac yna ffôdd y Siartwyr oedd wedi eu trechu i bob cyfeiriad gan daflu eu harfau a gadael y rhai oedd wedi marw 15
> a'r rhai oedd ar fin marw. Roedd llawer oedd wedi dioddef yn yr ymladdfa yn cropian i ffwrdd, rhai gydag anafiadau difrifol yn crefu'n daer am drugaredd, eraill wedi eu clwyfo'n druenus, rhai yn gwingo mewn artaith, yn crefu am ddŵr.

Cafwyd adroddiad hefyd yn *The Charter* (17 Tachwedd 1839):

> Roedd o leiaf wyth mil o ddynion, yn bennaf y glowyr oedd yn gweithio yn yr ardal (sy'n boblog iawn) â rhan yn yr ymosodiad ar Gasnewydd ac roedd llawer ohonynt heb arf o gwbl. Mae'n debyg mai eu bwriad oedd dial ar ynadon Casnewydd am erlyn Vincent ac eraill, oedd nawr yn y carchar ym Mynwy. Ar ôl i Gasnewydd ildio, y bwriad oedd mynd ymlaen i Drefynwy a 5
> rhyddhau'r carcharorion. Mae'n debyg yn y pen draw bod yr arweinwyr eisiau codi baner gwrthryfel ledled Cymru, gan obeithio medru gwrthsefyll y

10     lluoedd brenhinol. Yn ôl y dystiolaeth sydd nawr ar gael arweiniodd Mr Frost, aelod o'r Gynhadledd un amser, y gwrthryfelwyr ac y mae ef ac eraill wedi eu cyhuddo o deyrnfradwriaeth. Wedi cyrraedd Casnewydd gorymdeithiodd y dynion yn syth at Westy'r Westgate, lle roedd yr ynadon a rhyw 40 o filwyr wedi ymgynnull, yn gwybod eisoes beth oedd bwriad y dyrfa. Darllenwyd y Ddeddf Derfysg a saethodd y milwyr, yn rhwydd ac yn ddiogel, at y bobl oedd wedi torri'r ffenestri a saethu trwyddynt … Fe wyddom fod rhyw dri deg o'r bobl wedi eu lladd a nifer wedi eu hanafu.

Llun 14

Ymosodiad y Siartwyr ar Westy'r Westgate, Casnewydd, 1839

I

II

III

IV

V

VI

VII

VIII

IX

X

87

Cafwyd Frost, Williams a Jones, a rhyw 60 o Siartwyr eraill yn euog o wrthryfela. Ar wahân i'r tri cyntaf dyfarnwyd eu bod i'w carcharu neu eu trawsgludo. Dyfarnwyd cosb o farwolaeth ar y tri 'arweinydd' ond yn ddiweddarach newidiwyd i drawsgludiad am oes. Dim ond Frost a ddaeth yn ôl i Gasnewydd o Awstralia (trwy'r Unol Daleithiau 1854-56) wedi iddo gael pardwn yn 1854. Pan ddychwelodd yn 1856 cafodd Frost groeso arwr ond ni ddewisodd ail-ymlynu wrth fudiad y Siartwyr, oedd yn gwywo, a gadawodd i fynd i fyw ym Mryste dros yr 21 mlynedd oedd yn weddill o'i oes.

Gan na bu gwrthryfel cyffredinol ledled y wlad roedd yn annhebygol y byddai gwrthryfel Casnewydd yn llwyddo. At hynny, mae'r ffaith fod yr awdurdodau yn gwybod ymlaen llaw am y cynllun i orymdeithio i'r dref a'u bod yn barod, gyda milwyr arfog, i'w hwynebu, yn awgrymu fod rhai ymysg y Siartwyr eu hunain wedi eu bradychu. Daeth llawer o dystiolaeth y Goron yn erbyn Frost a'r lleill oedd yn y llys oddi wrth gyn-Siartwyr oedd wedi gwirfoddoli i roi tystiolaeth yn gyfnewid am wobr neu am gael eu harbed rhag dwyn achos yn eu herbyn. Ar y llaw arall mae'r ffaith fod y gwrthryfel wedi cymryd lle, gyda chefnogaeth rhai miloedd, yn dangos fod gwrthryfel arfog yn bosibl yng Nghymru. Yn sicr, nid yn unig brawychwyd y llywodraeth ganolog a'r awdurdodau lleol oherwydd yr helynt yng Nghasnewydd, ond hefyd roeddent yn ofni i'r un peth ddigwydd mewn lleoedd eraill ym Mhrydain. Yn wir, nid oedd y methiant yng Nghasnewydd yn arwydd o dranc y mudiad. Roedd eto fannau lle roedd Siartiaeth yn gryf, er enghraifft Merthyr lle sefydlwyd dau gylchgrawn oedd yn lledaenu Siartiaeth sef *Utgorn Cymru a'r Merthyr Advocate*, Casnewydd a maes glo Mynwy. Roedd yr amodau a roddodd fod i Siartiaeth yn dal yr un fath – caledi byw yn y gymdeithas a chyflwr yr economi. Ni ddaeth y mudiad i ben ond nid oedd mor amlwg nac mor eang gan iddo ymdoddi i wleidyddiaeth leol. Ym Merthyr, roedd cyn-Siartwyr ymysg yr aelodau a sefydlodd gangen y dref o'r Blaid Lafur Annibynnol.

# *Cyngor a Gweithgareddau*

## (i) Cyffredinol

### Darllen Pellach

A.H. Dodd, *The Industrial Revolution in North Wales* (Caerdydd, 1951).

D. Egan, *People, Protest and Politics: Case Studies in Nineteenth-Century Wales* (Llandysul, 1987).

D. Egan, *Coal Society: The South Wales Mining Valleys, 1840-1980* (Llandysul, 1987).

A.H. John, *The Industrial Development of South Wales, 1850-1950* (Caerdydd, 1950).

D.J.V. Jones, *Chartism and Chartists* (Llundain, 1975).

D.J.V. Jones, *The Last Rising* (Rhydychen, 1985).

J. Lindsay, *A History of the North Wales Slate Industry* (Newton Abbot, 1974).

I. Wilks, *South Wales and the Last Rising* (Llundain, 1984).

G.A. Williams, *The Merthyr Rising* (Caerdydd, 1978).

Einiona Bebb, *Ffyrdd Cymru*, Cyfres CBAC/ Gwasg Prifysgol Cymru, Unedau Astudio Hanes, 1995.

R.M.Morris, *Teithwyr Cymru 2,* 1990 (Dogfennau yn cyflwyno tystiolaeth), CAA.

Einiona Bebb, *Y Siartwyr*, 1989, Cyfres CBAC/ Gwasg Prifysgol Cymru, Unedau Astudio Hanes.

John W. Roberts, *Arloeswyr y Rheilffyrdd*, CBAC/ Gwasg Prifysgol Cymru, Unedau Astudio Hanes, 1986

John W. Roberts, *Camlesi Cymru a Lloegr*, Cyfres CBAC/ Gwasg Prifysgol Cymru, Unedau Astudio Hanes, 1985

John W. Roberts, *Yr Undebau Llafur yn y Bedwaredd Ganrif ar Bymtheg*, Cyfres CBAC/ Gwasg Prifysgol Cymru, Unedau Astudio Hanes, 1984

### Erthyglau:

O.R. Ashton, 'Chartism in Mid-Wales', *Montgomeryshire Collections*, cyf. 62 (1971-2).

D. Egan, 'Wales at Work' in T. Herbert & G.E. Jones (gol.), *Wales 1880-1914* (Caerdydd, 1988).

Gwynfor Evans, *Seiri Cenedl*, Gwasg Gomer, 1986: Dic Penderyn; John Frost; Hugh Williams

I

II

III

IV

V

VI

VII

VIII

IX

X

89

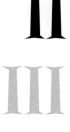

N. Evans, 'The Urbanization of Welsh Society' in T. Herbert & G.E. Jones (gol.), *People and Protest: Wales 1815-1880* (Caerdydd, 1988).

A.V. John, 'The Chartist Endurance: Industrial South Wales, 1842-1868', *Morgannwg*, cyf. XV (1971).

D.J.V. Jones, 'The Scotch Cattle and their Black Domain', WHR, cyf. 5 (1971-2).

D.J.V. Jones, 'Chartism in Welsh Communities', *WHR*, cyf. 6 (1972-3).

D.J.V Jones, 'Women and Chartism', *History*, cyf. 68 (1983).

D.J.V. Jones, 'Scotch Cattle and Chartism' in T. Herbert & G.E. Jones (gol.), *People and Protest: Wales 1815-1880* (Caerdydd, 1988).

M. Jones, 'Rural and Industrial Protest in North Wales' in T. Herbert & G.E. Jones (gol.), *People and Protest: Wales 1815-1880* (Caerdydd, 1988).

G.A. Williams, 'The Emergence of a Working-Class Movement', in A.J. Roderick (gol.), *Wales through the Ages*, cyf. 2 (Llandybie, 1960).

## Ymchwil

1. Astudiwch yr amodau gwaith yn y diwydiannau glo, haearn a llechi ac awgrymwch sut y gallai'r rhain fod wedi hybu mudiadau protest yng Nghymru ddiwydiannol.

2. Edrychwch ar Ddeddfau Ffatrïoedd 1833, 1844, 1847 ac 1863. Penderfynwch pa mor effeithiol oedd y rhain o safbwynt gwella amodau gwaith.

3. Astudiwch amodau gwaith plant a'r dystiolaeth a gasglwyd gan y Comisiwn oedd yn archwilio Cyflogaeth Plant. Beth oedd cyfraniad yr Arglwydd (Ashley) Shaftesbury tuag at ddileu'r 'drwg' – llafur plant?

## Pynciau Dadleuol

Mae angen paratoi'n drwyadl cyn cynnal dadl a'r dadleuon cyffrous yw'r rhai a gynhelir o flaen cynulleidfa a phawb yn pleidleisio ar y diwedd. Eich tasg chi fydd cyflwyno dadl fydd mor berswadiol ag sydd modd er mwyn ennill pleidlais eich cynulleidfa. Er mwyn llwyddo mae angen i chi ddeall yn glir beth yw ystyr geiriau allweddol a phenderfynu sut rydych chi'n bwriadu cyflwyno eich dadl – naill ai ysgrifennu'r cyfan i'w ddarllen, neu'n well fyth ysgrifennu pwyntiau yn unig fel y gallwch edrych lygad yn llygad â'ch cynulleidfa. Bydd angen i chi weu eich dadl o amgylch nifer o bwyntiau y gellir eu henghreifftio gyda thystiolaeth. Cofiwch hefyd, er y byddwch yn canolbwyntio ar eich ochr chi i'r ddadl, y bydd yn rhaid i chi geisio meddwl pa ddadleuon fydd gan yr ochr arall neu sut y bydd eich gwrthwynebwyr yn ymateb i'ch dadl chi os byddwch yn cael cyfle i gloriannu ar y diwedd. Weithiau gellid cynnal y ddadl fel pe baech mewn llys barn gyda'ch tiwtor yn farnwr a'ch cyd-fyfyrwyr yn rheithgor (yn ddelfrydol ni ddylai'r rheithgor fod yn gwybod fawr ddim am yr achos ymlaen llaw). Gellid cyflwyno'r ddadl dros ac yn erbyn ar ffurf 'crynhoi' ac yna gallai'r 'bargyfreithwyr' ar y ddwy ochr ymateb trwy groesholi ei gilydd. Er mwyn rhoi cyfle i'r gweddill na chafodd rôl i'w chwarae gallai'r barnwr wahodd pob un ohonynt i ofyn cwestiwn i'r erlynydd neu'r amddiffynnydd. Yna, gellid gwahodd y rheithgor i gyhoeddi barn h.y. penderfynu pa ochr oedd wedi dadlau'n fwyaf effeithiol.

Edrychwch ar yr ystyriaethau a ganlyn ar gyfer cynnal dadl:

**1. 'Reiat ac nid gwrthryfel oedd digwyddiad Casnewydd'**
**Dadleuwch dros ac yn erbyn y dyfarniad hwn.**

## Cyngor

Dylai'r cyngor a ganlyn eich helpu i baratoi dadl yn erbyn y gosodiad.
Cyn dechrau darllenwch y detholiad a ganlyn ar helynt Casnewydd a gyhoeddwyd yn *The Times* (6 Tachwedd 1839).

> Rydyn ni wedi galw yn 'reiat' yr hyn y dylid ei alw'n 'wrthryfel', achos reiat, a bod yn fanwl, yw cynnwrf sydyn oherwydd dig poblogaidd, yn tarddu o gyffro'r foment; ond yma mae digon o dystiolaeth i brofi nad cynnwrf y foment a gafwyd ond gwrthryfel oedd wedi ei gynllunio ers tro, wedi ei drefnu'n ofalus a'i weithredu yn anhygoel o gyfrinachol …

Gallech ddefnyddio'r dyfyniad hwn i gyflwyno eich dadl ac yna ganolbwyntio ar ddatblygu a chefnogi eich dadl i'w gynnal. Ail-ddarllenwch y testun a'r ffynonellau ar dudalennau 84-87. Gwnewch yn siŵr eich bod chi'n glir eich barn pa un ai reiat ai gwrthryfel oedd helynt Casnewydd. Chwiliwch am dystiolaeth yn y testun a'r ffynonellau. Ysgrifennwch gyfres o bwyntiau (rhyw saith i wyth fan bellaf) fydd yn sylfaen i'ch dadl gan ofalu fod gennych dystiolaeth i gefnogi pob pwynt.

I
II
III
IV
V
VI
VII
VIII
IX
X

**2. 'Reiat neu Chwyldro'. P'un yw'r disgrifiad cywir o'r mudiadau protest yng Nghymru'r bedwaredd ganrif ar bymtheg? Dadleuwch dros ac yn erbyn y dyfarniad.**

Dilynwch yr un camau ar gyfer yr ail ddadl. Yma mae'r ystyriaethau gryn dipyn yn ehangach gan y bydd angen i chi ymchwilio i gefndir y mudiadau protest a effeithiodd ar Gymru – Y Teirw Scotch, Siartiaeth, Gwrthryfel/Terfysg Merthyr, Beca a Rhyfel y Degwm [Darllenwch y rhannau perthnasol ym Mhennod 3 i gael gwybodaeth am y ddau olaf].

## (ii) Arholiadau

### Ateb cwestiynau traethawd
Bydd ysgrifennu traethodau yn rhan bwysig o'ch astudiaeth gydol eich cwrs ac yn yr arholiad byddwch yn eu defnyddio i arddangos eich gwybodaeth hanesyddol, eich sgiliau a'ch dealltwriaeth.

Cyn ysgrifennu traethawd mae'n bwysig gwneud cynllun. Bydd rhai ohonoch yn ysgrifennu cynllun manwl, cynhwysfawr yn dangos i ba gyfeiriad rydych chi'n mynd. Bydd eraill yn nodi cyfres o eiriau neu gymalau allweddol yn unig. Mae'r ddau ddull yn dderbyniol. Chi biau'r dewis, chi sy'n gwybod pa ddull sydd fwyaf effeithiol i chi'n bersonol. Mae ymarfer yn hollbwysig.

Dylai pob traethawd gynnwys cyflwyniad, darn canol a diweddglo – dod i gasgliadau.

- Yn aml y cyflwyniad yw'r peth anoddaf i'w wneud, yn enwedig y frawddeg gyntaf. Cofiwch fod y cyflwyniad yn cyflwyno'r ddadl. Mae'n gwneud llawer mwy na darlunio'r olygfa – mae'n sefydlu i ba gyfeiriad y bydd y traethawd yn datblygu. Meddyliwch am y traethawd fel siwrnai. Yn y cyflwyniad byddwch yn dweud pa ffordd fyddwch chi'n ei dilyn, ac efallai beth fyddwch chi'n ei weld ar eich taith. Nawr, gan eich bod wedi cyflwyno cyfarwyddiadau, nid yw'n bosibl newid cyfeiriad hanner ffordd.

Dyma'r peth cyntaf y bydd arholwr yn ei ddarllen ac mae'n bwysig creu argraff dda o'r dechrau!

- Yn aml mae myfyrwyr yn ei chael hi'n anodd i wybod sut i adeiladu neu strwythuro traethawd. Yn gyntaf, rhaid i chi chwilio am y geiriau neu'r cymalau allweddol. Bydd hyn yn sicrhau na fyddwch yn crwydro'n ddiamcan.

Dyma enghraifft o draethawd sy'n gofyn am ddehongliad hanesyddol:

> 'Tlodi oedd prif broblem yr oes'.
> [I.G. Jones, hanesydd sydd wedi arbenigo ar hanes cymdeithasol Cymru]

## C. Pa mor ddilys yw'r dehongliad hwn o achosion protest boblogaidd yng Nghymru yn ystod y cyfnod 1815-68?

### Cyngor

Mae'r cwestiwn yn gofyn i chi ddelio'n uniongyrchol â'r gosodiad heriol hwn. Efallai eich bod yn cytuno â'r hanesydd neu'n anghytuno ond mae'n rhaid i chi wneud yn siŵr fod digon o dystiolaeth/deunydd i gynnal eich dadl.

Rhaid i chi nodi unrhyw ddyddiadau sydd mewn cwestiwn a gofalu na fyddwch yn crwydro i gyfnod cynharach nac i un diweddarach. Mae'r cwestiwn hwn felly yn galw am wybodaeth drylwyr am brotestiadau'r cyfnod e.e. Y Teirw Scotch, Terfysg Merthyr, Helyntion Beca a phrotestiadau'r Siartwyr. Yna, bydd angen i chi werthuso rôl tlodi ym mhob un e.e. baich atafaelu Cwrt y Deisyfion/dyledion, y system tâl a'r cyflogau isel (Merthyr); tlodi cyffredinol, diffyg sicrwydd cyflogaeth a gostyngiad cyflog ymysg gweithwyr diwydiannol cymoedd Gwent (Y Teirw Scotch a Siartiaeth); y tollbyrth, perchenogion tollbyrth barus a'r tlotai (Beca).

Ni ddylai fod unrhyw broblem mewn casglu'r wybodaeth hon ond bydd angen didoli gan ofalu na fyddwch yn ailadrodd fwy nag sydd raid. Bydd yr atebion gorau yn cyflwyno dadl gydlynol gydag ystyriaethau eraill, heblaw tlodi, yn cael sylw hefyd e.e. pwysigrwydd ystyriaethau gwleidyddol o safbwynt Siartiaeth a Therfysg Merthyr a rôl allweddol pobl fel John Frost (Siartiaeth), Lewis Lewis (Merthyr) a Beca; dylanwad tactegau'r llywodraeth a barodd fwy o ymfflamychu, h.y. mae angen gwerthuso'r deunydd. Hefyd rhaid meddwl am bwyntiau cyffredinol, nad ydynt yn llai pwysig, fel gwerthuso cyfraniad y traddodiad radicalaidd yng Nghymru yn ystod y cyfnod.

I

II

III

IV

V

VI

VII

VIII

IX

X

Terfysgwyr Merthyr, 1831

I
II
**III**
IV
V
VI
VII
VIII
IX
X

## Pennod 3

# Newidiadau yng nghefn gwlad a Phrotest y Bobl, tua 1830-1895

## 1. Newid

### ■ Y Brif Ystyriaeth:

A fu Chwyldro yng nghefn gwlad Cymru yn y bedwaredd ganrif ar bymtheg?

Er bod Cymru wedi ei diwydiannu'n gyflym yn ystod y bedwaredd ganrif ar bymtheg gwlad amaethyddol, yn ddaearyddol a hyd y degawd olaf o leiaf, oedd hi. Mae'n wir i'r trawsnewid economaidd fod mor drawiadol ag oedd o gyflym a phe baem yn cydbwyso'r gwledig a'r diwydiannol roedd newid anferthol wedi digwydd, ond rhaid i haneswyr gymryd gofal rhag gorbwysleisio'r newid. Rhaid cofio nad oedd natur a chyflymder y newid yr un fath ymhobman ac er bod twf aruthrol mewn diwydiant dim ond mewn rhan fechan o'r wlad roedd yn ffactor economaidd enfawr, a'i effaith ar ardal oedd yn llai na 30 y cant o arwynebedd y wlad. Gwelodd Morgannwg a Mynwy drawsnewid economaidd a thwf eithriadol yn y boblogaeth a datblygiad trefol nas gwelwyd ei debyg cyn hyn, ond nid dyna hanes y gweddill o siroedd Cymru. Er bod rhannau o Sir Gaerfyrddin, Sir Benfro, Sir Gaernarfon, Sir y Fflint a de Sir Ddinbych wedi eu diwydiannu'n sylweddol ac y gwelwyd trefoli amlwg mewn rhai ardaloedd, eto fe lwyddodd y siroedd hyn i gadw eu cymeriad gwledig. Ar waethaf twf trefi'r llechi fel Blaenau Ffestiniog, lle roedd traean o boblogaeth Meirionnydd wledig yn byw yn 1881, trefi'r glo a dur fel Wrecsam a threfi tunplat fel Llanelli nid oeddent agos mor fawr nag mor boblog â Merthyr Tudful, Caerdydd neu Abertawe.

I II III IV V VI VII VIII IX X

95

## Map 7

Y berthynas rhwng Amaethyddiaeth a Diwydiant: Wrecsam er enghraifft. Mae Wrecsam yng nghanol cylch o bentrefi, diwydiannol i'r gorllewin ac amaethyddol i'r dwyrain, cyfuniad anarferol

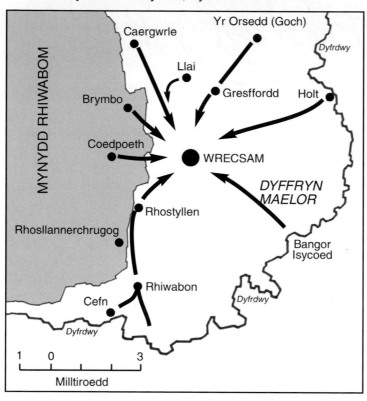

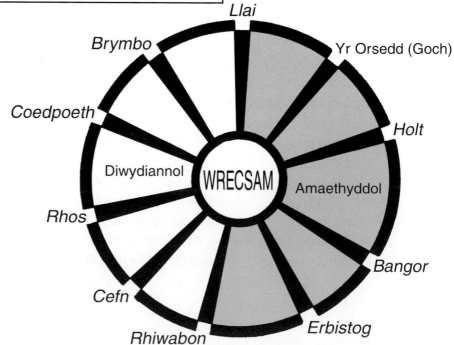

Ond os yw twf Cymru ddiwydiannol yn diriogaethol wedi ei orbwysleisio yn y gorffennol nid felly ddylanwad diwydiant ar ddatblygiad demograffaidd y genedl. Nid yn unig bu cynnydd ym mhoblogaeth Cymru ond fe symudodd *en masse*. Gyda mewnlifiad ac ymfudo roedd symudedd yn ffenomenon yn y bedwaredd ganrif ar bymtheg a gyfrannodd nid yn unig at ddiwydiannu'r wlad ond hefyd a drawsnewidiodd yn llwyr natur gymdeithasol a diwylliadol y genedl. Symudodd miloedd o Gymru wledig i ardaloedd diwydiannol ac ymfudodd miloedd hefyd i Loegr a thu hwnt (i UDA) ac yn eu lle mewnlifodd miloedd o Loegr ac Iwerddon. Bu dau ganlyniad i hyn sef diboblogi cefn gwlad a chymysgu ethnig yn y trefi diwydiannol. Yng nghefn gwlad heriwyd grym y tirfeddianwyr ac yna fe bylodd eu pwysigrwydd pan ddatblygodd dosbarth canol o ddynion, trefol yn bennaf, a'u cyfoeth yn dibynnu ar fasnach a diwydiant a'r rheini yn wŷr uchelgeisiol ym myd gwleidyddiaeth. Fel y symudai grym o ddwylo tirfeddianwyr ac y syrthiai prisiau amaethyddol rhoddwyd pwysau aruthrol ar stadau mawr. Roeddent yn dod yn aneconomaidd ac yn raddol fe gawsant eu rhannu a'u gwerthu. Ni newidiodd bywyd rhyw lawer yn ystod y bedwaredd ganrif ar bymtheg i'r bobl oedd yn byw yng nghefn gwlad, dalient i ddioddef oherwydd dirwasgiad amaethyddol nawr ac yn y man, diweithdra, cyflogau isel, tai gwael a thlodi. O safbwynt gwleidyddol roeddent yn bobl oedd wedi eu hanghofio, nhw oedd y gweithwyr olaf i gael y bleidlais gyda Deddf Diwygio'r Senedd yn 1884.

## a) Bywyd Cefn Gwlad a'r Economi

Y bobl ar y grisiau cymdeithasol o'r radd uchaf i'r isaf oedd:

- y tirfeddianwyr mawr a'u stadau yn tueddu i fod yn fwy na 20,000 o aceri. Nhw oedd yn rheoli bywyd ac economi cefn gwlad. Er mai cymharol ychydig ohonynt oedd yna, roeddent yn berchen bron 70% o'r tir.
- y tirfeddianwyr llai, sgweiriaid a bonheddwyr, y mwyafrif ohonynt yn berchen ar stadau oedd rhwng 1,000 a 3,000 o aceri a'u perthynas â'r tirfeddianwyr mawr yn fwy clòs nag â'r dosbarthiadau is.
- y ffermwyr oedd yn rhydd-ddeiliaid, yn berchen eu tir. Roedd maint eu ffermydd yn amrywio ond rhyw 40 i 140 o aceri oedd y mwyafrif, ffermydd cymharol fychan.
- y ffermwyr oedd yn denantiaid, yn dal eu tir ar les, a'r rhent a hyd y les yn dibynnu ar delerau'r cytundeb roeddent hwy a'u tirfeddiannwr yn ei arwyddo.

- y llafurwyr oedd yn gweithio i'r bobl a berthynai i'r dosbarthiadau uwch. Nid oedd y mwyafrif o bobl cefn gwlad yn berchen tir nac yn dal tir ar les.

Gallwn weld beth oedd hyn yn ei olygu yn ymarferol wrth edrych ar Sir Gaernarfon yn 1883, er enghraifft.

Yn ôl Cyfrifiad 1881 roedd 99,000 o bobl yn gweithio ar y tir a 9,000 o'r rhain yn ferched. Ond, yn ôl rhifau a gyhoeddwyd yn 1883 gan John Bateman yn ei lyfr *Great Landowners of Great Britain*, dim ond 6,240 o dirfeddianwyr oedd yn y Sir. O blith y rhain, roedd

- 14 yn dirfeddianwyr mawr, pedwar ohonynt yn arglwyddi a 203,331 o aceri o dir yn eiddo i'r rhain;
- rhyw 61 yn perthyn i ddosbarth y sgweiriaid a bonheddwyr a 53,300 o aceri yn eiddo i'r rhain;
- tua 1,503 yn rhydd-ddeiliaid cyfoethog a 39,847 o aceri yn perthyn i'r rhain
- tua 4,610 yn ffermwyr tlotach a elwid yn fythynwyr. Roedd 373 tila o aceri yn perthyn i'r rhain.

Gwahanol gyrff cyhoeddus a sefydliadau oedd biau 4,382 o aceri.
Oherwydd nad oedd ganddynt dir nid oes sôn yn ymdriniaeth Bateman am denantiaid a llafurwyr ond yn ôl pob tebyg dyna oedd yr 83,760 oedd yn weddill (gan eithrio merched) ac a oedd yn gweithio ar y tir.

## Tabl 4

Canran o'r bobl oedd yn gweithio ar y tir, 1851-1911

| | Gwryw. | | | Benyw. | | |
|---|---|---|---|---|---|---|
| | 1851 | 1881 | 1911 | 1851 | 1881 | 1911 |
| Cymru | 35.3 | 20.4 | 11.9 | 26.8 | 6.9 | 9.4 |
| Môn | 49.2 | 39.6 | 39.5 | 34.9 | 11.4 | 27.9 |
| Brycheiniog | 40.8 | 35.7 | 23.9 | 26.2 | 5.4 | 12.9 |
| Caernarfon | 39.4 | 23.6 | 19.2 | 28.4 | 6.4 | 8.8 |
| Aberteifi | 49.6 | 47.2 | 45.4 | 42.6 | 16.7 | 26.3 |
| Caerfyrddin | 46.2 | 29.5 | 21.3 | 38.0 | 12.7 | 21.3 |
| Dinbych | 44.9 | 26.7 | 21.6 | 27.8 | 6.3 | 10.9 |
| Fflint | 24.6 | 15.4 | 17.7 | 21.6 | 5.3 | 8.7 |
| Morgannwg | 15.4 | 6.0 | 2.5 | 13.1 | 2.1 | 2.0 |
| Meirionnydd | 53.1 | 31.3 | 32.3 | 40.0 | 9.0 | 15.8 |
| Mynwy | 21.0 | 12.7 | 5.7 | 13.0 | 2.6 | 3.3 |
| Trafaldwyn | 56.1 | 45.4 | 49.1 | 30.3 | 9.5 | 20.8 |
| Penfro | 40.9 | 31.5 | 29.5 | 31.7 | 11.7 | 21.7 |
| Maesyfed | 63.7 | 56.9 | 52.6 | 39.4 | 5.0 | 13.5 |

I
II
III
IV
V
VI
VII
VIII
IX
X

## Tabl 5

Graff sy'n dangos y gostyngiad yn y nifer o weithwyr y tir, 1841-1911

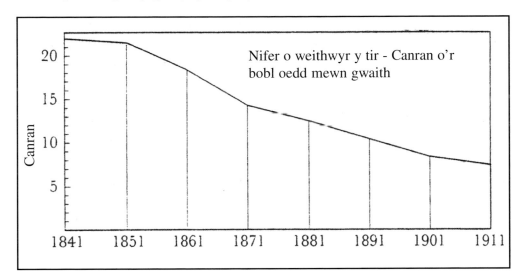

Roedd y landlordiaid oedd yn berchen tir yn mwynhau cyfoeth a breintiau. Saeson oedd rhai ohonynt, heb fawr o gydymdeimlad â'u tenantiaid, y Cymry, ac nid oedd eu stadau yn golygu dim iddynt ond modd i ennill arian. Gallai landlordiaid oedd yn Gymry hefyd fod lawn mor anystyriol ac roedd y ddwy garfan yn aml yn absennol o'r stadau gan adael i stiward neu feili ofalu am y stad. Fodd bynnag, nid cyfoeth a dull o fyw yn unig oedd yn gyfrifol am y bwlch rhwng tirfeddiannwr a'i denantiaid, roedd gwahaniaeth diwylliannol a chrefyddol hefyd. Saeson uniaith oedd y mwyafrif o'r tirfeddianwyr ac nid oeddent yn rhannu, yn wir ni allent rannu, ymlyniad eu tenantiaid wrth eu diwylliant brodorol. Anglicaniaid oedd llawer ohonynt ac roedd eu cefnogaeth i'r Eglwys sefydledig yn milwrio yn erbyn Anghydffurfiaeth eu tenantiaid. Mae erthygl a gyhoeddwyd yn *Baner ac Amserau Cymru* (2 Tachwedd 1887), yn crisialu'r casineb oedd rhyngddynt:

Y mae braidd mor anhawdd cael gafael mewn brân wen yn Nghymru neu gawrfil gwyn yn Bengal, ag ydyw dyfod o hyd i landlord caredig. Landlord caredig! dyma oen yn mysg bleiddiaid, Rhyddfrydwr yn mysg Torïaid ...
Y drychfeddwl cyffredin am landlord ydyw dyn sydd ganddo gêg yr hwch,

dannedd y llew, ewinedd yr arth, carnau yr asyn, colyn y sarph a gwanc y bedd … 5

Dynion creulawn, direswm, dideimlad, a didosturi yn gyffredinol ydyw tirfeddiannwyr (sic) ein gwlad. Nis gwaeth ganddynt hwy pwy fydd yn boddi ond iddynt hwy gael bod yn y *lifeboat*; nis gwaeth ganddynt pwy fydd yn dioddef pangfeydd marwol tlodi a newyn, ond iddynt hwy gael ymdroi mewn cyflawnder o foethau.

Erthygl 'Nyth yr Eryr' gan D. Oliver Edwards

Roedd bywyd yn galed i'r ffermwr boed yn rhydd-ddeiliad neu'n denant. Roeddent yn dibynnu ar y tywydd ac yn dioddef oherwydd trychinebau naturiol. Er enghraifft, cafwyd cyfres o gynaeafau gwael rhwng 1837 ac 1841 a wnaeth niwed mawr i'r diwydiant amaethyddol yng Nghymru. Ni ellid gwerthu cnydau oedd wedi eu difetha, bu'n rhaid prynu bwydydd i anifeiliaid ac ŷd. Aeth pethau'n waeth pan fu gostyngiad ym mhris gwartheg a defaid rhwng 1839 ac 1840, ac eto rhwng 1842 ac 1844. Bu'n ergyd galed i ffermwyr. Er bod cynhaeaf 1842-43 yn dda roedd dirwasgiad yn y diwydiannau dur a glo. Bu hynny'n ergyd i'r ffermwyr gan nad oedd cymaint o alw am gynnyrch amaethyddol. Dangosodd William Day yn glir beth oedd y problemau a ddeilliai o gynaeafau gwael a phrisiau isel. Ysgrifennai o Gaerfyrddin yng Ngorffennaf 1843 at Gomisiynydd Deddf y Tlodion yn Llundain, George Cornewall Lewis: 'Mae barlys, oedd yn costio 6s/(30c) [y] bwsiel, yn 3s/6. (18c). Mae pris grawn arall wedi gostwng bron i'r un graddau. Pris caws wedi gostwng o 4c. i 2c. Menyn yr un fath. Roedd ffermwr mawr o Gastell Newydd Emlyn yn arfer cario dros 2 dunnell (101 kg) o fenyn bob pythefnos i Forgannwg. Nawr ni all werthu yr un pwysau o fenyn am bris gostyngol unwaith y mis. Mae bron yn amhosibl gwerthu ceffyl'.

Yn anorfod roedd gostyngiad mewn prisiau yn golygu gostyngiad mewn incwm. Roedd hyn yn galed ar rydd-ddeiliaid, ond roedd yn eithriadol o galed ar denantiaid gan fod eu landlordiaid yn dal i ddisgwyl yr un rhent am eu tir a'u ffermdai. Roedd un baich roeddent yn ei rannu, sef y degwm a gesglid yn flynyddol. Fel rheol roedd yn ddegfed rhan o incwm y ffermwr. Cyn 1836 nid oedd gan ffermwyr oedd mewn trybini unrhyw ddewis ond talu eu degwm mewn cynnyrch neu stoc ond gyda Deddf Cyfnewid y Degwm datganwyd na fyddai dim ond arian yn dderbyniol o hyn allan. Bwriad y degwm oedd cyfrannu at gynnal yr Eglwys Wladol neu'r Eglwys

Anglicanaidd ond roedd y bobl yn teimlo'n chwerw am nad oedd y mwyafrif ohonynt yn aelodau o'r Eglwys honno. Anghydffurfwyr oeddent, yn mynychu capeli – Bedyddwyr, Annibynwyr a Methodistiaid a ddechreuodd herio'r drefn draddodiadol nad oedd yn berthnasol i'w bywydau. Roedd gwrthod talu yn arwain at atafaelu nwyddau, eiddo, cynnyrch neu stoc o'r un gwerth â'r ddyled. Yn yr achosion gwaethaf byddai ffermwr efallai'n cael ei orfodi i adael ei fferm. Anniddigrwydd gyda'r hawl i'r degwm hwn, a gyfrifid yn ddiangen ac yn anghyfiawn, oedd un o'r prif achosion dros yr helynt yng nghefn gwlad Cymru a ddatblygodd yn y diwedd yn Rhyfel y Degwm yn 1886. Baich arall a rennid oedd y tollau rhy uchel a godid gan y Cwmnïau Tyrpeg a arweiniodd i drais Terfysgoedd Beca yn 1839. Yn y ddau achos arweiniwyd y protestiadau gan ffermwyr, yn rhydd-ddeiliaid a thenantiaid, ond y cyflogedig, y llafurwyr, oedd y mwyafrif o'r protestwyr.

Y llafurwyr oedd y tlotaf a'r dosbarth a gâi eu hystyried leiaf yng nghefn gwlad Cymru. Ar adegau caled byddai ffermwyr yn aml yn dewis y ffordd hawsaf i leihau costau trwy waredu gweithwyr. Os oedd ymosod ar y tollbyrth a'r degwm yn fater o egwyddor i rai ffermwyr, roedd yn anghenraid llwyr i'r llafurwr. Gobeithiai'r ffermwr esmwytháu ei faich ariannol trwy gael gwared â'r taliadau ond i'r llafurwr roedd talu toll a degwm yn bygwth ei allu i oroesi. Ambell waith roeddent yn anghytuno fel y gwelwn yn y dyfyniad a ganlyn o *The Times*, 5 Medi 1843, a ysgrifennwyd pan oedd Terfysg Beca yn ei anterth:

> Clywaf eu bod [y llafurwyr] yn cynnal cyfarfodydd bob nos ar y bryniau yn y sir hon [Caerfyrddin] ac yn Sir Aberteifi. Maen nhw'n cwyno mai cyflog gwael mae'r ffermwyr yn ei dalu iddyn nhw a'u bod yn cael eu camdrin. Maen nhw'n dweud wrth y ffermwyr, 'Clywsom eich cwynion a'ch helpu i gael gwell amodau; nawr fe ddywedwn wrthych beth yw'n cwynion ni'. Clywais am sawl cyfarfod o'r math hwn a'r llafurwyr yn grwgnach yn groch oherwydd y modd mae'r ffermwyr yn eu trin, gyda chyflogau isel … Mae'r ffermwyr yn dechrau pryderu'n fawr oherwydd y datblygiadau hyn.

5

Ysgrifennwyd y geiriau hyn gan newyddiadurwr Thomas Foster. Teimlai ei bod yn eironig fod y ffermwyr wedi herio'r gyfraith a dinistrio'r tollbyrth a gwrthsefyll yr awdurdodau a chynrychiolwyr cyfraith a threfn a nawr bod yr un peth yn digwydd iddyn nhw, a'r dosbarth oedd yn is na nhw yn anfoddog. Beth ddylai'r ffermwyr ei wneud? Prin y gallent droi at yr awdurdodau i ofyn am help!

Roedd gan Foster gryn gydymdeimlad â'r llafurwr tlawd a chofiai am yr hyn a welodd mewn sawl bwthyn llafurwr yn ystod ei ymweliad â Chymru yn 1843.

> Cefais mai hofelau o fwd oeddent, lloriau o fwd yn llawn tyllau, heb gadeiriau na byrddau, gan amlaf yn hanner llawn o fawn wedi ei bentyrru ym mhob cornel. Doedd dim gwelyau, dim ond gwellt yn bentyrrau rhydd a charpiau brwnt arnynt. Roedd tanau mawn ar y lloriau yn y gornel yn llenwi'r bythynnod â mwg a thri neu bedwar o blant yn cyrcydu o'u cwmpas. Nid yn y rhan fwyaf truenus o St. Giles, nid mewn unrhyw fan yn Lloegr, y gwelais y fath dlodi difrifol. Maen nhw [y llafurwyr] yn byw ar datws a dim arall ac yn anaml y cânt ddigon o'r rheini, gan mai un pryd y dydd yn unig a gânt.   5

Efallai bod gwell bywyd yn rhywle arall.

Llun 15
Bwthyn llafurwr yng Ngheredigion yn y bedwaredd ganrif ar bymtheg

## b) Symudedd

### Pam roedd pobl yn symud?

Symudodd pobl a bu diboblogi yng nghefn gwlad yn bennaf oherwydd dirwasgiad economaidd a phrinder gwaith yn yr ardaloedd gwledig. Dilynodd y bobl y gweithgaredd economaidd allweddol o'r ardaloedd gwledig i'r ardaloedd trefol. Rhwng 1840 ac 1890 bu gostyngiad yn nifer y gweithwyr amaethyddol o 73,300 i 44,900. Mewn adroddiad a gyhoeddwyd gan Seebhom Rowntree, *How the Labourer Lives* (1913), eglurwyd pam roedd pobl yn symud a beth oedd yn digwydd i'r rhai oedd ar ôl:

> Nid oedd y cyflogau a delid gan y ffermwyr … gan amlaf, yn ddigon i gadw teulu yn gorfforol iach. Bodoli nid byw mae'r llafurwr, ei feddwl a'i emosiwn wedi eu newynu … mae meibion cyhyrog y pentref wedi ffoi gan adael ar ôl hen ddynion, y cloff, yr anabl yn feddyliol, y milain, y rhai a anwyd yn flinedig.

Yn 1913 cafwyd adroddiad ar Bwnc y Tir a gomisiynwyd gan y llywodraeth. Roedd canfyddiadau'r arolwg yn enbyd.

> Gallwn ddweud bod rhyw un ymhob pump o'r boblogaeth wrywaidd amaethyddol wedi anobeithio am ddyfodol yn y Deyrnas Unedig ac o'r herwydd iddynt benderfynu gadael y wlad yn gyfangwbl. Mewn rhai rhannau o'r wlad cawn bentrefi lle mae'r mwyafrif o'r dynion ifancach sy'n gorfforol
> 5  abl wedi ymfudo ac yn gyffredinol a rhai mwyaf abl a mwyaf egnïol sy'n mynd.
> Ochr yn ochr â'r ymfudo dros y deng mlynedd ar hugain a mwy a aeth heibio, aeth llawer iawn o'r llafurwyr i'r trefi mawr lle mae'r cyflogau uchaf. Oherwydd bod llafurwyr wedi ymfudo a symud gwelwyd diboblogi cynyddol
> 10 yng nghefn gwlad. Nid cyflogau isel yn unig sy'n cyfrif fod pobl yn gadael cefn gwlad. Ffactor pwysig arall yw fod asiantaethau trefedigaethol wedi bod yn hysbysebu eu tiroedd nhw … a bod bywyd mewn llawer o'n pentrefi gwledig yn undonnog a diflas. Cawn mai'r ddau brif achos yw, yn gyntaf, diffyg cyfleoedd i'r dyfodol; yn ail, y cyflogau isel a'r oriau hir, ac yn nesaf o ran pwysigrwydd prinder tai.

I

II

**III**

IV

V

VI

VII

VIII

IX

X

I II III IV V VI VII VIII IX X

## I ble y symudodd y bobl?

Arhosodd y mwyafrif o fewn ffiniau Cymru gan symud yn bennaf i'r Siroedd oedd wedi eu diwydiannu'n sylweddol, i Forgannwg a Mynwy. Yn Adroddiad y Comisiynwyr i Gyflwr Addysg yng Nghymru yn 1847, cyfeiriwyd at dwf y boblogaeth ym Merthyr Tudful:

'Mae'r gweithwyr sydd yn llifo i mewn o hyd yn byw gyda'i gilydd fel un tylwyth, er enghraifft, dynion Sir Benfro mewn un ardal, dynion Sir Gaerfyrddin mewn ardal arall ac ati …

## Tabl 6

Poblogaeth Cymru ac yn ôl Sir, 1851-1911
(Cyfrifwyd o'r Cofnodion Cyfrifiad)

|  | 1851 | 1861 | 1871 | 1881 | 1891 | 1901 | 1911 |
|---|---|---|---|---|---|---|---|
| Cymru | 1,163.1 | 1,280.4 | 1,412.6 | 1,571.8 | 1,771.5 | 2,012.9 | 2,420.9 |
| Môn | 57.3 | 54.6 | 51.0 | 51.4 | 50.1 | 50.6 | 50.9 |
| Brycheiniog | 61.5 | 61.6 | 59.9 | 57.7 | 57.0 | 54.2 | 59.3 |
| Caernarfon | 87.9 | 95.7 | 106.1 | 119.3 | 118.3 | 125.6 | 125.0 |
| Aberteifi | 70.8 | 72.2 | 73.4 | 70.3 | 62.6 | 61.1 | 59.9 |
| Caerfyrddin | 110.6 | 111.8 | 115.7 | 124.9 | 130.6 | 135.3 | 160.4 |
| Dinbych | 92.6 | 100.8 | 105.1 | 111.7 | 117.9 | 131.6 | 144.8 |
| Fflint | 68.2 | 69.7 | 76.3 | 80.6 | 77.3 | 81.5 | 92.7 |
| Morgannwg | 231.8 | 317.8 | 397.9 | 511.4 | 687.2 | 859.9 | 1,120.9 |
| Meirionnydd | 38.8 | 39.0 | 46.6 | 52.0 | 49.2 | 48.9 | 45.6 |
| Mynwy | 157.4 | 174.6 | 195.4 | 211.3 | 252.4 | 298.1 | 395.7 |
| Trefaldwyn | 67.3 | 66.9 | 67.6 | 65.7 | 58.0 | 54.9 | 53.1 |
| Penfro | 94.1 | 96.3 | 92.0 | 91.8 | 89.1 | 87.8 | 90.0 |
| Maesyfed | 24.7 | 25.4 | 25.4 | 23.5 | 21.8 | 23.3 | 23.6 |

## Tabl 7

Ennill Clir neu Golled yn ôl Sir oherwydd symudedd, 1851-1911
(Cyfrifwyd o'r Cofnodion Cyfrifiad)

| | 1851 | | 1861 | | 1871 | | 1881 | | 1891 | | 1901 | | 1911 | |
|---|---|---|---|---|---|---|---|---|---|---|---|---|---|---|
| | Rhif cannoedd | % | Rhif cannoedd | % | Rhif cannoedd | % | Rhif cannoedd | % | Rhif cannoedd | % | Rhif cannoedd | % | Rhif cannoedd | % |
| Cymru | +9.1 | +0.85 | 19.8 | -1.67 | -19.5 | -3.82 | -52.1 | -3.67 | -17.8 | -1.13 | -9.4 | -0.53 | +98.5 | +4.84 |
| Môn | +1.2 | +3.15 | -5.0 | -12.48 | -5.0 | -13.09 | -2.4 | -6.88 | -3.2 | -9.2 | -1.5 | -4.49 | -1.9 | -5.42 |
| Brycheiniog | -2.4 | -4.27 | -6.6 | -11.18 | -9.0 | -15.27 | -9.5 | -16.64 | -7.0 | -12.85 | -5.6 | -10.32 | -3.5 | -6.53 |
| Caernarfon | -2.5 | -2.92 | -4.5 | -4.55 | -2.6 | -2.53 | +1.2 | +1.09 | -8.5 | -6.83 | +2.8 | +2.24 | -4.9 | -3.57 |
| Aberteifi | -9.4 | -9.82 | -9.3 | -9.54 | -10.2 | -10.43 | -11.3 | -11.56 | -15.7 | -16.53 | -7.3 | -8.41 | -3.7 | -4.53 |
| Caerfyrddin | -6.5 | -7.23 | -13.8 | -14.60 | -8.2 | -8.52 | -5.5 | -5.38 | -7.9 | -7.07 | -8.6 | -7.30 | +10.7 | +8.63 |
| Dinbych | +1.6 | +1.69 | +0.4 | +0.38 | -6.1 | -6.16 | -4.1 | -3.91 | -7.5 | -6.60 | -1.2 | -1.07 | -3.4 | -2.65 |
| Fflint | -4.4 | -10.79 | -4.4 | -10.67 | -1.0 | -2.45 | -3.2 | -7.36 | -7.8 | -17.04 | -4.4 | -10.26 | +1.6 | +2.60 |
| Morgannwg | +41.9 | +23.52 | +44.2 | +18.42 | +19.0 | +5.82 | +30.3 | +7.47 | +77.5 | +14.94 | +41.0 | +5.92 | +92.1 | +10.63 |
| Meirionnydd | -4.2 | -8.26 | -2.8 | -5.42 | +1.7 | +3.27 | -1.5 | -2.52 | -10.7 | -15.70 | -5.2 | -8.09 | -8.4 | -13.02 |
| Mynwy | +9.6 | +6.36 | -6.1 | -3.45 | -7.2 | -3.65 | -21.7 | -9.89 | +3.7 | +1.58 | -5.1 | -1.86 | +34.4 | +10.86 |
| Trefaldwyn | -7.6 | -9.56 | -7.3 | -9.51 | -6.6 | -8.63 | -11.1 | -14.24 | -15.8 | -21.72 | -8.7 | -12.89 | -6.6 | -10.32 |
| Penfro | -4.7 | -5.99 | -5.7 | -6.80 | -13.8 | -15.77 | -9.4 | -11.20 | -11.6 | -13.85 | -7.2 | -8.79 | -5.5 | -6.64 |
| Maesyfed | -3.8 | -11.81 | -2.9 | -9.19 | -3.2 | -15.07 | -3.7 | -18.78 | -3.4 | -18.48 | +1.0 | +6.06 | -4.7 | -23.16 |

Y tu hwnt i ffiniau Cymru ond eto ar dir Ynysoedd Prydain ymgartrefodd Cymry yn Llundain ac yn ardaloedd diwydiannol canolbarth Lloegr. Ond UDA oedd yn denu'n bennaf – dyna gyrchfan Cymry oedd â'r nod o ddechrau bywyd newydd. Mae haneswyr wedi sôn llawer am y dadwreiddio cymdeithasol a diwylliadol anferthol a achoswyd oherwydd ymfudo ond nid darlun cwbl dywyll a diobaith mohono. Yn ôl yr Athro Brinley Thomas

> Yn lle cwyno am y golled o gefn gwlad, dylai'r gwlatgarwr o Gymro fod yn falch o'r datblygiadau diwydiannol. Yn yr hanner canrif wych cyn y Rhyfel Byd Cyntaf bu twf economaidd Cymru mor llewyrchus fel mai 4% o bobl yn unig a gollwyd trwy ymfudo. Ychydig iawn o wledydd Ewrop fu mor ffodus.

### c) Pwnc y Tir

Er mai cwynion economaidd tenantiaid oedd yn Gymry o ran iaith ac yn Anghydffurfwyr oedd wrth wraidd 'Pwnc y Tir' nid yw'n bosibl gwahanu hyn oddi wrth yr ymdeimlad mwy eang o arwahanrwydd gwleidyddol a chrefyddol. Ynghlwm wrth Bwnc y Tir roedd cwynion yn erbyn landlordiaid barus, rhenti uchel, lesau byrion, troi allan o ffermydd, yr Eglwys a'r degwm a'r diffyg cynrychiolaeth wleidyddol. Dyna ystyriaethau oedd wedi bod yn peri pryder yng nghefn gwlad Cymru ers tro ond heb fawr ddim gweithredu. Ar ôl 1880 gwelwyd newid am bedwar prif reswm:

(i) Yng Nghymru, enillodd y Blaid Ryddfrydol fwyafrif enfawr o'r seddau i'r Senedd (a dal i ennill). Roedd ganddynt gydymdeimlad â phroblemau Cymru wledig ac wedi dod yn blaid lywodraethol gallent newid pethau.

(ii) gyda Deddf Diwygio'r Senedd yn 1884 cafodd tenantiaid a llafurwyr cefn gwlad yr hawl i bleidleisio. Nawr roedd ganddynt ddylanwad gwleidyddol.

(iii) yn 1886 etholwyd Thomas Edward Ellis yn A.S. Rhyddfrydol dros Feirionnydd. Roedd yn fab i denant-ffermwr ac yn Anghydffurfiwr a Chymro Cymraeg. Golygai fod llais a gydymdeimlai yn y Senedd, ac roedd eraill tebyg iddo wedi eu hethol hefyd.

(iv) Yn 1886 sefydlodd Thomas Gee Gynghrair Gorthrymedigion y Degwm (y Cynghrair Tirol Cymreig, 1887) gan ddarparu arweinyddiaeth a chefnogaeth i'r ffermwyr. Roedd Gee, am ei fod yn berchen papur newydd ac yn weinidog Anghydffurfiol, yn gallu dylanwadu ar farn y cyhoedd ac fe ddefnyddiodd ei gyfle i'r eithaf. Cafodd ei feio gan rai oedd yn y llywodraeth am hyrwyddo terfysgoedd y degwm trwy annog y ffermwyr i brotestio.

Arweiniodd Ellis yr ymosodiad ar y tirfeddianwyr, a gefnogai'r Ceidwadwyr yn bennaf yn y Senedd, a gweithiodd yn ddiflino i wella amodau byw ffermwyr Cymru. Yn 1887 ac eto yn 1892, ceisiodd Ellis gyflwyno Mesur Tir i'r Senedd a fyddai'n amddiffyn ffermwyr Cymru rhag drygau gwaethaf landlordiaeth – rhenti uchel, y degwm a'r troi allan ond methiant fu'r ddwy ymgais. Ond, yn rhannol oherwydd y pwysau o du'r garfan sylweddol o Aelodau Seneddol Rhyddfrydol o Gymru ac yn rhannol oherwydd rhyfeloedd y degwm, cytunodd y llywodraeth i sefydlu corff gyda'r grym i archwilio Pwnc y Tir yng Nghymru. Dros ddwy flynedd (1893-95), bu'r Comisiwn Brenhinol yn casglu tystiolaeth gan holi un fil ar ddeg o dystion, ymweld â nifer o ardaloedd dewisedig ac argymell gwelliannau mewn adroddiad a gyhoeddwyd mewn dros hanner dwsin o gyfrolau yn 1896. Un o'r tystion oedd Ellis ei hunan:

> Rwy'n fab i denant … O'm llencyndod bûm yn gwbl argyhoeddedig fod angen diwygio a newid y modd mae tir yng Nghymru'n cael ei drafod
> Dyma rai enghreifftiau
> 1. Troi allan am fynegi barn annibynnol ar faterion gwleidyddol …
> 3. Tenantiaid yn colli eu ffermydd oherwydd mympwy landlord
> 4. Mynnu tâl rhent gan fygwth troi allan …
> 5. Codi rhenti uchel, amhosibl (eu talu) ambell waith ar adegau o ddirwasgiad economaidd difrifol …
> 6. Ansicrwydd y byddant yn derbyn iawndal oherwydd gwelliannau …

5

## Tabl 8

Mantolen Llafurwr yn Ardal Llanfair-ym-Muallt, Canolbarth Cymru
(Comisiwn Brenhinol ar Lafur, *Y Llafurwr Amaethyddol: Cyf. II, Cymru*, 1893)

Edward Jones, gweithiwr ar fferm, gwraig a phump o blant, cyflog 16*s*; mân oruchwylion eraill a gwaith ychwanegol adeg cynhaeaf 2*s*, cyfanswm 18*s*.

| | | |
|---|---|---|
| Rhent | 1*s* | 3*c* |
| Blawd, 28 pwys | 3*s* | 0*c* |
| Te, hanner pwys | 0*s* | 11*c* |
| Siwgwr, 6 phwys | 1*s* | 3*c* |
| Cig moch a braster | 2*s* | 2*g* |
| Tatws | 0*s* | 2*g* |
| Llaeth | 0*s* | 3*c* |
| Glo | 0*s* | 10*c* |
| Gwlân (am ddim) | | —— |
| Menyn | 2*s* | 2*g* |
| Halen, pupur ac ati | 0*s* | 1*g* |
| Sebon | 0*s* | 4*c* |
| Arian clwb | 0*s* | 6*c* |
| Dillad | 3*s* | 9*c* |
| Cig o'r cigydd | 1*s* | 0*c* |
| Cyfanswm | 17*s* | 8*g* |

I
II
III
IV
V
VI
VII
VIII
IX
X

Roedd y rhan fwyaf o'r comisiynwyr, naw o ran nifer, yn cydymdeimlo â'r ffermwr yng Nghymru ac yn eu hadroddiad daethant i'r casgliad, '... yng Nghymru y dosbarth o ffermwyr sy'n denantiaid sydd hyd yn hyn wedi dioddef waethaf oherwydd dirwasgiad. Yn y mwyafrif o'r achosion mae'r tenant yn ystod y blynyddoedd diwethaf wedi ei chael hi'n fwyfwy anodd i dalu ei rent ... Mae llawer wedi methu'n llwyr ... bydd nifer fawr cyn bo hir yn gorfod wynebu methdaliad'. Fodd bynnnag, nid oedd pawb yn cydymdeimlo â'r 'ffermwyr oedd dan bwysau' na hyd yn oed yn barod i gyfaddef fod yna 'Bwnc y Tir'.

Yn 1896 cyhoeddodd J.E. Vincent, bargyfreithiwr a gyflogwyd gan Arglwydd Penrhyn i gynrychioli buddiannau'r landlordiaid, *The Land Question in North Wales*. Ynddo datganai

> ... pwnc a gododd yn eithaf diweddar yw'r un honedig, Pwnc y Tir yng Nghymru. Ugain mlynedd yn ôl, yn wir bymtheng mlynedd yn ôl, doedd dim sôn amdano ... Gellid gofyn sut y bu i Bwnc y Tir ddod i fodolaeth mewn cymuned ag iddi hanes mor hapus ar y cyfan ... Ceir yr ateb yn y ffaith fod y Cymry, sydd wrth natur mor dawel a heddychlon â phobl unrhyw wlad yn y byd, yn ystod y degawd [1880-90] yn byw mewn cyflwr oedd yn nes at anhrefn cyffredinol nag mewn unrhyw gyfnod arall yn ystod y ganrif ... yn sicr hyd nes i helynt y degwm ddod yn amlwg nid oedd unrhyw sôn am Bwnc y Tir yng Nghymru ... Felly y bu i Arglwydd Penrhyn ddweud, '... roedd yr helynt oherwydd Pwnc y Tir yng Nghymru yn afreal ei wreiddiau ac nid wedi ei seilio ar unrhyw ymdeimlad gwirioneddol fod gan y gymdeithas amaethyddol achos i gwyno'.    5 ... 10

Argymhellodd y Comisiwn Tir welliannau, er enghraifft, y dylid sefydlu Llys Tir yng Nghymru i ddelio'n deg â chwerylon rhwng tenant a landlord, ond ni fabwysiadwyd eu hargymhellion am fod rhaniad ymysg y comisiynwyr – chwe Rhyddfrydwr a thri Cheidwadwr – ac ni allent gytuno pa newidiadau allweddol y dylid eu gweithredu. Methiant fu dwy ymgais arall ar ran y Rhyddfrydwyr i gyflwyno Mesur Tir ar gyfer Cymru, yn 1897 ac yn 1898. Ni bu i 'Bwnc y Tir' gael ei ddatrys nes dod y Rhyfel Byd Cyntaf (1914-18) a sefydlu Eglwys yng Nghymru trwy Ddeddf Datgysylltu'r Eglwys yng Nghymru (1920).

I II III IV V VI VII VIII IX X

## 2. Protest

### ■ Y Brif Ystyriaeth:

'Trais a anwyd o anobaith'. Pa mor gywir yw'r disgrifiad hwn o anfodlonrwydd Cymru wledig a'r brotest yng Nghymru yn y bedwaredd ganrif ar bymtheg?

Os mai Siartiaeth oedd mudiad protest y Cymru ddiwydiannol, helynt Beca oedd yn cyfateb iddo yng nghefn gwlad. Gyda'u profiad neu eu hofn o orfod wynebu tlodi, prinder ac angen bron â'u llethu trodd y gymdeithas wledig at yr unig ddull oedd ar ôl i orfodi'r dosbarth oedd mewn awdurdod i dalu sylw – protest. Roedd trueni ac anfodlonrwydd, y ddau o fesur cyfartal, wedi bod yn broblem i'r awdurdodau ers tro, yn enwedig ers diwedd y rhyfel yn 1815, ond roedd amodau cymdeithasol ac economaidd difrifol y '40au' wedi gwthio dynion parchus a fyddai, heblaw am hyn, yn ufuddhau i'r gyfraith, i wneud mwy na dim ond ystyried defnyddio trais. Gwelwyd rhydd-ddeiliaid a dynion a ddaliai dir ar les yn gweithredu ochr yn ochr â'r llafurwyr, dosbarth oedd mor isel ar ris y gymdeithas fel y byddai sychder ar dro neu haf gwlyb yn ddigon i'w taflu i waelod pydew tlodi'r wyrcws. I raddau helaeth, terfysg Beca oedd eu hateb i landlordiaid absennol, perchenogion ffyrdd tyrpeg di-gydymdeimlad ac ymddiriedolwyr tlotai llwgr.

Roedd un agwedd ar derfysg Beca nad oes fawr o wybodaeth amdani ac na chafodd lawer o sylw sef y gŵyn ynghylch treth y degwm. Roedd ffermwyr de-orllewin Cymru, oedd yn Anghydffurfwyr yn bennaf, yn amharod i dalu'r degwm (degfed rhan o incwm tirfeddiannwr neu denant i gynnal yr Eglwys Anglicanaidd) fel roeddent yn anfodlon talu'r doll ond am fod tollbyrth yn fwy gweladwy, y gofyn am dalu toll yn dod yn amlach a dinistrio tollbyrth yn haws ei gyflawni, anaml roedd diddymu'r degwm yn dod yn flaenaf ymysg eu hawlio na mewn adroddiadau am eu gweithgareddau.

Fodd bynnag, yn wahanol i helynt y tollau a gafodd ei ddatrys i raddau helaeth gan y Senedd yn 1844, roedd treth y degwm yn dal yn flinder ac yn peri dig ymysg ffermwyr oedd dan bwysau, yn enwedig rhai'r gogledd-ddwyrain, ond bu angen dirwasgiad economaidd difrifol arall i'w hannog i weithredu. Cyneuwyd y tân yn 1886 pan sefydlwyd y Cynghrair Tir gan Thomas Gee. Rhwystredigaeth roes fod i'r Cynghrair ac er bod cael gwared

I

II

**III**

IV

V

VI

VII

VIII

IX

X

â'r degwm yn ganolog yn ei ymgyrch roedd ei nod yn fwy eang, sef hybu gwelliannau cymdeithasol, economaidd a gwleidyddol. Ffrwydrodd Rhyfel y Degwm, fel y'i gelwid, yng ngogledd-ddwyrain Cymru yn 1886 ac ni ddaeth i ben hyd 1891 pan gafwyd deddfwriaeth Seneddol oedd yn rhannol ddatrys y broblem.

## a) Beca

### (i) Y Cwmnïau Tyrpeg

Gan nad oedd yng Nghymru ffyrdd da, nac afonydd y gellid eu defnyddio, dim ond y teithiwr mwyaf mentrus a'r mentrwr oedd â'i fryd ar ennill ei gyfle oedd yn meddwl am ddod i'r wlad. Gweld cyfle i wella ac i ehangu'r ffyrdd gwael a dryslyd ac i wneud elw da 'run pryd a wnaeth gwŷr y Cwmnïau Tyrpeg. Roedd llawer o'r mentrwyr cynnar, rhai ohonynt yn feistri haearn Merthyr a pherchenogion chwareli Eryri, yn awyddus i hybu eu busnesau ac felly fe adeiladon nhw ffyrdd rhesymol. Ond, yn anffodus, gwneud elw oedd amcan y rhai a'u dilynodd nid gwella'r ffyrdd ac yn anorfod golygai hynny y byddai gwrthdaro rhyngddynt a'r bobl oedd yn gorfod defnyddio'r ffyrdd ar gyfer eu busnes bob dydd. Ffermwyr gorllewin Cymru oedd y rhai cyntaf i ddangos eu hanfodlonrwydd. Roedd y Cwmnïau Tyrpeg yn codi tollbyrth bob ychydig filltiroedd ar hyd yr unig ffordd gan obeithio cael arian trwy godi tollau cynyddol a dryslyd. Mae'n debygol, pe bai'r ffyrdd tyrpeg wedi cael eu hadeiladu a'u cynnal a'u cadw'n dda na fyddai pobl wedi protestio cymaint. Ond, roedd llawer ohonynt yn warthus. Cyngor un gŵr a fu mor anffodus â gorfod teithio o Gaerfyrddin i Abergwaun oedd, 'Ni ddylai dim ond gorchest demtio dyn i deithio ar hyd y ffyrdd hyn'.

Heblaw'r ffyrdd tyrpeg, nad oeddent hyd yn oed erbyn yr 1830au yn fwy na 30% o briffyrdd Cymru, roedd hefyd ffyrdd plwyf. Yn ôl Deddf Senedd o'r flwyddyn 1555 cymunedau'r gwahanol blwyfi oedd yn gyfrifol am y ffyrdd hyn. Ym mhob plwyf gorfodid dynion i weithio ar y ffyrdd, a'r plwyf hefyd oedd yn talu'r gost o atgyweirio. Dyna pam roedd atgasedd at y ffyrdd hyn a'u bod fel rheol yn cael eu hesgeuluso. Erbyn dechrau'r bedwaredd ganrif ar bymtheg dim ond lonydd pridd oedd llawer o'r rhain, yn wir dyna oedd llawer ohonynt o'r dechrau. Roeddent wedi bod yn iawn i'r porthmyn ond nid oeddent yn dda i ddim pan oedd angen cludo cynnyrch diwydiannol. Nid oeddent ychwaith o fudd i'r ffermwyr oedd yn eu defnyddio, os yn bosibl, i osgoi gorfod talu'r tollau ar y ffyrdd tyrpeg. Yn wahanol i'r camlesi a'r rheilffyrdd nid oedd unrhyw reolaeth dros y gwaith o adeiladu ac atgyweirio ffyrdd. Câi cwmnïau preifat wneud fel y mynnent. Gan geisio ymelwa cymaint ag oedd modd a rhwystro teithwyr rhag osgoi ffyrdd tyrpeg mabwysiadodd rhai cwmnïau ffyrdd plwyf ond wedyn codwyd bariau a chadwynau i godi arian, heb o angenrheidrwydd wella dim ar y ffyrdd. Eto, roedd rhai cwmnïau yn colli arian am nad oeddent yn rhedeg eu busnes yn drefnus. Amcangyfrifwyd, o'r 29 Cwmni yn ne-orllewin Cymru, fod 13 mewn dyled neu'n fethdalwyr.

Cyn bo hir wedi'r helyntion a'r protestiadau a gafwyd ynghylch y Cwmnïau Tyrpeg, ymyrrodd y llywodraeth i gydlynu rhaglen strategol fyddai'n gofalu am adeiladu ffyrdd, eu hatgyweirio a'u cynnal a'u cadw. Ond erbyn hyn roedd datblygiad y rheilffyrdd wedi chwyldroi'r cynllun cludiant i'r fath raddau na bu i'r ffyrdd yng Nghymru gyfrannu cymaint ag y gellid bod wedi disgwyl tuag at ddiwydiannu'r wlad. Felly, yn hytrach na chynnig gwasanaeth i'r genedl trwy ddod â mannau pell yn nes at ei gilydd a helpu amaethyddiaeth trwy gynnal ffermwyr oedd angen cludo da a chynnyrch i'r marchnadoedd, roedd y cynllun ffyrdd, os rhywbeth, yn rhwystr.

## (ii) Protest y Bobl

Mudiad protest poblogaidd oedd un Beca a ddeilliai o nifer o achosion cymdeithasol, economaidd a chrefyddol. Roedd yn fudiad cudd, rhyfel 'ymosod a ffoi', nawr ac yn y man, ar dollbyrth yn bennaf ond hefyd ar dlotai ac ar eiddo perchenogion amhoblogaidd oedd yn hawlio treth y degwm. Cychwynnodd y mudiad ar ffin Siroedd Caerfyrddin a Phenfro ym Mai 1839 ac yno y cafwyd y protestiadau cyntaf. Ymgasglodd rhyw 400 o ddynion, a'u hwynebau wedi eu duo, gyda bwyeill a ffyn yn arfau, ac yn eu galw eu hunain yn ferched 'Beca'. Ymosododd y rhain ar dollborth Efailwen a dinistrio'r glwyd. Ceisiodd Ymddiriedolaeth Tyrpeg Hendy-gwyn ar Daf ail-osod y glwyd ond fe'i dinistriwyd yr ail waith. Pan benderfynodd yr Ymddiriedolaeth anghofio am y glwyd diflannodd y merched hefyd (ond nid cyn iddynt ddinistrio dwy glwyd arall i'r gorllewin o Gaerfyrddin ac o bosibl losgi tloty Arberth oedd ar hanner ei adeiladu). Ni chlywyd dim mwy o hanes Beca hyd ganol Tachwedd 1842 pan ymosodwyd ar glwydi newydd Pwll-Trap a Thafarn y Mermaid, a osodwyd y naill ochr a'r llall i bentref Sanclêr, a'u dinistrio.

I

II

III

IV

V

VI

VII

VIII

IX

X

I

II

**III**

IV

V

VI

VII

VIII

IX

X

Erbyn dechrau Ionawr 1843 roedd Merched Beca wedi ymosod chwe gwaith gan ddinistrio tollbyrth o fewn cylch o bymtheng milltir o Sanclêr. Erbyn dechrau Chwefror roeddent wedi symud i'r gorllewin i Sir Benfro ac erbyn Ebrill roedd y merched yn gweithredu dros yr afon Teifi, yn Sir Aberteifi.

Roedd y tollbyrth yn darged i ymosodiadau am eu bod yn symbol gweladwy o ormes. Roedd y clwydi a'r tollau a godai'r Cwmnïau yn faich ar ffermwyr oedd eisoes dan bwysau economaidd difrifol. Roedd amharodrwydd perchenogion ffyrdd tyrpeg i gydymdeimlo wedi gwaethygu'r sefyllfa. Daeth un enw'n arbennig i'r amlwg – Thomas Bullin. Cawsai yrfa lwyddiannus yn Lloegr fel rheolwr Cwmni. Yna, yn yr 1830au, prynodd nifer o ffyrdd tyrpeg yng Nghymru a chael eraill ar les, yn bennaf drwy arwerthiant. Roedd ei ddulliau o redeg busnes yn llym a thrwyadl ac nid rhyfedd i'w 'gwsmeriaid', y ffermwyr, droi yn ei erbyn. Roedd y tollau'n faich eithriadol ar ffermwyr Cymru gan nad oedd dewis ganddynt ond cario calch (i wrteithio'r tir) gyda throl i'w ffermydd a chario cynnyrch i'r farchnad. At hynny roedd rhai ffermwyr yn gorfod teithio trwy glwydi sawl Cwmni a phob un yn hawlio toll lawn. Pe bai'r ffyrdd wedi bod yn dda ac yn werth y gost o'u cynnal efallai na fyddai'r ffermwyr wedi bod mor ddig ond yn anffodus roedd problemau ariannol gan rai o'r cwmnïau a'u dull o ddatrys hynny oedd naill ai godi mwy o glwydi a/neu godi'r pris. Ceisiodd rhai cwmnïau orfodi eu 'cwsmeriaid' i wella ffyrdd drwy ddefnyddio deddf a basiwyd yn yr unfed ganrif ar bymtheg oedd yn gofyn i'r plwyfolion gynnal y ffyrdd yn eu hardal! Fodd bynnag, fel y darganfu comisiwn y llywodraeth yn nes ymlaen, nid dyna unig achos yr helynt.

Llun 16
Terfysgwyr Beca: *Illustrated London News*

THE WELSH RIOTERS.

Wedi sgubo popeth o'u ffordd heb unrhyw rwystr o du'r awdurdodau, ar waethaf y ffaith fod heddlu arbennig wedi eu galw ynghyd i amddiffyn y tollbyrth, aeth Beca a'i merched ati i ddelio â chwynion cydnabyddedig eraill megis treth y degwm a deddf newydd y tlodion. Roedd ymddiriedolwyr y tlotai a'u cyflogwyr yn darged am eu bod yn llwgr ac yn ddi-gydymdeimlad. Roedd cymunedau gorllewin Cymru yn ddig oherwydd y cymal yn y ddeddf (Deddf Newydd y Tlodion 1834) a ddeliai â phlant siawns. Bellach ni châi mamau dibriod eu cynnal ac felly roedd yn rhaid iddynt lwgu neu fynd i'r tloty. Yn Chwefror 1843 anfonwyd tri llythyr bygythiol at reolwr y tloty yn Arberth yn ei rybuddio ynghylch ansawdd y bwyd oedd yn ei roi i'r tlodion. Ym Mehefin 1843 anfonodd Beca lythyrau bygythiol i dlotai Hwlffordd a Chaerfyrddin ac ymosododd rhyw 600 o ferched Beca ar dloty Arberth. Eu hamcan oedd llosgi'r adeilad ond anfonwyd milwyr o Gastellmartin i'w rhwystro. Yn Sir Benfro roedd Beca'n hynod brysur yn ychwanegu rhenti uchel a chau tir at ei rhestr o gwynion. Yn Awst 1843 dinistriodd tyrfa fawr loc yr anifeiliaid ym maenordy Slebech a rhyddhau'r anifeiliaid roedd y Barwn de Rutzen wedi eu hawlio am nad oedd un o'i denantiaid wedi talu'r rhent.

## Map 8

Beca: Ymosod ar Dollbyrth, 1839-44

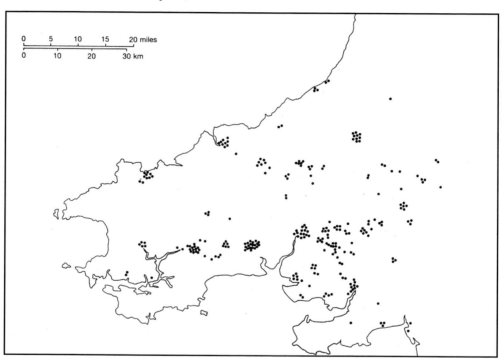

Roedd o leiaf 31 o ymosodiadau eraill yn Siroedd Maldwyn, Maesyfed a Brycheiniog

Llun 17
Landlordiaid yn apelio at ddilynwyr Beca

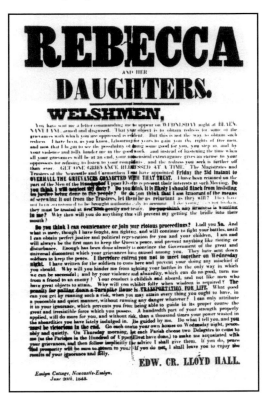

I

II

**III**

IV

V

VI

VII

VIII

IX

X

Ar 19 Mehefin 1843, gan fentro mwy nag erioed, gorymdeithiodd terfysgwyr Beca gefn dydd golau drwy strydoedd Caerfyrddin a thlodion y dref yn ymuno â nhw. Mike Bowen of Dre-lech oedd yn eu harwain a charient bosteri â'r gair 'Cyfiawnder' arnynt. Roedd ganddynt ddau nod:

- cyflwyno rhestr o'u cwynion i'r ynadon oedd mewn sesiwn yn neuadd y dref
- dinistrio tloty'r dref.

Daeth 'Helynt Caerfyrddin' i ben pan gyrhaeddodd y milwyr ar gefn ceffylau, y *4th Light Dragoons*, a aeth ati i wasgaru'r terfysgwyr yn eu dull milwrol, effeithiol fel arfer. Ond, hyd yn oed wrth ymgilio nid oedd Beca wedi ildio oherwydd yr un diwrnod anfonwyd llythyr rhybudd at Feistr Tloty Castellnewydd Emlyn yn datgan: 'os na chaiff y tlodion sydd dan dy ofal ddod allan cyn dydd Mercher nesaf byddwn yn dinistrio'r tloty yn llwyr a gwae i ti dy gorff oherwydd byddwn yn ymorol na chei di ddianc'.

Roedd y digwyddiadau yng Nghaerfyrddin nid yn unig wedi brawychu'r awdurdodau, oedd eisoes yn ofni, ond hefyd wedi dwyn sylw papurau newydd cenedlaethol oedd â'u pencadlys yn Llundain fel *The Times*, a anfonodd ohebydd i'r dref. Roedd y cyfrinachedd a berthynai i'r mudiad a'r dinistr cynyddol yn bryder i'r llywodraeth ac ymatebodd yn yr unig ffordd y gwyddai amdani sef trwy ddefnyddio grym gormesol.

## Map 9

Dosbarthiad milwyr yn ne-orllewin Cymru, Hydref 1843-Chwefror 1844

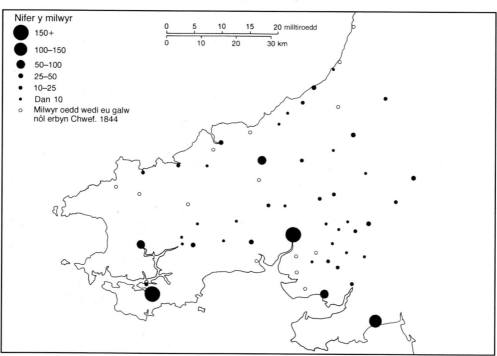

Tynnwyd sylw at gwynion y ffermwyr yng Nghymru gan Thomas Foster, gohebydd *The Times*, a ddaeth i dde Cymru i adrodd ar yr helynt. Wedi gwneud ymholiadau dwys ac ennill ymddiriedaeth y ffermwyr anfonodd Foster nifer o adroddiadau am y digwyddiadau yng ngorllewin Cymru. Mae ei adroddiadau yn amhrisiadwy am eu bod yn dystiolaeth uniongyrchol i ddaliadau dilynwyr Beca. Dyma ddyfyniad o erthygl a gyhoeddwyd ar y 4 Awst 1843:

Mae'r ffermwyr yn grwgnach yn arw oherwydd natur ormesol y tollau, yn enwedig ar ffyrdd oedd yn wreiddiol yn ffyrdd plwyf ond a gafodd eu mabwysiadu gan yr ymddiriedolaeth a roddodd dollbyrth arnynt ac yna galw ar y plwyfi i'w cynnal a'u cadw. Cefais enghraifft o ffordd blwyf rhwng

5    Llanelli a Phen-bre, pellter o bum milltir, – codwyd clwyd arni ac maent yn hawlio toll o chwecheiniog am drol a cheffyl. Bythefnos yn ôl sgubwyd pont i ffwrdd gan y llifogydd. Gwrthododd yr ymddiriedolwyr wneud dim gan alw ar y plwyf i'w thrwsio. Maen nhw'n dweud nad oes lôn gefn o unrhyw fath y gall trol ei theithio i fynd i'r odynau calch nad oes bar neu gadwyn ar ei

10   thraws. Maen nhw'n dweud os bydd lôn y gallai ffermwr neu ddau fynd ar ei hyd heb dalu toll, bydd cais yn cael ei anfon ar fyrder at yr ymddiriedolwyr i ofyn am ganiatâd i roi bar arni, ac fe geir yr hawl bron yn syth. Ni ellir cynnal ffair mewn unrhyw bentref na thref bwysig heb i'r tollwyr amgylchynu'r dref gyda chadwyn o rwystrau gan gau pob mynedfa.

Erbyn dechrau Gorffennaf roedd Beca yn gweithredu ymhellach fyth, wedi croesi ffiniau'r sir i Forgannwg, ym Mhontarddulais a Llangyfelach. Ond yma, pan ymosododd dros gant o ddilynwyr Beca ar dollborth Pontarddulais ym Medi 1843 daethant wyneb yn wyneb â milwyr a heddlu dan arweinyddiaeth Prif Gwnstabl Morgannwg, Charles Napier. Profodd y mudiad wrthsafiad difrifol am y tro cyntaf. Restiwyd nifer o'r 'merched' blaengar, cawsant eu hanfon i'r llys yng Nghaerdydd a'u dedfrydu i alltudiaeth am gyfnod o rhwng saith ac ugain mlynedd. Dyma adroddiad Foster yn *The Times* (20 Medi, 1843):

> Gobeithid ac yn wir proffwydid gan ynadon a heddlu y byddid yn rhoi terfyn ar fudiad Beca ac y lledaenid cymaint o ofn drwy'r wlad fel na fyddai unrhyw derfysg pellach. Ond i'r gwrthwyneb yn hollol y bu'r effaith. Mae'r Cymry yn bobl ryfedd ac y maent wedi eu cynddeiriogi am fod eu cydwladwyr wedi cael eu saethu, gan, fel y dywedant hwy, gorff o heddlu mileinig.

Fodd bynnag, dal ati wnaeth Beca. Adroddwyd am derfysg nawr ac yn y man hyd yr hydref 1844 ac yna yn raddol gwywodd y mudiad.

I

II

**III**

IV

V

VI

VII

VIII

IX

X

117

## (iii) Natur Beca

> … a bendithio Rebeca, a dweud wrthi, 'Tydi, ein chwaer, boed iti fynd yn filoedd o fyrddiynau, a bydded i'th ddisgynyddion etifeddu porth eu gelynion.'
>
> [Llyfr Genesis, xxiv, 60.]

Tebyg na chawn byth wybod y gwir reswm pam y galwyd y mudiad wrth yr enw Beca. Barn rhai haneswyr yw mai'r Beibl roddod yr ysbrydoliaeth i'r enw ond mae llawn mor debygol mai yn ddamweiniol y cafodd yr enw gan fod gwisgo i fyny, cyfrinachedd, odli, bygwth, cynnal ffug-brawf a phantomeim yn rhan o draddodiadau'r werin yng nghefn gwlad Cymru. Mewn protestiadau gwledig cynharach gwelwyd 'y ceffyl pren'. Y traddodiad oedd cario gŵr gwellt, i gynrychioli rhywun oedd wedi tramgwyddo yn erbyn y gymuned, ar geffyl pren drwy'r ardal a 'cherddoriaeth', hynny yw, twrw aflafar, yn ei ddilyn. Rhwng ymosodiadau, y trais a'r difetha, byddai llawer o firi, canu a llunio baledi. Roedd Levi Gibbon a David Davies, sef Dai'r Cantwr, yn faledwyr o fri. Bwriedid i'w baledi fod yn fwy na difyrrwch oherwydd, yn ogystal â rhoi bri ar y digwyddiad, roeddent yn fodd i bwysleisio, i adlewyrchu neu i roi llais i farn y cyhoedd. Roedd gan derfysgwyr a phrotestwyr eraill ledled Cymru eu baledi a'u baledwyr hefyd. Yn wir gellid dadlau mai'r baledwyr gwerinol hyn oedd olynwyr modern yr hen feirdd. Dyma ddyfyniad o faled gan Levi Gibbon:

> Cadd Beca ei geni yng Nghymru fel fi
> Yn faban corfforol ym mhlwyf Mynachlog Ddu,
> Fe dyfodd i fyny yn uchel ei phen,
> Fe gymrodd lawn feddiant o Gât 'R Efail Wen
> Bu yno gwnstabli ac hefyd bolîs
> A llawer o *soldiers* mewn pŵer am fis,
> Er rhwystr i Beca ladrata'r hen glwyd
> Fel caffo pob *gateman* bryd cyfan o fwyd.

Un o'r agweddau ar fudiad Beca a godai fwyaf o anesmwythyd oedd y bygythiadau a anfonid mewn llythyrau at y sawl y dymunai ei frawychu, y Llythyrau Gwaed. Roedd y rhain yn arf effeithiol iawn, yn codi braw ar y derbynwyr. Yn Lloegr wledig hefyd roedd mudiad *'Captain Swing'* yn codi ofn aruthrol ar y sawl a dargedid. Cymharwch y bygythiad a ddyfynnir â'r Llythyr Beca cyntaf a anfonwyd ar 16 Rhagfyr 1842.

Llun 18

Y 'Llythyr Beca' cyntaf

I

II

III

IV

V

VI

VII

VIII

IX

X

119

Llun 19
Y 'Llythyr *Captain Swing*' cyntaf

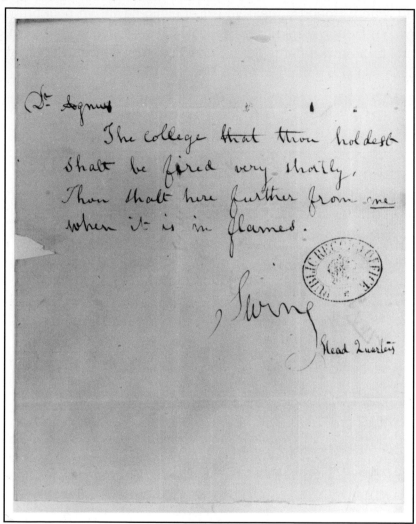

Ym marn David Jones roedd Terfysgoedd Beca 'yn fwy nag roedden ni'n ei dybio ac yn llai parchus, ac am gyfnod yn cystadlu â materion Iwerddon fel prif destun trafodaeth yn y Senedd ac yn y wlad'. Câi Syr Robert Peel, y Prif Weinidog ar y pryd, drafferth mawr i ddod i delerau â'r ffaith mai 'pobl syml, werinol, a chynhyrfu a chynllunio rhyfygus yn ddieithr iddynt' oedd yn terfysgu. Anfonwyd gohebydd o Sais i Gymru i adrodd ar y terfysgoedd ar gyfer y papur newydd Siartaidd, *Northern Star*. Fe newidiodd ei ragfarn yn fuan am y terfysgwyr a gwrddodd: 'Mae unrhyw un sy'n meddwl mai criw o dwpsod dwl yw ffermwyr bychain de Cymru yn camgymryd yn fawr, am unwaith yn ei fywyd'.

## (iv) Barn Gyfoes ar Achosion Beca a'r Canlyniadau

Barn Foster, gohebydd *The Times*, oedd fod defnyddio milwyr a'r heddlu i ormesu yn gwaethygu sefyllfa oedd eisoes yn ffrwydrol. Credai mai dim ond comisiwn dan arweiniad y llywodraeth allai ddatrys y broblem. Digwyddodd hyn yn Hydref 1843 pan sefydlwyd Comisiwn Brenhinol i Archwilio i Achosion Anghydfod yn Ne Cymru. Treuliodd y comisiynwyr bum mis yn casglu gwybodaeth a chafwyd adroddiad ym Mawrth 1844. Dyma ddyfyniad o'r adroddiad.

Rydym yn falch iawn o ddweud ein bod yn credu nad oedd a wnelo'r helyntion, er eu bod wedi ymledu dros ardal eang, ddim ag achosion gwleidyddol ac nad oedd dim byd tebyg i anfodlonrwydd neu atgasedd at y gyfraith yn y gymdeithas. Achoswyd yr helynt yn y lle cyntaf gan gwynion

5    lleol ac yn raddol lledaenodd i ardaloedd eraill lle roedd cwynion cyffelyb ac unwaith roedd yr ysbryd gwrthryfelgar wedi ei gyffroi roedd pobl filain yn ei ystumio i greu mwy o drais a hwnnw wedi ei gynllunio.

Roedd yn ymddangos yn gyffredinol, mai prif achos y cwynion oedd camdddefnydd o arian y tollau ar ffyrdd tyrpeg, amlder y clwydi a'r gost, ac

10   ambell waith roedd ymddygiad plagus y casglwyr toll yn codi gwrychyn a'r hawlio anghyfreithlon; y codiad yn y degwm dan Ddeddf Cyfnewid y Degwm … dull gweithredu Deddf Newydd y Tlodion, yn bennaf (er nad yn gyfangwbl) oherwydd cyflogau uchel y swyddogion, gweithredu'r cymalau ar blant siawns, dull ynadon lleol o weithredu'r gyfraith a'r arian a delid i'w

15   clercod a'r cynnydd parhaol yn nhreth y sir…

Cytunai pawb oedd yn gwybod am gyflwr y wlad fod nifer o gynaeafau gwael a gwlyb wedi lleihau cyfalaf ffermwyr yn ddirfawr. Roedden nhw wedi gorfod prynu'r bara i'w teuluoedd dros nifer o flynyddoedd ac nid oedd yr arian a gawsent wrth werthu stoc a chynnyrch eu ffermydd yn ddigon i'w galluogi i

20   dalu dyledion.

Ochr yn ochr â'r anawsterau hyn roedd pris defaid, gwartheg a menyn wedi gostwng lawer yn is na chyfartaledd y blynyddoedd blaenorol, er bod trethi a degymau wedi codi, a'r rhenti tir heb eu gostwng, yn gyffredinol.

25

Mae ffermwyr Cymru bob amser yn bobl ddarbodus a gofalus ond oherwydd pwysau'r amgylchiadau a ddisgrifiwyd gennym roeddent yn fwy awyddus na'r arfer i gael gwared â hyd yn oed y taliadau lleiaf.

Oherwydd y cyhoeddusrwydd a gafodd Terfysgoedd Beca a'r adroddiad gan ei chomisiynwyr, oedd yn cydymdeimlo, bu'n rhaid i'r llywodraeth weithredu.

- Yn Awst 1844, prin bum mis wedi i'r adroddiad gael ei gyhoeddi, pasiodd y llywodraeth Ddeddf Dyrpeg a sefydlodd Fyrddau Ffyrdd ym mhob sir i gyfnerthu ac i reoli'r cwmnïau, yr ymddiriedolwyr, a phenodi tirfesurwyr i roi cyngor i'r byrddau. Hefyd symleiddiwyd y tollau a hanerwyd y doll ar galch.

- Yn anuniongyrchol, cyfrannodd y terfysgoedd at ddeddfu gwelliannau eraill pwysig fel Deddf Cau Tir 1845 oedd yn gofalu am anghenion ffermwyr bychain pe bai newidiadau mewn deddfwriaeth yn effeithio arnynt.

- Hefyd, yn 1847 sefydlwyd Bwrdd Deddf y Tlodion i ofalu y gellid gweithredu Deddf y Tlodion mewn modd mwy dynol.

## b) Rhyfeloedd y Degwm

Yn 1886 aeth gogledd-ddwyrain Cymru i ryfel, nid yn y modd confensiynol ond yn unol â'r traddodiad anrhydeddus o ymroi i derfysg a thrais. Nid am y tro cyntaf, sylfaen yr helynt oedd anfodlonrwydd amaethyddol ond un ystyriaeth uwchlaw popeth a barodd y ffrwydrad, sef y degwm. Oherwydd y prisiau isel am gynnyrch amaethyddol, yn rhannol oherwydd cynaeafau gwael ac yn rhannol oherwydd y gystadleuaeth o dramor a'r prisiau is, roedd ffermwyr yn chwilio am ffyrdd i leihau eu baich ariannol. Roeddent wedi bod yn talu'r degwm o'u hanfod ers tro yn enwedig felly pan oedd caledi economaidd ac yn ogystal oherwydd mai Anghydffurfwyr oeddent. Gan fanteisio ar yr anogaeth a gawsant o gyfarfodydd Cymdeithas Rhyddhad Crefydd penderfynodd tenantiaid Sir Ddinbych wrthod talu'r degwm. Arweiniodd hyn at achos Llys ac atafaelwyd nwyddau a stoc ffermwyr oedd yn amharod, neu'n anabl i dalu mewn arian, a'u gwerthu.

Yn ei lyfr *Memories*, a gyhoeddwyd yn 1889, dywedod Esgob Llanelwy, A.G. Edwards (a ddaeth wedyn yn Archesgob Cymru) – 'gwleidyddiaeth nid tlodi a ysgogodd ryfel y degwm'. Ar un ystyr mae'n iawn, gan fod helynt y degwm wedi dod i'r amlwg yr un pryd â'r ymgyrch i ddadsefydlu a dadwaddoli'r Eglwys yng Nghymru ac Aelodau Seneddol Rhyddfrydol fel Thomas Edward Ellis yn dadlau'r achos. Cafodd Thomas Gee, yr argraffydd-gyhoeddwr Anghydffurfiol o Ddinbych a'i Gynghrair Tirol

Cymreig, oherwydd eu dylanwad ar farn y cyhoedd, hefyd eu cyhuddo o annog y ffermwyr i wrthryfela yn erbyn yr Eglwys a'r landlordiaid. Nid yw'n syn fod yr helyntion wedi cael llawer o sylw'r wasg yn Lloegr ac ennyn diddordeb eraill oedd yn awyddus i ddeall achos a natur 'rhyfel y degwm'. Mae detholiad o ddyfyniadau yma, sy'n ymgais at gyflwyno'r farn gyfoes.

## Archwilio'r dystiolaeth: Rhyfeloedd y Degwm

### Pam roedd gwrthwynebiad i'r degwm yng Nghymru ?

**A**

Mae ffermwyr yn Sir Ddinbych yn llunio'u cais am sefydlu llysoedd tirol yng Nghymru … Nid yw'r Degwm, meddent, bellach yn ddegfed rhan o gynnyrch fferm ond chweched rhan, pumed rhan, hyd yn oed bedwaredd rhan a honnodd un siaradwr mewn cyfarfod yn Nhreffynnon ddoe fod un ffermwr
5     mewn tair blynedd wedi talu degwm oedd yn gymaint â rhent blwyddyn. Hefyd mae pris stoc ac ŷd wedi gostwng draean ac felly, dadleuant, dylai rhent gael ei ostwng draean hefyd.

[*Chester Chronicle*, 16 Ionawr 1886]

**B**

Mae'r anghydfod wedi dechrau oherwydd … mai eglwys estron ydyw (Eglwys Loegr yng Nghymru) a dim ond nifer bychan o'r bobl yn ei mynychu. Rydym yn ystyried fod talu degwm i'r Eglwys hon fel gwisgo nod concwest. Rydym yn benderfynol o'i fwrw ymaith mor fuan ag sy'n bosibl.
5     Nid yr achos ond y rheswm dros y terfysg hwn yw cyflwr amaethyddiaeth …
… Mae'r Dirprwywyr Eglwysig wedi sarhau a digio fy nghydwladwyr gymaint, trwy alw am gymorth y fyddin a'r heddlu i'w diogelu tra'n casglu'r taliadau degwm yn llawn, fel na ellir fyth anghofio'u hymddygiad; a bydd yn sicr o ysgogi'r genedl Gymreig i ddefnyddio pob dull cyfreithlon i brysuro
10     dadsefydliad a dadwaddoliad Eglwys y mae ei harweinyddion heb ddangos unrhyw gydymdeimlad ymarferol â ffermwyr yn eu cyni.

[Tystiolaeth Thomas Gee o flaen y Comisiynwr John Bridge a'r Pwyllgor
Arolwg i Helynt y Degwm yng Nghymru (1887)]

I

II

**III**

IV

V

VI

VII

VIII

IX

X

123

## C

Onid yw'n annheg i orfodi Annibynwyr, Methodistiaid, Bedyddwyr, Wesleaid, Undodwyr ac ati i gyfrannu at gynnal clerigwyr yr Eglwys Anglicanaidd. Mae degymau Cymru yn cael eu cymryd o'r wlad i chwyddo incwm esgobion Seisnig, eglwysi cadeiriol a cholegau … Mae Esgob Lincoln yn cymryd £400, … Esgob Lichfield yn cymryd £766 … ac Esgob Caerloyw £844. Mae pum Deon a Chabidwl Caerloyw, Rhydychen, Caer-wynt a Chaerwrangon yn derbyn cyfanswm o £9,154.

    5

[W. Thomas, *The Anti-Tithe Movement in Wales* (1891)]

## CH

Ar un olwg, terfysgoedd Beca oedd y mudiad yn erbyn talu'r degwm eto, ond yng Ngogledd Cymru y tro hwn. Yn ystod dyddiau caled y pedwardegau yn ne Cymru câi'r ffermwyr hi'n haws i gael gwared â'r tollau ar y ffyrdd tyrpeg na'r trethi neu'r rhenti; roedd yn haws herio ceidwad amhoblogaidd y tollborth na'r casglwr trethi neu'r landlord. Yn 1885-88, roedd y ffermwr yng Ngogledd Cymru yn gweld perchenogion y degymau yn yr un modd ag yr edrychai eu brodyr yn Ne Cymru ar doll y ffyrdd tyrpeg a cheidwad y tollborth genhedlaeth yn gynharach. Roedd talu'r degwm wedi bod yn amhoblogaidd erioed, fwy neu lai, gan y mwyafrif o'r boblogaeth.

    5

[D. Lleufer Thomas, *The Welsh land Commission:*
*A Digest of its Report (1896)*]

## Sut y bu i'r Cymry herio'r degwm?

## D

Penderfynodd nifer o amaethwyr Cwm Eithin beidio â thalu oni chaent y gostyngiad. Canlyniad hynny oedd i'r *Ecclesiastical Commissioners*, Mai 18, 1887 anfon oddeutu ugain o feiliaid i atafaelu ar eiddo pedwar ar hugain o amaethwyr dewr Cwm Eithin a wrthodai dalu. Ond canwyd corn gwlad, a daeth y lluoedd ynghyd, a rhwystrwyd hwy gan y dorf mewn nifer o ffermydd rhag cario eu bwriad allan, ond llwyddasant i atafaelu ar eiddo pedwar o amaethwyr.

    5

Y dydd cyntaf o Fehefin, 1887, yr oedd arwerthiant i fod … ond ni chynigiodd neb geiniog … ac yr oedd agwedd y dorf yn myned yn fwy cynhyrfus … a da fu gan yr arwerthwr a'i gyfeillion gael myned adref â'u hesgyrn yn gyfain. Anfonwyd hwy a'r heddgeidwaid i ffwrdd, a dywedir bod dros dri chant o bobl yn eu danfon ar hyd y ffordd trwy'r Glyn i Gorwen.

    10

Yr oedd y gelynion yn y fath fraw nes begio am eu bywyd. Gwnaed iddynt fyned ar eu gliniau ac arwyddo papur fel y canlyn: *"We hereby promise not to come on this business again in any part of England or Wales to sell for Tithes"* …

    15

Yna, gwnaed iddynt dynnu eu cotiau a'u gwisgo amdanynt y tu chwith allan i ddangos eu hedifeirwch.

[Hugh Evans yn dweud hanes ei blwyf yn ei lyfr *Cwm Eithin* (1931)
(ail-argraffiad)]

## DD
Helynt y Degwm yn Ninbych fel y'i hadroddwyd yn y *Daily Graphic*, Awst 1890

TITHE COLLECTING IN WALES: INCIDENTS OF THE DISTRAINT OPERATIONS IN DENBIGHSHIRE.

I II **III** IV V VI VII VIII IX X

**E**

> Fore dydd Iau ymgasglodd nifer fawr o weision heddlu, dros 100 ohonynt, o luoedd Sir y Ffint a Sir Ddinbych ynghyd â chwmni cyfan o'r *22nd Cheshire Regiment* ...
>
> Estynnodd y plismyn am eu pastynau ac am ychydig funudau ymosod ar y dyrfa ar bob llaw. Cludwyd tua dwsin o ddynion ymaith yn anymwybodol.    5 Anafwyd un dyn yn ddifrifol – Elias Hughes, blaenor mewn capel lleol, a fu'n amlwg yn y mudiad yn erbyn y degwm – craciwyd asgwrn ei ben a thorrwyd ei fraich.
>
> > [Adroddiad ar y terfysg ym Mochdre yn *The Flintshire Observer* (Mehefin 1887)]

**F**

> Clwysom fel plant gryn sôn am y modd y gorymdeithiai'r gwrthryfelwyr yn erbyn talu'r degwm o ardal i ardal ac o fferm i fferm pan werthid eiddo ac anifeiliaid i gwrdd â'r gofyn… . Dyfeisid cynlluniau lled effeithiol i rwystro'r arwerthwr, ac nid oedd pob un yn basiffist chwaith, fel y gwyddai ambell swyddog yn rhy dda wrth ymadael ar ffrwst wyllt.
>
> > [Y Parch T.E. Davies yn disgrifio'r hyn a glywodd am helynt y degwm yn Gwernogle, Sir Aberteifi.]

## Sut roedd datrys y broblem?

**FF**

> Yn Sir Ddinbych mae dynion sy'n parchu'r gyfraith bron yn unfryd o'r farn na ellir ennill heddwch mewn unrhyw ffordd ond trwy ddadsefydlu neu trwy fesur fydd yn bwrw baich y degwm ar ysgwyddau'r landlordiaid.
>
> > [J.E. Vincent, *Letter from Wales* (1889)]

## Sut y bu i'r broblem gael ei datrys?

Yn 1891 pasiwyd Deddf Treth y Degwm yn y Senedd oedd yn datgan fod yn rhaid i'r landlordiaid yn hytrach na'r tenantiaid dalu'r degwm i'r Eglwys o hyn allan. Er bod landlordiaid digydwybod wedi codi rhenti eu tenantiaid i dalu'r gost ychwanegol, daeth y terfysgoedd i ben oherwydd roedd egwyddor bwysig wedi ei sefydlu. Gyda Datgysylltiad yr Eglwys yng Nghymru yn 1920 gellid dweud bod y broblem wedi ei datrys i raddau helaeth er na ddigwyddodd hynny'n derfynol nes i'r degwm gael ei ddiddymu yn 1936.

# *Cyngor a Gweithgareddau*

## (i) Cyffredinol

### Darllen Pellach

D. Egan, *People, Protest and Politics: Case Studies in Nineteenth-Century Wales* (Llandysul, 1987).

D.W. Howell, *Land and People in Nineteenth-Century Wales* (London, 1978).

J.G. Jenkins, *Life and Tradition in Rural Wales* (London, 1976).

D.J.V. Jones, *Before Rebecca: Popular Protests in Wales, 1793-1835* (London, 1973).

D.J.V. Jones, *Rebecca's Children: A Study of Rural Society, Crime and Protest* (Oxford, 1989).

D. Williams, *The Rebecca Riots: A Study in Agrarian Discontent* (2il argraffiad, Caerdydd, 1986).

R.M. Morris, *'Beca!,* Cyfres CBAC/ Gwasg Prifysgol Cymru, Unedau Astudio Hanes, 1996.

R. M. Morris, *Rhyfel y Degwm*, Cyfres CBAC/ Gwasg Prifysgol Cymru, Unedau Astudio Hanes, 1986.

### Erthyglau:

A. Conway, 'Welsh Emigration in the Nineteenth Century', in A.J. Roderick (ed.), *Wales through the Ages*, cyf. 2 (Llandybie, 1960).

D.W. Howell, 'The Agricultural Labourer in Nineteenth-century Wales', *WHR*, cyf. 6 (1972-3).

D.W. Howell, 'The Impact of Railways on Agricultural Developments in Nineteenth-century Wales', *WHR*, cyf. 7 (1974-5).

D.W. Howell, 'The Rebecca Riots' in T. Herbert & G.E. Jones (gol.), *People and Protest: Wales 1815-1880* (Caerdydd, 1988).

I.G. Jones, 'People and Protest: Wales 1815-1880' in T. Herbert & G.E. Jones (gol.), People and Protest: Wales 1815-1880 (Caerdydd, 1988).

D. Williams, 'Rural Wales in the Nineteenth Century', in A.J. Roderick (gol.), *Wales through the Ages*, cyf. 2 (Llandybie, 1960).

J. Williams, 'The Move from the Land' in T. Herbert & G.E. Jones (gol.), *Wales 1880-1914* (Caerdydd, 1988).

I
II
III
IV
V
VI
VII
VIII
IX
X

## Ymchwil

1. Darllenwch beth oedd achosion, hynt a chanlyniadau mudiad 'Captain Swing' yn Lloegr (a gyrhaeddodd ei anterth yn y 'Swing Riots') a'i gymharu â mudiad Beca yng Nghymru. Nodwch y tebygrwydd a'r gwahaniaethau rhyngddynt.
2. Chwiliwch am wybodaeth am y bobl allweddol hyn fu'n ymwneud â helynt y degwm: i) Thomas Gee ii) J.E. Vincent. Ysgrifennwch bortread byr ar y naill a'r llall gan bwysleisio beth oedd eu hagwedd a'u cyfraniad.

## Pynciau Dadleuol

1. 'Mae'r teitl 'Rhyfeloedd y Degwm' yn gosod bri ar helynt nad oedd yn ddim ond cweryl salw dros dreth a gesglid i'r Eglwys'. Dadleuwch deilyngdod y gosodiad pryfoclyd hwn.
2. '… mudiad gwir wleidyddol, mudiad a theori y tu cefn iddo, cynllun, oedd Siartiaeth. Ond cynnwrf oedd Becca; …' Trafodwch pa mor ddilys yw'r gosodiad hwn gan yr hanesydd R.T. Jenkins.

[Hanes Cymru yn y Bedwaredd Ganrif ar Bymtheg, Pennod IV (tud. 140) ]

## (ii) Penodol i'r Arholiadau

### Ateb Cwestiynau ar Ffynonellau/Dogfennau

Mae gweithio gyda ffynonellau sy'n cynnig tystiolaeth gyfoes wedi dod yn rhan annatod o'r astudiaeth ar gyfer arholiadau TGAU a lefel AS/A. Ar lefel AS/A disgwylir i chi ateb cwestiynau ar ffynhonnell unigol (fel arfer rhyw 29-35 llinell o ran hyd) ac ar amryw o ffynonellau ( fel arfer bump neu chwech o ran nifer yn amrywio o 3 i 6 llinell o ran hyd). I fod yn llwyddiannus bydd angen i chi feistroli sgiliau arbennig. Gallwch ddilyn y camau a ganlyn:

(i) deall cynnwys y ffynhonnell/ffynonellau

(ii) dadansoddi (archwilio'n fanwl) pa wybodaeth a roddir trwy ei rhannu'n ddarnau gan ddibynnu ar y cwestiynau a ofynnir (sut, pam, beth, pwy, pryd).

(iii) mae'n bosib y bydd gofyn i chi gymharu neu wrthgyferbynnu (beth sy'n debyg a beth sy'n wahanol) yn y ffynonellau

(iv) dehongli (egluro ystyr) cynnwys trwy ddod i gasgliadau

(v) gwerthuso trwy asesu pa mor ddefnyddiol a dibynadwy yw'r ffynonellau.

I II III IV V VI VII VIII IX X

Dylai'r awgrymiadau a ganlyn eich helpu i ddelio yn effeithiol â chwestiynau a seiliwyd ar ffynonellau.

(i) Darllenwch y ffynhonnell/ffynonellau yn ofalus. Fe welwch fod y ffynonellau yn hwy na'r rhai rydych chi'n gyfarwydd â nhw felly byddai'n ymarfer da i ddarllen y rhain ddwywaith neu dair cyn dechrau ateb y cwestiynau.

(ii) Wrth ddarllen sylwch ar yr iaith a'r cywair. Efallai na fydd hi'n hawdd deall ffynonellau gwreiddiol. Gall yr iaith a'r dull o ysgrifennu fod yn anodd iawn. Nid fod ffynonellau eilaidd o angenrheidrwydd yn haws ond fel arfer maen nhw'n fwy hygyrch. Pan fyddwch chi'n gweithio gyda ffynonellau gartref neu yn yr ysgol mae'n rhaid defnyddio geiriadur. Wedi ymarfer fe ddowch yn gyfarwydd â'r ffynonellau a'r iaith a ddefnyddid yn y cyfnod rydych chi'n ei astudio.

(iii) Sylwch pwy sydd wedi ysgrifennu'r darn a ddyfynnwyd a beth yw'r dyddiad. Mae gwybod pwy yw'r awdur yn hollbwysig er mwyn penderfynu pa mor ddefnyddiol a dibynadwy yw'r ffynhonnell. Fe ddowch yn gyfarwydd â'r ysgrifenwyr y gallwn gyfeirio atynt yn eich cyfnod astudiaeth.

(iv) Gofynnwch i chi eich hun pam yr ysgrifennwyd y ffynhonnell ac ar gyfer pwy. Oedd rhyw bwrpas arbennig dros ei hysgrifennu? Bydd penderfynu hyn yn eich helpu i adnabod a yw'n debygol o fod yn sylw rhagfarnllyd ai peidio. Gallai hynny effeithio ar ei ddibynadwyedd.

(v) Wrth ddadansoddi'r ffynonellau penderfynwch a yw'r cynnwys yn ffaith neu'n farn. Mae'n ddigon tebyg y bydd yn cynnwys y ddwy elfen. Ceisiwch beidio â bod yn rhy besimistaidd. Nid yw'n dilyn fod llygad-dyst sy'n mynegi barn yn rhagfarnllyd ac felly nad yw'r dystiolaeth yn dda i ddim i'r hanesydd. Fe all barn fod llawn mor ddefnyddiol â ffaith ac i'r gwrthwyneb.

Edrychwch ar yr enghraifft hon:

C. Darllenwch y ffynhonnell ar dudalen 121 ac atebwch y cwestiynau a ganlyn ar Derfysgoedd Beca.

a) Eglurwch yn gryno ystyr y cymal 'ymddygiad plagus y casglwyr tollau' (4 marc)

b) Pa wybodaeth a gawn o'r ffynhonnell am y cam a ddioddefai'r rhai a gymerodd ran yn y terfysgoedd? (8 marc).

c) Pa mor ddefnyddiol yw'r ffynhonnell i'n helpu i ddeall natur y brotest a ysbrydolwyd gan fudiad Beca? (20 marc).

## Cyngor

a) Mae'n cyfeirio at y modd barus a gormesol roedd y casglwyr yn casglu tollau oddi wrth y rhai lleiaf abl i dalu.

b) Cyfrifid mai achos yr helyntion oedd

- y modd roedd ymddiriedolwyr y ffyrdd tyrpeg yn camddefnyddio'r arian e.e. ni ddefnyddid yr arian i wella'r ffyrdd;
- roedd y tollau'n codi ac yn cael eu casglu'n aml;
- agwedd ddi-gydymdeimlad oedd un y casglwyr tollau ac ambell waith roeddent yn ymddwyn yn anghyfreithlon
- codwyd y degwm a newid y dull o'i gasglu;
- deddfau'r tlodion a system y wyrcws;
- ynadon lleol llwgr.

c) Mae'r ffynhonnell yn rhoi darlun da o weithgareddau terfysgwyr Beca a'r effaith a gawsant ar yr ardal. Mae'n adrodd yn fanwl beth oedd cwynion ffermwyr lleol, beth oedd achosion y terfysg. Mae'r ffynhonnell hefyd yn ystyried problemau eraill fel y tywydd a digwyddiadau naturiol eraill oedd yn rhoi pwysau ar y ffermwyr. Roedd y cyfan yn anos ei ddioddef oherwydd y sefyllfa economaidd oedd yn gwaethygu. Mae'r ffynhonnell yn ymateb o ddifrif i'r helyntion yr oedd yr awduron wedi eu dewis i ymchwilio i'w hachosion. Fodd bynnag, ymateb cyfyngedig ydyw. Mae'r ffynhonnell yn anwybyddu'n rhy rwydd rai ffactorau eraill a allai fod wedi cyfrannu at yr helyntion, fel achosion gwleidyddol. Nid yw chwaith yn dweud dim am y modd gormesol y bu i'r awdurdodau ymateb i'r terfysg. Nid yw'r ffynhonnell, ychwaith, yn dangos y darlun eang ond yn canolbwyntio ar 'gwynion lleol' y terfysgwyr. Does dim sôn am anghydfod mewn rhannau eraill o Gymru nac am unrhyw gyswllt rhwng Beca a Siartiaeth. A barnu yn ôl y ffynhonnell yn unig gellid meddwl mai digwyddiad neilltuol, unigryw, a berthynai i dde-orllewin Cymru'n unig oedd hwn.

## Ateb Cwestiwn Traethawd Synoptig

Efallai bod cwestiynau traethawd synoptig yn ymddangos yn anodd ac yn wahanol i gwestiynau traethawd pen-agored traddodiadol ond dydyn nhw ddim. Wrth wneud asesiad synoptig mae gofyn i'r myfyriwr werthuso a dadansoddi newid dros gyfnod, felly disgwylir i chi gasglu ynghyd, lle bo hynny'n addas, agweddau gwleidyddol, cymdeithasol, economaidd, crefyddol a diwylliannol y testun a astudir. Wrth ymdrin ag Astudiaeth

Cyfnod fel Lloegr a Chymru,1815-1914, disgwylir i chi arddangos dull synoptig o ymdrin â chwestiwn trwy werthuso a dadansoddi testun dros gyfnod o ganrif. Mewn Astudiaeth Ddwys e.e. Diwygio a Phrotest yng Nghymru, tua 1830-48, bydd y cwestiwn ar ffurf dehongliad hanesyddol a bydd angen i chi asesu a gwerthuso trwy ysgrifennu traethawd pen-agored gan arddangos ymdriniaeth synoptig ond dros lai o amser.

Fel y gwelwch, o ddarllen yr esiamplau isod mae'r cyngor a gawsoch ar sut i ateb cwestiwn traethawd pen-agored yn dal yn berthnasol.

## Edrychwch ar yr esiampl a ganlyn:

'Canlyniad caledi economaidd a chymdeithasol yn bennaf oedd mudiadau protest yn hytrach na chanlyniadau unrhyw alw angerddol am bŵer gwleidyddol ar ran y bobl' [D. Neils, hanesydd yn ysgrifennu arolwg cyffredinol o'r cyfnod, *Nineteenth-Century England* (1992)]

**C. Trafodwch y dehongliad hwn o natur mudiadau protest poblogaidd yng Nghymru a Lloegr yn y cyfnod 1830 ac 1848.**

## Cyngor

Y geiriau allweddol yn y cwestiwn yw 'dehongliad' (barn) a 'natur'(beth oedd). Gallech ddechrau trwy naill ai gytuno neu anghytuno â barn yr awdur ac yna lunio'ch dadl ar y sail hwnnw, neu, ar y llaw arall, efallai ei bod yn ddoethach ymdrin â chwestiwn o'r fath trwy ystyried 'i ba raddau'. Felly byddwch yn cyflwyno'r ddwy ochr i'r ddadl, h.y. efallai bod mudiadau protest yn ganlyniad i galedi economaidd a chymdeithasol ond ni ellir anwybyddu'n llwyr y posibilrwydd fod yna alw am bŵer gwleidyddol. Bydd angen i chi ddefnyddio'r wybodaeth am fudiadau protest a gawsoch wrth astudio'r cyfnod a meddwl yn feirniadol am eu hachosion, yn ogystal â'u canlyniadau ac am ymateb cyfoeswyr oedd mewn awdurdod a rhai oedd heb fod mewn awdurdod.

Dylech hefyd drafod priodoliad (*attribution*) trwy nodi beth yw statws yr awdur ac ar ba ddyddiad yr ysgrifennwyd y gosodiad. Dylai fod hanesydd academaidd yn gallu cyflwyno barn gadarn wedi ei seilio ar waith ymchwil trwyadl. Gellid dadlau efallai ei bod yn bosibl i ddeongliadau hanesyddol, dros gyfnod o amser, newid – hynny'n dibynnu ar y dyddiad.

I
II
III
IV
V
VI
VII
VIII
IX
X

131

## Pennod IV

# Diwygio Cymdeithasol ac Ystyriaethau Cymdeithasol

Byddai'n anodd, os nad yn amhosibl, gor-liwio'r raddfa o newid cymdeithasol a welwyd yng Nghymru'r bedwaredd ganrif ar bymtheg. Bu'r camau mor gyflym ac mor gyflawn yn ystod y cyfnod o 1815 i 1918 fel y gweddnewidiwyd cymdeithas yng Nghymru. Nid yng Nghymru yn unig y bu gweddnewidiad. Fe newidiwyd Prydain, Ewrop a'r byd ehangach yn ogystal â safle Cymru yn y byd. Fel y gellid dychmygu, gallai'r pwnc fod yn anferthol, bron yn ddibendraw, felly mae'n rhaid i'r awdur neu'r hanesydd osod ffiniau er mwyn sicrhau bod ei astudiaeth yn ystyrlon i'r darllenydd. Pwrpas y bennod hon yw, nid sôn am bob agwedd ar y testun, ond cyflwyno i fyfyrwyr rai o brif themâu hanes cymdeithasol y bedwaredd ganrif ar bymtheg a dechrau'r ugeinfed ganrif fel y'i hamlinellwyd yn ddiweddar mewn llyfrau ac erthyglau. Mae'r bennod hon yn ceisio dangos y newidiadau yng Nghymru drwy astudio pum thema y gellir eu hystyried fel craidd yr hyn y byddai hanesydd cymdeithasol yn ei ddefnyddio i fesur y newid mewn cymdeithas wâr – drwy edrych ar iechyd, addysg a chrefydd a'r modd y trinid y tlawd a'r troseddwr.

## 1. Iechyd

### ■ Y Brif Ystyriaeth:

Pa mor effeithiol fu'r ymgais i ddelio â'r problemau ym myd iechyd y cyhoedd a glanweithdra yng Nghymru yn y bedwaredd ganrif ar bymtheg?

### a) Agweddau Cyfoes

Pe byddai Cymry oes Fictoria wedi bod yn abl, a chanddynt yr ewyllys, i ofyn i'w cydwladwyr beth yn eu barn nhw oedd ystyriaeth gymdeithasol bwysicaf eu dydd, mae'n debyg na fyddai iechyd y cyhoedd wedi bod ymysg eu blaenoriaethau.

Pe baent wedi ystyried o gwbl, a dim ond y dosbarth canol a'r bonedd oedd â'r amser i wneud hynny, mae'n debyg mai trosedd, ofn troseddwyr, tlodi, diweithdra a'r modd i fwydo, i ddilladu ac i roi to uwchben eu hanwyliaid fyddai'r blaenoriaethau. Nid yw hyn yn golygu nad oedd iechyd yn ystyriaeth o bwys dirfawr i'r boblogaeth yn gyffredinol, ond o bwys personol ydoedd nid o bwys cyhoeddus, gan fod yr olaf yn gysyniad rhy haniaethol i'r rhai na chafodd y deall dysgedig a fyddai'n eu galluogi i wneud synnwyr ohono. Roedd bywyd, i'r dosbarthiadau gweithiol a thlotaf yn galed ac ynghanol eu byw llafurus ac yn aml truenus, tueddent i dderbyn eu tynged, a'r eglwys yn eu hannog i ymfodloni. Wrth gwrs, pan na allai'r tlodion ymfodloni ddim hwy, y canlyniad oedd Beca a Siartiaeth.

Cyfrifid salwch, poen dirdynnol, marwolaeth gynnar ymysg peryglon ffawd a theimlent na allent wneud fawr ddim yn eu cylch. Nid oedd ganddynt na'r amser, yr addysg na'r gallu i ddwyn perswâd, gwleidyddol nac arall, ar y rhai oedd mewn awdurdod i beri newid yn iechyd y cyhoedd. Yn wir, pa ofynion allai'r dosbarth gweithiol eu gwneud pan nad oedd y rhai y gofynnid iddynt weithredu, y dosbarth canol, yn gwybod i sicrwydd sut i fynd o'i chwmpas hi. Ni allai meddylwyr gwyddonol gorau'r cyfnod, hyd yn hyn, ddangos fel roedd budreddi yn achosi salwch nac egluro'r berthynas rhwng tlodi a salwch. Ni chyfrifid y ffaith eu bod nhw, a'r diwygwyr cymdeithasol oedd yn eu cefnogi, yn siŵr **bod** yna berthynas yn ddigon o reswm dros i'r llywodraeth ddeddfu nac ymyrryd. Daliwyd ati i drefnu a chyllido projectau lleol, ble bynnag y'u ceid, yn aml oherwydd blaengaredd mentrwyr goleuedig neu ddiwygwyr cymdeithasol. Felly, dim ond yn raddol y bu i anwybodaeth gyffredinol am iechyd y cyhoedd gilio ac y gwelwyd pobl yn dod yn gynyddol ymwybodol o bwysigrwydd gwell tai a glanweithdra.

## b) Problemau iechyd y cyhoedd: Achosion a Chanlyniadau

Gellid dadlau fod problem iechyd y cyhoedd wedi bod mewn bodolaeth erioed. Roedd y plâu, afiechydon a heintiau eraill yn ystod y canrifoedd a aethai heibio wedi effeithio'n fawr ar bobl oedd wedi hen gynefino â dioddefaint. Ond, y rheswm pam y daeth 'iechyd y cyhoedd yn broblem enfawr yng Nghymru Fictoraidd' fel y dywedodd un hanesydd oedd yn bennaf oherwydd y gyfradd marwolaethau uwch a achoswyd am fod heintiau yn ymledu yn amlach. Mae'n wir bod y boblogaeth yn llawer mwy nag yn ystod y canrifoedd cyn hyn pan oedd y plâu ar eu gwaethaf ond nid oedd y canran ymhob mil o'r marwolaethau a amcangyfrifid wedi lleihau fawr ddim i gyfateb â'r twf yn y boblogaeth. Roedd pobl yn dal i fyw dan amodau afiach iawn ond roedd y broblem yn waeth oherwydd y trefoli cyflym yng Nghymru a oedd, wrth gwrs, yn ganlyniad y diwydiannu cyflym ledled Prydain. Mae haneswyr yn barnu fod yn rhaid ystyried y symud hwn yn y boblogaeth o amgylchfyd gwledig i un trefol-ddiwydiannol er mwyn deall y newidiadau ym mhatrwm iechyd Cymru Fictoraidd. Tyfodd trefi yn ystod ail hanner y ddeunawfed ganrif a hanner cyntaf y bedwaredd ganrif ar bymtheg yn llawer rhy gyflym ac yn ddidrefn ac heb unrhyw reolaeth o safbwynt adeiladu. O ganlyniad, erbyn canol y bedwaredd ganrif ar bymtheg roedd yr awdurdodau yn wynebu sefyllfa ddifrifol gydag amodau byw afiach a achosid gan dai gwael, gorlenwi, cyflenwadau dŵr amhur a diffyg carthffosiaeth nac unrhyw ffordd i gael gwared â sbwriel o'r cartrefi.

Mae'n siŵr bod amodau tebyg yn dal mewn bodolaeth yn yr ardaloedd gwledig ond gellid eu goddef yn well yno, mewn pentrefi heb fod yn rhy boblog lle nad oedd y gwastraff dynol yn ddim o'i gymharu â'r hyn a geid mewn trefi mawr fel Merthyr Tudful. Yn yr un modd, pan fyddai haint angheuol yn lledaenu nid oedd cyfradd y marwolaethau mewn ardaloedd gwledig yn ddim o'i gymharu â'r rhai yn y trefi. Yno byddai gweld yr angladdau yn dwysáu'r ymwybyddiaeth fod cynifer o gyrff. Yn Hydref 1854 ysgrifennodd ficer Dowlais, y Parch. E. Jenkins, 'Pregethais dair gwaith ddydd Sul a thair gwaith ddoe – ac ni chefais fawr o gwsg am ddwy noson. Roedd 18 o angladdau ddoe. Unarddeg yr un pryd ym mynwent y Pant. Bydd sawl un eto yn nes ymlaen heddiw'. Dichon mai dyma pam roedd cyfoeswyr yn meddwl bod byw yn y wlad yn llawer iachach na byw yn y dref ond y gwir yw mai dim ond rhyw fymryn yn well oedd y manteision. Yn sicr, pan ymwelodd George Borrow â Chymru yn 1854, gresynai wrth ymadael â phentrefi dymunol, hardd eu golygfeydd canolbarth Cymru gyda'u poblogaeth wledig a ymddangosai'n iach a chryf, am realaeth ysgytwol trefi diwydiannol y de lle roedd 'dynion garw ffyrnig yr olwg'. Fe'i dychrynwyd gan yr olygfa a welodd pan gyrhaeddodd Gastell Nedd. Ysgrifennodd yn ei lyfr *Wild Wales* (1862):

I
II
III
IV
V
VI
VII
VIII
IX
X

… golygfa ryfeddol tu hwnt, Ychydig i'r de codai nifer o simneiau enfawr ac adeiladau budron, dieflig yr olwg o'u cwmpas ac yn ymyl y rhain roedd tomenni anferth o farwor a sbwriel du. O'r simneiau, er mai'r Sul oedd hi, roedd mwg yn codi yn drwch gan lygru'r amgylchedd. Rhyw chwarter milltir i ffwrdd i'r de-orllewin o'r llanast hwn, ar ddôl werdd, safai adfail llwyd-ddu 5 anferthol [Abaty Castell Nedd] gyda thyllau ffenestri, tyrau a bwâu. Rhwng y fan hon a'r llanast dieflig roedd llecyn erchyll budr, yn rhannol yn gors ac yn rhannol yn bwll: y pwll mor ddu â huddugl a'r gors rhyw liw llwyd ffiaidd fel plwm. Ar draws y llecyn brwnt hwn ymestynnai tramffordd yn arwain o'r plastai ffiaidd i'r adfail. Ni welais olygfa mor rhyfedd erioed ym myd natur. 10 Pe byddai wedi ei ddarlunio ar ganfas, gyda nifer o bobl ddieflig … gallai gynrychioli Saboth yn Uffern – diafoliaid ar eu ffordd i addoliad p'nawn, a gallai fod yn ddarlun teilwng o'r arlunydd grymus ond gwallgof Jerome Bos.

Pa mor annymunol bynnag y gwelsai Borrow Gastell Nedd roedd eto i weld Merthyr Tudful! Yn amlwg ystyriai'r gŵr bonheddig a gwladwr o Norfolk fod golygfeydd diwydiannol fel hyn yn annaturiol ac y mae'n amlwg o ddarllen cyfeiriadau eraill ei fod yn llawn cydymdeimlad â phobl oedd yn byw ac yn gweithio mewn lleoedd fel Castell Nedd, Abertawe a Merthyr Tudful: 'Es drwy domen, dros bont ac i fyny stryd oedd â lonydd brwnt fel canghennau o boptu iddi, gan fynd drwy dyrfa o bobl ffyrnig yr olwg oedd yn siarad yn uchel ond ofnwn ddweud dim wrthynt'. Cafodd fod 'y tai gan mwyaf yn isel a salw ac wedi eu hadeiladu o garreg lwyd' ac er y gellid gweld 'nifer o adeiladau arbennig' roedden nhw, ym marn Borrow, 'yn brudd, o natur ddieflig, arswydus'! Ymddengys na allod tref Merthyr ddianc rhag ei gorffennol ychwaith oherwydd er ei bod wedi gwella'n fawr yn y pum mlynedd ar hugain er pan ymwelodd Borrow â hi, roedd *Black's Picturesque Guide to Wales* yn dal i adrodd yn 1881, 'Bu'r dref boblog hon, a dyfodd mor eithriadol o gyflym, hyd yn ddiweddar yn glwstwr diolwg, didrefn o aneddiadau brwnt truenus'.

Nid oedd Borrow yn wyddonydd nac yn ddiwygiwr cymdeithasol (o leiaf nid oedd yn ymwybodol o hynny) ond gwelodd â'i lygaid a mynegi barn ddiflewyn ar dafod ar effeithiau llygredd. Gan adael Caerffili i fynd i Gasnewydd dywedodd, 'Daeth yr olygfa, [rhywle yn ymyl Bedwas] yn hardd iawn, ond amharwyd arni i raddau gan rywbeth du anghynnes, gwaith glo anferth, a'i simneiau yn chwydu'r mwg mwyaf trwchus posibl'. Fel pe na byddai'r llygredd aer yn ddigon drwg, roedd Borrow'n tristáu hefyd ac yn synnu at gyflwr yr afon Rhymni oedd yn 'frwnt ofnadwy ac yn lleidiog oherwydd … ei bod yn derbyn sbwriel y gweithfeydd glo cyfagos'. Nid sbwriel diwydiannol yn unig oedd yn llygru ychwaith. Mewn adroddiad ar Ferthyr Tudful yn 1845 [Ail Adroddiad Comisiynwyr yn gwneud Arolwg i Gyflwr Trefi Mawr ac Ardaloedd Poblog] rhestrwyd y sbwriel dynol a gaed yn yr afon Taf oedd gerllaw a barai nad oedd y dŵr yn ffit i'w ddefnyddio i ymolchi a golchi heb sôn am ei yfed. Casgliad yr adroddiad oedd fod Merthyr 'sy'n cynnwys ar hyn o bryd fwy na 37,000 o bobl, yn dref heb ofal cyhoeddus am gyflenwad dŵr, carthffosiaeth na glanweithdra' a bod y bobl dan fygythiad oherwydd 'y ffieidd-dra eithriadol' oedd yno. Roedd gan Fangor a Chaerdydd eu problemau iechyd cyhoeddus hefyd. Cynhaliwyd arolwg ar ran y Bwrdd Iechyd Cyffredinol yn 1849 ac yn 1850. Nodwyd am Fangor:

> Mae'r strydoedd a'r tai yn afiach a brwnt, yr iardiau cefn yn fach a thai bach ynddyn nhw ac arogleuon afiach yn codi o'r rheini a heintiau yn ymledu yn aml o'r herwydd. Mewn llawer o dai, yn enwedig yng Nglan-yr-Afon, does dim tai bach. Mae'r strydoedd yn gyffredinol yn annymunol oherwydd nad ydyn nhw'n cael eu glanhau yn y gaeaf na'u golchi â dŵr yn yr haf.
>
> [Adroddiad i'r Bwrdd Iechyd Cyffredinol ar … Fwrdeistref Bangor gan G.T.Clark, Llundain, 1849]

Nid oedd Caerdydd fawr gwell, yn ôl yr Arolwg:

> Canlyniadau adeiladu gwael heb reolaeth yw'r hyn y gellid ei ddisgwyl o dan amodau o'r fath – llifogydd, corsydd, budreddi, drewdod, y cryd ac afiechydon eraill yn ddychrynllyd o gyffredin … Byddai'r cynllun carthffosiaeth sydd yn y dref ar hyn o bryd bron yn ddiwerth mewn unrhyw gynllun ar gyfer y dyfodol … Ni allai dim fod yn waeth na'r tai a ddarparwyd ar gyfer y dosbarth gweithiol a'r tlodion yn y dref hon ac mae'r gorlenwi yn y tai yn frawychus, yn waeth na dim o'r fath y gwn i amdano.
>
> [Adroddiad i'r Bwrdd Iechyd Cyffredinol ar … Dref Caerdydd gan T.W. Rammell, Llundain, 1850]

Nid oedd ymgais i ofalu am lanweithdra na gweithredu cynllun carthffosiaeth. At hynny ceid canlyniadau difrifol oherwydd anwybodaeth. Nid oedd pobl, yn gyffredinol, yn gwybod dim am y peryglon o safbwynt eu hiechyd a dalient i ymddwyn mewn modd fyddai'n peri trueni. Er bod cronfa ddŵr newydd wedi ei hadeiladu yn Portfield ar gyfer trigolion Hwlffordd, o fewn deng mlynedd roedd y *Pembrokeshire Herald* yn adrodd ei bod wedi

I

II

III

**IV**

V

VI

VII

VIII

IX

X

ei llygru 'gan fadfallod, gelod, anifeiliaid a llysiau yn pydru'. Ar waethaf pob apêl gwelwyd bod poblogaeth Cwm Rhondda yn dal i lygru'r pridd gyda thros 3,000 tunnell o garthion bob blwyddyn. Ar y llaw arall rhaid dweud, er bod rhai yn cwyno am arwyddion mwyaf amlwg dirywiad trefol, y pethau oedd yn amharu ar y synhwyrau fel arogleuon a'r budreddi oedd yn amlwg i'r llygaid, roedd yr awdurdodau lleol yn gyndyn o weithredu. Yn rhannol, y rheswm am hyn oedd y syniadau anoleuedig, y gred mai 'ffactorau atmosfferaidd' neu 'ragluniaeth nefol' oedd yn achosi afiechyd. Ond y prif reswm dros eu difrawder oedd y daliadau cyffredin, egwyddorion *laissez-faire*, a barai mai'r polisi oedd peidio ag ymyrryd mewn materion economaidd a chymdeithasol. Dyna'r arweiniad a gâi'r awdurdodau lleol oddi wrth y llywodraethau cenedlaethol a oedd o blaid athrawiaeth unigoliaeth yn economaidd a chymdeithasol. Wrth gwrs, mae'n debyg y byddai'r sinigiaid am ddweud mai'r gost oedd yn cyfrif am yr agwedd *laissez-faire* mewn materion cymdeithasol gan y byddai gweithredu i sicrhau gwelliannau yn iechyd y cyhoedd yn golygu defnyddio cyfalaf. Roedd tirfeddianwyr, cyflogwyr a threthdalwyr (yn bennaf y cyfoethog, sef aelodau craidd pob awdurdod lleol) yn unfryd unfarn yn erbyn talu cost gwelliannau o'r fath. Os na chaent eu gorfodi i wneud hynny, ac nid oedd llywodraeth ganolog oedd o'r un farn â nhw yn debyg o'u gorfodi, roedd llawer o awdurdodau lleol yn fodlon i adael popeth fel ag yr oedd gan obeithio y byddai'r problemau yn eu datrys eu hunain. Dyna a ddigwyddodd yn y man ar draul y tlawd a'r gwan. Deuai haint, deuai argyfwng ac aent heibio a dychwelai partrwm arferol bywyd hyd nes y deuai haint neu argyfwng arall.

Canlyniad hyn wrth gwrs oedd cylch, a ehangai ac a ddeuai'n amlach, o haint a marwolaeth a'r awdurdodau lleol a chenedlaethol yn ymboeni mwy. Trodd yr ymboeni yn fraw pan ddaeth y colera/y geri yn 1831-2. Roedd y sôn am yr haint wedi cyrraedd rai wythnosau ynghynt. Lledaenodd y colera Asiaidd drwy Ewrop gan adael o'i ôl y meirw mewn ardaloedd gwledig a threfol, y mwyafrif yn y trefi diwydiannol poblog. Y lle cyntaf a drawyd yng Nghymru, ym Mai 1832 (rhyw 7 mis wedi iddo daro am y tro cyntaf ym Mhrydain, yn nhref Sunderland yn Hydref 1831), oedd y Fflint. Ymledodd yr haint drwy Gymru gyfan gan achosi marwolaeth rhyw 455 o bobl. Effeithiwyd yn bennaf ar drefi Abertawe, lle bu 152 farw, a Merthyr Tudful lle'r heintiwyd 600 ac o'r rhain bu 160 farw. Yng Ngogledd Cymru tref Dinbych a ddioddefodd fwyaf gyda 47 o farwolaethau ac fe heintiwyd rhyw

95 o bobl yr ardal. Eironi'r sefyllfa yw na fu i'r colera, 'a'i ddinistr sydyn brawychus' fel y bu i un pennawd cyfoes gyfeirio ato, ladd cymaint o bobl â'r afiechydon heintus eraill a achosid ac a ledaenid oherwydd germau – y teiffws a'r dysentri, clefydau brodorol. Roedd y geri marwol, a rhoi iddo ei enw gwyddonol, wedi llwyddo i gynhyrfu'r cyhoedd ac i'w hannog i ddwyn perswâd ar y llywodraeth ganolog lle roedd heintiau eraill, llawn mor angheuol eu heffaith, wedi methu. Digwyddodd hyn yn rhannol oherwydd cyhoeddusrwydd papurau newydd, yn rhannol oherwydd y siarad ac oherwydd yr ofnau a ragflaenodd yr haint pan ymledai drwy Ewrop cyn cyrraedd i Brydain. Braidd yn llugoer fu ymateb y llywodraeth. Er bod rhai mesurau i wella iechyd y cyhoedd wedi eu mabwysiadu fel y Ddeddf Dŵr i wella'r cyflenwad o ddŵr glân ac y crëwyd rhyw 800 o fyrddau iechyd lleol, mesurau dros dro oedden nhw ac wedi i'r perygl fynd heibio fe'u hanghofiwyd.

Dychwelodd y geri marwol yn 1848-9 a'i ganlyniadau yn fwy difrifol. Cyrhaeddodd Gaeredin yn Hydref 1848 ac ymledu i Gymru gan daro Caerdydd yn gyntaf ym Mai 1849 lle bu 396 farw. Yn ystod chwe mis cyntaf yr epidemig yn Lloegr a Chymru bu dros 53,000 farw ac erbyn y diwedd roedd 130,000 wedi colli eu bywydau. Merthyr Tudful a drawyd waethaf yng Nghymru gyda 1,682 wedi marw. Yn y dyfyniad isod o'i Dyddiadur, dyddiedig 31 Gorffennaf 1849, mae'r Arglwyddes Charlotte Guest, gwraig oleuedig meistr haearn lleol, yn adrodd hanes ei hoff Ferthyr:

> Mae'n ddrwg gennyf ddweud fod yr adroddiadau am y colera ym Merthyr yn ddifrifol iawn. Maent yn waeth na dim y gallwn fod wedi ei ddychmygu, ambell waith hyd at ugain o bobl yn marw mewn un diwrnod, ac wyth o ddynion yn gweithio drwy'r amser yn gwneud eirch. Mae Miss Diddams druan, un o'n hathrawon Ysgol Gynradd, yn farw. Mae un o'r cynorthwywyr meddygol a ddaeth o Lundain yn marw a'r lle i gyd mewn cyflwr truenus. Rwy'n gofidio'n fawr am gyflwr fy nghartref druan.
>
> [Lady Charlotte Guest: *Extracts from her Journal*, 1833-52 (1950) gol. Iarll Bessborough]

Trawodd y colera eto yn 1854, y flwyddyn y bu Borrow ar daith bedwar mis yng Nghymru er nad yw'n sôn am y clefyd, ac eto yn 1865-6. Mae'r tabl ar y dudalen nesa' yn rhoi rhyw syniad am y cyfraddau o farwolaethau mewn rhai trefi ac ardaloedd yng Nghymru.

I
II
III
IV
V
VI
VII
VIII
IX
X

## Tabl 9:

Marwolaethau o'r colera mewn trefi ac ardaloedd yng Nghymru, 1832-66: [Ffigurau a ddyfynnwyd yn *History of Epidemics in Britain* ac o Swyddfa'r Prif Gofrestrydd, Creighton]

| Trefi | 1832 | 1849 | 1854 | 1866 |
|---|---|---|---|---|
| Caernarfon | 30 | 16 | ● | 75 |
| Caerdydd | ● | 396 | 225 | 76 |
| Merthyr Tudful | 160 | 1,682 | 455 | 229 |
| Y Drenewydd | 17 | ● | 19 | ● |
| Abertawe | 152 | 262 | ● | 521 |

Pa mor arswydus bynnag y niferoedd o farwolaethau nid ydynt yn ystyried y niferoedd mwy o lawer a gafodd y clefyd, dioddef o'i effeithiau gwael a byw. Er enghraifft, yn Ystalyfera yn 1866 bu'r meddyg lleol yn trin bron fil o bobl. O'r rhain bu 95 farw.

Llun 21
(i) 'Llys i'r Brenin Colera', Cartŵn yn *Punch* (1864) (ii) baled gyda'r teitl 'Ymweliad Y Colera' (tua 1865)

A COURT FOR KING CHOLERA.

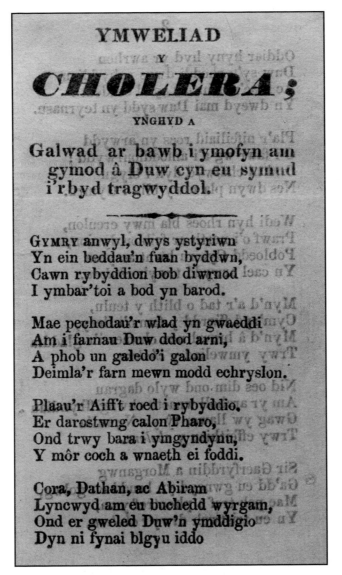

Roedd y colera yn glefyd brawychus, yn fwy felly oherwydd yr hysteria a achosai, ond nid oedd ond un o nifer o glefydau endemig – teiffws, teiffoid, dysentri, y diciáu – oedd yn effeithio ar y boblogaeth yn gyffredinol. Yn ôl un hanesydd sy'n ymdrin â phroblemau meddygol, y teiffws oedd

Y dwymyn a drawai'n fwyaf aml a'r un a barai fwyaf o lesgedd yn ystod hanner cyntaf y bedwaredd ganrif ar bymtheg. Roedd newyn, budreddi a gorboblogi yn ei ledaenu. Câi ei gario yng ngharthion llau. Byddai'r carthion yn sychu yn llwch ysgafn a gallai heintio unrhyw un fyddai'n anadlu'r llwch neu gallai briw ar y croen fod yn ddigon.

[Dyfynnwyd o K.Strange, *Merthyr Tydfil in the 1840s*]

I

II

III

**IV**

V

VI

VII

VIII

IX

X

**141**

Amcangyfrifwyd fod y teiffws wedi achosi marwolaeth 1 o bob 9 o boblogaeth Merthyr yn ystod yr 1840au ond roedd y diciáu yn fwy angheuol fyth gan gyfrif am 1 ymhob 5 yn ystod yr 1850au. Er na ellir beio un ffactor am achosi'r clefyd gellir dweud mai tlodi a'r drygau eraill sy'n dilyn hynny – gorlenwi tai a diffyg bwyd maethlon – oedd yn gyfrifol. Yn ôl un llygad-dyst, meddyg plwyf o'r enw Richard Howard,

> Er bod marw oherwydd newyn yn anarferol, does dim amheuaeth na ellir dweud mai prinder bwyd oedd prif achos canran uchel o'r marwolaethau ymysg y dosbarth gweithiol, ynghyd â llafurio am gyfnodau rhy faith heb ddigon o orffwys, prinder dillad i'w cadw'n gynnes yn yr oerfel ac anghenion eraill cyffredin ymysg y tlodion.
>
> [Dyfynnwyd o K. Strange, *Merthyr Tydfil in the 1840s*]

Ategwyd casgliadau Howard gan neb llai na'r meddyg Dr. Edward Smith, cynorthwydd Dr. Simon, prif Swyddog Meddygol y llywodraeth, swydd a sefydlwyd yn 1859. Wedi ymweld â gogledd Cymru yn 1863, gan gynnwys trefi Conwy, Dinbych, Dolgellau a Machynlleth, roedd Smith o'r farn fod diet y dosbarth gweithiol yn 'wael ym mhob ystyr ac nad oedd yn sicrhau iechyd boddhaol o gwbl. Ychydig o lysiau a fwytaent, peth caws, ychydig o fenyn ac yn anaml y caent gig; roedd yn ymddangos mai bara, llaeth a cheirch oedd eu prif gynhaliaeth'.

Bu tlodi, diet gwael ac afiechydon yn gyfrifol i raddau helaeth am gyfradd hynod uchel y marwolaethau ymysg babanod, ac fel y gellid disgwyl roedd yn waeth mewn ardaloedd trefol nag mewn ardaloedd gwledig. Ond eto, dioddefodd rhai ardaloedd gwledig yn fwy nag eraill mae'n debyg ac os y gelllir dibynnu ar ddyddiadur Thomas Jenkins (m. 1871) roedd Llandeilo a'r cyffiniau yn lle arbennig o drist. Trefnydd angladdau oedd Jenkins, er bod ganddo ddiddordebau eraill fel peirianwaith ac adeiladu pontydd. Roedd mewn sefyllfa ddelfrydol i adrodd am farwolaethau ymysg babanod yn yr ardal leol. Mae ei ddyddiadur, a gadwodd yn ddeddfol o 1826 hyd flwyddyn cyn ei farw, yn arf defnyddiol i haneswyr gan ei fod yn nodi oed y rhai roedd yn eu claddu, yn fabanod ac oedolion, ar ba adeg o'r flwyddyn y bu iddynt farw ac yn bwrw amcan beth oedd achos eu marwolaeth os nad oedd y meddygon lleol yn cyflwyno adroddiad swyddogol. Gan wrth-dystio i'r data sylweddol a'r dystiolaeth ystadegol am y colera, nid yw Jenkins yn sôn am y clefyd o gwbl ac nid yw'n ymddangos fod yr haint wedi effeithio llawer ar y dref un amser. Ar wahân i'r frech wen, clwy'r dŵr a sawl twymyn na ellid ei ddiffinio, ymddengys mai'r dwymyn goch oedd prif glefyd trigolion Llandeilo. Rhwng Awst 1844 a Chwefror 1845 bu pump o blant, rhwng 3 a 9 oed, farw o'r dwymyn goch, mab y dyddiadurwr yn un ohonynt a'i ferch wedi gwella. Y meddyg lleol Dr Prothero oedd yn gofalu am y bachgen. Gorchmynnodd 'eillio ei ben a'i olchi mewn dŵr hallt oer a rhoi gelod ar ei arleisiau'. Afraid dweud iddo farw o fewn naw diwrnod. Yn aml roedd meddyginiaethau cyntefig, a ddefnyddid gan feddygon llawn bwriadau da ond anwybodus, yn llesteirio gwellhâd lawn cymaint ag effeithiau'r clefyd ei hun. Mae'n drist nodi'r ffaith, o'r pedwar o blant Dr. Prothero, y gŵr oedd yn gofalu am iechyd nifer sylweddol o bobl y dref, ni bu i un fyw i gyrraedd mwy nag unarddeg oed.

## Tabl 10

**Prif Afiechydon Heintus Oes Fictoria**

| | |
|---|---|
| **Colera** | haint difrifol yn effeithio ar y perfedd gan beri cyfog a dolur rhydd. |
| **Diptheria** | haint ar y gwddf yn peri fod pilen ludiog yn cau'r biben wynt. |
| **Y Frech Goch** | clefyd feirol heintus yn achosi smotiau coch ar y croen. |
| **Niwmonia** | haint bacterol yn achosi llid yr ysgyfaint. |
| **Y Dwymyn Goch** | haint ar y gwddf gyda brech (blotiau coch) ar y croen. |
| **Y Frech Fach** | y clefyd mwyaf heintus ohonynt i gyd, yn achosi twymyn a llinorod sy'n gadael creithiau hyll ar y croen. |
| **Y diciáu** | clefyd sy'n nychu gan effeithio'n enwedig ar yr ysgyfaint. |
| **Teiffoid** | haint difrifol yn effeithio ar y stumog sy'n lledaenu am fod dŵr wedi ei lygru. |
| **Teiffws** | yn debyg i'r teiffoid ond mai llau sy'n ei ledaenu. |
| **Y Pâs** | haint ar y gwddf a'r ysgyfaint, yn effeithio ar blant yn arbennig. |

I

II

III

IV

V

VI

VII

VIII

IX

X

### c) Gwella drwy ddiwygio

Os, fel y credir yn gyffredin, y bu i ledaeniad y colera yn 1831-2 hybu diddordeb mewn amodau cymdeithasol a glanweithdra yn yr 1830au, aeth degawd arall heibio cyn i'r llywodraeth ganolog weithredu i wella iechyd y cyhoedd. Awgrymwyd fod pedwar o resymau dros yr oedi, rhai technegol, ariannol, ideolegol a gwleidyddol. Roedd y gost oedd o'u blaen wrth fynd ati i ddarparu gwasanaethau, ceisio cyflenwi dŵr drwy bibau i drefi mawr a dinasoedd, yn un enfawr. At hynny, roedd peirianwyr â sgiliau yn brin, ac 'arbenigwyr' technegol yn anghytuno. Egwyddor peidio ag ymyrryd oedd delfryd y rhai oedd mewn awdurdod o safbwynt ideolegol a gwleidyddol. Roedd trethu yr ychydig er lles y mwyafrif yn syniad rhy radical ac anuniongred.

Cafwyd hwb i ddiwygio, heblaw lledaeniad y colera, drwy ymdrechion llesyddwyr fel Edwin Chadwick (m.1890), a oedd yn daer dros wella cyflwr y tlodion. Gwelwyd cymdeithasau propaganda oedd o'r un fryd, megis y cymdeithasau ystadegol y sefydlwyd y gyntaf ohonynt ym Manceinion yn 1833 gyda'r amcan o drafod 'materion yn ymwneud â'r economi gwleidyddol a chymdeithasol, ac er mwyn gwneud ymholiadau ystadegol'. Yn nodweddiadol o feddylfryd yr 1830au a'r awydd i ymholi a diwygio, cyn hir roedd trefi mawr a dinasoedd eraill ledled Lloegr a Chymru yn ffurfio eu cymdeithasau ystadegol eu hunain. Eu nod oedd, nid yn unig ymholi i amodau byw yn yr ardaloedd trefol ond hefyd drosglwyddo'r wybodaeth berthnasol i gynulleidfa ehangach gan gynnwys y llywodraeth ganolog.

Gwelwyd ffrwyth eu llafur a'u hymdrechion i berswadio yn 1837 pan basiodd y llywodraeth Ddeddf Cofrestru a barodd sefydlu Swyddfa'r Prif Gofrestrydd. Drwy ganolbwyntio ar gasglu ystadegau cywir am gyfradd marwolaethau galluogwyd diwygwyr cymdeithasol a gweinidogion y llywodraeth, am y tro cyntaf, i fesur a dadansoddi data ystadegol a allai fod yn sail i weithredu arno neu i ffurfio polisïau ar gyfer y dyfodol. Erbyn 1840 gallai'r llywodraeth gyhoeddi rhifau dibynadwy yn dangos y gyfradd marwolaethau ym mhob un o'r 48 ardal gofrestru roedd Cymru wedi ei rhannu iddynt o ganlyniad i Ddeddf 1837.

Dengys y mynegrifau a nodwyd ar gyfer y cyfnod 1840-60 mai'r gyfradd marwolaethau o ran cyfartaledd yng Nghymru oedd 22 ymhob mil ac yn Lloegr 23 ymhob mil. Wrth gwrs, roedd y cyfraddau o farwolaethau yn amrywio, yn sylweddol mewn rhai achosion, o ardal i ardal ac yn 1850 cyfrifid bod 8 o'r 48 ardal gofrestredig â chyfraddau marwolaethau uwch

I

II

III

**IV**

V

VI

VII

VIII

IX

X

na'r cyfartaledd cenedlaethol, gan gynnwys Pont-y pŵl (23 ym mhob 1,000), Casnewydd (24 ymhob 1,000), Caerdydd (30 ymhob 1,000) ac ar ben y rhestr Merthyr Tudful (34 ymhob 1,000).

Cyhoeddwyd y cyfraddau marwolaethau ymysg babanod hefyd ac yn y cyfnod 1837-50 roedd y gyfradd marwolaethau ym mhob 1,000 o fabanod a anwyd yn fyw yn Lloegr a Chymru yn 150. Cododd y gyfradd hon yn y degawd canlynol ac ni ddisgynnodd hyd ar ôl 1880. Er bod yr ymchwydd o ddiddordeb mewn ymholiadau cymdeithasol wedi lleihau peth ar ôl 1860 ni ddaethant i ben yn llwyr. Fe sefydlwyd Cymdeithas Genedlaethol er Hyrwyddo Gwyddor Gymdeithasol a ymddiddorai mewn addysg, iechyd cyhoeddus a'r economi a bu'n cwrdd yn rheolaidd hyd 1886.

Edwin Chadwick oedd un diwygiwr, os nad prif ddiwygiwr ei ddydd, ac oherwydd ei swydd (fe'i penodwyd yn ysgrifennydd Comisiwn Deddf y Tlodion yn 1834) a'i gysylltiadau yn y Senedd, roedd mewn safle unigryw i'w alluogi i adrodd ar y problemau iechyd a achosid gan dlodi. Ei dasg, yn rhannol, oedd newid agweddau a chyflwyno i'r awdurdodau dystiolaeth na ellid ei gwrth-brofi o effeithiau gwael afiechyd ac yn 1842 dyna'n union a wnaeth. Cyfrifir ei Adroddiad … ar ymchwiliad i Amodau Glanweithdra y Dosbarth Gweithiol ym Mhrydain fel carreg filltir yn nhwf yr ymwybyddiaeth genedlaethol o broblemau cymdeithasol:

- Bu'n gyfrwng i sefydlu Cymdeithasau Iechyd Trefi yn 1844, cymdeithasau gwirfoddol a dyfodd mewn canolfannau trefol ledled Lloegr a Chymru
- Bu'n sbardun i benodi Comisiwn Brenhinol i ymholi i 'Gyflwr Trefi Mawr ac Ardaloedd Poblog' a gyflwynodd ei adroddiad yn 1844-5.

Trwy ddefnydd celfydd o ddata ystadegol a gasglwyd gan Swyddfa'r Prif Gofrestrydd a chan gymdeithasau ystadegol lleol, llwyddodd Chadwick i brofi, bron wyth mlynedd cyn i feddyg yn Llundain, John Snow, ddangos cyswllt gwyddonol yn 1849, mai'r 'lluoedd difreintiedig sydd wedi eu pentyrru ynghyd fel pe mewn ghetto', yn y rhannau mwyaf afiach o'r trefi a'r dinasoedd yw'r rhai sy'n dioddef yn bennaf o glefydau heintus. A'r dystiolaeth hon o'u blaenau a'r colera ar gerdded eto yn 1848, nid oedd dewis gan y llywodraeth ond deddfu yn unol â gofynion Chadwick fod yn rhaid annog awdurdodau lleol yn daer i ddarparu cyflenwad o ddŵr diogel i'w yfed, trefnu dulliau o waredu carthion, gofalu am strydoedd glân a 'chael gwared ar fudreddi'.

I
II
III
IV
V
VI
VII
VIII
IX
X

Roedd y Ddeddf Iechyd Cyhoeddus 1848, a ystyrir gan rai haneswyr 'yn fan cychwyn a barodd chwyldro mewn glanweithdra', yn ddeddfwriaeth siomedig o safbwynt Chadwick a ddymunai weld deddfwriaeth lawer mwy cynhwysol. Yn ôl y Ddeddf câi awdurdodau lleol eu hannog neu eu cynghori, yn hytrach na'u gorfodi, i ufuddhau i gynghorion y llywodraeth ar fater iechyd cyhoeddus. Yn waeth fyth nid oedd raid i awdurdodau lleol sefydlu byrddau iechyd onibai fod 10 y cant o'r trethdalwyr yn eu deisebu i wneud hynny neu os oedd y gyfradd marwolaethau yn uwch na'r cyfartaledd cenedlaethol. Cyn y gellid sefydlu byrddau iechyd roedd yn rhaid i swyddogion oedd â'r cymwysterau iawn gyflwyno adroddiad ar amodau glanweithdra yr ardaloedd dan sylw. Ambell waith byddai'r amser a'r gost a olygai hyn yn ddigon o esgus i awdurdodau lleol lusgo traed. Dyna fu hanes dinas cadeirlan Tyddewi pan benderfynodd y cyngor mai jôc oedd cais y trigolion am iddynt ddarparu cyflenwad cyhoeddus o ddŵr, a hyn mor ddiweddar ag Ionawr 1910!

Ar waethaf ei diffygion, gosododd Deddf 1848 sylfaen ar gyfer datblygiadau i'r dyfodol a thros y deng mlynedd ar hugain nesaf pasiwyd cymaint â thair Deddf Iechyd Cyhoeddus gan y Senedd, yn 1859, 1872 ac 1875. O ganlyniad uniongyrchol i'r deddfau hyn:

- crëwyd Pwyllgor Meddygol yn 1859 ac yn gysylltiedig â hwn y Swyddog Meddygol cyntaf mewn swydd barhaol. Eu tasg oedd cynghori'r llywodraeth ar faterion yn ymwneud ag iechyd.

- Yn 1872 sefydlwyd Ardaloedd Glanweithdra yn y trefi ac yn y wlad ledled Prydain. Golygai hyn ei bod yn haws casglu ystadegau ac yn haws darparu gofal iechyd gwladol.

- Yn 1875 pasiwyd Deddf gan lywodraeth Disraeli yn gorfodi cofrestru pob Swyddog Meddygol Rhanbarthol a Lleol ac hefyd yn sicrhau bod gan bob un gymwysterau meddygol.

- Erbyn 1888 nid yn unig roedd Cymdeithas o Swyddogion Meddygol wedi ei sefydlu ond roeddent yn cyhoeddi cylchgrawn yn flynyddol, *Public Health*, oedd yn golygu y gellid cymharu ardaloedd a rhannu gwybodaeth. Fel y dengys Tabl 12 pasiwyd deddfwriaeth lawn mor arwyddocaol yn ystod ail hanner y ganrif gan ymestyn maes iechyd y cyhoedd.

## Tabl 11

### Prif Ddeddfau'r Senedd yn ymwneud ag Iechyd y Cyhoedd

| | |
|---|---|
| **1832** | Deddf Dŵr |
| **1837** | Deddf Cofrestru |
| **1847** | Deddf Cymalau Gwella Trefi |
| **1848, 1859, 1872, 1875** | Deddfau Iechyd Cyhoeddus |
| **1848, 1854** | Deddfau Gwaredu Budreddi ac Atal Heintiau |
| **1851** | Deddf Bythynnod Gweithwyr |
| **1866** | Deddf Glanweithdra |
| **1868, 1875** | Deddf Cartrefi Crefftwyr |

Roedd Abertawe ymhlith yr ychydig o awdurdodau trefol yng Nghymru i fanteisio'n llawn ar y Ddeddf Cartrefi Crefftwyr i gael gwared â slymiau drwy bwrcasu'r tai gwael yn orfodol. Parodd hyn y gallai'r *Guide to Swansea* gan Gamwell (1880) hysbysebu'r dref i ymwelwyr: 'Hyd ychydig fisoedd yn ôl, roedd yr ardal gyfan rhwng canol High Street a'r Hill yn llawn o dai bychan, hyll afiach … Mae'r aneddiadau truenus hyn i gyd wedi eu dymchwel nawr … Cliriwyd ardaloedd afiach eraill yn Greenhill, Frog Street a Cross Street'.

Siomwyd Chadwick am nad oedd Deddf 1848 yn diwygio'r sefyllfa. Daliai i bwyso am weithredu mwy radical ac o'r herwydd roedd nifer o'i gyd-weithwyr dylanwadol ar y Bwrdd Iechyd Cyffredinol a sefydlwyd yn 1848, ac yntau yn gomisiynydd arno, yn elyniaethus tuag ato, yn anfodlon â'i agwedd anystyriol ac ymwthiol. Yn rhannol oherwydd hyn daeth gwaith y Bwrdd i ben yn 1854. Roedd gelynion gan Chadwick mewn mannau eraill yn enwedig ymysg y dosbarth o ddiwydianwyr, gwŷr busnes a chyflogwyr sylweddol eraill oedd yn amheus iawn o'i amcanion heb sôn am eu hofnau ynghylch y gost y byddent o bosibl yn ei hwynebu. Ar lawer cyfrif, roedd ganddynt le i ofni oherwydd, fel y cyfaddefodd Chadwick ei hun, ni ellid gwarantu cynlluniau i sicrhau iechyd y cyhoedd heb wario.

Cyfrifir bod awdurdodau lleol wedi gwario tua £1.2 miliwn rhwng 1848 ac 1875, yn aml mewn partneriaeth â menter breifat, ar garthffosiaeth, traeniad ac i gyflenwi dŵr drwy bibau. O safbwynt lleol, roedd y gwariant yn

I
II
III
IV
V
VI
VII
VIII
IX
X

amrywio o dref i dref a llawer yn dibynnu ar faint y trefi a pha mor ddifrifol oedd yr amodau ynddynt.

- Gofynnwyd i drethdalwyr **Bangor** dalu bron £8,000 am waith angenrheidiol
- Talodd trefwyr **Caerdydd** bron £100,000.
- Oherwydd yr adroddiad gwael iawn ar broblemau iechyd cyhoeddus yn **Abertawe** – gan Syr Henry De La Beche yn 1845 a G.T. Clark yn 1849 – gwariwyd dros £200,000 dros yr ugain mlynedd nesaf.
- Er bod yr adroddiad gan T.W. Rammell yn 1850 ar Ferthyr cynddrwg, a'r dref yn ddwywaith maint Abertawe – 46,378 o bobl yn ôl cyfrifiad 1851 a phoblogaeth Abertawe yn 21,533 – dim ond £175,000 a wariwyd yn ystod yr un cyfnod ar wella problemau **Merthyr**. Yn ôl Neil Evans achos problemau Merthyr oedd 'oherwydd nad yw'r llywodraeth na'r dosbarth canol yn ymosodol, mae grym a chrintachrwydd y sefydliadau haearn mawr yn llesteirio unrhyw gynnydd sylweddol'. (N.Evans, The Urbanisation of Welsh Society' yn *People and Protest: Wales 1815-1880*, 1988)

Erbyn diwedd y bedwaredd ganrif ar bymtheg roedd iechyd y genedl wedi gwella'n sylweddol ond eto roedd llawer heb ei wneud ac yn amlwg nid oedd y broblem wedi ei datrys fel ag i fodloni olynwyr Chadwick ym maes diwygio cymdeithasol. Mae'n wir fod prif swyddog meddygol Abertawe yn gallu adrodd fod gwelliant o safbwynt y gyfradd marwolaethau, gostyngiad o 23.5 ymhob mil yn 1848 i 18.3 y fil yn 1899. Ar y llaw arall roedd rhai gwersi sylfaenol eto heb eu dysgu. Mor ddiweddar ag 1893 roedd prif swyddog meddygol y Rhondda yn adrodd am y llygredd yn yr afon a oedd 'yn cynnwys llawer iawn o garthion dynol, o gigach a choluddion o'r lladd-dai, cyrff anifeiliaid, cathod a chŵn ar hanner pydru, a sbwriel y stryd'. Nid Cwm Rhondda diwydiannol a phoblog yn unig oedd yn y fath gyflwr, fel y dengys adroddiad prif swyddog meddygol Hwlffordd a gyhoeddwyd yn Hydref 1910. Cwynai'n ddirfawr nad oedd pobl y dref yn cadw rheolau hylendid syml, a hyn ac yntau yn filfeddyg! Mae hyn yn crisialu'r broblem. Ar waethaf hanner canrif o ddeddfu ar ran y Senedd gyda'r bwriad o wella iechyd y genedl, roedd llwyddiant yn dibynnu ar gydweithrediad y cyhoedd. Eu hanwybodaeth hwy yn hytrach nag esgeulustod y llywodraeth oedd yn rhwystro gwelliannau yn y pen draw.

I
II
III
**IV**
V
VI
VII
VIII
IX
X

## 2. Tlodi

### ■ Y Brif Ystyriaeth:

Faint o broblem oedd tlodi yng Nghymru yn y bedwaredd ganrif ar bymtheg a sut y deliwyd â'r broblem?

### a) Agweddau at y tlawd ac ymdrin â thlodi

> Tlodi, rhywbeth a oedd yn brofiad i'r dosbarthiadau is yn unig ond a ddiffinnid mewn deddfau gan y dosbarth oedd mewn awdurdod, oedd prif broblem yr oes.

Mae diffiniad yr Athro Ieuan Gwynedd Jones o dlodi yn hyfryd o eironig ac yn wireb y gellid ei defnyddio i sôn am unrhyw gyfnod neu oes mewn hanes. Yr oedd heb unrhyw amheuaeth yn broblem fawr yng Nghymru'r bedwaredd ganrif ar bymtheg ond nid yn fwy nag yn llai felly nag yn y canrifoedd oedd wedi mynd heibio. Gall unrhyw blentyn ysgol deuddeg oed, pe'i holid yn daer, adrodd yn fanwl beth oedd problemau'r tlawd yng nghyfnod y Tuduriaid a sut y bu i lywodraeth Elisabeth ddelio â nhw. Yn oes Elisabeth ystyrid tlodi bron fel clefyd, ac un roedd yr unigolyn wedi ei achosi ei hunan, a'r hyn oedd ei angen ar y dioddefwr oedd cosb. Rhennid y tlodion yn ddau ddosbarth, y rhai abl yn gorfforol ond yn ddi-waith a'r anabl, yr hen, y gwael, y methedig a'r ifanc – yr olaf yn derbyn rhywfaint o dosturi mewn cymdeithas na ellid canmol ei dyngarwch. Tynged y tlodion oedd yn gorfforol abl oedd cael eu chwilio, eu gwarthnodi a'u carcharu neu eu hanfon i'r wyrcws ond gallai'r tlodion anabl ddisgwyl peth cynhaliaeth gan elusennau preifat. Un ffordd effeithiol o ymdrin â nifer bychan oedd eu hannog i'w helpu eu hunain. Caent drwydded gyfreithiol i gardota. Yn anffodus, dim ond ychydig o fesurau a gafwyd yn oes Elisabeth i geisio gwella byd y tlodion. Roedd angen gwario mwy o arian ac ystyried y broblem ar raddfa fwy eang er mwyn delio â phroblem gynyddol a ffrwydrol. Oherwydd niferoedd y crwydriaid, gwrthryfela, trosedd ac anfodlonrwydd cyffredinol bu'n rhaid i'r llywodraeth, oedd yn dod yn fwyfwy pryderus, ddeddfu cyfres o ddeddfau'r tlodion. Yr olaf oedd Deddf y Tlodion 1601 oedd yn gosod cyfrifoldeb ar bob plwyf i ofalu am ei dlodion ei hun a disgwylid i'r person plwyf a'r Ynad Heddwch ym mhob plwyf weinyddu'r ddeddf. Pasiwyd Deddf Sefydlogi yn 1662 i ddelio â chrwydriaid – yn deddfu

I
II
III
**IV**
V
VI
VII
VIII
IX
X

y disgwylid i grwydriaid tlawd o hyn allan ddychwelyd i'r plwyfi y ganwyd hwy ynddynt a byddai'n rhaid i'r plwyfolion oedd yn talu trethi eu cynnal.

Dim ond ychydig blwyfi yng Nghymru a godai Dreth y Tlawd. Roedd y mwyafrif eisoes â thraddodiad o gynnal baich gofal am y tlodion. Llwyddai plwyfi yng Nghymru i ymdopi oherwydd bod y nifer o dlodion yn gymharol isel a hynny'n golygu nad oeddent yn faich amlwg ar y plwyfolion parod eu dyngarwch. Caent eu cynnal yn aml drwy gyfraniadau at gasgliad yr eglwys ar y Sul neu trwy waddol boneddigion lleol. Fodd bynnag, bu cryn symudedd yn y boblogaeth oherwydd diwydiannu cyflym, trefoli a newidiadau demograffig ac economaidd. Chwyddodd nifer y tlodion. Y canlyniad fu i dreth y tlodion godi 400 y cant rhwng 1760 ac 1820.

Am eu bod yn faich ariannol daeth y tlodion i'r amlwg a bellach nid oedd gan blwyfolion gymaint o gydymdeimlad. Aethant yn grintach. Datblygwyd diwylliant oedd yn pwysleisio mai cywilyddus oedd gofyn am elusen gan atgoffa tlodion o'u dibyniaeth ac felly beri iddynt deimlo gwarth o fod 'ar y plwyf'. Yn y Bont faen yn 1770 er enghraifft, disgwylid iddynt wisgo bathodyn oedd yn dangos eu bod yn dlodion. Ysgrifennodd Robert Thomas, gweinidog gyda'r Annibynwyr sy'n fwy enwog wrth ei enw barddol Ap Fychan, am ei ddicter y diwrnod yn 1817 y daeth goruchwyliwr Llanuwchllyn i'w gartref a mynd â matres gwely ei dad odditano, yntau'r tad yn fardd a dyn llythrennog oedd erbyn hynny yn hen ŵr, yn dioddef o'r dwymyn ac yn gaeth i'w wely. Gorfodid prawf modd caled ar y rhai oedd yn gofyn am gymorth y tlodion a byddai hynny'n sicrhau na chaent help os oedd ganddynt 'gloc neu unrhyw gelfi diangen yn y tŷ', fel y penderfynwyd yn Nolgellau yn 1822.

Dichon ei bod yn feirniadaeth ar gymdeithas sy'n ei galw ei hun yn wâr bod diwygwyr Fictoraidd yn wynebu yr un problemau â'r rhai a wynebai eu rhagflaenwyr yn oes Elisabeth fwy na 300 mlynedd ynghynt. Llawn mor agored i feirniadaeth yw'r ffaith nad oedd agweddau wedi newid fawr ddim yn ystod y cyfnod hwnnw. Roedd y tlodion eto i'w drwgdybio gan y rhai oedd, oherwydd eu cyfoeth cymharol, mewn sefyllfa i'w helpu. Os mai anfodlon a dicllon oedd agwedd y trethdalwr cyffredin a gariai'r baich o ariannu cynlluniau i helpu'r tlodion, roedd agwedd y wladwriaeth a'r gyfraith yn fwy hallt. Credid yn gyffredin bod tlodi yn arwydd o ddrygioni ac y dylid cosbi'r tlawd. Felly y digwyddai a'r drefn gosbi yn ymddangos fel pe bai'n ymfalchïo yn ei chreulondeb. Nid oedd unrhyw ddyngarwch yn perthyn iddi.

Nid oedd ganddi un ateb i'r broblem y ceisiai ei datrys. Erbyn 1822 roedd mwy na 150 o droseddau a restrid yn y llyfr statud yn haeddu cosb marwolaeth. Dyma rai o'r troseddau mwyaf chwerthinllyd – dynwared Pensiynwr Chelsea, anharddu Pont Westminster, dwyn dafad, dwyn gwerth mwy na 5 swllt (25c), dwyn hances sidan, pob trosedd yn dwyn y gosb eithaf oedd yn bosibl, sef crogi. Ffaith a dderbynnid, os nad un wedi ei sefydlu, oedd fod trosedd a thlodi yn cerdded law yn llaw. Ar waethaf y mesurau gormesol a fabwysiadwyd i geisio cael gwared â'r naill – trosedd – roeddent yn rhwym o fethu oni bai eu bod yn ymdrin ag arwyddion y llall – tlodi. Er enghraifft, dangoswyd yn glir mai tlodi dirfawr y ffermwyr a'r gweision yng Ngorllewin Cymru, yn bennaf, a barodd derfysg Beca yn yr 1830au a'r 1840au. O'r herwydd, darbwyllwyd y llywodraeth, am ei bod yn ofni terfysg cymdeithasol ac o bosibl chwyldro, fod angen diwygio'r hen Ddeddf y Tlodion (1601), deddf oedd wedi ei chadw bron heb unrhyw newid ac na fwriadwyd mohoni ond ar gyfer adegau o argyfwng.

## b) Tlodi a Pholisi: Deddf Diwygio Deddf y Tlodion, 1834

Cymerwyd y camau cyntaf i ddiwygio Hen Ddeddf y Tlodion yn 1832 pan luniwyd Comisiwn Ymholi i arolygu'r dulliau o gynnig elusen i'r tlodion ledled y wlad. Sylweddolodd y comisiynwyr fod amrywiaeth eang yn strwythur a gweinyddiad Deddfau'r Tlodion. Roedd ynadon plwyf Speenhamland yn Berkshire yn dal i weithredu'r cynllun a drefnwyd yn y lle cyntaf yn 1795 sef talu arian elusen i'r tlodion mewn arian parod i chwyddo cyflogau isel. Ym mhlwyf Southwell yn Swydd Nottingham yn yr 1820au dim ond y tlodion oedd yn ymostwng i drefn gaeth y tloty oedd yn derbyn elusen. Yn 1834 cyhoeddodd y Comisiwn ei adroddiad gan argymell, ymysg syniadau eraill, derbyn dull Southwell o rannu elusen. Mae'r dyfyniadau isod o Adroddiad y Comisiwn Brenhinol ar Ddeddfau'r Tlodion (1834) yn awgrymu beth oedd agweddau'r comisiynwyr.

> Rydym yn argymell … penodi Bwrdd Canol i reoli gweinyddiad Deddfau'r Tlodion … bod … hawl gan Gomisiynwyr … i lunio a gorfodi rheoliadau ar gyfer gweinyddu tlotai … a bod y rheoliadau hynny, i'r graddau mae hynny'n bosibl, yn unffurf ledled y wlad …

> Yr amod gyntaf a'r fwyaf hanfodol … yw na ddylai ef (y tlawd sy'n gorfforol abl) fod mewn sefyllfa i'w chymharu â'r gweithiwr annibynnol o'r dosbarth isaf …

I
II
III
**IV**
V
VI
VII
VIII
IX
X

Cyhoeddir ei bod yn anghyfreithlon rhoi unrhyw elusen bosibl i bobl sy'n abl yn gorfforol neu i'w teuluoedd, ar wahân i'r hyn a rennir mewn tlotai sydd wedi eu rheoleiddio yn dda.

Ymateb y llywodraeth fu pasio Deddf Diwygio Deddf y Tlodion a'r prif delerau yn nodi

1. ni chaiff unrhyw dlodion sy'n abl yn gorfforol elusen y tu allan [i'r tloty]
2. rhaid codi tlotai ym mhob plwyf
3. gall plwyfi os dymunant ac er mwyn lleihau'r gost, uno â'i gilydd i ffurfio undebau (ffurfiwyd 48 yng Nghymru)
4. rhaid i drethdalwyr pob plwyf neu undeb ethol Bwrdd Gwarcheidwaid i weinyddu darpariaethau Deddf y Tlodion
5. disgwylir i'r gwarcheidwaid arolygu'r tlotai a chasglu treth y tlodion
6. sefydlir Comisiwn o dri i reoli ac i arolygu gwaith y Ddeddf.

**Map 10**

**Undebau Deddf y Tlodion a'r Tlotai, tua 1871**

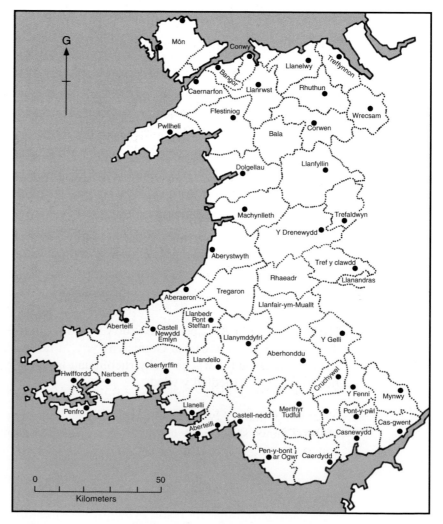

Llun 22
Anobaith a Digalondid: stryd mewn tref (1870)

I
II
III
**IV**
V
VI
VII
VIII
IX
X

Lluniwyd y Ddeddf gan Edwin Chadwick, a chan gydnabod ei waith dros y Comisiwn Ymholi (1832-34), fe'i penodwyd yn ysgrifennydd Comisiwn Deddf y Tlodion. Daliodd y swydd hyd 1846. Yn ystod ei gyfnod fel ysgrifennydd cafodd ei feirniadu'n hallt oherwydd fe ystyrid fod ganddo ormod o ffydd yn y Ddeddf ac nad oedd yn fodlon newid dim arni er bod

I

II

III

**IV**

V

VI

VII

VIII

IX

X

tystiolaeth yn dangos ei gwendidau. Y bai mwyaf difrifol oedd bod y Ddeddf yn gweithredu ar yr egwyddor o leihau costau. Yn ystadegol, o leiaf, llwyddai i wneud hynny drwy leihau'r swm a gâi ei wario ar y tlodion, o £7 miliwn yn 1831 i lai na £5 miliwn yn 1851. Ag ystyried gwariant lleol, roedd y swm a gâi ei wario ar y tlodion yn amrywio'n fawr. Er enghraifft:

- roedd Undeb Abertawe, a gynhwysai 27 plwyf a'r boblogaeth yn 31,000, wedi gwario £6,859 rhwng 1834-36
- roedd ei gymydog agosaf Undeb Castell Nedd, gyda 29 plwyf a'r boblogaeth tua 23,500, wedi gwario £7,510.

Fodd bynnag, ni ellir amgyffred y gost o safbwynt dynol oherwydd drwy leihau'r gwariant roedd rhai Byrddau Gwarcheidwaid yn aberthu iechyd a lles tlodion y wyrcws drwy warafun bwyd angenrheidiol. Digwyddodd yr achos gwaethaf yn Andover yn 1845 pan gafwyd fod y bobl oedd yn y wyrcws mor llwglyd fel eu bod yn ymladd â'i gilydd i gael bwyta mêr pwdr yr esgyrn roeddent yn cael eu cyflogi i'w malu. Parodd Sgandal Andover y fath gythrwfl nes y bu'n rhaid i'r llywodraeth geisio osgoi beirniadaeth drwy feio Comisiynwyr Deddf y Tlodion ac yna sefydlu Bwrdd Deddf y Tlodion yn eu lle yn 1847. Ymddeolodd Chadwick o'i swydd fel ysgrifennydd Comisiwn Deddf y Tlodion, oedd bellach wedi ei ddileu, cyn ymroi i wella safonau hylendid drwy ddod yn aelod dylanwadol o'r Bwrdd Iechyd Cyffredinol yn 1848, nes y bu i hwnnw hefyd ddod i ben yn 1854!

Dichon bod Deddf Newydd y Tlodion 1834 (Deddf Diwygio Deddf y Tlodion) wedi arwyddo newid yn y polisi ond nid oedd yn arwydd o newid agwedd, os rhywbeth roedd yr agweddau at y tlodion yn fwy llym. Roedd y ddeddf yn nodi y dylai amodau yn y tlotai fod yn llai deniadol er mwyn cadw'r tlodion diog allan. Felly, lluniwyd rhaglen ddyddiol galed, gwahanwyd teuluoedd a lleihau gwariant. Nid oedd unrhyw un oedd yn gorfforol abl bellach i dderbyn arian nac unrhyw help arall oddi wrth awdurdodau Deddf y Tlodion oni bai ei fod mewn tloty. Efallai y gellid dweud bod Deddf Newydd y Tlodion, 1834 yn datrys problem tlodi yn derfynol gan leihau'r gost o ddarparu cymorth a hefyd wella safonau moesol y dosbarth gweithiol.

Fel llesyddwyr cymdeithasol blaenllaw eraill yn ei gyfnod roedd Chadwick yn argyhoeddedig fod cymorth y tu allan i furiau'r tloty yn tanseilio ewyllys y gweithwyr i ofalu amdanynt eu hunain ac o'r herwydd ei fwriad oedd na ddylid cynnig cymorth ond o fewn y tloty 'o dan amgylchiadau oedd yn llai ffafriol na safon byw isaf posibl y rhai oedd y tu allan i'r tloty'. Roedd o'r farn y byddai'r 'prawf tloty' yn golygu na fyddai unrhyw rai heblaw'r diymgeledd a'r' tlodion haeddiannol' yn gofyn am gael 'mynd ar y plwyf' ac y byddai'n adfer yr egwyddor mai gwaith oedd y ddelfryd drwy beri fod tlodion yn gorfod rhoi eu gwasanaeth er mwyn cael cymorth. Roedd hyd yn oed rai pobl oedd yn barotach i gynnig elusen yn cytuno i raddau â syniadau Chadwick. Yn 1869 roedd cymdeithas newydd, Cymdeithas Trefnu Elusen, a sefydlwyd yn unswydd i gydlynu ymdrechion gwahanol sefydliadau a gynigiai gymorth i'r tlodion, yn gwahaniaethu'n glir rhwng 'y tlodion haeddiannol' a'r rhai nad oeddent yn haeddu derbyn cymorth. Ffurfiwyd yr Elusen gan nifer o ddyngarwyr cyfoethog a gredai mai'r ffordd orau i helpu'r tlodion oedd eu hannog i'w helpu eu hunain. Yn ei hadroddiad blynyddol yn 1876 roedd rhestr yn atgoffa'i chyfranogwyr o'i phwrpas:

Dylai'r tlodion gwrdd â phroblemau cyffredin bywyd gan ddibynnu nid ar elusen ond drwy fyw yn gynnil a'u helpu eu hunain. Mae'r gweithiwr yn gwybod bod
1. salwch dros dro yn dod i'w ran ef ei hun neu rywun yn y teulu
2. y bydd prinder gwaith ambell dro
3. os oes llawer o blant ganddo, y bydd galw mawr ar ei adnoddau
4. na fydd yn gallu gweithio yn ei henaint.
Problemau cyffredin bywyd yw'r rhain. Os yw'r gweithiwr yn meddwl y bydd y Wladwriaeth yn delio â nhw ni fydd yn gwneud unrhyw ymdrech i'w datrys ei hunan.

Yn anorfod bron, roedd syniadau o'r fath a'r Ddeddf y Tlodion oedd yn sail iddynt yn denu cymaint o feirniadaeth ag o gefnogaeth, neu hyd yn oed ganmoliaeth rhai pobl, fel y gwelwn o ddarllen adroddiadau ac erthyglau golygyddol y papurau lleol. Roedd *The Cambrian* a gyhoeddid yn Abertawe yn cefnogi'r Ddeddf a'r *Carmarthen Journal* a *The Chronicle* yng ngogledd Cymru yn ymosod yn chwyrn gan ei chyfrif yn gam yn erbyn hawliau dynol. Yn y papur Saesneg *The Northern Star* (7 Mehefin 1845) y cafwyd yr ymosodiad mwyaf deifiol:

> … gwrthod unrhyw gymorth, heblaw ar delerau a fyddai'n ddigon i atal unrhyw un ond caethwas ar lwgu a'i enaid wedi ei ddinistrio … sefydlu'r prawf wyrcws … dosbarthu … gwahanu … ymborth 'gwyddonol' … roedd y rhain i gyd wedi eu cynllunio i sicrhau y byddai'r gweithiwr yn cynnig ei wasanaeth am unrhyw gyflog pitw, yn hytrach na dioddef y creulonderau oedd yn ei aros …

I
II
III
**IV**
V
VI
VII
VIII
IX
X

**155**

Llun 23
Cartŵn cyfoes yn darlunio Deddfau'r Tlodion (1836)

Llun 24
*'Just-Starve-Us Workhouse'* gan George Cruikshank (tua 1835)

Ar waethaf y feirniadaeth glynodd y llywodraeth wrth y Ddeddf. Yn yr un flwyddyn ag y derbyniodd 250 o ddeisebau wedi eu harwyddo gan fwy na 225,000 o bobl yn galw am ddiddymu'r Ddeddf ymatebodd y llywodraeth drwy gyhoeddi Adroddiad y Pwyllgor Dewisol o'r Senedd ar Ddeddfau'r Tlodion (1838). Yn yr adroddiad honnid bod 'y pwyllgor yn argyhoeddedig bod y lles mwyaf wedi deillio oherwydd mabwysiadu'r cynllun cymorth hwn yn gyffredinol, ac yn cymeradwyo y dylid dal ato yn y dyfodol ar wahân i ambell wyro … o dan bwysau amgylchiadau arbennig …'.

Yn wyneb safiad diwyro y llywodraeth ymrôdd y rhai oedd yn gwrthwynebu Deddf y Tlodion naill ai i brotestio yn ddidrais neu i drais ac nid yw'n syndod mai'r tlotai, a lysenwyd yn *Bastilles*, a dargedwyd. Yn Ionawr 1839 ceisiodd tyrfa swnllyd, gyda chymhellion cymysg, nid budd y tlodion yn unig, losgi'r tloty newydd oedd wedi ei adeiladu yn Arberth. Er bod y tloty wedi ei drwsio ni bu unrhyw newid yn agwedd y rhai oedd i fod i ofalu am ei weinyddu yn effeithiol. Yn 1900 penderfynodd gwarcheidwaid Arberth leihau'r gwariant ar y tlodion, polisi oedd yn dal mewn grym mor ddiweddar â 1924 pan wrthodwyd awgrym am gael golau trydan yn y tloty. A dyfynnu'r *Pembrokeshire Herald* oedd yn beirniadu, eu barn oedd 'nid dyma'r amser i ddarparu moethau'! Nid gwarcheidwaid Arberth oedd yr unig rai i warthnodi'r tlodion mewn ymgais i'w rhwystro rhag gofyn am gymorth. Ym Mai 1872 cyhoeddodd gwarcheidwaid Penfro restr o'r tlodion yn y wasg leol hyblyg tu hwnt (y *Pembrokeshire Herald* yn ei wedd gynharach pan nad oedd sôn am gydwybod cymdeithasol!).

Ar wahân i'r trais bu llawer o brotestio heddychlon yn erbyn Deddf y Tlodion ac roedd llawer o'r boneddigion lleol, yn enwedig yng Nghymru wledig yn flaenllaw ymysg y protestwyr. Roedd llawer o'r rhai a etholwyd yn aelodau o'r Byrddau Gwarcheidwaid yn dirfeddianwyr, teuluoedd oedd yn ôl traddodiad maith wedi rhannu elusen i'r tlodion ac roedd y rhain yn gwrthwynebu ymyrraeth y llywodraeth ganolog a'r cynllun i ganoli cymorth i'r tlodion o dan y Comisiwn. Yn Sir Aberteifi, er enghraifft, gwrthododd Byrddau'r Gwarcheidwaid ufuddhau i'r ddeddf. Nid oeddent yn fodlon lleihau na gwrthod cymorth i dlodion oedd yn byw tu allan i'r tloty ac yn Llanbedr Pont Steffan a Thregaron nid oeddent wedi codi tloty. Nid oedd gan y Comisiwn a'r Bwrdd Deddf y Tlodion (1847-71), ac wedi 1871 y Bwrdd Llywodraeth Leol, y grym oedd ei angen i orfodi undebau plwyf i weithredu yn ôl eu dymuniad. Yng Nghymru fe anwybyddid yn hytrach nag

I

II

III

**IV**

V

VI

VII

VIII

IX

X

ufuddhau. Nid fod hyn yn awgrymu bod yr undebau plwyf i gyd, eu gweinyddwyr a'u tlotai yn ddidrefn, yn ddiffygiol nac yn annynol. Pan anfonwyd comisiynwyr y llywodraeth i wneud arolwg ar sut roedd y Ddeddf yn gweithio yn 1844, adroddodd Comisiwn Ymchwilio Cymru fod sawl enghraifft o arfer da megis darparu caplaniaid i gynnal gwasanaethau crefyddol, gerddi i'r tlodion gael tyfu eu bwyd eu hunain, meddygon a nyrsus i ddarparu gwell gofal ac athrawon i addysgu'r plant. Cafodd Aberystwyth ac Aberteifi eu canmol yn arbennig am eu bod yn darparu bwyd iach ar gyfer y tlodion. Os yw adroddiadau yn y *Llanelly and County Guardian* yn nodweddiadol yna gallai trigolion wyrcws y dref eu cyfrif eu hunain ymysg y tlodion mwyaf ffodus yng Nghymru gan eu bod yn derbyn nawdd hael y tirfeddianwyr bonheddig lleol, y Nevills a'r Stepneys.

> Ar Ddydd Gwener y Groglith diwethaf, bu Mrs Nevill mor garedig â rhoi gwledd o de da a theisennau'r Grog i drigolion Tloty Undeb Llanelli. Ddydd Llun diwethaf, cawsant wledd fawreddog o gig eidion rhost, plwm pwdin a chwrw da gan Col. Cowell Stepney, ynghyd â baco i'r hen ddynion ac orenau i'r plant … gwnaeth y tlodion gyfiawnder llwyr â'r danteithion a ddarparwyd ar eu cyfer.

> Dydd Calan yn y Tloty [1869] – Mae'n ffaith, un drasig, fod 80 y cant os nad mwy o ferched tlawd ein gwlad yn gwneud yr hyn y maen nhw'n ei alw yn fyw i yfed. Mae bywyd yn y tloty, wrth gwrs, yn undonnog ac yn hynod ddi-ddigwydd, ar wahân i'r adegau prin hynny pan fydd rhyw wŷr bonheddig caredig … yn cynllunio i waredu'r Tloty o'i brudd-der a chalonnau'r trigolion o'u gofidiau. Achlysur o'r fath oedd Dydd Calan.

Gwahanol iawn oedd bywyd creulon a diflas y tloty mewn gwirionedd i'r hyn a led awgrymir yma. Gwneir hyn yn glir mewn adroddiad a luniwyd gan Gomisiwn Brenhinol ar y tlotai yn 1909:

> Cawsom fod presenoldeb ynfydion swnllyd a brwnt yn tarfu ar hen wragedd parchus. Gwelsom ni ein hunain … ferched beichiog, a ddaeth i mewn i roi geni, yn gorfod gweithio ochr yn ochr â merched sydd wedi eu hanffurfio'n gorfforol mor ddychrynllyd fel eu bod yn gwbl wrthun … Gwelsom fwy nag unwaith blant ifanc yn y gwely gyda mân anhwylderau wrth ochr gwragedd drwg (puteiniaid) oedd yn cael eu trin am glefydau heintus a merched eraill yn yr un ystafell yn dioddef o'r cancr a hwnnw ar garlam a'r hen a methedig yn edwino.

Mae'r adroddiad hynod feirniadol hwn yn cymell diwygio pell-gyrhaeddol ar fyrder, neu yn niffyg hynny, diddymu'r tlotai. Aeth ugain mlynedd heibio cyn diddymu'r tlotai.

## c) Booth a Rowntree

Erbyn blynyddoedd olaf y bedwaredd ganrif ar bymtheg roedd problem tlodi trefol dan gryn sylw beirniadol. Charles Booth (m. 1916), marsiandïwr llongau, gŵr cyfoethog a llwyddiannus o Lerpwl oedd un o arloeswyr y diwygio cymdeithasol. Treuliodd dros bymtheng mlynedd yn casglu gwybodaeth am fywydau'r dosbarth gweithiol yn Llundain. Ei fwriad oedd gwrthbrofi'r darlun o dlodi gormesol yn nhrefi a dinasoedd Prydain roedd rhai mudiadau oedd yn annog diwygio cymdeithasol, yn enwedig y Ffederasiwn Democrataidd Cymdeithasol a sefydlwyd yn 1881, wedi ei ledaenu. Pan sylweddolodd beth oedd y gwirionedd, bu'n rhaid i Booth gyfaddef ei gamgymeriad a rhwng 1891 ac 1903 cyhoeddodd ganlyniadau ei arolwg mewn 17 o gyfrolau a alwodd yn *The Life and Labour of the People of London*. Barnai Booth

- fod 30.7 y cant o'r boblogaeth yn byw mewn tlodi
- nad oedd mwy na 0.9 y cant yn gyfrifol am eu sefyllfa dlawd. Credai nad oedd £1.05 yr wythnos ond prin ddigon i alluogi 'teulu cymedrol' i fyw ac y dylai'r wladwriaeth roi mwy o gymorth uniongyrchol i'r 'tlodion gonest'.

Gwnaeth Seebohm Rowntree (m. 1954), gŵr cyfoethog, gwneuthurwr siocled yn y gogledd, arolwg tebyg seiliedig ar astudiaeth o dŷ i dŷ yn ei dref ei hunan, Efrog. Cyhoeddwyd ei ymchwil yn 1901 dan y pennawd *Poverty: A Study of Town Life*. Dangosai'n glir natur gylchol tlodi – yn amrywio yn ôl y gwahaniaethau ym myd masnach, ffyniant neu ddirywiad, ac yn dilyn cylch y cyflogedig yn y teulu. Yn ôl casgliadau Rowntree roedd dau fath ar dlodi, sylfaenol ac eilaidd.

- Roedd y mwyafrif o'r rhai oedd yn dioddef **tlodi sylfaenol** yn ddi-waith ac felly heb fodd i ddarparu'r pedwar angen sylfaenol – bwyd, tanwydd, lloches a dillad.
- Y bobl oedd yn gweithio am gyflogau isel neu'n gweithio'n achlysurol ac heb fod yn ennill digon i dalu am ddim ond yr angenrheidiau sylfaenol, na allent fforddio meddyginiaethau er enghraifft, oedd yn dioddef effeithiau **tlodi eilaidd**.
  Roedd o'r farn bod 9.9 y cant o bobl Efrog yn byw mewn tlodi sylfaenol ac 17 y cant mewn tlodi eilaidd.

I
II
III
**IV**
V
VI
VII
VIII
IX
X

Gwnaeth Booth a Rowntree fwy na'r rhelyw i newid agweddau at gymorth i'r tlodion. Yn ôl erthygl olygyddol yr *Observer*, 20 Rhagfyr 1891, 'Mae papur Mr Charles Booth ar bensiynau'r Wladwriaeth ar gyfer yr oedrannus tlawd … yn profi nad medd-dod, drygioni a diogi, fel y'n dysgwyd ni i gyd, yw achos tlodi yn ôl pob tebyg … ond afiechyd a henaint. Y rhain yn ôl rhifau diymwad Mr Booth yw prif achosion tlodi.'

### d) Diwygiadau'r Llywodraeth Ryddfrydol

Syfrdanwyd yr arweinydd Rhyddfrydol Campbell-Bannerman gan yr adroddiadau a defnyddiodd ffigurau Rowntree am Efrog i amcangyfrif fod bron 33 y cant o'r genedl Brydeinig yn byw mewn tlodi neu fel y dywedai 'ar fin llwgu'. Gan ymddangos fel pe baent eisiau gwneud iawn am gamweddau'r gorffennol gosododd y Rhyddfrydwyr dasg iddynt eu hunain sef diwygio darpariaeth les gymdeithasol.

Oherwydd eu buddugoliaeth ysgubol yn etholiad 1906 gallent fwrw ymlaen i ddeddfu gwelliannau radical yn seiliedig ar y syniad y dylid talu buddiannau gwladol yn ogystal â'r rhai a gynigiai Deddf y Tlodion, ond ar wahân iddi. Cafwyd tair deddf:

1) Deddf Iawndal y Gweithwyr (1906) – cyflogwyr i dalu iawndal i weithwyr a gawsai anaf yn y gwaith neu a fu farw oherwydd eu gwaith

2) Deddf Pensiynau'r Henoed (1908) – pensiwn seiliedig ar brawf modd i bobl oedd dros 70

3) Ddeddf Yswiriant Gwladol (1911) – rhan 1 yn sefydlu cynllun Yswiriant Iechyd Gwladol ar gyfer gweithwyr oedd yn methu gweithio oherwydd afiechyd a rhan 2 yn nodi'r egwyddor o dalu budd-dal i'r di-waith ond fod hwn wedi ei gyfyngu ar y cychwyn i'r rhai a gyflogid yn y diwydiant adeiladu.

Er mai cymorth bach iawn a gynigiai'r mesurau hyn i'r rhai oedd mewn angen, eto fe wnaethant fwy i esmwytho bywydau'r tlodion nag unrhyw ddeddfwriaeth arall a gefnogwyd gan y llywodraeth yn ystod holl flynyddoedd y bedwaredd ganrif ar bymtheg. Roedd y rhain yn gamau cychwynnol pwysig tuag at sefydlu gwladwriaeth les, ac er na fwriadai'r llywodraeth Ryddfrydol iddynt fod yn ddim o'r fath gan yr ystyriai hi eu bod yn cyflawni'r nod, buont yn gyfrwng i danseilio egwyddorion *laissez-faire,* yn enwedig fel yr ymgorfforid y rheini yn Neddf y Tlodion 1834.

Llun 25
'Anrheg y Flwyddyn Newydd', *Punch* yn croesawu Pensiwn yr Henoed (1909)

THE NEW YEAR'S GIFT.

Ar wahân i Bensiynau'r Henoed efallai mai'r elfen fwyaf arwyddocaol yn agwedd y Rhyddfrydwyr at ddiwygio er lles y cyhoedd oedd 'Cyllideb y Bobl', fel y'i gelwid, a gyflwynwyd yn 1909. Er mwyn codi arian i dalu costau gwelliannau lles, yn enwedig cost Pensiynau'r Henoed, cynlluniodd David Lloyd George, Canghellor y Trysorlys, i godi'r dreth a dalai'r dosbarth oedd ag eiddo, e.e.

- treth incwm i godi o 5c (2g) yn y bunt ar incwm blynyddol hyd at £3,000
- treth newydd uwch o 1s. 3c (8g) yn y bunt ar incwm dros £3,000
- tollau marwolaeth ar stadau oedd yn werth dros £5,000
- treth o 20 y cant ar y swm ychwanegol, oedd heb ei ennill, yng ngwerth eiddo pan gâi tir ei werthu neu ei gyfnewid.

Yn y modd hwn gobeithiai'r Rhyddfrydwyr godi dros £16 miliwn, a'r arian i'w wario, yn bennaf, ar welliannau cymdeithasol ac economaidd. Roedd y Ceidwadwyr oedd yn Nhŷ'r Cyffredin a'u cefnogwyr aristocrataidd, cyfoethog oedd yn Nhŷ'r Arglwyddi a'r dosbarth oedd yn berchen eiddo y tu allan i'r Senedd i gyd yn gwrthwynebu Cyllideb Ryddfrydol 1909 ond ni lwyddwyd i'w threchu. Mewn araith yn Nhŷ'r Cyffredin amddiffynnodd Lloyd George y gyllideb:

> Cyllideb Ryfel yw hon. Y bwriad yw codi arian i gynnal rhyfel didostur yn erbyn tlodi a budreddi. Ni allaf lai na gobeithio a chredu, cyn i'r genhedlaeth hon farw, y byddwn wedi cymryd cam mawr tuag at yr amser da hwnnw pan fydd tlodi a thrueni a'r gwarth dynol sy'n eu dilyn bob amser, mor ddieithr i bobl y wlad hon â'r bleiddiaid oedd un amser yn bla yn y fforestydd.

Am fwy na chanrif cyn 1906 roedd Prydain wedi bod ar frig y gwledydd cyfoethocaf ac oherwydd ei grym diwydiannol a masnachol gallai hawlio marchnadoedd y byd am lawer o flynyddoedd y bedwaredd ganrif ar bymtheg. Roedd grym gwleidyddol a milwrol Prydain a'i llynges wedi llwyddo i sicrhau bod ganddi Ymerodraeth fawr, gyfoethog ei hadnoddau tramor. Yn hyderus, yn gyfoethog ac yn ddiogel, roedd yn ymddangos y gallai Prydain oresgyn pob problem. Eto, ar waethaf ei llwyddiannau methodd â datrys problemau'r tlawd a'r difreintiedig gartref. Wynebai'r Edwardiaid broblem gymdeithasol roedd Oes Fictoria wedi methu ei datrys. Bu mesurau lles y Rhyddfrydwyr yn fodd i newid athroniaeth y wlad. Yn hytrach na phwysleisio dyletswydd y tlawd i'w helpu eu hunain, awgrymid cael help y wladwriaeth ac ymhen amser dylanwadodd hynny ar achosion tlodi yn lle sylwi ar yr arwyddion.

## Tabl 12

### Prif Ddiwygiadau Cymdeithasol ac Economaidd

| | |
|---|---|
| **1906** | **Deddf Iawndal y Gweithwyr**<br>cyflogwyr i dalu iawndal i weithwyr oedd wedi eu hanafu neu yn wael o ganlyniad i'w gwaith. |
| **1906** | **Deddf Anghydfod Llafur**<br>yn diogelu arian undebau – rhag gorfod talu iawndal oherwydd streiciau. |
| **1907** | **Mesur Diwygio Carchardai**<br>yn diddymu carchar am ddyled a chyflwyno gwasanaeth prawf. |
| **1908** | **Deddf Pensiynau'r Henoed**<br>yn rhoi pensiwn yn dilyn prawf modd i bobl oedd dros 70 oed. |
| **1909** | **Deddf Byrddau Masnach**<br>yn pennu lleiafswm cyflog i bobl oedd yn gweithio yn y diwydiannau slafaidd (e.e. cynhyrchu dillad). |
| **1909** | **Mesur Swyddfeydd Cyflogi**<br>yn helpu'r di-waith i ddod o hyd i waith. |
| **1909** | **Comisiwn Datblygu**<br>yn trefnu i gyllido gwelliannau lles y wladwriaeth yn well. |
| **1911** | **Deddf Siopau**<br>yn sefydlu hawl cyfreithiol gweithwyr mewn siopau i gael hanner diwrnod yn rhydd bob wythnos. |
| **1911** | **Deddf Yswiriant Gwladol**<br>yn darparu help ariannol i ddynion oedd yn methu gweithio oherwydd salwch ac yn sefydlu hawl y di-waith i arian dôl. |
| **1913** | **Deddf Undebau Llafur**<br>yn cyfreithloni defnyddio arian undebau ar gyfer dibenion gwleidyddol. |

## 3 Trosedd

### ■ Y Brif Ystyriaeth:

Pa mor ddifrifol oedd problem trosedd a pha mor effeithiol oedd dull y llywodraeth o ddelio â hi?

### a) Diffiniad

Yn ôl Geiriadur Rhydychen gellir diffinio trosedd fel

1 a gweithred y gellir ei chosbi drwy ddulliau cyfreithiol
  b gweithredoedd anghyfreithlon
2  gweithred ddrwg (trosedd yn erbyn y ddynoliaeth)
3  gweithred gywilyddus

Mae'r diffiniadau hyn yn ymddangos yn ddigon amlwg ond rhaid sylwi nad yw'r hyn a gyfrifir yn 'drosedd' mewn un cyfnod o angenrheidrwydd yn drosedd mewn cyfnod arall. Yn wir, mewn unrhyw gyfnod mae nifer amrywiol, dryslyd o fathau o ymddygiad wedi eu cyfrif yn droseddau – erlidid reciwsaniaid Catholig yng nghyfnod Elisabeth 1 – neu eu cyfrif yn wyredig – roedd yn bosibl dyfarnu'n euog am wrachyddiaeth mor ddiweddar â'r 1730au. Er enghraifft, lle byddem ni'n cyfrif bod mynd ar streic a phrotest heddychlon yn ddull cyfreithlon o dynnu sylw at gwynion cyffredin, nid felly y byddai'r gymdeithas Fictoraidd wedi barnu. Iddynt hwy roedd streiciau'r gweithwyr a phrotest y werin, heddychlon neu beidio, yn weithredoedd 'drwg' a fyddai'n sicr o arwain at 'wrthryfel' gwallgof, marwolaeth a dinistr. Felly, byddai'r awdurdodau yn ymateb, yn amlach na pheidio yn gor-ymateb, gyda'r fath ffyrnigrwydd a sêl gormesol, gan droi clust fyddar at ddeisebau ac ati, nes bod streicwyr a phrotestwyr hwythau'n troi at drais.

Roedd streic glowyr Tredegar yn 1816 yn un heddychlon ar y cychwyn ond pan gynyddodd eu nifer i'r graddau a gyfrifid yn annerbyniol gan yr awdurdodau – roedd Deddf Terfysg 1715 yn cyfrif bod 12 neu fwy o bobl wedi 'ymgynnull yn gythryblus' yn annerbyniol! – mewn panig llwyr galwyd ar y fyddin i ddelio â nhw. Bu i hynny waethygu'r sefyllfa. O fewn dyddiau roedd yr hyn a ddechreuodd fel protest oherwydd gostwng cyflogau wedi datblygu'n dyrfa lawn terfysg o 8,000 yn wynebu 120 o filwyr arfog o'r 55ed Catrawd a Meirchfilwyr Abertawe. Yn anorfod byddai'r trais, y bygwth a'r difrod i eiddo a ddigwyddai oherwydd mudiadau torfol fel streiciau

164

gweithwyr a phrotestiadau yn cryfhau rhagfarnau'r sawl oedd mewn awdurdod. Credent fod troseddu, yr hyn a wneid gan amlaf gan unigolion o fewn amgylchiadau y gellid eu disgrifio fel rhai cymdeithasol-ddomestig, yn rhan annatod o fywyd y dosbarth gweithiol ac, fel cancr, roedd yn rhaid ei dorri allan a'i ddinistrio. Ni wnaed fawr o ymdrech i ddeall beth oedd achosion y troseddu ac roedd llai fyth o gydymdeimlad â'r sawl a ddedfrydid hyd yn oed, er enghraifft, pe profid mai newyn oedd wedi peri i rywun ddwyn neu mai gostyngiad yn y cyflog neu ddiweithdra oedd y prif reswm pam roedd rhywun yn protestio. Oherwydd y diddordeb cynyddol hwn mewn trosedd, yn fuan daethpwyd i ystyried fod yma broblem gymdeithasol ddifrifol.

Ni ellir diffinio'n rhwydd hanfod na natur trosedd yn y bedwaredd ganrif ar bymtheg. Ni ellir ychwaith egluro'n syml y gosb a amrywiai yn ei thrylwyredd a'i llymder. Yn wir, mae'n ymddangos fod pobl oes Fictoria a'u rhagflaenwyr wedi cael anhawster i benderfynu beth a gyfrifent yn drosedd ddifrifol a haeddai'r gosb eithaf, heb sôn am yr hyn a gyfrifid, heddiw o leiaf, yn fân droseddau nad oeddent yn haeddu mwy na dirwy neu rybudd. Roedd 'Côd Gwaed' y ddeunawfed ganrif yn dal i ddylanwadu ar system gyfreithiol blynyddoedd cynnar y bedwaredd ganrif ar bymtheg. Ei nod oedd ceisio rhwystro trosedd a chodi ofn ar droseddwyr trwy ddeddfu cosbau oedd yn fwriadol yn llym, yn ormesol ac yn gyhoeddus. Felly, erbyn blynyddoedd cynnar yr 1820au roedd mwy na chant pum deg o droseddau y dedfrydid eu bod yn haeddu'r gosb eithaf, sef crogi. Amrywiai'r rhain o ddwyn o boced, bygwth i gael arian, torri coed mewn perllan i wahanol fathau ar ddifrodi a chardota. Pan geisiodd yr Aelod Seneddol a chyfreithiwr, Samuel Romilly, gyflwyno Mesur yn y Senedd yn 1810 a fyddai wedi dileu'r ddeddf a wnâi dwyn pum swllt o siop yn drosedd a haeddai'r gosb eithaf, cafodd ei wrthod yn Nhŷ'r Arglwyddi!

Ofn oedd wrth wraidd y system gyfreithiol ddialgar hon, yn rhannol ofn ymysg y breintiedig oedd mewn awdurdod y byddai'n rhaid wynebu gwrthryfel ond hefyd yn gyffredinol ofn trosedd yn erbyn pobl ac eiddo. Ymddengys mai'r cosbau mwyaf derbyniol oedd lladd, trawsgludo neu garcharu gyda llafur caled. Bu cynnydd yn lefel y troseddu ym mlynyddoedd cynnar y bedwaredd ganrif ar bymtheg, yn bennaf oherwydd y dadfyddino ar ôl 1815. Dyna ffaith arall na allai helpu fawr i leihau ofnau'r dosbarth oedd yn berchen eiddo. Daeth y rhain i gredu fod yna 'ddosbarth o droseddwyr'. 'Mae yna garfan benodol o ladron' awgrymodd un cyfrannwr

I

II

III

**IV**

V

VI

VII

VIII

IX

X

i *Fraser's Magazine* yn 1823, 'y gellir bron eu hadnabod oherwydd eu hosgo yn y strydoedd'. Gan eu bod wedi eu cyflyru gyda'r rhagfarnau hyn ynglŷn â natur trosedd yn eu cymdeithas, nid oedd gan y cyfoethog, y rhai oedd mewn awdurdod a'r rhai oedd yn berchen eiddo unrhyw ddiddordeb mewn diwygio, neu roeddent yn gwrthwynebu'n hallt y sawl oedd yn dadlau dros ddiwygio'r system gyfreithiol. O ganlyniad bu'n rhaid i ddiwygwyr fel Samuel Romilly (m.1818), Syr James Mackintosh (m.1832) a Syr Robert Peel (m.1850) wynebu gwyrthwynebwyr penderfynol oedd yn anghytuno â'u hymdrechion i wella'r system gyfreithiol.

## b) Achosion a Natur Trosedd

> Os na all y tlodion gael gwaith ac na chânt eu cynnal, mae'n rhaid iddyn nhw droseddu neu lwgu.

Dyna a ddywedodd Robert Owen (1816) a oedd o'r farn gadarn mai tlodi oedd prif achos trosedd. Fodd bynnag, roedd y llywodraeth yn dadlau'n wahanol, o leiaf yn gyhoeddus, ac mewn adroddiad a luniwyd gan Gomisiwn Brenhinol ar Drosedd yn 1839 awgrymwyd mai'r ddiod, elw a 'thuedd naturiol ymysg y tlawd i wneud drygioni' ac 'atyniadau' bywyd troseddol oedd wrth wraidd y drwg. Roedd llawer o blith aelodau'r Senedd oedd yn fodlon cyfaddef, yn breifat, fod yna ryw berthynas rhwng tlodi ac ymddygiad troseddol ond doedd ganddyn nhw ddim syniad sut i ddelio â'r broblem. Roedden nhw'n barod i gydsynio â'r Ddeddf Diwygio Deddf y Tlodion (1834) gan feddwl y byddai'r ddarpariaeth a gynigiai yn dylanwadu i'r fath raddau ar y lefelau o drosedd fel na fyddai angen deddfwriaeth bellach. Nid oedd hyd yn oed Syr Robert Peel, oedd ymysg y cyntaf i geisio delio ag anghyfiawnderau'r Côd Penyd yn ystod ei gyfnod fel Ysgrifennydd Gwladol (1822-27), yn deall natur trosedd. Fodd bynnag, roedd ei welliannau yn gam i'r cyfeiriad iawn, dilewyd y gosb o farwolaeth a ddilynai ddyfarniad ar dros gant o droseddau, gallai barnwyr nodi cosb lai na marwolaeth am droseddau lle na bu lladd, symleiddiodd y dull o recriwtio rheithgorau a sefydlodd Heddlu Llundain. Ond deliai ag arwyddion yn hytrach nag ag achosion troseddu.

A barnu oddi wrth adroddiadau cyfoes a chofnodion cyfreithiol (gweler Tabl 13) y troseddau mwyaf cyffredin, gan eu rhestru o'r gwaethaf i'r lleiaf difrifol, oedd medd-dod, ymosodiadau, dwyn, crwydro, dinistrio eiddo'n fwriadol ac yn y trefi diwydiannol, yn enwedig Merthyr, puteindra. Mae perthynas gref rhwng trosedd a'r dosbarth is yn y rhestr a phrofwyd hynny mewn nifer o astudiaethau ymchwil lleol. Yn ei harolwg o drosedd yn Sir Benfro (1815-1974) mae Audrey Philpin yn nodi 'Un o'r agweddau mwyaf rhyfeddol wrth ystyried trosedd yn Sir Benfro yn y bedwaredd ganrif ar bymtheg yw nad oes nemor ddim tystiolaeth o dor-cyfraith ymysg y dosbarth canol na'r dosbarth uwch. Mewn dros ddau gant o achosion o ddynion yn ymddangos o flaen y Llysoedd Chwarter rhwng 1820 ac 1837 dim ond chwech ellid eu cyfrif mewn unrhyw fodd yn ddynion ag arian wrth gefn. O'r rhain disgrifiwyd pump fel "ffermwr ac un fel "athro ysgol"'. Roedd hyn yn wir hefyd am ferched. 'O'r 3,000 o achosion a astudiwyd rhwng 1820 ac 1900, nodwyd chwe deg math ar waith; roedd bron y cyfan yn sôn am waith â'r dwylo fel gwnïo, gwaith tŷ, labro, gwaith yn y pyllau glo, bugeilio, gwneud basgedi, cwiltio, bragu ac ati.' Mae cofnodion troseddau yn dysgu llawn cymaint i ni am strwythur galwedigaethol y gymdeithas ag am foesoldeb oes Fictoria.

## Tabl 13

### Calendr Carcharorion yng Ngharchar Abertawe, 1851

| | | | | |
|---|---|---|---|---|
| 1 | William Jones .. .. | 42 | Stealing bacon .. .. | Two years to hard labour |
| 2 | Richard Hillier .. .. | 21 | Sheep-stealing .. .. | Eighteen calendar months |
| 3 | William Thomas .. | 44 | } Same .. .. .. .. | Eighteen calendar months |
| 4 | William Meyrick .. | 34 | | |
| 5 | Anne Owens .. .. | 29 | Concealment of birth .. | One year to hard labour |
| 6 | Hugh Lewis .. .. | 23 | } Horse-stealing .. | Two years each to hard lal |
| 7 | Bennett Williams .. | 22 | | |
| 8 | John Williams .. .. | 27 | { Stealing from the } | { Six calendar months each |
| 9 | John Thomas .. .. | 25 | person .. .. } | first three days of each ı |
| 10 | James Taylor .. .. | 27 | | days of sentence solitary |
| 11 | David Roach .. .. | 30 | Malicious assault .. | Eighteen calendar months |
| 12 | Henry Jones .. .. | 22 | { Stealing from the } person .. .. .. } | { Six calendar months to h two days of each month of sentence, solitary |
| 13 | Maria Grubb .. .. | 23 | Stealing cotton print . | Same .. . |
| 14 | Mary Davies .. .. | 62 | Misdemeanour .. .. | Six months to hard labour |
| 15 | Morgan Bowen .. .. | 24 | Horse-stealing .. .. | Two years' hard labour |
| 16 | Thomas Jones .. | 24 | Housebreaking .. .. | { One year to hard labour alternate week in solitı |
| 17 | Phillip Neagle .. .. | 17 | Stealing clothes .. .. | { Six calendar months' ha three days of each moi |
| 18 | Samuel Lloyd .. .. | 25 | { Obtaining money by } false pretences .. } | { Four calendar months' days of each week, an sentence solitary .. |
| 19 | Owen Morgan .. .. | 55 | Sheep-stealing .. .. | Two years to hard labour |

I

II

III

**IV**

V

VI

VII

VIII

IX

X

Prin oedd yr achosion o lofruddiaeth na dynladdiad ac er bod y Llywodraetth yn ofni gwrthryfel drwy lawer o flynyddoedd ail chwarter y ganrif, ni bu i'r Cymry ffrwydro a therfysgu. Gan fod protest yn drosedd nid oedd fawr o gydymdeimlad gan yr Ysgrifenyddion Gwladol, yr Is-Ieirll Melbourne (1830-34) a Russell (1835-39) gyda'r Cymry gwyllt a gwrthryfelgar. Cyfeirid at y Teirw Scotch (tua'r 1820au -1830au), Terfysg Merthyr (1831), Terfysg Casnewydd (1839) a Therfysg Beca (1838-44) fel tystiolaeth o'u natur anwar a'u tuedd naturiol i ymddwyn yn droseddol. Ategwyd honiadau rhagfarnllyd o'r fath yn nhudalennau'r Llyfrau Gleision 1847. Bwriadwyd i'r adroddiad hwn fod yn arolwg o gyflwr addysg yng Nghymru ond gan ymestyn maes ei ddiddordeb mynnodd ddatgan barn ar y gymdeithas yng Nghymru. Darlun angharedig a gafwyd o'r Cymry a bu'n gyfrwng i gythruddo ac yn sbardun i rai ymateb drwy gyhoeddi ffeithiau a ffigurau oedd yn honni eu bod yn dangos mai gwlad oedd yn parchu'r gyfraith oedd Cymru. Yn ôl un hanesydd, T.I. Ellis, ceisiodd Henry Richard (m.1888), gweinidog yr efengyl ac wedyn Aelod Seneddol Rhyddfrydol dros Ferthyr, 'ddehongli Cymru i'r Saeson; ysgrifennodd i'r wasg Seisnig yn egluro Terfysgoedd Beca ac yn 1866 cyhoeddodd gyfres o lythyrau ar gyflwr cymdeithasol a gwleidyddol Cymru'.

> Yn ystod y can mlynedd neu'r cant a hanner o flynyddoedd a aeth heibio dichon nad oes unrhyw ran arall o'r Deyrnas Unedig wedi rhoi llai o bryder neu ofid i'r awdurdodau. Mae unrhyw beth tebyg i anogaeth i frad, terfysg neu wrthryfel yn hynod brin yn y Dywysogaeth … cyflwr y Dywysogaeth fel rheol yw un hynod dawel, heb awgrym o anfodlonrwydd gwerinol yn tarfu arni. Tebyg nad oes unrhyw ran o'r wlad yn gyffelyb – nid yw dwrn awdurdod i'w weld yma ond nesaf peth i ddim ac nid oes ei angen.
>
> Henry Richard, *Letters on the Social and Political Condition of the Principality of Wales* (cyhoeddiad cyntaf 1866)

Hyd yn oed pan oedd Terfysg Beca yn ei anterth roedd y Cymry, ym marn Walter Griffith (m. 1846) o Dal-y-sarn yn Sir Gaernarfon, darlithydd a grwydrodd lawer dros Gynghrair Gwrthwynebu'r Deddfau Ŷd, yn 'anodd eu cyffroi'. Fodd bynnag, roedd angen mwy na theimladau a sylwadau honedig i berswadio'r sefydliad Seisnig a'r wasg nad oedd eu cymdogion yng Nghymru mor amharod i ufuddhau i'r gyfraith â'u pobl nhw eu hunain. Casglodd Henry Bruce, barwn Aberdâr ac Ysgrifennydd Gwladol (1869-73) yn llywodraeth Ryddfrydol Gladstone, dystiolaeth ystadegol oedd yn honni ei bod yn dangos bod y Cymry yn wir yn troseddu llai na phobl mewn unrhyw ran arall o'r Deyrnas Unedig. Ond heddiw nid yw haneswyr yn barod i dderbyn ffigurau Aberdâr. Maent yn awgrymu, pe defnyddid dulliau modern o gyfrif, nad oedd ffigurau trosedd yng Nghymru, a chyfrif y canran, fawr yn is ac yn wir ar ôl 1881 eu bod yn gyfartal â rhai Lloegr.

Un o'r agweddau arwyddocaol o safbwynt trosedd yng Nghymru a Lloegr yn ystod y bedwaredd ganrif ar bymtheg oedd y cynnydd yn y niferoedd o bobl ifanc oedd yn troseddu. Nid oedd gan blant amddifad a adawyd i ofalu amdanynt eu hunain fawr o ddewis ond gwneud y gorau a allent drostynt eu hunain drwy ladrata. Cawn ddarlun byw o'u cyflwr yn nofel Charles Dickens *Oliver Twist* (1837). Roedd Dickens, nofelydd ac ysgrifwr beirniadol o'r gymdeithas, wedi gweithio fel gohebydd yn llysoedd y gyfraith ac wedi ei ddiflasu'n llwyr gan yr hyn a welodd. Fe'i hysbrydolwyd i ysgrifennu nofelau yn annog diwygio Deddf y Tlodion 1834, y carchardai a'r gyfraith. Roedd eraill yn llawn pryder wrth weld y niferoedd o bobl ifanc oedd yn troseddu. Un enghraifft amlwg oedd Dr Barnado a sefydlodd Genhaty ar gyfer ieuenctid Dwyrain Llundain i ofalu am blant gwael a diymgeledd yn 1867. Yn 1876 cyfrifai fod 30,000 o blant yn cysgu yn yr awyr agored yn Llundain yn unig. Roedd pobl ifanc yn troseddu yng Nghymru hefyd gan beri cynnydd yn yr ystadegau trosedd. Mae'r adroddiad hwn a ymddangosodd yn *The Cambrian* (1852) yn nodweddiadol o'r problemau oedd yn wynebu'r awdurdodau yn Abertawe:

> Cyhuddwyd Daniel Leary, bachgen o Wyddel sy'n gardotyn cydnabyddedig, o fegera yn Stryd Singleton nos Lun … mae'n ymddangos ei fod nid yn unig yn aflonyddu ar bobl oedd yn mynd heibio drwy fegera ond ei fod hefyd yn feddw – dywedodd Mr Superintendent Tate fod y bachgen yn hysbys am ei fegera – ei fod wedi cael ei rybuddio sawl gwaith gan y Maer, ond yn ofer – ar ôl dweud y drefn yn hallt wrtho anfonodd Mr Dillwyn ef i'r Carchar am dridiau – cosb a barodd i'r bachgen wylo'n arw.

Hyd yn oed yn Sir Benfro wledig mae cofnodion y carchar yn Hwlffordd yn rhestru nifer fawr o blant. Rhwng 1820 ac 1863 bu tua 208 o blant, y mwyafrif gyda'u mamau, yng ngharchar y dref. Yn wir, yn aml mae'n ymddangos eu bod, heb yn wybod iddynt, â rhan yn y troseddu. Dyna, yn 1832, hanes William Michael Burns, deg oed oedd gyda'i fam Mary pan dorrodd hi i mewn i dŷ yn Robeston Wathen i ddwyn 'bwyd a nwyddau'.

I

II

III

IV

V

VI

VII

VIII

IX

X

Cafodd y ddau eu dedfrydu'n euog a'r gosb oedd marwolaeth, ond fod eu dedfryd wedi ei newid yn ddiweddarach i flwyddyn o garchar, '12 mis o lafur caled'. Ar ôl chwe mis cafodd y bachgen ei symud i dloty'r dref.

## Tabl 14

**Cyhuddiadau o drosedd yn Siroedd Ceredigion, Caerfyrddin a Phenfro, 1805-50**

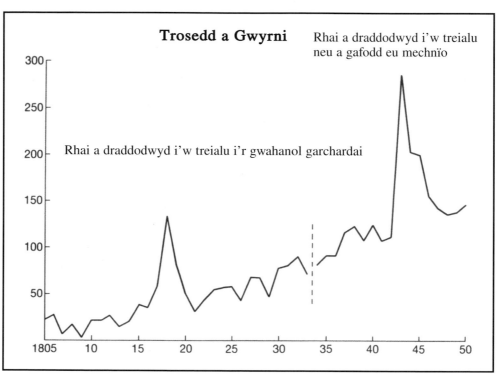

## c) Cyfraith a Threfn

Yn 1815 nid oedd trefniadaeth agos cystal ag un heddiw o safbwynt y lluoedd y gellid eu defnyddio i gadw trefn a gorfodi'r gyfraith. Nid oedd heddlu fel ag yr ydym ni'n ystyried amdanynt. Ac eithrio *'Bow Street Runners'* Fielding yng nghanol y ddeunawfed ganrif nid oedd unrhyw fodd ymholi i drosedd. Yr ardal leol oedd yn gyfrifol am ddal y lleidr. Y siroedd oedd yn gyfrifol am drefnu hyn gydag uwch gwnstabl yn cael ei gynorthwyo gan gwnstabliaid plwyf di-dâl a benodid gan yr ynadon heddwch. Gellid galw ar unrhyw ddinesydd 'o gymeriad da' i wasanaethu fel cwnstabl ond tueddid i recriwtio dynion hŷn, llai ffit, nad oedd gwaith beunyddiol yn eu rhwystro rhag gwasanaethu. Ar waethaf gwendidau'r system roedd yn gweithio'n dda yn yr ardaloedd gwledig llai poblog unwaith y byddent yn gwybod ble roedd y drwgweithredwyr yn debyg o droseddu. Fodd bynnag, daeth diwydiannu cyflym a threfoli â phroblemau. Ni allai'r hen 'wylwyr'' bwrdeistrefol ddod i ben â'r cynnydd anferth ym mhoblogaeth y trefi. Pan geid protestiadau mawr a therfysg byddai'r awdurdodau yn galw ar y fyddin, fel yn y gorffennol. Ond, daeth yn bryder i'r awdurdodau fod y defnydd o'r fyddin wedi cynyddu'n fawr yng Nghymru rhwng 1815 ac 1850 a cheisiwyd ystyried dull arall o gadw trefn.

Yn anffodus, nid oedd y farn gyhoeddus o blaid y syniad hwn. Roedd hyd yn oed y Senedd, yn sensitif i farn yr etholwyr a'i haelodau bron i gyd yn perthyn i'r dosbarth canol a'r dosbarth uwch, ar y cychwyn yn amharod i sefydlu heddlu. Yn 1818 adroddodd pwyllgor Seneddol ar blismona mai'r sail hanfodol i 'gadw trefn mewn gwlad rydd yw deddfau rhesymol a dyngarol, ynadon effeithiol a goleuedig … yn fwy na dim arferion moesol a barn ei phobl'.

A throseddu ar gynnydd cyflym daeth yn amlwg y byddai'n rhaid i'r llywodraeth wneud rhywbeth. Yn 1829 sefydlodd Syr Robert Peel yr heddlu 'modern' cyntaf yn y wlad (er ei fod eisoes wedi sefydlu Heddlu Iwerddon yn 1822). Er na fwriedid yr heddlu hwn ond ar gyfer Llundain, roedd Heddlu Llundain wedi gosod cynsail y gellid ac y byddid yn ei ddilyn mewn mannau eraill. Yn y dechrau, dirgel ac ymylol oedd ei ddylanwad yng Nghymru. Er enghraifft, yn 1831 anfonwyd tri swyddog o Heddlu Llundain i Sir Ddinbych i ymchwilio i ymosodiadau ar berchenogion glofeydd lleol. Yn yr un flwyddyn anfonwyd chwe swyddog i Gaerfyrddin i ddelio â therfysgoedd oherwydd etholiadau lleol. Gwnaeth y rhain y fath argraff ar awdurdodau'r dref nes y bu iddynt wahodd un ohonynt, John Lazenby, i aros yno i'w helpu i sefydlu eu heddlu eu hunain. Roedd ei dasg yn un anferth, ac oherwydd gwrthwynebiad hallt, cymerodd bum mlynedd lawn i sefydlu heddlu bwrdeistrefol. Mae'r llythyr a ganlyn a gyhoeddwyd yn y *Carmarthen Journal* ym Medi 1836 yn awgrymu'r farn leol:

> O fewn yr heddlu nawr mae dynion sydd, a dweud y lleiaf, yn gosod sêl awdurdod ar yr hen ddywediad, 'gosodwch leidr i ddal lleidr' a'u hymddygiad yn derfysglyd a didrefn mor aml nes gwylltio'r ynadon eu hunain. Mae hyn yn rhan o'u cymeriad. Beth arall ellid ei ddisgwyl gan ddynion y mae pob person heddychlon sy'n byw yn y dref wedi eu hofni.
>
> 'Aelod Parchus o'r Trigolion'

I

II

III

**IV**

V

VI

VII

VIII

IX

X

I

II

III

IV

V

VI

VII

VIII

IX

X

Mynnai Deddf Corfforaethau Trefol 1835 fod pob tref yn Lloegr a Chymru yn penodi pwyllgorau 'gwylio' a fyddai yn eu tro'n gyfrifol am sefydlu heddluoedd lleol gan eu modelu'n gaeth ar Heddlu Llundain Peel. Gwnaeth o leiaf bedair sir hynny rhwng 1839 ac 1845 – Caerfyrddin, Dinbych, Trefaldwyn a Morgannwg (gweler Map 11) ond disgwylid i'r rhai oedd yn gyndyn, gan amlaf oherwydd y gost i drethdalwyr, ufuddhau i Ddeddf Heddluoedd Sirol a Bwrdeistrefol 1856. Mae haneswyr yn awgrymu mai sefydlu heddluoedd sirol fu'n rhannol gyfrifol am sicrhau fod ail hanner y bedwaredd ganrif ar bymtheg yn fwy heddychlon ac amodau byw yn fwy sefydlog. Yn sicr, roedd yna lai o derfysgoedd a phrotestiadau mawr ond, yn baradocsaidd, mae'r ystadegau am droseddau yn dangos cynnydd sy'n awgrymu cymdeithas fwy parod i dorri'r gyfraith nid un lai parod i wneud hynny. Fodd bynnag, mae'n debyg y gellid egluro'r cynnydd drwy nodi fod heddluoedd wedi dod yn fwy proffesiynnol ac yn fwy llwyddiannus wrth ymholi i droseddau, yn enwedig wedi sefydlu'r Adran Ymholiadau i Droseddau yn 1865, ac wrth erlyn troseddwyr. Erbyn chwarter olaf y ganrif roedd yr heddlu, yn bennaf oherwydd eu bod wedi gofalu am ddatblygu eu delwedd fel corff 'cytûn', wedi llwyddo i drechu agwedd amheus y dosbarth canol a chyn bo hir roedd y mwyafrif o'r dosbarth gweithiol yn eu derbyn.

## Map 11

### Heddluoedd Sirol erbyn 1856

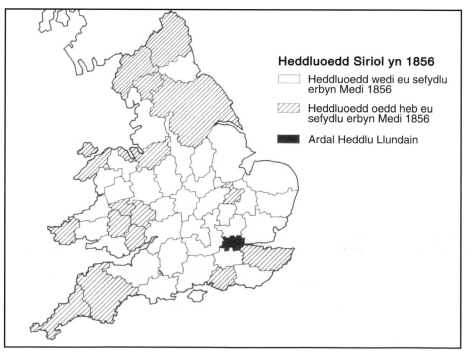

**Heddluoedd Siriol yn 1856**

☐ Heddluoedd wedi eu sefydlu erbyn Medi 1856

▨ Heddluoedd oedd heb eu sefydlu erbyn Medi 1856

■ Ardal Heddlu Llundain

Llun 26
Poster Dim Heddlu (Aberystwyth)

# NO POLICE!!

## WELL DONE ABERYSTWYTH BOYS!

Your Month's Trial is past; and right nobly have you acquitted yourselves! Your behaviour has been admirable; your conduct deserves the utmost praise. The quiet, peaceable, and orderly state of the Town, is the greatest credit to you. It has been emphatically the MOST peaceable and happy Month enjoyed by the Town of Aberystwyth for Years! Even the Trees on the North Parade, so lately the objects of silly revenge, have not been touched. This is as it ought to be. Whoever destroys or injures them, is an Enemy to the Town, and an Abettor of the detested Police System! The fact of a Row of beautiful Trees growing there, cannot injure or annoy one single individual; nor could their removal benefit any one. There let them remain. Does not your voice already echo, Yes, there they shall remain!

Your conduct hitherto is a guarantee for the future; for to no one single act of disorder can even the finger of envy point! This has raised your character immeasurably; and proved, beyond the possibility of contradiction, that the Inhabitants of Aberystwyth do not require the surveillance of a couple of Bludgeon-men to keep them from becoming Pickpockets and Thieves. The question at the beginning of the Month was,

## Police or No Police?

That problem has been solved; the question is answered. The Watch Committee appealed to the Town. The Inhabitants have responded---they have supplied the answer; and that answer is,

## NO POLICE!!

The state of the Town for the last Month has proved to the satisfaction of the most timid and incredulous, that they were not required. As far as Aberystwyth is concerned, the Cutlasses and Truncheons of hired Spies may henceforth be consigned to oblivion in the Commissioners' Yard, along with rusty old Iron, rotten Timber, and broken Pipes, as perfectly useless Lumber, and Relics of bygone days.

## PERSEVERE IN YOUR PRAISEWORTHY CONDUCT!

### THE

# £200

## WILL BE SAVED,

# And the Victory won!

April 6th, 1850.

E. WILLIAMS & SON, PRINTERS, ABERYSTWYTH.

I
II
III
IV
V
VI
VII
VIII
IX
X

## d) Cosbi troseddwyr

Heb y gyfraith a llysoedd i'w gorfodi, byddai pob un ohonom yn rhydd i wthio a bwlian ein cyd-ddinasyddion a hefyd, yr hyn a ellid ei ystyried yn fwy pwysig, byddai ein cyd-ddinasyddion yn rhydd i'n gwthio a'n bwlian ni. Gellir cyfiawnhau y gyfraith a'r llysoedd drwy ystyried eu bod yn ein diogelu rhag eraill, ein hachub rhag gweithredoedd annheg a gormesol. Ond, os ydym i gael y diogelwch hwn, mae'n rhaid i ni dderbyn fod y gyfraith yn berthnasol i ni hefyd ac ei bod yn gosod ffiniau ar ein rhyddid.

[Dyfyniad o araith gan Syr John Donaldson, Llywydd y Llys Cysylltiadau Diwydiannol, 1972]

Ni fyddai fawr neb ohonom yn anghytuno â hyn ond beth pe bai'r awdurdodau eu hunain yn camddefnyddio'r gyfraith i fwlian eraill? Yn y ddeunawfed ganrif a dechrau'r bedwaredd ganrif ar bymtheg câi'r gyfraith ei deddfu a'i gweinyddu gan ddynion oedd yn brin o gydymdeimlad a deall tuag at y bobl oedd i fod i ufuddhau iddi. Fe'i defnyddid fel cyfrwng i ddiogelu eiddo ac i rwystro anfodlonrwydd. Roedd ei chosbau yn fwriadol yn hallt er mwyn codi ofn ar y sawl a ystyriai'r posibilrwydd o droseddu. Nid oedd gan y gyfraith fawr o ddiddordeb yn yr achosion a barai i bobl droseddu, dim ond yn y cosbau. Yn aml, cyfrifid mai bai'r dioddefwyr oedd eu bod mewn tlodi, yn newynu neu eu bod ar y clwt ac anaml y derbynnid fod y rhain yn rhesymau dilys dros droseddu. Y gosb eithaf, sef rhoi i farwolaeth, oedd y gosb bwysicaf y gallai'r awdurdodau ei dedfrydu. Dyna oedd y gosb am lawer o droseddau o'r mân ddrwgweithredoedd i'r difrifol faleisus. Fodd bynnag, erbyn diwedd yr 1820au roedd yn amlwg i bawb ond y mwyaf ystyfnig nad oedd dedfrydu'r gosb eithaf yn effeithio fawr ddim ar y nifer o droseddau ac yn wir, mewn sawl ardal roedd yr ynadon a'r rheithgorau wedi osgoi dedfrydu i farwolaeth am yr hyn a gyfrifid ganddynt yn 'fân' droseddau. Aed ati o ddifrif i geisio diwygio'r côd penyd am y tro cyntaf yn ystod llywodraeth yr Iarll Liverpool o dan arweinyddiaeth benderfynol ei Ysgrifennydd Gwladol Syr Robert Peel. Heblaw am ymwrthod â'r gosb eithaf am nifer fawr o droseddau, gwelwyd carcharu a thrawsgludo fel cosbau posibl ac fe'u defnyddiwyd yn gynyddol i gosbi troseddwyr a fyddai wedi cael eu crogi o dan yr hen 'Gôd Gwaedlyd'.

Yn 1823 cyflwynodd James Mill, tad yr athronydd rhyddfrydol a'r llesyddwr John Stuart Mill, erthygl ar garcharai i'w chynnwys yn yr *Encyclopaedia*

*Brittanica*. Awgrymai y dylid carcharu i bwrpas sef 'diwygio drwy waith'. Roedd yn awgrym beiddgar oedd yn ystyried ailhyfforddi yn hytrach na chosbi'n unig. Hyd yn hyn nid oedd carchar yn fawr ddim mwy na lle afiach i farw ynddo a chlefydau'n lledaenu fel tân gwyllt yno. Nid oedd pwyslais ar gosbi ond ar gadw'n gaeth am gyfnodau byr cyn galw i lys barn neu ddedfrydu. Fodd bynnag, bu cynnydd sylweddol yn y defnydd o garchardai yn ystod ail hanner y ddeunawfed ganrif a dechrau'r bedwaredd ganrif ar bymtheg. Canlyniad anorfod hyn fu problemau – prinder arian i'w cynnal ac i wella'r adeiladau a phrinder staff oedd wedi eu hyfforddi. Yng Nghaerfyrddin a Hwlffordd, er enghraifft, addaswyd adfeilion hen gestyll canoloesol i'w defnyddio fel carchardai. Roedd amodau byw o fewn eu muriau yn warthus o afiach a brwnt a does ryfedd fod y carcharorion yn 'fudr' ac yn dioddef afiechyd. Yn ôl Llyfr Cofnodion y Llawfeddyg, 1820-35, a ofalai am garcharorion Hwlffordd, roedd llawer o'r rhai a ddedfrydwyd i garchar am gardota, oedd yn fwy na hanner y carcharorion ar unrhyw adeg, yn dioddef o ddiffyg maeth, clefydau gwenerol, llau a'r 'crafu' (yn ôl pob tebyg y cosi gwyllt). Gan ddilyn awgrym Mill anogodd y llywodraeth y carchardai lleol i ddod o hyd i waith buddiol i'w carcharorion ac erbyn 1826 roedd Hwlffordd ymysg y cyntaf o garchardai Cymru i ddarparu melin draed.

Rhwng 1821 ac 1858 mae cofrestr Hwlffordd yn cofnodi rhyw 8,182 o garcharorion yn y Carchar, 1,663 ohonynt yn ferched sef 20.3 y cant o'r cyfanswm. Roedd y rhain yn amrywio o ran oedran o 12 i 73 a'u troseddau o buteindra, dwyn, bastardiaeth i adael plant yn ddiamddiffyn. Dyma ddwy enghraifft o'r math o ferched a allai ddisgwyl cael eu hanfon i garchar:

- Yn gyntaf, Charlotte Havard, 'atgwympydd enwog' yn ôl Audrey Philpin 'oedd yn ymddangos yn rheolaidd o flaen ei gwell yn llysoedd Sir Benfro yn nechrau'r bedwaredd ganrif ar bymtheg'. Pan dderbyniwyd hi i garchar Hwlffordd yn Ionawr 1829 ysgrifennwyd rhestr o'i throseddau yng Nghofrestr y Carchar. Disgrifiwyd hi fel 'cardotwraig a chnawes oedd yn ymddwyn yn ddireol ar y strydoedd, yn butain ac wedi brathu bawd Rebecca Evans mewn sgarmes.' Mae'n anodd gwybod a gafodd ei dedfrydu am ddiogi, am ymddwyn yn afreolus, am grwydro, am buteindra, am dorri'r heddwch neu'n syml am ymosod?
- Yr enghraifft fwyaf trist yng nghofrestr y carchar, ond un nad oedd yn anghyffredin o gwbl, yw hanes Mary Ann Reynish, 12 oed. Ar 26 o Fai 1826 dedfrydwyd hi 'i fis o garchar gyda llafur caled am adael ei

I

II

III

**IV**

V

VI

VII

VIII

IX

X

gwasanaeth'. Nid oedd gan y sawl a osodwyd mewn lle i weini gan warcheidwaid y plwyf unrhyw ddewis heblaw gweithio yn ôl y gorchymyn. Roedd gadael heb ganiatâd yn drosedd. Daeth i ben ei thymor yn y carchar a chafodd ei rhyddhau ar 28 Mehefin ond ymhen tair wythnos cafodd ei dal eto am adael ei gwaith a chafodd dri mis o garchar gyda llafur caled. Yn Hwlffordd golygai hyn y felin draed. Dri diwrnod wedi iddi ddechrau ar ei chyfnod cosb gyrrodd Thomas Jones, gwarchodwr y carchar hi i gell ar ei phen ei hun oherwydd 'ei bod hi wedi galw allan ar ei chyd-garcharorion pan oedd hi ar y felin draed, am y camwedd hwnnw fe'i hanfonais i gell dywyll am 4 awr'.

Parhaodd y fath driniaethau annynol, a ategwyd gan Ddeddf Carchardai 1865 – 'llafur caled, bwyd plaen a llety gwael' nes y pasiwyd Deddf Carchardai 1877 a barodd 'wladoli' a rheoleiddio'r holl garchardai ledled y wlad. Caewyd y carchardai oedd yn cael eu rhedeg waelaf neu'r rhai aneconomaidd, 53 i gyd ac o'r rhain roedd saith mewn siroedd yng Nghymru, sef Siroedd Môn, Brycheiniog (ailagorwyd yn 1881), Aberteifi, Fflint, Meirionnydd, Trefaldwyn a Maesyfed.

Llun 27
Llyfr Cofnodi Heddlu Ceredigion (1904)

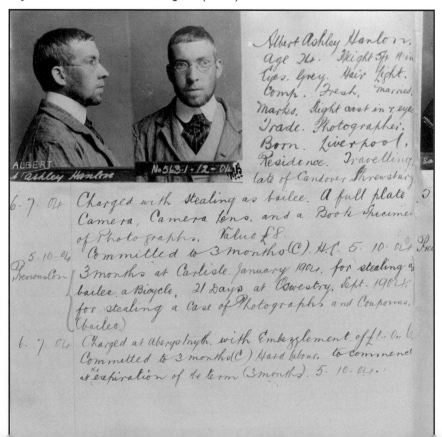

Gyda Deddf Trawsgludo 1779 cynlluniwyd dull o gosbi a ddyddiai nôl i 1650. Pwrpas y gosb oedd anfon y troseddwr o'r gymdeithas am o leiaf saith mlynedd (gan amlaf am oes) i gael ei ddefnyddio yn y trefedigaethau fel caethwas gan sicrhau gwaith rhad. Tybiai llesyddwyr y bedwaredd ganrif ar bymtheg fod yma ddull mwy dyngarol a dull gwahanol o gosbi. Yn 1808 cyflwynodd Syr Samuel Romilly Fesur i'r Senedd a fyddai'n dileu crogi ac yn pennu trawsgludiad fel cosb ar gyfer rhai oedd wedi dwyn o bocedi. Fe'i derbyniwyd. Rhwng 1788 ac 1868 trawsgludwyd bron 160,000 o garcharorion i Awstralia, tua 26,000 ohonynt yn ferched. Yn ystod yr un cyfnod trawsgludwyd bron 300 o ferched ac 800 o ddynion o Gymru. Roedd yr amodau byw ar y llongau mor echrydus fel bod tuag 20 y cant yn marw cyn cyrraedd gwladfa gosb Awstralia. Wedi cyrraedd roedd yr amodau byw bron cyn galeted ond ar ôl dod i ben eu tymor cosb caent y cyfle i ddechrau bywyd newydd 12,000 milltir o gartref. Nid yw'n syn, debyg, na ddaeth ond ychydig iawn o'r rhai a drawsgludwyd yn ôl i Gymru.

Gan fod y côd penyd yn fwy dyngarol, yn raddol cafwyd dedfrydu mwy addas a bu i welliannau yn y system benyd arwain at well amodau i'r carcharorion. Yn 1902 daeth oes y felin draed i ben ac yn 1917 daeth diwedd ar gosbi drwy fflangellu. Yn 1907 penderfynwyd rhoi troseddwyr ifanc ar gyfnod prawf yn hytrach na'u carcharu. O ganlyniad erbyn 1910 roedd y gyfran o droseddwyr difrifol, yn bennaf troseddwyr yn erbyn eiddo yn hytrach nag yn erbyn pobl, a anfonwyd i garchardai yn Lloegr a Chymru wedi ei haneru. Bernid fod traean o'r carcharorion ar ddechrau'r Rhyfel Byd Cyntaf yn feddwon a chwarter arall yn gardotwyr.

I

II

III

IV

V

VI

VII

VIII

IX

X

# Cyngor a Gweithgareddau

## (i) Cyffredinol

### Darllen Pellach

R. Davies, *Secret Sins: Sex, Violence and Society in Carmarthenshire 1870-1920* (Caerdydd, 1996).

D.J.V. Jones, *Crime, Protest, Community and Police in Nineteenth-Century Wales* (London, 1981).

D.J.V. Jones, *Rebecca's Children: A Study of Rural Society, Crime and Protest* (Oxford, 1989).

I.G. Jones, *Explorations and Explanations: Essays in the Social History of Victorian Wales* (Llandysul, 1981).

I.G. Jones, *Health, Wealth and Politics in Victorian Wales* (Llandysul, 1987).

I.G. Jones, *Mid-Victorian Wales* (Caerdydd, 1992).

W.R. Lambert, *Drink and Sobriety in Victorian Wales, c.1820-c.1895* (Caerdydd, 1983).

Gwen Emyr, *Oes yr Edwardiaid*, Cyfres CBAC/ Gwasg Prifysgol Cymru, Unedau Astudio Hanes, 1991(perthnasol hefyd i Benodau V a 9).

Keith Owen, *Trosedd a Chosb*, Cyfres CBAC/ Gwasg Prifysgol Cymru, Unedau Astudio Hanes, 1988.

### Erthyglau:

G.P. Jones, 'Cholera in Wales', *NLWJ*, vol. X (1957-8).

### Pynciau dadleuol / Trafod

1. Paratowch ddadl **dros** ac **yn erbyn** Deddf Diwygio Deddf y Tlodion 1834.
2. 'Mae graddfa y newid cymdeithasol yng Nghymru yn y bedwaredd ganrif ar bymtheg wedi ei or-liwio yn fawr iawn'. Trafodwch.
3. Trafodwch ddilysrwydd diffiniad yr Athro Ieuan Gwynedd Jones o dlodi a welir ar dudalen 147.

I II III IV V VI VII VIII IX X

## (ii) Penodol ar gyfer Arholiadau

### Ateb cwestiynau strwythuredig

Bydd y papur arholiad y byddwch chi'n ei ateb yn cynnwys cwestiwn strwythuredig gyda dwy ran ar y patrwm canlynol yn ôl pob tebyg:

**C.**

a) Eglurwch yn gryno y system a ddefnyddid i roi cymorth i'r tlodion yng Nghymru a Lloegr cyn 1834 (24 marc).

b) I ba raddau y bu i Ddeddf Diwygio Deddf y Tlodion, 1834, newid yn ei hanfod y dull o drin y tlodion yng Nghymru a Lloegr? (36 marc).

## Cyngor

Er mwyn llwyddo i ateb y cwestiynau hyn rhaid i chi yn gyntaf chwilio am y geiriau allweddol. Dyma nhw: a) 'system' a 'cymorth', a b) 'newid yn ei hanfod' a 'trin'. Pan fyddwch chi wedi gwneud hyn dylech ystyried y cyngor a ganlyn ar gyfer y ddau gwestiwn.

a) Mae'r arholwr yn ceisio mesur eich gwybodaeth hanesyddol a'ch dealltwriaeth, felly dylech ddechrau trwy nodi'r ffaith mai'r plwyf oedd yn gyfrifol am weinyddu cymorth i'r tlodion a bod cymaint o amrywiaeth o fewn gwahanol blwyfi ag oedd o wahanol ddarpariaeth. Mewn rhai plwyfi roedd gweinyddu yng ngofal aelodau oedd wedi eu hethol, mewn eraill roedd goruchwyliwr yn cael tâl am weinyddu cymorth. Dylid sôn am y System Speenhamland, defnyddio tlotai a chymorth y tu allan i'r tloty. Roedd rhai plwyfi yn talu arian dôl (cardod) heb ddisgwyl ad-daliad ac eraill yn anfon y tlodion i weithio, i'r chwareli neu i adeiladu ffyrdd.

b) Yma rhoir prawf ar eich gallu i werthuso a dadansoddi, felly mae'n bwysig cofio y byddwch yn ennill marciau am gynnwys ffeithiol eich ateb ac am y sgiliau dadansoddi y byddwch yn eu harddangos. Dylai eich ateb egluro, gwerthuso a dadansoddi'r prif newidiadau yn y modd roedd y tlodion yn cael eu trin ar ôl pasio Deddf Diwygio Deddf y Tlodion. Dylai'ch ateb gynnwys yr elfennau a ganlyn:

- datblygu'r prawf tloty i gael cymorth
- sefydlu Bwrdd Canol gyda thri chomisiynnwr
- plwyfi'n uno â'i gilydd i greu Undebau
- pob Undeb yn gyfrifol am roi cymorth yn ei ardal ac yn gorfod sefydlu tloty
- trethdalwyr yr Undeb yn ethol Bwrdd Gwarcheidwaid
- amodau caled, garw o fewn tlotai rhag denu tlodion i ofyn am gymorth.

I
II
III
**IV**
V
VI
VII
VIII
IX
X

179

Er mwyn ennill rhwng 6-9 marc rhaid i'ch ateb arddangos yn glir eich bod yn deall y ffactorau hyn, nid dim ond ymateb ar ffurf adroddiad sy'n rhoi'r manylion ar sut roedd y tlodion yn cael eu trin.

## Ateb Cwestiynau Traethawd

**C. Ceisiwch asesu'r cynnydd oedd wedi ei wneud erbyn 1850 mewn ymateb i'r galw cynyddol am welliannau yn iechyd y cyhoedd.**

## Cyngor

Os ydych chi'n anwybyddu'r geiriau allweddol rydych yn debygol o ysgrifennu traethawd disgrifiadol/storïol ar iechyd y cyhoedd yn gyffredinol. Gallech yn rhwydd greu argraff eich bod yn gwybod llawer ond methu â thargedu'r brif ystyriaeth. Rhaid strwythuro eich traethawd yn ofalus i sicrhau fod eich ateb wedi ei gynllunio o amgylch y geiriau allweddol. Felly, byddwch yn gwneud yn siŵr eich bod yn eich traethawd

 (i) wedi adnabod yr unigolion a/neu'r grwpiau oedd yn gyfrifol am 'alw cynyddol' am welliannau

 (ii) yn nodi natur gofynion y bobl hyn – pa welliannau oedden nhw'n awyddus i'w gweld o safbwynt iechyd y cyhoedd

 (iii) yn asesu faint o gynnydd oedd wedi ei wneud – oedd y gwelliannau yn cwrdd â'r gofynion ac ati.

Dylech hefyd osod ffin i'ch traethawd er mwyn gwneud yn siŵr eich bod chi'n cadw rheolaeth arno ac nid yn llenwi'r papur trwy falu awyr â manylion amherthnasol.

Cofiwch gynnwys enghreifftiau i gefnogi'r pwyntiau pwysig.

Nawr – y diweddglo. Fel y cyflwyniad dyma ran bwysig o'r traethawd oherwydd rydych chi'n gadael yr argraff derfynol gyda'r arholwr. Rhai byr yw rhai o'r paragraffau clo gorau. Eich nod yw crynhoi eich prif ddadl yn glir a dangos sut mae'n cytuno neu'n anghytuno â theitl y traethawd.

# Pennod V
# Addysg a Chrefydd

## 1. Addysg

■ **Y Brif Ystyriaeth:**
Beth oedd natur y ddarpariaeth addysgol yng Nghymru a sut y bu iddo newid?

### a) Ysgolion, Addysgu a Disgyblion cyn 1847

Ni ddangosodd y wladwriaeth ddiddordeb o ddifrif mewn addysg hyd yr 1830au. Cyn hynny gwirfoddol ei natur a dyngarol ei darpariaeth oedd addysg i'r difreintiedig, yn dibynnu ar elusen, ewyllys da a chryn dipyn o ddyfeisgarwch. Y carfannau crefyddol, yr Eglwys Wladol a'r Anghydffurfwyr, oedd yn gofalu am yr elusen a'r ewyllys da. Roedd gan y naill a'r llall eu hysgolion eu hunain a'u hacademïau ac roedden nhw'n noddi, yn cynnal neu'n cyfrannu at fentrau addysgol eraill. Unigolion talentog a gyfrannodd y dyfeisgarwch trwy arloesi'r camau cyntaf newydd. Un arloeswr o'r fath oedd Gruffydd Jones (m. 1761), clerigwr Anglicanaidd o Landdowror a sefydlodd gynllun addysg ledled Cymru oedd yn rhad ond yn effeithiol. Ymwelodd ei ysgolion cylchynol â bron bob plwyf yng Nghymru dros gyfnod o 45 mlynedd.

• Roedd yr athrawon yn ymroddgar, yn ddiwyd, yn symudol ac yn hyblyg, yn barod i ddefnyddio unrhyw adeilad neu ystafell oedd ar gael.
• Roedden nhw'n dysgu, yn bennaf drwy gyfrwng y Gymraeg, elfennau sylfaenol darllen (yn bennaf, weithiau defosiynol), ysgrifennu a rhifyddeg syml.

Roedd ysgolion Jones wedi gosod cynsail pwysig y gellid ei ddilyn yn y dyfodol ond yn bwysicach fyth roeddent wedi dangos fod yna frwdfrydedd, hyd yn oed fod galw, am addysg yng Nghymru.

Roedd yna, ers amser maith, ysgolion gramadeg oedd yn codi tâl yng Nghymru, llawer yn dyddio o gyfnod Elisabeth 1. Bwriedid y rhain, gyda'u

I
II
III
IV
V
VI
VII
VIII
IX
X

I
II
III
IV
V
VI
VII
VIII
IX
X

maes llafur haearnaidd seiliedig ar y clasuron, ar gyfer y cyfoethog a'r breintiedig yn y gymdeithas. Roedd yn rhaid i'r sawl oedd gan dalent academaidd ond fawr ddim arall, os dymunai gael lle yn y sefydliadau addysgol hyn, ddibynnu ar noddwyr fyddai'n defnyddio'u dylanwad ac yn ei gynnal yn ariannol. Dim ond ychydig a lwyddodd i wireddu eu huchelgais drwy gael mynediad i'r ysgolion 'uwchradd'. Rhaid oedd bodloni ar addysg y sector 'elfennol'. Yn wir addysg elfennol oedd addysg i bawb neu a'i roi mewn ffordd arall, tybid mai dyna oedd yr addysg addas ar gyfer y mwyafrif – roedd dysgu ar y cof a dysgu ufudd-dod digwestiwn yn baratoad ardderchog i waith ffatri. Roedd diwydianwyr yn amheus iawn o'r awgrymiadau y dylid addysgu'r tyrfaoedd gan gredu y byddai gweithlu wedi cael addysg yn debycach o greu helynt, efallai y byddent yn ffurfio undebau llafur ac yn herio'r cyflogwyr! Ar y llaw arall, gallent weld gwerth mewn rhoi addysg sylfaenol i weithwyr ond i'r addysg honno fod yn rhad. Felly cyflwynwyd y system fonitor oedd yn golygu defnyddio plant hŷn i ddysgu'r rhai ieuengach. Dywedodd Andrew Bell, arloeswr y cynllun, 'Rhowch bedwar ar hugain o ddisgyblion i mi heddiw ac fe roddaf i bedwar ar hugain o athrawon i chi yfory'. Gyda'r cynllun hwn dim ond 7 swllt y flwyddyn oedd cost rhoi addysg i blentyn.

O ganlyniad, sefydlwyd ysgolion gwaith yng Nghymru, fel

- Blaenafon yn 1816, oedd yn darparu ar gyfer y plant, llawer ohonynt yn gweithio yn y diwydiant haearn.
- Cyn bo hir, sefydlodd cyflogwyr yn y diwydiannau copr, tunplat, glo a llechi eu hysgolion ac erbyn 1870 roedd 134 o ysgolion wedi eu sefydlu.
- Yng ngogledd Cymru darparwyd ysgolion gan berchenogion y chwareli ar gyfer yr Anghydffurfwyr roedden nhw'n eu cyflogi. Talai'r chwarelwyr dâl bychan at eu cynnal. Roedd Barwn y Penrhyn, y perchennog chwarel gyda'r gweithlu mwyaf yn ardal y chwareli o bosibl, yn cynnal ysgol o'i boced ei hun ar gyfer bechgyn a merched ei weithwyr. Ceid amrywiaeth eang yn ansawdd yr addysg a gyfrannai'r ysgolion hyn. Ni raid ond darllen nofel hunan-gofiannol Daniel Owen (m. 1895) *Hunangofiant Rhys Lewis* i sylweddoli mor echrydus oedd canolfannau dysg ym mlynyddoedd cynnar y bedwaredd ganrif ar bymtheg gydag athrawon di-glem fel Robyn y Sowldiwr.

Ymhlith y diwydianwyr mwyaf goleuedig roedd Robert Owen (m.1858) o'r Drenewydd a sefydlodd ysgolion meithrin ac elfennol ar gyfer plant ei weithwyr yn ei felinau yn Swydd Gaerhirfryn. Yn wir, roedd yn annog mabwysiadu cyfundrefn addysg genedlaethol i'w darparu gan y wladwriaeth ond bu'r ymateb yn sinigaidd a beirniadol. I'r cyfoethog, y breintiedig a'r dynion hunan-ddyrchafedig oedd yn y Senedd, ymddangosai'n debyg i reolaeth y wladwriaeth a'u delfryd nhw oedd cynnal egwyddorion *laisezz-faire*. Yn anffodus i Owen roedd ei syniadau yn rhy 'radical' a'i gyhoeddiad *A New View of Society* (1817) wedi ymddangos yn rhy fuan ar ôl y Chwyldro Ffrengig a Rhyfeloedd Napoleon. Ac yntau wedi ei ysbrydoli gan gri gwrthryfelwyr Ffrainc y dylai addysg fod 'ar gyfer pawb, yn orfodol, am ddim ac yn seciwlar' cafodd ei gyhuddo o fod yn fygythiad i gymdeithas.

Fodd bynnag, roedd llawer yn y Senedd yn rhannu ysbryd ei weledigaeth, fel Iarll Brougham oedd yn dadlau dros addysg i'r dosbarth gweithiol neu addysg 'y werin' a fyddai'n darparu ar gyfer oedolion yn ogystal â phlant. Yn 1816 gofynnodd am gael ymholi i 'addysg ar gyfer haenau isaf y gymdeithas' ac fe gafodd ganiatâd. Yn Adroddiadau'r Pwyllgor ar Addysg i'r Haenau Isaf, 1818 awgrymodd ddull ariannu (grantiau gan y wladwriaeth heb ystyried enwadau), rheolaeth (gan glerigwyr Anglicanaidd), addysgu (anenwadol). Ymosodwyd arno gan Anglicaniaid ac Anghydffurfwyr ac felly ni bu dim llwyddiant yn dilyn ei fesur (Ysgolion Plwyf) yn 1820. Methiant fu ei ymdrech i gael Anglicaniaid ac Anghydffurfwyr i gytuno ar addysg ac yn yr awyrgylch chwerw a gafwyd yn dilyn ei adroddiad gwrthodwyd ei gais am weld sefydlu comisiwn brenhinol i wneud arolwg o'r gwaith a wneid gan elusennau addysgol a'r modd y caent eu cyllido. Heb ddigalonni daliodd Brougham ati i weithio dros addysg i bawb a bu iddo ran yn yr ymgyrch i sefydlu'r Gymdeithas er Lledaenu Gwybodaeth Fuddiol (1825) a Phrifysgol Llundain (1828).

Yn y cyfamser, yng Nghymru roedd gwaddol Gruffydd Jones yn nwylo dwy gymdeithas:
(i) Y Gymdeithas er Hyrwyddo Addysg i'r Tlodion yng Nghredoau'r Eglwys Wladol (1811) a sefydlwyd gan yr Eglwys Anglicanaidd.

Gan mai Anghydffurfiaeth oedd crefydd y mwyafrif roedd Ysgolion Gwladol yr Eglwys yn gweld dyddiau caled ac yn methu cyrraedd eu nod o sefydlu ysgol ym mhob plwyf oherwydd ymgyrchu enwadol. Ond daliwyd ati a gyda chefnogaeth gref yr Eglwys Wladol llwyddwyd i sefydlu 33 o Ysgolion Cenedlaethol ledled Cymru erbyn 1817.

I

II

III

IV

V

VI

VII

VIII

IX

X

I
II
III
IV
V
VI
VII
VIII
IX
X

(ii) Y Gymdeithas Frytanaidd a Thramor (1814).

Roedd yr Ysgolion Brytanaidd yn llai llwyddiannus ac erbyn 1819 dim ond 15 oedd wedi eu sefydlu, y cyfan ond dwy yn y de. Yn ôl yr hanesydd Gareth Jones, 'Roedd yr ysgolion yn dioddef o broblemau cyffredinol addysg elfennol – dim yn agos ddigon o arian, athrawon amaturaidd, heb eu hyfforddi a disgyblion nad oeddent wedi eu hargyhoeddi o gwbl fod arnynt angen yr ychydig addysg oedd yn cael ei gynnig iddynt'. Gorfodid y disgyblion i ddysgu ar y cof y tair '*R*' ac yn yr Ysgolion Cenedlaethol, gredoau'r eglwys Anglicanaidd. Felly, elfennol a gwaelodol yn unig oedd y profiad addysgol a gâi'r mwyafrif o ddisgyblion a gall hyn egluro pam roedd cymaint yn dewis peidio mynychu'r ysgol yn rheolaidd. Gan amlaf addysg grefyddol a gâi'r lle blaenaf ac roedd mwy o dân yn y dysgu am grefydd ond roedd yn codi cynnen oherwydd roedd yr Anghydffurfwyr yn ystyried ei fod yn rhyw fath o bropaganda. I'r gwrthwyneb roedd yr ysgolion Brytanaidd wedi penderfynu'n fuan y byddai eu haddysg grefyddol yn anenwadol.

Hyd 1833 y broblem fwyaf dyrys ym myd addysg yng Nghymru oedd cloriannu'r dulliau o gyllido a sefydlu. Roedd yr Ysgolion Cenedlaethol wedi bod ar y blaen yn ariannol erioed am fod tirfeddianwyr neu ddiwydianwyr cyfoethog, oedd bron bob amser yn aelodau o'r Eglwys Wladol, yn hael eu cefnogaeth. Gellid cynnal yr ychydig ysgolion oedd wedi eu sefydlu yng Nghymru ar gasgliadau'r Sul, rhoddion elusennol a thrwy gynlluniau eraill i godi arian. Erbyn 1833 roedd y Gymdeithas Ysgolion Cenedlaethol wedi sefydlu neu wedi mabwysiadu 146 o ysgolion yn darparu ar gyfer 13,000 o ddisgyblion.

Wedi 1833 lleihawyd problem cyllido gan ei bod wedi dod yn haws cael help gan y wladwriaeth. Dechreuwyd gyda grant, y cyntaf erioed, o £20,000 i'w rannu'n gyfartal rhwng yr Ysgolion Cenedlaethol a'r ysgolion Brytanaidd. Yna cafodd y llywodraeth ei denu, ambell waith yn anfoddog, i ymdrin â materion addysgol eraill. Roedd ei chynllun yn un syml – helpu projectau lleol, fel adeiladu ysgol, drwy roi grant a'r gymdeithas leol yn cyfrannu swm cyfartal. Yn anffodus, roedd y mwyafrif o blwyfi Cymru yn rhy dlawd ac ni allent gystadlu â'r 'ariannu-cyfartal'. O ganlyniad, amcangyfrifir na chafodd y Dywysogaeth ddim mwy na £4,000 o'r £60,000 a wariwyd rhwng 1833 ac 1836. Er enghraifft, cafodd Ysgol Genedlaethol Caerfyrddin grant o £80, Llanbedr (Sir Gaernarfon) £47, Llanllwchhaearn (Sir Aberteifi) £40 a Llansantffraid (Sir Ddinbych) £30.

## Tabl 15

### Lefelau Cyllido Ysgolion yng Nghymru yn ôl Sir, 1833-35

(Adroddiad blynyddol y Gymdeithas Ysgolion Cenedlaethol, 1836)

| Sir | Ysgolion | Presennol | Grant y Trysorlys, 1833-5 (£) | Grant y Gymdeithas Gened., 1833-5 (£) |
|---|---|---|---|---|
| Môn | 32 | 2,547 | 156 | 269 |
| Brycheiniog | 13 | 1,837 | 153 | 249 |
| Aberteifi | 16 | 953 | 93 | 382 |
| Caerfyrddin | 41 | 2,421 | 533 | 614 |
| Caernarfon | 45 | 2,738 | 88 | 627 |
| Dinbych | 32 | 2,984 | 566 | 942 |
| Fflint | 43 | 4,704 | 524 | 1,195 |
| Morgannwg | 39 | 2,365 | 166 | 759 |
| Merionnydd | 15 | 996 | 91 | 87 |
| Mynwy | 35 | 1,994 | 523 | 885 |
| Trefaldwyn | 20 | 1,228 | 63 | 885 |
| Penfro | 16 | 985 | 553 | 332 |
| Maesyfed | 7 | 307 | 50 | 70 |
| CYFANSWM | 354 | 26,059 | £3,559 | £7,296 |

Penderfynodd rhai pobl oedd yn anfodlon am nad oedd cynnydd cyflym ac am nad oedd ansawdd yr ysgolion a'r athrawon yn foddhaol, wneud rhywbeth drostynt eu hunain. Galwyd ar eu cyd-Gymry i weithredu dros addysg. Yn 1843, cyhoeddodd Hugh Owen (m.1881), addysgwr enwog a chlerc gyda'r Comisiwn Deddf y Tlodion ar un adeg, o Langeinwen ym Môn, y *Llythyr i'r Cymry* sydd bellach yn enwog. Roedd yn beirniadu am fod prinder ysgolion dyddiol ac athrawon da yng Nghymru. Gan weithredu fel eu hasiant yng Nghymru, brwydrodd ar ran Cymdeithas yr Ysgolion Brytanaidd a chafodd gryn lwyddiant yng ngogledd Cymru lle gwelwyd 31 o ysgolion wedi eu sefydlu erbyn 1846. Yn yr un flwyddyn daeth Owen yn ysgrifennydd mygedol Cymdeithas Addysg Cambria a'i nod oedd lledaenu addysg ledled Cymru, gan gynnwys hyfforddi athrawon. Nid Owen oedd yr unig ymgyrchwr. Yn Llundain hefyd roedd y llywodraeth yn sylweddoli mor anferthol oedd y dasg oedd o'u blaenau.

I

II

III

IV

V

VI

VII

VIII

IX

X

Yn 1839 penodwyd Dr Kay (yn ddiweddarach Syr James Kay-Shulttleworth) yn ysgrifennydd Pwyllgor Addysg y Cyfrin Gyngor (corff a sefydlwyd i arolygu'r grantiau at addysg) a'i nod, fel y dywedodd wrth yr Ysgrifennydd Gwladol, Iarll Russell, oedd sicrhau 'hawliau'r grym sifil [y wladwriaeth] i reoli addysg y wlad'. Yn ystod y deng mlynedd nesaf bu'n helpu i sefydlu cynllun arolygu ar gyfer ysgolion, grantiau ar gyfer ysgolion dyddiol a gâi eu cynnal hyd yn hyn gan roddion gwirfoddol, addysg grefyddol anenwadol a gwell hyfforddiant ar gyfer athrawon. Canlyniad hyn fu i'r llywodraeth godi'r grant ar gyfer addysg o £20,000 i £30,000 yn 1839 ac yna i £100,000 yn nechrau'r 1840au ac yn olaf i bron £550,000 erbyn blynyddoedd olaf yr 1850au. Nid heb resymau da yr ystyrir Kay-Shuttleworth yn 'sylfaenydd y gyfundrefn addysg Seisnig' gan iddo helpu i sefydlu cyfundrefn o ysgolion elfennol yn Lloegr.

### b) Adroddiad [y Llyfrau Gleision] ar Gyflwr Addysg yng Nghymru, 1847

Addysg cyn y Llyfrau Gleision ac addysg ar eu hôl – dyna sut y mae haneswyr yn ymdrin ag astudiaeth ar addysg yng Nghymru'r bedwaredd ganrif ar bymtheg, fel arfer. Maen nhw'n gwneud hyn yn bennaf oherwydd y grym, y perswâd a'r gynnen a gysylltir â Chomisiwn Archwilio i Gyflwr Addysg yng Nghymru y llywodraeth a roes fod i'r Llyfrau Gleision (fe'u gelwir felly am fod adroddiad y Comisiwn wedi ei gyhoeddi mewn tair cyfrol wedi eu rhwymo mewn Glas). Wrth gwrs, mae hyn yn awgrymu eu bod wedi cael dylanwad eithriadol ar addysg yng Nghymru a bod addysg Gymreig wedi ei thrawsnewid yn llwyr oherwydd eu cyhoeddi. Yn sicr, bu newidiadau, bu hyd yn oed ddiwygio pell-gyrhaeddol ac erbyn diwedd y ganrif roedd cyfundrefn addysg Cymru yn wahanol iawn i'r hyn oedd ar ei dechrau, ond mae'n dal yn ddadleuol i ba raddau y gellir honni bod hyn yn uniongyrchol ddyledus i'r argymhellion a gafwyd yn y Llyfrau Gleision.

Ynghanol yr helynt a gafwyd wedi cyhoeddi'r adroddiad anghofiodd y beirniaid a'r cefnogwyr beth oedd dan ystyriaeth, sef addysg. Yn lle hynny canolbwyntiwyd ar ddadlau neu wrthwynebu, amddiffyn neu ymosod, bychanu neu orbwysleisio'r ystyriaethau cymdeithasol, gwleidyddol, diwylliannol, crefyddol ac ieithyddol a drafodwyd yn yr adroddiad. Ni bu i addysg gael ei hanwybyddu ond cafodd ei rhoi o'r neilltu a daeth yn ddim mwy nag **un** o'r ystyriaethau roedd angen talu sylw iddynt oherwydd cynnwys y Llyfrau Gleision.

Bwriedid i Adroddiad y Comisiynwyr ar Gyflwr Addysg yng Nghymru fod yn archwiliad i'r ddarpariaeth addysgol (neu'r diffyg darpariaeth) a gynigid yn y Dywysogaeth, barnu ansawdd y ddarpariaeth ac awgrymu sut y gellid ei gwella ac felly yn bennaf y'i cyflawnwyd. Er mwyn hwyluso'r proses o ymchwilio a chasglu data rhannwyd Cymru rhwng y comisiynwyr a phob un ohonynt yn cael help dirprwywyr, deg i gyd – Sir Gaerfyrddin, Morgannwg a Phenfro dan ofal Ralph Robert Wheeler Lingen, Brycheiniog, Sir Aberteifi, Maesyfed a Mynwy dan Jelinger Cookson Symons a siroedd gogledd Cymru – Meirionnydd, Caernarfon, Dinbych, Fflint, Trefaldwyn a Môn dan ofal Henry Vaughan Johnson. Talwyd mwy o sylw i'r posibilrwydd eu bod wedi ymestyn ffiniau eu cyfrifoldeb, yn ôl pob tebyg yn llawn bwriadau da, gan gynnwys sylwadau ar faterion cymdeithasol eraill nag i'w sylwadau ar fyd addysg. Bu cryn ddadlau, gan beri i rai hyd yn oed gasáu'r comisiynwyr – Lingen, Johnson a Symons – ac ymrôdd grwpiau gwleidyddol a chrefyddol yng Nghymru i ymateb gan weld o fewn cloriau'r adroddiad ymosodiad ar y ffordd Gymreig o fyw. Yn anffodus bu i'r holl chwerwedd hyn gymylu'r dyfroedd. Mae'r adroddiad yn mynegi barn ystyriol ar adegau ar addysg, a'r sylwadau yn peri anniddigrwydd o'u darllen, ond dim ond ambell dro y gallwn amau gwirionedd na dilysrwydd, os nad awdurdod, yr hyn a ysgrifennwyd. Gwneir iawn am ddiffyg sensitifrwydd yr archwilwyr gan eu gwrthrychedd sy'n peri fod yma ddogfen bwysig a'r data a geir ynddi yn ddeunydd gwerhfawr i haneswyr.

### Oedd y comisiynwyr wedi ymestyn ffiniau eu cyfrifoldeb, fel y mae rhai yn honni?

Yr ateb debyg yw, na. Gorchmynnwyd iddynt gynnal eu harchwiliad gan gyfeirio at gyflwr cymdeithasol yr ardaloedd roedden nhw'n ymweld â nhw – 'Wrth archwilio'r nifer a disgrifio ysgolion mewn unrhyw ardal, dylech ofalu nad ydych yn anghofio ystyried nifer, cymeriad a chyflwr y boblogaeth'. Fe wnaethant hyn. Yn wir, roedd adroddiadau ar addysg gyfoes yn Lloegr yn gwneud yr un peth yn union wrth sôn am y dosbarth gweithiol, ond heb gyfeirio at yr iaith Saesneg, wrth gwrs, er eu bod yn tueddu i gondemnio tafodieithoedd lleol yn yr un modd yn union. Roedd y comisiynwyr yn cymryd eu rôl o ddifrif. Fel y mae Symons yn dweud, 'Rwy'n ystyried mai fy rôl yw, nid yn gymaint un arolygwr ysgolion ond un ymholwr i addysg. Tybiais mai cyflwr meddyliol plant yw'r brif ystyriaeth y dylwn dalu sylw iddi'. Roedd Lingen, yn ôl pob tebyg yr un oedd â lleiaf o gydymdeimlad o'r tri, yn

I

II

III

IV

V

VI

VII

VIII

IX

X

187

I

II

III

IV

V

VI

VII

VIII

IX

X

credu y dylai gloddio'n ddyfnach. Yn Sir Benfro, er enghraifft, adroddodd am ysgol ddyddiol Landshipping : 'Ar yr 8fed o Ionawr ymwelais â'r ysgol uchod. Fe'i cynhelid mewn ystafell fechan ddiflas … ac fe'i cedwid gan berson oedd wedi bod yn cadw siop, ond oedd wedi methu mewn busnes ac felly wedi dechrau cadw ysgol … Roedd y meistr yn hen ŵr ac i bob golwg yn hynod anwybodus.' Nid oedd y sefyllfa fawr gwell yn y gogledd lle, yn ôl Johnson, 'Daw'r athrawon yng Ngogledd Cymru, fel mater o ffaith, o haen isaf y gymdeithas sy'n cynnwys unigolion sy'n gallu darllen, ysgrifennu a chyfrif' [h.y. ymdrin â rhifyddeg syml]. Yn y de-ddwyrain hefyd roedd Symons yn gweld bai ar yr athrawon, 'Os ydym yn mesur gallu'r athro Cymraeg yn ôl safon y farn boblogaidd o'r hyn y mae'n ddyletswydd arno'i gyflawni, efallai bod cynifer yn rhagori ag y sydd yn methu cyrraedd y nod'. Roedd hyn yn nodweddiadol o ymateb y comisiynwyr ledled Cymru, ystafelloedd gwael neu anaddas, athrawon ac addysgu o ansawdd gwael a meysydd llafur annigonol. Go brin y gallai'r comisiynwyr anwybyddu'r tlodi a chyflwr difreintiedig y plant, eu rhieni a'r gymdeithas yn gyffredinol. Wrth sôn am Dregaron nid yw Symons yn arbed y trigolion na'i ddarllenwyr wrth ddisgrifio'r amodau arswydus a welodd yno: 'Rwy'n meddwl fod arferion brwnt/budr y tlodion, er y gellir eu gweld ymhobman, mor drawiadol yn y lle hwn, os nad yn fwy felly, oherwydd gan ei bod yn dref gellid disgwyl ychydig mwy o ymdrech at lanweithdra a pharchusrwydd'.

Wrth gwrs nid oedd yn ddiobaith a thrychinebus ym mhob man. Cafodd llawer o ysgolion, athrawon a phlant eu canmol yn haeddiannol. Talwyd sylw arbennig i waith yr Ysgolion Sul. Dywedodd Lingen, 'Bu'r ysgolion hyn yr unig ganolfannau addysg, ac y maent yn dal i fod y prif rai a'r mwyaf cydnaws'. Gwnaeth y rhain argraff ar Johnson hefyd, 'Pa mor amherffaith bynnag y canlyniadau, mae'n amhosibl peidio ag edmygu'r nifer enfawr, ynni a theyrngarwch yr athrawon, rheoleidd-dra a pharchusrwydd y gweithgareddau a'r effaith drawiadol a pharhaol y maent yn ei chael ar y gymdeithas'. Roedden nhw'n ochelgar wrth asesu gwerth addysgol yr ysgolion hyn gan fod llawer o'r disgyblion yn gorfod adrodd o'r cof adnodau o'r Beibl. Ond roedd Johnson o'r farn y byddai'r sefyllfa wedi bod yn llawer gwaeth onibai am yr ysgolion Sul. 'Fel y mae dylanwad yr Ysgolion Sul Cymraeg yn lleihau mae dirywiad moesol y trigolion yn fwy amlwg. Gellir gweld hyn wrth nesáu at y ffin â Lloegr'. Eto, ar waethaf eu canmoliaeth, mae gogwydd sylfaenol, ac mae'n well gan haneswyr eraill ddefnyddio'r gair mwy emosiynol, rhagfarn, y comisiynwyr bob amser o blaid Lloegr a phethau Seisnig. O ganlyniad, tueddai Cymru a'r Cymry i ddioddef mewn cymhariaeth a cheir enghraifft o hyn yn sylwadau Lingen ar y gyfundrefn addysg a welodd yn ne-orllewin Cymru:

> Nid wyf yn petruso cyn dweud y gallai plentyn dreulio amser yn yr ysgolion hyn yn gyffredinol heb ddysgu am ffiniau, galluoedd, hanes cyffredinol nac iaith yr ymerodraeth y mae wedi ei eni i fod yn ddinesydd ohoni, a dyma'r fath o wybodaeth rwyf i yn ei hystyried yn faes Daearyddiaeth, Hanes Saesneg, Gramadeg Saesneg a Geirdarddiad Saesneg mewn ysgolion elfennol.

Nid fod hyn yn awgrymu bod ysgolion, athrawon a meysydd llafur yn well mewn ardaloedd cyffelyb yn Lloegr. Doedden nhw ddim. Er enghraifft, ym Manceinion, roedd adroddiad y llywodraeth yn sôn am yr anwybodaeth gyffredinol pan oedden nhw'n holi disgyblion am bynciau a gâi eu dysgu yn ôl y cwricwlwm. Y farn oedd mai ansawdd gwael yr athrawon oedd yn gyfrifol am hyn ac yn aml agwedd ddifraw rhieni a disgyblion at addysg.

Dichon ei fod yn rhyfeddol fod cymaint o ysgolion yng Nghymru oherwydd yn ogystal â'r ysgolion dyddiol a sefydlwyd gan y Cymdeithasau, rhai Cenedlaethol a Brytanaidd, roedd llawer o ysgolion preifat bychain. Yn Sir Benfro, er enghraifft, adroddodd Lingen ar 211 o 'sefydliadau dysg' ac ym Morgannwg daeth o hyd i 373 o ysgolion ond tybiai fod dros 100 o'r rhain yn anaddas neu'n anghymwys. Roedd yr un peth yn wir am ogledd Cymru lle roedd Johnson, gyda chydymdeimlad, yn dyfalu pam roedd disgyblion yn trafferthu mynychu ysgolion mor ddifrifol wael, yn enwedig mewn rhai pentrefi lle roedd y rhieni mor dlawd fel nad oedd ganddynt 'ddillad i'w rhoi i'r plant i fynd i'r ysgol pe baent yn dymuno gwneud hynny'. Yn ei farn ef,

> Mae'n ymddangos, ac ystyried cyn lleied o werth sydd i'r addysg a gyfrennir o'i gymharu â'r gost ac ystyried y deunyddiau sydd ar gael i gyfrannu gwybodaeth a chymwysterau'r athrawon, na ellid disgwyl i'r disgyblion fod yn fwy niferus, yn fwy parod i fod yn bresennol yn rheolaidd nac i dreulio mwy o amser mewn gweithgaredd mor amhroffidiol.

Ym marn Symons roedd y Cymry yn mynychu'r ysgol am eu bod yn awyddus i gael addysg gan 'eu bod yn ei ddymuno hyd eithaf eu gallu i'w werthfawrogi'. Yn wir, yn ei farn ef, 'Maen nhw'n dysgu yr hyn a gyflwynir iddynt mewn dull gwael gyda rhwyddineb rhyfeddol' a phe baent yn cael eu

I

II

III

IV

V

VI

VII

VIII

IX

X

haddysgu yn iawn, credai bod ganddynt y gallu i lwyddo'n eithriadol. Cafodd fod plant Mynwy yn hynod abl mewn rhifyddeg gan nodi, 'Gwelais fwy o fedrusrwydd wedi ychydig o addysgu nag a welais erioed mewn ysgolion yn Lloegr nac ar y cyfandir'. Gorlifai ei ganmoliaeth i'r Cymry ambell waith ond gwnaed argraff dda arno mae'n amlwg gan yr hyn a welodd, 'Gallaf dystio'n bendant fod gan y Cymry allu naturiol ac eu bod yn gymwys i dderbyn addysg. Er eu bod yn anwybodus, nid oes unrhyw bobl amgenach, yn gwir deilyngu cael eu haddysgu'.

### c) Addysg, Addysgwyr a'r Addysgedig ar ôl 1847

Gellir yn briodol ddisgrifio ail hanner y bedwaredd ganrif ar bymtheg fel 'Oes Diwygio Addysg' neu, efallai yn fwy cymwys 'Oes y Deddfau Addysg'. Yn ystod y cyfnod hwn gwelwyd y llywodraeth yn gweithredu o ddifrif a bu i hynny, ynghyd â gwaith grwpiau gwirfoddol a chrefyddol, newid byd addysg am byth. Tueddir i alw'r deddfau, y codau a'r camau newydd ar ôl y gwladweinwyr, a'r gwleidyddion a'u cyflwynodd, e.e. Côd Diwygiedig Robert Lowe (1862), Deddf Forster (1870).

## Tabl 16

### Prif Ddeddfau a Mesurau Addysgol:

| | | |
|---|---|---|
| **1833** | Grant llywodraeth blynyddol cyntaf | £20,000 i gefnogi a datblygu cynlluniau addysgol |
| **1839** | ffurfio Pwyllgor Cabinet | i arolygu'r gwariant ar addysg |
| **1858** | Comisiwn Newcastle | yn adrodd ar y diffyg darpariaeth |
| **1862** | Côd Diwygiedig Robert Lowe | yn argymell talu yn ôl y canlyniadau |
| **1870** | Deddf Addysg Forster | cefnogi ysgolion gwirfoddol oedd eisoes mewn bod – trethdalwyr lleol i ethol byrddau ysgolion i arolygu ysgolion newydd a darparu addysg anenwadol. rhoi hawl i'r byrddau ysgolion orfodi mynychu ysgol |
| **1876** | Deddf Addysg Sandon | cosbi rhieni oedd yn cadw plant gartref o'r ysgol |
| **1880** | Deddf Addysg Mundella | mynychu ysgol yn orfodol i blant dan 13 oed |
| **1889** | Deddf Addysg Ganolradd Cymru | yn creu system newydd o ysgolion i bontio rhwng addysg elfennol ac addysg uwchradd |
| **1891** | Grant y llywodraeth | sefydlu addysg elfennol am ddim |
| **1902** | Deddf Addysg Balfour | yn lle'r Byrddau, sefydlu 144 o Awdurdodau Addysg Lleol dan ofal Cynghorau Sir a Bwrdeistrefol |
| **1907** | Sefydlu Adran Gymreig y Bwrdd Addysg | |
| **1918** | Deddf Addysg Fisher | codi oed gadael yr ysgol o 12 i 14 |

I
II
III
IV
V
VI
VII
VIII
IX
X

Dechreuodd y cyfnod o ddiwygio yn ddigon anaddawol pan fabwysiadwyd **Côd Lowe** yn **1862**. Ei brif nod oedd rheoli gwariant y llywodraeth ar addysg, oedd yn dechrau peri pryder i'r swyddogion.

Erbyn yr 1860au cynnar roedd gan Gymru fwy na 300 o Ysgolion Brytanaidd a thros 1,000 o Ysgolion Cenedlaethol, pob un ohonynt yn cystadlu am ddarn o'r deisen gyllido. Roedd y cynllun yn peri rhaniadau ac roedd athrawon a disgyblion yn ei gasáu ond roedd yn rhaid cael canlyniadau da ac adroddiadau ffafriol er mwyn cael arian yn y dyfodol ac felly nid oedd gan ysgolion fawr o ddewis ond cydymffurfio. Ar ôl un arolwg yn 1868 lleihawyd cyllid un ysgol Frytanaidd yn Noc Penfro o ddegfed rhan oherwydd fod yr adroddiad yn nodi 'nid yw'r pynciau elfennol yn cael eu dysgu'n iawn. Mae'r ysgrifen yn enwedig yn wael'. Efallai mai'r iaith Gymraeg a ddioddefodd fwyaf oherwydd y cynllun arolygu gan fod yr arolygiaeth yn canolbwyntio ar fedrusrwydd y disgyblion mewn darllen, adrodd ac ysgrifennu Saesneg.

Yn fuan cafwyd **Deddf Addysg W.E. Forster**. Ceisiai, yn rhannol, ddadwneud y drwg a achoswyd gan y Côd (Lowe) ond bu'r broblem ariannu yn rhwystr yn ffordd datblygiadau ym myd addysg a gynigid gan lywodraethau'r dyfodol. Yn ôl y Ddeddf daliai'r llywodraeth i roi grantiau i ysgolion Brytanaidd a Chenedlaethol oedd eisoes mewn bodolaeth yng Nghymru a lle roedd bylchau byddai Byrddau Ysgolion yn cael eu sefydlu gyda'r hawl i godi arian drwy'r trethi. Yn y modd hwn gobeithiai'r llywodraeth ddarparu rhwydwaith o ysgolion elfennol effeithiol a gâi eu harolygu yn gyson ledled y wlad ar gyfer pob plentyn hyd at dair-ar-ddeg oed. Ni fwriedid i'r rhain fod yn ysgolion cynradd fel y byddem ni yn ystyried amdanynt, am y rheswm syml mai'r dosbarth canol ac uwch yn unig oedd yn cael addysg ganolradd neu eilradd.

I ddarparu ar gyfer disgyblion ysgolion eilradd neu ysgolion gramadeg pasiodd y llywodraeth Ddeddf Ysgolion Gwaddoledig yn 1869 a gyfrannai arian a chefnogaeth. Er y bwriedid i Ddeddf Forster leihau'r tyndra oedd rhwng Anglicaniaid ac Anghydffurfwyr trwy ddweud nad oedd addysg grefyddol yn orfodol mewn Ysgolion Bwrdd neu os y'i darperid y byddai'n anenwadol, methiant fu'r ddeddf. Lleisiodd y *Pembrokeshire Herald* ei farn ar y mater hwn:

rydym wedi darllen y Ddeddf yn ofalus … y mae, yn ein barn ni, yn Ddeddf wael … am ei bod yn dibrisio'r grefydd Gristnogol, ac yn gwrthddweud yr egwyddorion y mae gair ysbrydoledig Duw yn ein trwytho ynddynt … mae'n rhyw fath o gydnabod yn gyfreithiol bob math ar anghrediniaeth, hyd yn oed Anffyddiaeth.

Llun 28
*Punch* yn gwneud hwyl am ben Deddf Forster (1870)

THE THREE R's; OR, BETTER LATE THAN NEVER.

Right Hon. W. E. Forster (Chairman of Board). "Well, my little people, we have been gravely and earnestly considering whether you may learn to read. I am happy to tell you that, subject to a variety of restrictions, conscience clauses, and the consent of your vestries—*you may!*"

Yn wahanol i Ysgolion Brytanaidd, penderfynodd Ysgolion Anglicanaidd a Chatholig gadw'u hannibyniaeth ac felly ni allent fanteisio ar ddarpariaethau'r Ddeddf. Wrth wrthod dod yn rhan o gyfundrefn yr Ysgolion Bwrdd roedden nhw'n colli'r cyllid a gâi ei godi trwy'r trethi. Roedden nhw'n meddwl bod hyn yn annheg gan na allent gystadlu â'r Byrddau Ysgolion mwy cyfoethog. Fodd bynnag, ni chafodd yr Anghydffurfwyr yn yr ardaloedd y tybid fod digon o le yn yr ysgolion, yr hawl i ethol Bwrdd Ysgolion. Golygai hyn fod eu plant yn dal i fynychu Ysgolion Cenedlaethol lle caent eu 'trwytho yng nghatecism Eglwys Loegr' fel y dywedodd yr hanesydd John Davies – 'ffordd ardderchog o greu rebel, fel y tystia gyrfa Lloyd George'.

193

I

II

III

IV

**V**

VI

VII

VIII

IX

X

Yn **1876** ac **1880** cafwyd **Deddf Addysg Iarll Sandon** a **Deddf Addysg A.J. Mundella** yn deddfu addysg orfodol i bob plentyn dan 10 oed a nodi mai cyfrifoldeb rhieni oedd sicrhau bod eu plant yn cael eu hyfforddi'n rheolaidd mewn darllen, ysgrifennu a rhifyddeg. Fel roedd y ddarpariaeth elfennol yn cael ei ehangu, dyfnhawyd ei dylanwad ac arweiniodd hynny at anfodlonrwydd – roedd pobl yn hawlio rhywbeth amgenach nag addysg 'sylfaenol' neu 'elfennol'. Yn 1881 dewiswyd H. A. Bruce, Barwn Aberdâr, i ofalu am waith comisiwn i ymholi i addysg ganolradd ac uwch yng Nghymru.

O ganlyniad i waith y comisiwn, er iddi gymryd wyth mlynedd gyfan i'w roi mewn grym, yn **1889** pasiwyd **Deddf Addysg Dechnegol a Chanolradd Cymru**, y cyfeirir ati fel **Deddf Addysg Ganolradd Cymru** – 'un o'r deddfau mwyaf dylanwadol yn hanes Cymru' ym marn un hanesydd – a gyflwynodd gyfundrefn addysg eilradd yng Nghymru. Lle roedd yna eisoes ysgolion gramadeg oedd yn dymuno cael eu hymgorffori i'r gyfundrefn caent eu derbyn i ddod yn ysgolion sir ond mewn mannau eraill bu'n rhaid adeiladu ysgolion pwrpasol, y gyntaf yng Nghaernarfon yn 1894. Er bod y llywodraeth wedi cyfrannu peth arian roedd pwyllgorau'r awdurdodau lleol wedi gorfod dod o hyd i arian ychwanegol, gan amlaf drwy ofyn am danysgrifwyr gwirfoddol. Fodd bynnag, pan geisiwyd cael cyfraniadau ariannol oddi wrth y cyfoethogion lleol oedd mewn awdurdod, gwelwyd enghreifftiau o dwpdra anhygoel. Pan ofynnwyd i un tirfeddiannwr amlwg yn Sir Benfro gyfrannu at adeiladu ysgol newydd gwrthododd gan ddweud, 'Yn fy marn wylaidd i, mae gormod o addysg ar hyn o bryd er lles y Sir'.

Cymeradwyodd comisiwn Aberdâr hefyd y dylai'r wladwriaeth roi cymorth i sefydlu dwy brifysgol yng Nghymru – un yng ngogledd Cymru (dewiswyd Bangor fel lleoliad) a'r llall yn ne Cymru (dewiswyd Caerdydd yn y diwedd). Drwy hyn roedd yn cydnabod bod y llywodraeth wedi esgeuluso addysg uwch yng Nghymru gan adael pob darpariaeth yn nwylo gwirfoddolwyr. I raddau helaeth gellir dweud mai carfannau ymroddedig o ddyngarwyr goleuedig oedd yn gyfrifol am y ffaith fod gan Gymru sefydliadau addysg uwch. Yn flaenllaw yn eu mysg, roedd Hugh Owen a gynorthwyodd i sefydlu Prifysgol gyntaf Cymru yn Aberystwyth yn 1882. Ni ellir gorbwysleisio gwaith arloesol Owen ym myd addysg. Ef oedd y cyntaf i gydnabod y ffaith, os byth y sefydlid y nifer o ysgolion elfennol a fwriedid, yna byddai angen cynyddu'r nifer o athrawon i'r un graddau.

Daeth hyfforddiant i athrawon yn fater o bwys a'r cyntaf i ddarparu hyfforddiant oedd yr Eglwys Anglicanaidd a sefydlodd golegau yng Nghaerfyrddin yn 1848 ac yng Nghaernarfon yn 1849. Dilynodd yr Anghydffurfwyr eu hesiampl a sefydlu Coleg y Normal, Bangor yn 1856 gan dderbyn y myfyrwyr cyntaf yn 1858. Rhwng 1858 ac 1862 sefydlwyd tri choleg arall gan yr Annibynwyr, yng Nghaerfyrddin, Aberhonddu a'r Bala.

Yn **1902** ceisiodd **Deddf Addysg Balfour** wella dulliau gweinyddu addysg yn y rhanbarthau drwy ddileu'r Byrddau Addysg (roedd 320 yng Nghymru erbyn 1900) a threfnu cyfundrefn fwy effoithiol yn eu lle – Pwyllgorau Addysg Lleol oedd dan ofal y cynghorau sir newydd (a sefydlwyd yn 1888). Fodd bynnag, roedd Anghydffurfwyr yn ddig oherwydd byddai arian trethdalwyr o hyn allan ar gael i'r Ysgolion Anglicanaidd a'r ysgolion Catholig oedd hyd yn hyn wedi dibynnu ar gymorth gwirfoddolwyr. Arweiniodd hyn at y 'Gwrthryfel Cymreig' yn erbyn Deddf Balfour, dan arweinyddiaeth yr Aelod Seneddol Rhyddfrydol Lloyd George. Fel rhan o'r gwrthryfel hwn gwrthododd nifer o'r cynghorau sir a reolid gan Ryddfrydwyr weithredu'r ddeddf. Ymateb y llywodraeth fu pasio **Deddf Addysg (Methiant Awdurdodau Lleol)** yn **1904** y daethpwyd i'w hadnabod fel **'Deddf Gorfodaeth ar Gymru'**. Bu bygwth a gwrth-fygwth o'r ddwy ochr. Llwyddwyd i osgoi gwrthdaro pan gollodd y Ceidwadwyr eu grym.

O fewn blwyddyn wedi iddynt ennill etholiad 1906 roedd y Rhyddfrydwyr wedi pasio Deddf Addysg newydd oedd yn ceisio gofalu fod gan bob plentyn hawl i fynychu ysgol ramadeg a godai dâl, waeth beth oedd ei gefndir cymdeithasol na statws ariannol ei rieni. Byddai'n rhaid i bob ysgol ramadeg oedd yn derbyn arian cyhoeddus o'r trethi dderbyn hyd at chwarter ei disgyblion yn ddi-dâl. Roedd yn rhaid i'r disgyblion oedd yn yr ysgolion elfennol gystadlu am y lleoedd rhad ac am ddim hyn drwy sefyll arholiad i gael mynediad. Gelwid yr arholiad yn *scholarship* ac roedd plant rhwng 10 a 12 oed yn cystadlu am y lleoedd. Ar ôl 1944 yr 11+ oedd yr arholiad hwn. Gyda'r gwelliannau hyn gobeithiai'r Rhyddfrydwyr ddarparu cyfle a nod i bob plentyn. Ategwyd hyn gyda **Deddf Addysg Fisher (1918)** a oedd yn deddfu bod addysg yn orfodol i bawb hyd at 14 oed.

I

II

III

IV

V

VI

VII

VIII

IX

X

Llun 29
'Cipolwg i'r Dyfodol': Cartŵn yn y *Western Mail* (1904)

Llun 30
Gwrthdystiad yn erbyn Mesur Addysg y Rhyddfrydwyr (1906)
Roedd *The South Wales Daily News* yn cefnogi'r Mesur Addysg. Ond roedd yr Eglwys yn gwrthwynebu. Ni fyddai'n rhaid i athrawon ddysgu 'crefydd' o hyn allan

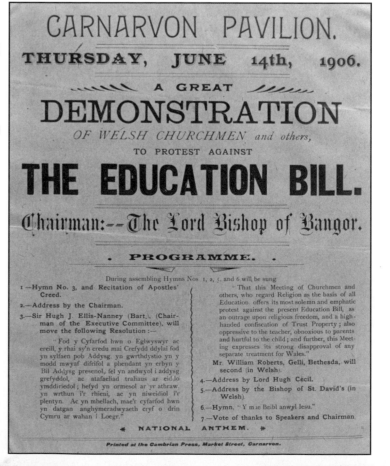

Yn 1907 sefydlwyd Adran Gymraeg y Bwrdd Addysg. Croesawodd y *South Wales Daily News* yr adran newydd gan ddweud ei bod wedi sefydlu Hunanreolaeth i Gymru ym myd addysg. Penodwyd ysgolhaig blaenllaw, O.M. Edwards, yn Brif Arholwr, y cyntaf dros Ysgolion yng Nghymru. Gobeithid y byddai'r adran newydd hon a Chymry yn ei gweinyddu, yn dangos mwy o gydymdeimlad ag addysg mewn pynciau Cymraeg a oedd wedi cael eu hanwybyddu i raddau helaeth. Cawsai pynciau fel hanes Cymru, llenyddiaeth a'r iaith Gymraeg eu hesgeuluso. Bu'r pwyslais ar hanes Seisnig a llenyddiaeth a'r iaith Saesneg. Mewn rhai ysgolion roedd siarad Cymraeg hyd yn oed i'w warafun, naill ai drwy fygwth neu sarhau. Er enghraifft, yn yr ysgol yn Llanuwchllyn roedd Prif Arholwr Cymru ei hunan wedi gorfod gwisgo'r *'Welsh Not'* gwrthun. Darn o bren oedd hwn a gâi ei hongian am wddf plentyn oedd wedi siarad Cymraeg. Er bod y *'Welsh Not'* wedi dod yn rhan o'r chwedloniaeth, does dim amheuaeth nad oedd mewn bodolaeth, er na ddefnyddiwyd mohono mor aml ag y tybiwyd. Fe ddaeth yn symbol o'r bychanu ar bopeth Cymreig. Fel mae'r dyfyniad hwn o bamffledyn hysbysebu a gyhoeddwyd ar Ddydd Gŵyl Ddewi yn 1915 gan Adran Gymraeg y Bwrdd Addysg yn ei grisialu, roedd siom yn disgwyl y sawl oedd wedi gobeithio gweld gweithredu polisi mwy ffafriol ar ddysgu pynciau 'Cymraeg' yn yr ysgolion

Cwestiwn: 'Sut y gall plant Cymru ddiogelu'r iaith Gymraeg?'
Ateb: 'Drwy ei siarad, ei darllen a'i hysgrfiennu bob amser – gartref neu ar led, mewn gwaith neu hamdden. Mae gwybodaeth o'r Gymraeg yn rhywbeth i ymfalchïo ynddi a dylai holl blant Cymru glodfori eu mamiaith o'r herwydd.'

Llun 31
Disgyblion yn gwenu i'r camera. Ysgol Fwrdd Acrefair, Sir Ddinbych (1905)

I

II

III

IV

V

VI

VII

VIII

IX

X

Oherwydd bod llythrennedd yn ymledu yn y Gymraeg yn ogystal ag yn y Saesneg, roedd galw am fwy o ddeunydd darllen na'r hyn a ddarperid gan ysgolion enwadol. Disodlwyd y Beibl, yr ysgrythurau a llenyddiaeth ddefosiynol gan bapurau newydd, cylchgronau a llyfrau a chynyddodd y gwerthiant.

- Daeth papurau newydd yn enwedig yn boblogaidd. Roedden nhw'n rhad, yn llawn gwybodaeth ac yn ddifyr. Yn 1910 roedd yna 28 o bapurau dyddiol cenedlaethol a 9 papur min nos, gyda'r *Daily Mail* a sefydlwyd yn 1896 a'r *Daily Mirror*, 1904 ymysg y mwyaf poblogaidd. Arwyddair y *Mail* oedd 'egluro, symleiddio a chrisialu'.

- Ychydig yn fwy drud ond llawn mor boblogaidd oedd y cylchgronau wythnosol fel *Punch*, yr *Illustrated London News* a *Lloyd's Weekly News*.

- Roedd gan Gymru hefyd ei phapurau newydd. Y mwyaf poblogaidd yn y Gymraeg oedd *Baner ac Amserau Cymru* a *Y Genedl Gymreig* a'r Lloyd George ifanc yn cyfrannu llawer o erthyglau.

- Yr unig bapurau cenedlaethol gwir Gymreig oedd y *South Wales Daily News*, cyhoeddiad a bleidiai'r Rhyddfrydwyr a'i gystadleuydd y *Western Mail* oedd o blaid Y Ceidwadwyr.

- Roedd hefyd nifer o bapurau lleol fel y *Cambrian Daily Leader*, y *Rhondda Leader* a'r *Merthyr Times* yn ne Cymru a'r *Herald Cymraeg* a'r *Caernarvon and Denbigh Herald* yn y gogledd.

Roedd papurau newydd yn rhoi i ddosbarth gweithiol oedd wedi cael gwell addysg gyfle i holi am y byd o'u cwmpas ac i ehangu eu gorwelion.

## 2. Crefydd

### ■ Y Brif Ystyriaeth:

'Cenedl grefyddol iawn ond cenedl ranedig'. Pa mor gywir yw'r disgrifiad hwn o Gymru a'r Cymry?

### a) Cyfrifiad Crefyddol 1851

O edrych ar y ffeithiau hyn gellir dod i rai casgliadau amlwg na ellir eu gwrthddweud – Yn gyntaf, maent yn profi nad Eglwys Loegr yw Eglwys Cymru. Yn ail, oni bai am ymdrechion yr Anghydffurfwyr byddai Cymru wedi bod bryd hyn, o safbwynt ei buddiannau ysbrydol, mewn cyflwr truenus. Mae'r [Cymry] yng nghanol tlodi, neilltuolrwydd ac anobaith wedi darparu drostynt eu hunain well modd i addoli a chael addysg grefyddol nag a welir, o bosibl, ymysg unrhyw bobl dan y ne.

[Henry Richard, *Letters on the Social and Political Condition of the Principality of Wales* (1866)]

Roedd hyder Henry Richard wrth bortreadu'r Cymry fel cenedl wir grefyddol, (yn sicr yn fwy crefyddol na'r Saeson!) a'r mwyafrif ohonynt heb fawr o deyrngarwch at yr Eglwys Wladol neu'r Eglwys Anglicanaidd, yn ganlyniad yr hyn a ddisgrifiwyd yn y Cyfrifiad Crefyddol, 1851. Roedd y Cyfrifiad yn ymarferiad rhyfeddol, y cyntaf o'i fath. Er bod haneswyr nawr yn dadlau dros ei fuddioldeb ac ambell waith yn amau a yw ei ystadegau yn ddibynadwy (roedd yn destun dadl bryd hynny fel nawr) mae ynddo'r fath gyfoeth o fanylder fel na ellir ei anwybyddu. O leiaf, mae'n fan cychwyn cyfleus i haneswyr sy'n awyddus i wneud arolwg ac astudio ffurf, natur a 'phoblogrwydd' crefydd yng Nghymru.

A chydnabod ei wendidau – ymarferiad gwirfoddol ydoedd, yn dibynnu ar ewyllys da a gonestrwydd y sawl oedd yn cymryd rhan, nid oedd yn cynnig mwy na darlun camera o'r presenoldeb mewn addoldai ar y Sul olaf ym Mawrth ac ni restrwyd pob lle o addoliad yng Nghymru – mae'r Cyfrifiad Crefyddol yn profi tu hwnt i bob amheuaeth fod Richard yn iawn pan ddywedai nad Eglwys Loegr yw Eglwys Cymru. Am bob Anglicanwr yng Nghymru roedd rhyw dri yn mynychu'r gwahanol gapeli enwadol, yn bennaf, er nid heb eithriadau, capeli'r Bedyddwyr, yr Annibynwyr a'r Methodistiaid.

I
II
III
IV
V
VI
VII
VIII
IX
X

199

I

II

III

IV

V

VI

VII

VIII

IX

X

Roedd traddodiad hir a chryf o ymneilltuo ym maes credoau crefyddol ac addoliad yng Nghymru, yn ymestyn yn ôl o leiaf i ail hanner yr ail ganrif ar bymtheg. Er mai cred a fabwysiadwyd o'r ochr arall i'r ffin ydoedd, ymsefydlodd anghydffurfiaeth yn gyflym yng Nghymru, yn rhannol oherwydd bod ei hymdriniaeth foesol a difrifol yn apelio at y Cymry ond hefyd oherwydd bywiogrwydd efengylaidd ei haddoliad. Yn ystod y ddeunawfed ganrif llwyddodd yr hen anghydffurfwyr, y Bedyddwyr a'r Annibynwyr, a'r anghydffurfwyr newydd, y Methodistiaid, i ennill llawer o eneidiau yn y cymunedau oedd yn siarad Cymraeg oherwydd eu bod yn fwriadol ac yn ymwybodol felly wedi uniaethu â phethau Cymreig. Ystyrid diwylliant, iaith ac ymdeimlad o wlatgarwch yn bwysig ganddynt. Nid oedd y rhain i'w hanwybyddu un amser ond i'w ffurfio a'u llunio i gwrdd ag anghenion y cynulleidfaoedd Anghydffurfiol. O'i chymharu roedd Eglwys Loegr, gyda'i gwaddol hael, freintiedig a hynod hyderus (gor-hyderus?) i bob golwg wedi colli gafael ar y bobl gyffredin. Mae'n wir y gallai'r Eglwys Wladol ddal i ddibynnu ar gefnogaeth allanol y mwyafrif o'r dosbarth uwch yng Nghymru ond, ar wahân i'r ychydig Anglicanwyr oedd yn fwy gweithgar a dwys grefyddol, roedd yr Eglwys ers tro wedi methu cwrdd ag anghenion crefyddol y werin.

Darlunnir y graddau y bu i Anghydffurfiaeth ennill calonnau a meddyliau'r Cymry, neu o leiaf y graddau y llwyddodd i roi'r argraff ei bod wedi gwneud hynny, gan y modd y mae Henry Richard ac eraill, yn gwbl anymwybodol, yn cydraddoli'r Cymry ag Anghydffurfiaeth. Yn 1831, ugain mlynedd cyn cyhoeddi'r Cyfrifiadau Crefydd, enillodd Arthur James Johnes (m.1871) o Garthmyl yn Sir Drefaldwyn, a ddaeth yn nes ymlaen yn farnwr y Llys Sirol, wobr a gynigiwyd gan Gymdeithas y Cymmrodorion, Llundain, am draethawd ar achosion ymneilltuo yng Nghymru. Mae'r ffaith fod traethawd estynedig gyda'r teitl 'Yr achosion yng Nghymru sydd wedi peri ymneilltuo oddi wrth yr Eglwys Wladol' wedi ei gyhoeddi y flwyddyn ganlynol yn tystio i'r diddordeb mewn materion crefyddol yng Nghymru.

Eto, yn helynt y Llyfrau Gleision yn 1847 yr Anghydffurfwyr oedd wedi dod i'r amlwg fel amddiffynwyr y bobl. Tebyg mai'r rheswm am hyn oedd eu bod hwythau yn cael eu cyhuddo, ochr yn ochr a thri chwarter y boblogaeth roedden nhw'n ei chynrychioli. Mae hyn yn awgrymu, erbyn y bedwaredd ganrif ar bymtheg nad y cwestiwn i'w ofyn oedd, ydy'r Cymry yn Anghydffurfwyr? ond **pam** roedden nhw'n Anghydffurfwyr? Ni wnaeth

Cyfrifiad Crefydd 1851 ddim mwy nag ategu, yn fwy pendant na'r disgwyl efallai, bod y Cymry yn bennaf yn Anghydffurfwyr o safbwynt eu crefydd. Ni fwriedid iddo ddod o hyd i'r achosion na'r rhesymau pam roedd hi felly ond ni bu hynny'n rhwystr i'r Anghydffurfwyr rhag defnyddio ei fanylion ystadegol i gynnal eu dadleuon nhw eu hunain. Ymysg y rhesymau mwyaf poblogaidd a gynigiwyd dros lwyddiant a chryfder Anghydffurfiaeth oedd

- poblogrwydd yr Ysgol Sul,
- dylanwad pregethu yn y Gymraeg
- y ffaith eu bod yn gallu codi capel mewn unrhyw fan bron.

Yn ogystal, defnyddiodd yr Anghydffurfwyr ddata'r Cyfrifiad i ymosod ar yr Eglwys Wladol ac i gynnal eu dadl ei bod wedi colli'r hawl foesol i siarad dros y Cymry.

Nid yw'n syn bod yr Anglicaniaid wedi gwrthod derbyn canlyniadau'r Cyfrifiad, gan ganolbwyntio ar ei wendidau a'i ddiffygion i egluro yr hyn oedd, yn eu barn nhw, yn arolwg diffygiol nad oedd iddo o'r herwydd fawr o werth. Fodd bynnag, roedd yr Eglwys yn sylweddoli'n iawn fod ganddi broblemau difrifol, llawer ohonynt yn deillio o gyfnod cynharach na'r bedwaredd ganrif ar bymtheg. Yng ngolwg y ffyddloniaid roedd beiau'r Eglwys wedi amrywio dros y blynyddoedd o esgeulustod, cam-ddefnydd, absenoldeb, cryn dipyn o anonestrwydd, gwahaniaethu rhwng dosbarth a dosbarth a rhagfarn a dewis yr iaith Saesneg fel cyfrwng addysgu. Afraid dweud, roedd yna eithriadau, Anglicanwyr mawr a wnaeth lawer o ddaioni, ond yn gyffredinol nid oedd graen ar yr addoliad crefyddol.

Erbyn hanner cyntaf y bedwaredd ganrif ar bymtheg, roedd yr Eglwys wedi methu cerdded law yn llaw â'r newidiadau. Roedd ei chyfundrefn blwyfol yn rhy anhyblyg ac annigonol i fedru manteisio ar y twf yn y nifer o addolwyr posibl oherwydd tyfiant y trefi diwydiannol. Nid oedd digon o eglwysi newydd yn cael eu hadeiladu, ei harfer oedd gwasanaethu poblogaeth wledig. I greu plwyfi newydd roedd yn rhaid cael deddf Seneddol a byddai hynny'n cymryd amser ac yn golygu llawer o ddadlau.

Yn ôl y Cyfrifiad roedd gan yr Eglwys 1,180 o addoldai a'r Anghydffurfwyr 2,769. Nid oedd ffiniau plwyfi na rheolaeth ganolog yn amharu dim ar yr Anghydffurfwyr. Gallent hwy godi capel ble bynnag roedd y galw mwyaf amdano. Nid oedd yr adeilad ei hun yn bwysig, yn y dechrau gallai fod yn ysgubor, bwthyn, ffermdy, hyd yn oed yn dafarn!

I
II
III
IV
V
VI
VII
VIII
IX
X

**201**

I

II

III

IV

V

VI

VII

VIII

IX

X

Oherwydd yr hyblygrwydd hwn, natur efengylaidd eu ffydd, y pregethwyr teithiol, gallent fynd â chrefydd at y bobl yn hytrach na bod y bobl yn dod atyn nhw.

Oedd y Cymry, fel roedd Henry Richard yn honni mewn rhan arall o'i gyhoeddiad, yn fwy crefyddol na'r Saeson? Yn ôl Cyfrifiad 1851 oedden. Dyna'r casgliad y deuir iddo o ddibynnu ar y data mwyaf dibynnol a geir yn y Cyfrifiad, o bosibl, y nifer o 'eisteddleoedd', sy'n golygu y nifer o bobl y gallai pob enwad roi lle iddynt yn eu gwahanol eglwysi neu gapeli. Yn Lloegr cyfrifwyd mai dim ond 51.4 y cant o'r boblogaeth allai eistedd mewn lleoedd o addoliad o'i gymharu â 75 y cant yng Nghymru. Wrth gwrs, mae'r cyfartaledd cenedlaethol hwn yn cuddio'r ffaith y gallai rhai siroedd yng Nghymru 'eistedd' mwy o addolwyr na siroedd eraill. Er enghraifft, roedd gan Sir Ddinbych, wledig yn bennaf, le i 94 y cant o'i phoblogaeth. Yn yr eithaf arall roedd Morgannwg ddiwydiannol gyda lle i 63.3 y cant mewn addoldai. Yn naturiol, ni all data crai'r Cyfrifiad ddweud y nesaf peth i ddim am angerdd neu ddyfnder teimladau crefyddol y rhai oedd yn mynychu'r eglwys neu'r capel ar y diwrnod arbennig hwnnw (30 Mawrth 1851) nac ychwaith a oedden nhw'n addoli'n gyson ai peidio.

Efallai mai'r hyn y dylai'r Anglicaniaid a'r Anghydffurfwyr fod wedi pryderu mwy yn ei gylch oedd y nifer cymharol sylweddol o bobl oedd y tu allan, rhai nad oeddynt yn mynychu unrhyw le o addoliad, heb ymlynu at unrhyw enwad crefyddol. Roedd y rhain yn amlwg iawn yn y de-ddwyrain oedd newydd ei ddiwydiannu a'i drefoli. Roedd niferoedd mawr o deuluoedd o fewnfudwyr yno, yn gorlethu'r boblogaeth gynhenid ac yn chwalu'r ffiniau enwadol sefydledig. Fodd bynnag, roedd cymaint o gecru rhwng yr Eglwys a'r Anghydffurfwyr, hyd yn oed rhwng yr enwadau eu hunain, fel na sylwodd neb ar hyn, neu o leiaf ni thalwyd y sylw dyladwy i'r broblem. Ar y llaw arall, nid oedd hyd yn hyn yn broblem amlwg nac yn hynod gyffredin, ond roedd yn bosibl y byddai'n datblygu'n ddifrawder crefyddol neu'n anffyddiaeth. Yn y cyfamser tra roedd *The Cardiff and Merthyr Guardian* yn gallu adrodd (25 Mai 1850) ar 'y medd-dod, yr anfoesoldeb, y gwariant oedd yn Aberdar,' gallai clerc yng Ngwaith Plymouth ddweud yn llawn brwdfrydedd mewn adroddiad i'r llywodraeth a wnaed ym Merthyr (1842) fod 'y mwyafrif o'n poblogaeth yn bendant yn grefyddol'.

## Tabl 17

**Nifer y Seddau a ddarperid gan yr Enwadau yng Nghymru, 1851**
(Cyfrifiad Crefydd 1851. Adroddiad a thablau, 1853)

| Sir | Eglwys Loegr | Annibynwyr | Bedyddwyr | Methodistiaid Wesleaidd | Methodistiaid Calfinaidd | Cyfanswm |
|---|---|---|---|---|---|---|
| Mynwy Pob: 177,130 | 39,215 % 22.1 | 14,135 % 8.0 | 28,377 %16.0 | 16,606 % 9.4 | 7,179 %4.1 | 116,266 % 65.6 |
| Morgannwg Pob: 240,095 | 39,324 % 16.4 | 38,378 % 16.0 | 30,475 % 12.7 | 11,902 % 4.9 | 27,921 % 11.6 | 152,088 % 63.3 |
| Caerfyrddin Pob: 94,672 | 22,321 % 23.6 | 20,088 % 21.2 | 9.785 % 10.3 | 3,757 % 4.0 | 14, 399 %15.2 | 70,976 % 75.0 |
| Penfro Pob: 84,472 | 25,367 % 30.0 | 14,323 % 16.9 | 13,125 % 15.5 | 6,909 % 8.2 | 5,701 % 6.7 | 67,004 % 79.3 |
| Aberteifi Pob: 97,614 | 21,569 % 22.1 | 15,267 % 15.6 | 11,291 % 11.5 | 3,666 % 3.7 | 22,053 % 22.6 | 82,335 % 84.3 |
| Brycheiniog Pob: 59,178 | 17,842 % 30.1 | 9.892 % 16.7 | 8,739 % 14.8 | 3,840 % 6.6 | 6,733 % 11.4 | 48,746 % 82.4 |
| Maesyfed Pob: 31,425 | 13,204 % 42.0 | 2,102 % 6.7 | 3,165 % 10.1 | 1,731 % 5.5 | 1,385 % 4.4 | 22,802 % 72.6 |
| Trefaldwyn Pob: 77,142 | 22,362 % 29.0 | 9,910 % 12.8 | 4,167 % 5.4 | 10,481 % 13.6 | 12,796 % 16.6 | 62,886 % 81.5 |
| Fflint Pob: 41,047 | 10,660 % 26.0 | 4,933 % 12.0 | 1,402 % 3.4 | 6,749 % 16.4 | 6,542 % 15.9 | 32,177 % 78.4 |
| Dinbych Pob: 96,915 | 36,535 % 31.5 | 10,507 % 10.8 | 7,235 % 7.5 | 11,872 % 12.2 | 25,921 % 26.7 | 91,177 % 94.0 |
| Meirionnydd Pob: 51,307 | 8,895 % 17.3 | 7,212 % 14.0 | 1,934 % 3.8 | 3,299 % 6.4 | 13,550 % 26.4 | 35,161 % 68.3 |
| Caernarfon Pob: 94,674 | 24,096 % 25.4 | 12,892 % 13.6 | 4,786 % 5.0 | 9,207 % 9.7 | 38,284 % 40.4 | 85,199 % 90.0 |
| Môn Pob: 43,243 | 8,654 % 20.0 | 4,606 % 10.6 | 2,718 % 6.3 | 2,506 % 5.8 | 12,912 % 29.8 | 31,725 % 73.4 |

## b) Agweddau ar Gredoau Poblogaidd: Diwygiadau a Diwygiadaeth

Bûm yma am un mlynedd ar ddeg [1848-59]. Roedd bron bawb o'r glowyr yn arfer meddwi a thorri'r Saboth. Fe fydden nhw'n dod i'r gwaith ar ddydd Llun gyda llygaid duon a'u hwynebau yn gleisiau. Mae'r newid yn rhagorach na dim a welais crioed. Gwelais ddiwygiadau mawr yng Nghernyw ond dim i'w gymharu â'r deffroad yn yr ardaloedd yma ar hyn o bryd. Does yma odid un tŷ heb allor deuluol.

[J.J. Morgan, *The '59 Revival in Wales* (1906)]

A barnu wrth sylwadau cyfoeswyr roedd grym a dylanwad diwygiad crefyddol o'r iawn ryw yn syfrdanol. Roedd yn brofiad a lenwai bobl â pharchedig ofn, yn un dwyfol, hyd yn oed un gwyrthiol, a allai newid bywydau, yn wir fe wnâi hynny'n aml. Yn y tymor byr, roedd diwygiad yn rym na ellid ei wrthsefyll a dueddai i sgubo pawb o'i flaen, ond yn y tymor hir gallai ei effeithiau a'r defosiwn crefyddol a ennynai leihau gydag amser. Gallent fod yn ddigwyddiadau lleol, fel yr un ym Meddgelert yn 1817-19 neu yn ehangach a mwy dylanwadol fel Diwygiad Mawr 1904-5. Wrth gwrs, nid oedd diwygiadau crefyddol yn ddim byd newydd, roedd iddynt hanes a ymestynai yn ôl i'r canol oesoedd ac ymhellach ond poblogrwydd cyffredinol y diwygiadau 'modern' a'u parhad sy'n eu gwneud yn arbennig.

Yn ystod Diwygiad Mawr ail hanner y ddeunawfed ganrif sefydlwyd Methodistiaeth yn Lloegr (Methodistiaeth Wesleaidd, 1784) ac yng Nghymru (Methodistiaeth Galfinaidd a Wesleaidd, 1811). Cafodd ddylanwad dwfn ar y bobl a gadael argraff barhaol ar y sawl a ddiwygiwyd a'u beirniaid. Nid oedd gan Edward Williams neu Iolo Morganwg (m.1826), ffugiwr llên a sylfaenydd Yr Orsedd Eisteddfodol, fawr o feddwl o'r newidiadau a achosid ym mywydau'r sawl a ddiwygiwyd. Mewn llythyr at ffrind (1799) dywedodd 'mae Gogledd Cymru nawr mor Fethodistaidd â De Cymru a De Cymru ag Uffern'. Pa un bynnag oeddech chi'n eu caru neu eu casáu roedd gan ddiwygwyr a diwygiadau ran amlwg ym mywyd y bedwaredd ganrif ar bymtheg, cymaint felly fel na allai dieithriaid lai na sylwi ar eu bodolaeth a'u dylanwad. Un o'r rhain oedd Ralph Lingen, un o'r tri o gomisiynwyr ac awduron y Llyfrau Gleision a ddywedodd fod y Cymry yn aml yn goddef yr hyn a alwai yn 'ddigwyddiadau rhyfeddol ac annormal Diwygiad'! Wedi dweud hynny, roedden nhw'n ddigwyddiadau llawn bwriadau da a defosiynol oedd bron bob amser yn rym er daioni.

Bu chwe prif ddiwygiad h.y. yn effeithio ar fwy nag un sir neu ranbarth yng Nghymru yn ystod y bedwaredd ganrif ar bymtheg a blynyddoedd cynnar yr ugeinfed – 1828-9, 1831-2, 1837-42, 1849, 1859 ac 1904-5 – pob un wedi ei ysbrydoli oherwydd themâu penodol neu broblemau mewn cymdeithas fel dirwest, iechyd neu dlodi. Roedd ar y werin angen cysur, roedden nhw'n crefu am atebion, yn dyheu am arweiniad ond yn fwy na dim yn gobeithio am sicrwydd yn y byd hwn ac achubiaeth yn y nesaf.

- Dechreuodd Diwygiad **1828-9** yn Caeo yng nghanol ardal wledig Sir Gaerfyrddin. Tlodi pobl y wlad oedd wedi ei danio ond lledaenodd i drefi diwydiannol a'u cyffiniau, Castell Nedd ac Abertawe a'r gwreichion yno oedd tlodi diwydiannol y di-waith, y dirwasgedig a'r anfoddog. O dan unrhyw amgylchiadau eraill gallai fod wedi hybu trais, streiciau neu hyd yn oed wrthryfel, ond, oherwydd natur geidwadol ymraniad yn ei hanfod a dylanwad pregethwyr y diwygiad, oedd o leiaf yn tawelu'r dyfroedd lle nad oedd crefydd yn y fantol, bu'r diwygiadau crefyddol yn gyfrwng i leihau'r tyndra ac i gadw rheolaeth ar y gymdeithas mewn rhai ardaloedd.

- O ganlyniad i'r marwolaethau a ddilynodd ledaeniad y colera Asiaidd, i raddau, y cafwyd diwygiadau 1831-2 ac 1849. Yn ei braw trodd y genedl at y capeli a'r eglwysi a chafodd y rhai oedd yn chwilio am achubiaeth dröedigaeth.

- Dirwest oedd yr allwedd i ddiwygiad 1837 ac am fod hon yn broblem haws delio â hi, (yn wahanol i'r colera!), bu'n fwy parhaol ei rym. Gan ddechrau yn y Bala ysgubodd y diwygiad yn gyflym drwy ardaloedd gwledig gogledd a de Cymru ond arafodd yn arw pan gyrhaeddod ardaloedd diwydiannol y de a'r gogledd ddwyrain. Yno roedd yfed yn drwm a byw'n arw yn gyfystyr â ffordd o fyw gweithwyr mewn diwydiannau trwm a chloddio, ac er i'r cymdeithasau dirwest ymdrechu'n galed ni bu iddynt lwyddo i ddileu'r arfer o ddiota, er iddynt helpu i'w reoli. Er enghraifft, yn 1881 perswadiwyd y llywodraeth i basio Deddf Cau ar y Sul yng Nghymru. Roedd cefnogaeth gref iddi yng ngogledd Cymru a chryn gefnogaeth hyd yn oed yng nghymoedd diwydiannol y de. Cynhaliwyd pol piniwn yn Aberpennar a honnai fod dros 90 y cant o'r rhai a holwyd o blaid cau'r tafarnau ar y Sul.

Gellir dadlau mai'r ddau ddiwygiad mwyaf, os nad y rhai mwyaf dylanwadol, oedd rhai **1859** ac **1904-5** a daniwyd nid gan faterion seciwlar ond gan ddefosiwn crefyddol o'r iawn ryw.

- Gan ddechrau yng ngogledd Sir Aberteifi, roedd diwygiad **1859**, yn ddiedifar yn ddiwinyddol ei ffurf, ei gynnwys a'i fwriad, bron yn edrych yn ôl at grefydd 'symlach', lai cymhleth y cyfnod cyn y diwydiannu.

- Ar y llaw arall ganwyd diwygiad Evan Roberts fel y'i gelwir, un **1904-5**, yn y de diwydiannol yng Nghasllwchwr, wedi ei danio gan ddiwygiad llai yn ne Sir Aberteifi. Dyma fudiad brwd, ifanc, croch hyd yn oed. Nodweddid gan arddangosiadau cyhoeddus o dröedigaethau ysbrydol a ddilynid gyda chyfarfodydd gweddi a dosbarthiadau Beiblaidd. Roedd Roberts, cyn-löwr, yn siaradwr carismatig a fu'n hynod lwyddiannus yn denu niferoedd mawr o ferched at y mudiad. Yn rhannol y rheswm am lwyddiant y diwygiad oedd y ffaith fod y wasg yn lledaenu gwybodaeth. Yn Nhachwedd 1904 ysgrifennodd golygydd y papur Anghydffurfiol *Y Goleuad,* 'Gwyn fyd y *Western Mail*'. Roedd ei ganlyniadau tymor byr yn syfrdanol – 80-90,000 o bobl wedi cael tröedigaeth ac yn mynychu lle o addoliad, capeli yn cael eu hadeiladu neu eu hatgyweirio (y tro olaf i hynny ddigwydd ar raddfa fawr), llawer llai o bobl yn mynychu'r theatrau a'r eisteddfod a hyd yn oed rai clybiau rygbi fel Rhydaman a Chreunant yn cau – ond ar ôl 1906 daeth i ben.

Felly, roedd crefydd yn gweithredu fel canolbwynt cydwybod cymdeithasol lle gallai pobl leisio eu pryderon a'u hofnau. Gallai hefyd hybu newid, gydag arweinwyr crefyddol yn dwyn perswâd ar awdurdodau lleol a chenedlaethol i weithredu er lles y bobl. Fel y gwelsom mewn pennod gynharach, roedd yna berthynas agos rhwng crefydd a radicaliaeth, lle roedd gwleidyddiaeth ymrannu yn gosod ei nod ar y Senedd. Ym meysydd diwylliant, addysg a hamdden hefyd roedd crefydd yn chwarae rhan fwy allweddol yn ôl pob tebyg. Fel y dywedodd yr hanesydd John Davies,

> … anodd amgyffred pa mor ganolog oedd crefydd i liaws o Gymry ddechrau'r ganrif hon [yr 20fed]. Roedd maintioli gweithgareddau addoldai Cymru y pryd hwnnw'n syfrdanol. Fe'u gwasanaethid gan dros 4,000 o weinidogion ac offeiriaid; medrent ddibynnu ar gymorth 25,000 o ddiaconiaid, blaenoriaid a wardeniaid; traddodid ynddynt 11,000 o bregethau bob Sabath; mynychid eu hysgolion Sul gan bron i hanner y boblogaeth; cynhelid yn eu festrïoedd a'u neuaddau o leiaf ddwy filiwn o gyfarfodydd yn flynyddol; prynai eu haelodau esboniadau, llyfrau emynau a chylchgronau crefyddol dirifedi.'

## c) Diwygiad 1904-5

Diwygiad crefyddol 1904-05, a gydiodd mewn rhannau o Gymru, oedd yr olaf o'r diwygiadau mawr. Roedd yn wahanol i'r diwygiadau blaenorol mewn sawl ffordd ac yn wir roedd rhai nodweddion unigryw yn perthyn iddo. Er enghraifft, ym marn Tim Williams, un o'i brif nodweddion oedd 'y modd roedd bechgyn ifanc y dosbarth gweithiol a merched yn flaengar ynddo, a hynny mewn cymdeithas nad oedd yn cynnig bron unrhyw gyfle i ferched ennill cyflog ac o'r herwydd mai yr unig weithgaredd posibl a chaniatadwy i ferched y tu allan i'r teulu oedd mynychu'r capel.'

I

II

III

IV

V

VI

VII

VIII

IX

X

Fel y dangosodd David Jenkins parodd y diwygiad hwn gyswllt rhwng y rhai oedd wedi eu deffro '… gweinidogion a lleygwyr, dynion a merched, ifanc a hen, waeth beth oedd eu statws moesol na'u hymlyniad enwadol, o'u cyferbynnu â'r sawl nad oedd wedi ei ddeffro. Daeth pobl yn amlwg nid am eu bod yn arweinwyr etholedig neu swyddogol ond am eu bod wedi eu cyffroi'.

Dyfynnir yma nifer o ffynonellau sy'n cynnig amrywiaeth o ddarluniau cyfoes o brif nodweddion y diwygiad a'i brif ladmerydd.

Llun 32
Evan Roberts a'i gyd-ddiwygwyr o Gasllwchwr

## Archwilio'r dystiolaeth

**A**

Roedd yno enghreifftiau o lesmair trawiadol yn amlygu ymdeimlad crefyddol dwys. Roedd dynion cryf yn wylo ac yn griddfan; merched yn beichio crio … yn torri allan i weddïo ac i ganu emynau. Roedd eraill yn siglo ôl a blaen dan deimlad angerddol. Byddai'n anodd i'r beirniad mwyaf craff ddweud yn union beth oedd yn rhoi i'r diwygiwr ifanc y fath allu i gyffroi eneidiau ei wrandawyr.

[*Cambrian Daily Leader*, 18 Tachwedd 1904]

I
II
III
IV
V
VI
VII
VIII
IX
X

**B**

Gwaith y Diwygiad yw ffrwydro'r cerrig yn y chwarel ond gwaith y gweinidogion yn y capeli yw eu naddu. Yn 1859 roedd ffrwydrad tebyg, a rhwng 60,000 a 100,000 wedi eu hachub, y mwyafrif yn gerrig garw. Cymerodd ddeugain mlynedd o lafur ar ran y gweinidogion i'w naddu a'u gwneud yn gymwys i'r deml ysbrydol …

> [Y Parch. Dr. C. Jones, adroddwyd yn y *Western Mail*, 22 Rhagfyr 1904]

**C**

Dechreuodd rhywun yn y gynulleidfa yn y capel ganu emyn … Deffrôdd Evan Roberts fel pe o lewyg a dywedodd, 'Arhoswch! Arhoswch! … mae rhwystr yma sy'n rhaid ei symud yn gyntaf'. Cafwyd mai'r rhwystr oedd anufudd-dod y rhai oedd yn aelodau o'r capel. Gofynnodd i bawb weddïo … Roedd hyn wedi para am beth amser pan ddywedodd Mr Roberts fod yr anhawster drosodd, ac y gallent yn awr ganu. Gellid gweld pobl yn y capel yn siarad â'u cymdogion ac … fe ganwyd yr emynau gyda theimlad dwys.

> [D. Awstin, *The Religious Revival in Wales* (1905)]

**CH**

Cododd a daliodd Feibl i fyny gan ofyn, 'Beth yw hwn?' Atebodd llawer 'Beibl'… . Dywedodd rhywun arall 'Gair Duw'. 'Ie', meddai 'ond mae un yma heno sy'n gwadu hynny' … Galwodd Evan Roberts ar yr amheuwr i godi a chyfaddef yn y fan a'r lle gan nad oedd yn bosibl parhau gyda'r addoliad tra'r oedd ef yno. 'Os nad yw'n cyfaddef, mae'n debyg y caf ei enw, ac unwaith y bydd Duw yn rhoi ei enw i mi byddaf yn ei gyhoeddi. Dyn ifanc pump ar hugain oed ydyw'. Yna dywedodd, 'Fe gefais ei enw. Dyma fe …'. Roedd ochain uchel a chynnwrf yn y capel …

> [Llygad-dyst yn adrodd beth ddigwyddodd mewn cyfarfod adeg y diwygiad, cofnodwyd mewn Llawysgrif sydd yn Llyfrgell Genedlaethol Aberystwyth (1905)]

**D**
Llun 33
Gwasanaeth
Diwygiad mewn
Glofa (tua 1904)

# MR. EVAN ROBERTS' MEETINGS.

## REVIVAL.

### WONDERFUL RESULTS OF THE MOVEMENT.

### CONVERSIONS NUMBER OVER SEVENTY THOUSAND.

| Place | No. | Place | No. | Place | No. |
|---|---|---|---|---|---|
| Aberaman | 236 | Fleur-de-Lis, Pengam, and Gilfach | 214 | Penarth | 600 |
| Aberavon | 325 | Freystrop | 32 | Penclawdd | 195 |
| Aberbeeg | 153 | Frogsgville (N. W.) | 60 | Penderyn (Aberdare) | 10 |
| Abercrave | 57 | Gadlys | 147 | Penrhiwceiber | 433 |
| Abercwmboy | 140 | Gelligaer | 17 | Pentre | 1,362 |
| Abercynon | 630 | Gilfachgoch | 451 | Penycae (N. Wales) | 130 |
| Aberdare | 715 | Gilwern and district | 60 | Pengraig | 406 |
| Abergwynfi and Blaengwynfi | 420 | Glyncorrwg | 135 | Penywaun (Aberdare) | 60 |
| Aberkenfig | 256 | Glyn-Neath | 460 | Peterstone | 15 |
| Abernant | 97 | Goodwick | 20 | Pontardawe | 212 |
| Abersychan, Pontnewynydd, Talywain, Garndiffaith, and Varteg | 451 | Gorseinon | 304 | Pontardulais | 435 |
| | | Gowerton and Waunarlwydd | 141 | Pontlottyn | 242 |
| Abertillery, Sixbells, and Cwmtillery | 2,342 | Gwaen-cae-Gurwen | 20 | Pontnewydd | 62 |
| Abertridwr | 98 | Insdal | 262 | Pontrhydfendigaid | 30 |
| Aberystwyth and district | 220 | Haverfordwest | 90 | Pontrhydyfen | 12 |
| Barry | 424 | Heolycyw | 22 | Pontrhydygroes | 20 |
| Bargoed | 162 | Hirwain and district | 327 | Pontyberem | 102 |
| Beaufort | 100 | Hopkinstown | 84 | Pontyclun and district | 120 |
| Bedling | 182 | Kenfig Hill | 498 | Pontycymmer | 810 |
| Bedwas | 38 | Kidwelly | 191 | Pontygwaith | 270 |
| Blackwood | 340 | Lampeter and district | 110 | Pontypool | 407 |
| Blaenavon | 810 | Landore | 746 | Pontypridd | 1,645 |
| Blaenomin (Pem.) | 6 | Laugharne & Pinsket | 80 | Pontyrhyl | 98 |
| Blaengarw | 545 | Llanbradach | 194 | Porth | 658 |
| Blaenpennal | 16 | Llanddewi-Brefi | 40 | Porthcawl | 49 |
| Blaina | 878 | Llandilo (Pem.) | 12 | Pyle | 61 |
| Bontnewydd (near Asaph) | 15 | Llandovery | 87 | Resolven | 661 |
| Bridgend | 279 | Llandrindod Wells and Howey Village | 10 | Rhosddu | 109 |
| Briton Ferry | 406 | Llandysul and district | 114 | Rhuddlan | 13 |
| Brynccethin | 86 | Llanelly, Loughor, and Felinfoel | 1,317 | Rhydfelen | 95 |
| Brynmawr | 274 | Llanelly Hill (Brecon) | 90 | Rhyl (N. Wales) | 45 |
| Brynmenin | 22 | Llangattock | 53 | Rhymney | 770 |
| Builth Wells | 165 | Llangeitho | 45 | Risca | 630 |
| Burry Port | 264 | Llangennech | 66 | Robertstown | 62 |
| Bwlchyllan | 30 | Llangollen (N. W.) | 54 | Rogerstone | 400 |
| Caerphilly | 685 | Llangyfelach | 24 | St. Asaph (N. Wales) | 8 |
| Capcoch | 45 | Llanharan | 245 | St. Bride's | 21 |
| Cardiff | 1,068 | Llanhilleth | 162 | St. Clears | 66 |
| Cardigan and district | 55 | Llanishen | 27 | St. David's | 38 |
| Carmarthen | 300 | Llannon | 17 | St. Fagan's | 50 |
| Cefncribbwr | 75 | Llansamlet | 274 | St. Mellou's | 32 |
| Cilfrew and Coybant | 101 | Llantwit Major | 138 | Sardis (Pem.) | 30 |
| Cilfynydd | 721 | Llwydcoed | 87 | Senghenydd | 487 |
| Clydach (Brecon) | 56 | Llwynhendy | 109 | Seven Sisters and Onllwyn | 121 |
| Clydach-on-Tawe | 270 | Llwynpiod | 25 | Skewen | 461 |
| Clydach Vale | 689 | Llwynypia | 112 | Sutton (Pem.) | 27 |
| Coedpoeth | 70 | Machen | 209 | Swansea | 500 |
| Coity | 23 | Maesteg | 2,115 | Talbach and Margam | 270 |
| Cowbridge | 26 | Maenclochog | 60 | Talgarth and district | 84 |
| Coychurch, Trees, and Llangan | 70 | Maesycwmmer | 188 | Talywain | 74 |
| Crickhowell | 91 | Mainsdee (Newport) | 6 | Tongwynlais | 135 |
| Crosshands and Tumble | 276 | Mardy | 630 | Tonna and Aberdulais | 102 |
| Crosskeys | 600 | Merthyr | 760 | Tonypandy | 340 |
| Crumlin | 18 | Merthyr Vale | 874 | Tonyrefail | 301 |
| Cwmaman | 565 | Middle Hill (Haverfordwest) | 36 | Trealaw | 15 |
| Cwmamman (Carm.) | 471 | Milford Haven | 102 | Trebanos | 50 |
| Cwmbach | 374 | Mikin | 24 | Trecynon | 516 |
| Cwmbran | 172 | Morriston | 1,602 | Tredegar | 1,500 |
| Cwmdare | 91 | Mountain Ash | 778 | Treforest | 56 |
| Cwmgwrach | 141 | Mynyddbach | 14 | Tregaron | 60 |
| Cwmllynfell | 120 | Nantymoel | 54 | Treharris | 1,003 |
| Cwmpark and district | 135 | Nantyglo | 307 | Troherbert, Blaenrhondda, and Blaenycwm | 1,164 |
| Cymmer | 79 | Neath | 1,205 | Treorky | 1,488 |
| Dowlais and Penydarren | 1,285 | Neath Abbey | 71 | Troedyrhiw | 488 |
| Drefach and Velindre | 69 | Nelson | 293 | Tylorstown | 650 |
| Ebbw Vale | 1,500 | Newbridge | 410 | Walton West (Pem.) | 60 |
| Ferndale and Blaenllechau | 700 | New Milford | 300 | Watford (near Caerphilly) | 47 |
| Ferryside | 17 | New Quay | 55 | West Hook (Pem.) | 32 |
| Fforestfach & Cockett | 246 | Newport | 800 | Whitchurch | 176 |
| Fishguard | 129 | Newtown (N. Wales) | 102 | Ynysbir | 454 |
| | | New Tredegar | 301 | Ynysybwl | 792 |
| | | Ogmore Vale | 26 | Ystalyfera | 392 |
| | | Pembrey and Pwll | 160 | Ystradgynlais | 618 |
| | | Pembroke | 12 | | |
| | | Pembroke Dock | 20 | **Total** | **65,319** |

**DD**
Llun 34
*Western Mail*: Cyfarfodydd Diwygiad Evan Roberts

I
II
III
IV
V
VI
VII
VIII
IX
X

### Diwygiad gwir grefyddol?

Bu diwygiad 1904-5 mor fyr ei barhad ag oedd o ryfeddol. Roedd y rhai a gymerodd ran ynddo'n meddwl ei fod mor ddisglair ac angerddol fel na fyddai fyth yn darfod. Ond, dod i ben a wnaeth ar ôl ychydig llai na thair blynedd. Dros y cyfnod hwnnw llwyddodd Evan Roberts, ei arweinydd, i gyfareddu'r rhai a gawsai dröedigaeth gyda'i bregethu anghonfensiynol a chynhaliwyd astudiaethau Beiblaidd a chyfarfodydd gweddi i gefnogi ymhellach. Roedd mor llwyddiannus fel bod y sefydliad Anghydffurfiol wedi dychryn, i'r fath raddau nes creu gelynion i Roberts. Bron yn anorfod roedd rhai yn amau gwerthoedd Cristnogol Roberts a'i ddiwygiad. Daeth rhai agweddau annymunol i'r golwg a'r wasg yn barod i ledaenu sibrydion. Efallai mai'r darn mwyaf damniol a gyhoeddwyd ar y diwygiad oedd yr un a ymddangosodd yn 1919 a ddifethodd enw da Roberts ac un sy'n aros fel beddargraff y diwygiad a ysbrydolodd.

**E**

> Gofynnodd gweinidog o Gwmafon na chawsai bregethu ers sawl Sul i nifer o lanciau oedd rhwng 16 a 23 oed, 'Ydw i i fod i bregethu heno?' … 'Mae'n dibynnu beth fydd yr Ysbryd yn ei ddweud wrthym ' … Cyfrifid y gweinidog, oedd yn cynrychioli'r math cyffredin o brofiad crefyddol, yn estron bron … Rhoddwyd llais i'r farn gyffredin yng ngweddi'r dyn a ddiolchodd i'r Arglwydd am Ei fod wedi gwthio'r gweinidog o'r neilltu … Agwedd ddigydymdeimlad debyg oedd un Evan Roberts tuag at hen Gristnogion. Yn ei bresenoldeb gresynai dynion ifanc oherwydd fod yr hen yn ddylanwad oedd yn eu llesteirio a gweddïent am iddynt gael eu hachub a hyd yn oed ar adegau am iddynt gael eu symud o'r ffordd drwy farw. Ni wnaed sylw o'r ochr hon i'r Diwygiad yn yr adroddiadau i'r Wasg. Roedd yr haerllugrwydd roedd y dynion ifanc yn cael eu hannog i'w fabwysiadu wrth ymwneud â'r bobl hŷn yn un o agweddau tristaf Diwygiad 1904-5.
>
> [J.V. Morgan, *The Welsh Religious Revival 1904-5: A Retrospect and Criticism* (1909)]

### d) 'Cenedl o Anghydffurfwyr'?

Yn 1891 y llefarodd Y Prif Weinidog Rhyddfrydol, W.E. Gladstone, y geiriau yna. Roedd ef a'r rhai oedd yn gwrando arno yn credu eu bod yn wir. Fodd bynnag, yn fwy diweddar, mae haneswyr wedi herio'r 'myth Anghydffurfiol' yma. Yn 1988 dywedodd Tim Williams nad oedd 'crefydd, y tybir yn aml ei fod yn gyffur i'r tyrfaoedd yn ystod y cyfnod hwn [1880-1914] …yn dirymu cymaint nac yn cwmpasu popeth i'r fath raddau ag y byddem yn tybio'.

Mae'n awgrymu, er ei bod 'yn amlwg fod nifer fawr o Gristnogion yn ymarfer eu crefydd yng Nghymru, efallai 75 y cant yn mynychu addoldai Anghydffurfiol', y gellir gofyn y cwestiwn diddorol, 'Ond oedd y Cymry yn genedl o Anghydffurfwyr?' Ei ateb yw 'a chyfrif y niferoedd' na, doedden nhw ddim. Yn wir, erbyn diwedd degawd cyntaf yr ugeinfed ganrif mae'n wir dweud, ar waethaf diwygiadau y ganrif flaenorol ac un 1904-5, nad oedd ond 750,000 o bobl yn mynychu addoldy yn rheolaidd. Hyd yn oed pe ychwanegid miloedd o 'wrandawyr' achlysurol, ar amcangyfrif ceidwadol yn 140,000, mae'r cyfanswm yn dod yn 37.1 y cant o'r boblogaeth yng Nghymru yn ôl Cyfrifiad 1911. Os ydym yn tynnu allan yr Anglicaniaid a'r 65,000 o Gatholigion yna gall Anghydffurfiaeth hawlio 22.6 y cant o'r holl boblogaeth. Mae Dr Williams yn dadlau pe ystyrid hyn, yna rhaid derbyn fod dylanwad Anghydffurfiaeth ar bobl Cymru yn llai.

Cefnogir hyn i raddau gan y dystiolaeth a gasglwyd rhwng 1906 a 1910 gan y Comisiwn Brenhinol a benodwyd i ymholi i'r Eglwys a Chyrff Crefyddol eraill yng Nghymru. Cafwyd, er bod Anghydffurfiaeth yn dal yn gryf yn yr ardaloedd gwledig, Cymraeg eu hiaith, roedd yn dirywio yn yr ardaloedd diwydiannol oedd wedi eu Seisnigo, yn y de a'r gogledd ddwyrain. Yn wir, mae'n dangos hefyd, er bod y diwygiadau Anghydffurfiol wedi dod i ben, fod yna ddiwygiad crefyddol o fath arall – yn yr Eglwys Anglicanaidd. O ganlyniad i welliannau ac agwedd wahanol, roedd yr Eglwys Wladol yn adennill tir, er enghraifft, rhwng 1851 ac 1910 adeiladwyd dros 340 o eglwysi newydd yng Nghymru ac erbyn 1911 roedd eu niferoedd wedi cynyddu i 193,000. Fodd bynnag, daeth y Rhyfel Mawr i chwalu'r cyfan. Oherwydd y colli gwaed a'r dioddef trodd llawer o bobl eu cefnau ar grefydd. Daeth ystyriaethau mwy ymarferol fel gwleidyddiaeth, gwaith, cyflogau ac undebaeth lafur yn llawer pwysicach yn eu bywyd dyddiol. Fel y deuai'r dosbarth gweithiol yn fwy dysgedig dechreuasant amau a holi ac hyd yn oed feirniadu rhai syniadau crefyddol a'r addysg grefyddol. Roedd y byd yn newid ond i lawer o bobl roedd y capeli a'r eglwysi yn rhy araf eu hymateb, neu'n methu addasu i'r byd newydd. Erbyn 1920 roedd y capeli yn dirywio.

I

II

III

IV

V

VI

VII

VIII

IX

X

# Cyngor a Gweithgareddau

## (i) Cyffredinol

### Darllen Pellach

E.T. Davies, *Religion in the Industrial Revolution in South Wales* (Caerdydd, 1965).

E.T. Davies, *Religion and Society in the Nineteenth Century* (Llandybie, 1981).

L.W. Evans, *Education in Industrial Wales, 1700-1900* (Caerdydd, 1971).

G.E. Jones, *The Education of a Nation* (Caerdydd, 1997).

P. Morgan (gol.), *Brad y Llyfrau Gleision* (Landysul, 1991).

G.T. Roberts, *The Language of the Blue Books* (Caerdydd, 1998).

G. Williams, *Religion, Language and Nationality in Wales* (Caerdydd, 1979).

### Erthyglau:

T. Parry, 'Literary Movements of the Nineteenth Century', in A.J. Roderick (gol.), *Wales through the Ages, cyfrol 2* (Llandybie, 1960).

C. Turner, 'The Nonconformist Response' in T. Herbert & G.E. Jones (golygyddion), *People and Protest: Wales 1815-1880* (Caerdydd, 1988).

T. Williams, 'Language, Religion, Culture' in in T. Herbert & G.E. Jones (golygyddion), *People and Protest: Wales 1815-1880* (Caerdydd, 1988).

Gwynfor Evans, *Seiri Cenedl*, Gwasg Gomer, 1986: Griffith Jones, Llanddowror; Iolo Morganwg; Henry Richard

### Ymchwil

1. Chwiliwch am wybodaeth am i) Robert Owen ii) Henry Richard iii) Evan Roberts.

Pa un ohonynt fyddai'n haeddu cael ei gynnwys mewn llyfr ar Gymry Enwog yn eich barn chi? Rhowch resymau dros eich dewis.

### Pynciau Dadleuol

'Cenedl o Anghydffurfwyr'? Dadleuwch **dros** ac **yn erbyn** y gosodiad hwn am Gymry'r bedwaredd ganrif ar bymtheg

## Trafod

Nid oedd addysg yn ddim mwy na phêl-droed wleidyddol a'r Anglicaniaid a'r Anghydffurfwyr yn chwarae'r gêm mewn ymgais sinigaidd i ennill calonnau a meddyliau pobl anwybodus. Trafodwch y gosodiad dadleuol hwn.

## (ii) Penodol i'r Arholiad

### Ateb Cwestiynau ar Ffynonellau

### Darllenwch y ffynonellau ar dudalennau 207-209 ac atebwch y cwestiynau sy'n dilyn

a) Cymharwch y ffynonellau C a CH. Sut mae'r ffynonellau yn gwrthgyferbynnu yn eu disgrifiad o dechnegau crefyddol y diwygiad? (8 marc)

b) Astudiwch ffynonellau A a D. Pa mor ddibynadwy yw ffynonellau A a D i hanesydd fel tystiolaeth o'r ymateb i'r Diwygiad Crefyddol? (16 marc)

c) Pa mor ddefnyddiol yw'r ffynonellau wrth geisio deall Diwygiad Crefyddol 1904-5 yng Nghymru?

## Cyngor

a) Mae ffynhonnell C yn awgrymu fod uniongrededd crefyddol yn rhan bwysig o dechneg y diwygiad. Yn amlwg, roedd yr elfen emosiynol, ynghyd â chyfeillgarwch clòs rhwng yr aelodau yn y cynulleidfaoedd yn bwysig.

Mae Ffynhonnell CH hefyd yn disgrifio gwasanaeth crefyddol ond y tro hwn rhoir mwy o bwyslais ar y gynulleidfa – maen nhw'n cymryd rhan, yn ateb cwestiynau'r gweinidog ac y mae yma elfen o hysteria emosiynol. Pwysleisir hyn trwy'r dechneg o enwi unigolyn nad yw'n derbyn eu credoau crefyddol. Byddai hyn yn dwysáu'r awyrgylch emosiynol yn fwy fyth.

b) Dyfyniad o bapur newydd yw Ffynhonnell A, gan wyliwr diduedd, debyg. Does dim rheswm dros amau a yw'r adroddiad yn ddibynadwy ai peidio ar wahân i ystyried beth oedd cymhelliad y papur newydd – sicrhau gwerthiant a dweud stori dda. Tebyg fod ymateb y gohebydd yn nodweddiadol o ymateb llawer o bobl yng Nghymru. Adroddiad dipyn yn arwynebol.

I

II

III

IV

V

VI

VII

VIII

IX

X

213

Ffynhonnell D – llinlun gan gartwnydd enwog oedd yn danfon llawer o'i waith i'r *Western Mail*. Nid oes dyddiad na dim yn nodi beth oedd ei bwrpas ar wahân efallai i ddangos fel roedd y chwiw grefyddol ddiweddaraf yn ennyn diddordeb. Mae'n amlwg fod gwasanaethau crefyddol dan ddaear yn 'newyddion' a'r ffaith fod y gweithlu, mae'n debyg, wedi gofyn am gael eu cynnal. Does dim modd dweud oedd hwn yn arferiad cyffredin neu yn ddigwyddiad unigryw. Does dim rheswm dros amau didwylledd gwaith y cartwnydd na gwirionedd yr amgylchiad.

c) Mae'r ffynonellau yn rhoi darlun da o'r gwasanaethau a rhai o'r dulliau a ddefnyddid gan y diwygwyr. Ar yr un pryd, cymharol ychydig o wybodaeth a gawn am hyd a lled dylanwad y diwygiad, natur y gefnogaeth na dwyster ei effaith. Mae'r rhan fwyaf o'r ffynonellau braidd yn arwynebol eu hymdriniaeth â'r diwygiad. Eto, does dim sôn am yr effaith ar bobl eraill na pham roedd ei ddylanwad yn gryf mewn rhai ardaloedd ond nid mewn eraill.

Rhaid sylwi mor gyfyng yw'r ffynonellau gan nad ydynt yn sôn pa mor boblogaidd oedd y diwygiad mewn cyd-destun ehangach. Does dim un ffynhonnell yma yn cynnig beirniadaeth.

## Pennod VI
# *Diwylliant, Iaith a'r Adfywiad Cenedlaethol*

## 1. Iaith

■ **Y Brif Ystyriaeth:**
Pam y bu i'r iaith Gymraeg oroesi?

### a) O Unieithedd i Ddwyieithedd:
### Penbleth Ddiwydiannol a Threfol

Parablir y Bregliach Brodorol drwy holl wlad y Taffi, heblaw yn eu Trefi Marchnad, lle mae'r Trigolion, wedi eu dyrchafu rhyw ychydig, (ac fel petai) wedi eu chwythu yn Swigod, uwchlaw y Gwehilion cyffredin, yn dechrau ei dirmygu … Fel rheol fe gaiff ei gwahardd o dai Gwŷr Bonheddig … caiff yr Iaith Gyffredin ei Seisnigeiddio allan o Gymru.

[William Richards, *Wallography* (1682)]

Mae'r feirniadaeth hallt hon ar yr iaith Gymraeg gan ddychanwr o Sais yn cynrychioli'n eithaf agos agwedd y Saeson at y Gymraeg ar ddechrau'r bedwaredd ganrif ar bymtheg, fel ar ddiwedd yr ail ganrif ar bymtheg. Pan ysgrifennai Richards ei 'gondemniad melltigedig' roedd y bobl y soniai amdanynt bron i gyd yn siarad y Gymraeg. Amcangyfrifid bod 90 y cant o'r boblogaeth yn siarad y 'bregliach brodorol' ac os felly gellir credu fod canran uchel o'r rhain yn rhugl yn y Gymraeg yn unig ac felly na fedrent siarad yr iaith Saesneg. Ychydig dros ganrif yn ddiweddarach, yn 1801 amcangyfrifid bod 90% o bobl Cymru yn siarad y Gymraeg ac o'r rhain fod rhwng 65% a 70% yn ôl pob tebyg yn uniaith. Y ffaith yw, ar waethaf ei statws isel, enllib y wasg yn Lloegr ac esgeulustod oedd bron yn ormes o du'r sefydliad Seisnig a'r dosbarth oedd yn llywodraethu (Saeson a Chymry), roedd yr iaith Gymraeg yn dal i ffynnu ac yn deddfu rhythm iaith bob dydd. Yn naturiol roedd rhai rhannau o Gymru wedi eu Seisnigeiddio yn fwy nag eraill, yn bennaf ar hyd y gororau ac mewn ardaloedd lle bu mewnlifiad o Saeson ers tro, megis de Penfro a'r Gŵyr, ond roedd cefn gwlad yn dal i fod yn gwbl Gymreig o ran iaith a meddylfryd. Ond o fewn canrif er cynnal cyfrifiad cyntaf 1801, roedd Cymru wedi ei gweddnewid o fod yn wlad uniaith yn bennaf, a'r Gymraeg yn iaith frodorol, i fod yn wlad ddwyieithog a'r Saesneg yn ennill tir yn gynyddol ar draul y Gymraeg.

## (i) Y Dehongliad Traddodiadol

Mae sawl rheswm, a'r rheini'n amrywio, am y gweddnewidiad hwn ond cyfrifid ar un adeg mai'r prif achos oedd y diwydiannu cyflym a welwyd yng Nghymru. Dyma'r ddadl – fel roedd y diwydiannau haearn, dur a thunplat, ac yn enwedig y diwydiant glo, oedd yn cyflogi nifer fawr o ddynion, yn tyfu roedd mwy o alw am weithwyr. Yn anorfod bu mewnlifiad o'r tu hwnt i'r ffin a symudedd o fewn ffiniau Cymru gan beri diboblogi yng nghefn gwlad a thwf trefi. Canlyniad hyn fu chwalu'r cydbwysedd ieithyddol, ac yn ogystal y cydbwysedd ethnig mewn rhai o'r trefi diwydiannol newydd. Er enghraifft, dywedodd y nofelydd Jack Jones yn ei atgofion am ei lencyndod yn y Porth yn y Rhondda yn ystod yr 1890au (*Unfinished Journey*, 1938),

> Lleiafrif oedd y Cymry … yn gymysg â Saeson, Gwyddelod ac Albanwyr, pobl roedd eu tadau a'u teidiau wedi eu denu i Gymru gan yr hen Frenhinoedd Haearn. Yn fach, dim ond y Gymraeg a siaradwn, iaith fy rhieni a rhieni fy rhieni ond gan fy mod yn chwarae gyda'r plant Scott, Hartley, Ward a McGill deuthum yn fwy rhugl yn y Saesneg. Roedd fy nhad yn flin pan ddechreuais ateb yn Saesneg pan oedd e'n siarad Cymraeg â mi ond dywedodd mam, yn y Gymraeg, 'O, gad e' fod. Be' di'r ots, ta beth?' [5]

Cynyddodd poblogaeth Morgannwg o 77% a Mynwy o 117% rhwng cyfrifiad 1801 ac un 1841 oherwydd iddynt ddenu diwydiant. Roedd y cynnydd rhwng 1851 ac 1911 lawn mor sylweddol yn enwedig ym Morgannwg lle gwelwyd cynnydd o 231,800 i 1,120,910, ac ym Mynwy godiad o 157,400 i 395,719. Neu i'w egluro mewn ffordd wahanol, yn 1801 roedd llai na 25% o bobl Cymru yn byw yn y siroedd hyn, oedd yn dal yn bennaf yn siroedd gwledig, ond erbyn 1911 roedd tua 65% o boblogaeth y genedl yn byw yno, y mwyafrif mewn trefi oedd yn prysur dyfu o ran maint ac o ran arwyddocâd masnachol. Erbyn 1911 roedd ychydig dros 60% o'r boblogaeth yn byw mewn trefi ac o'r deunaw tref yng Nghymru gyda mwy nag 20,000 o drigolion roedd y cyfan ar wahân i un, sef Llanelli, ym Morgannwg a Mynwy. Mae dwy dref y dylid cyfeirio atynt oherwydd twf eithriadol yn eu maint a'u poblogaeth sef Caerdydd ac Abertawe. Rhwng 1801 ac 1901 tyfodd poblogaeth Caerdydd o 1,870 i 128,000 ac Abertawe o 6,831 i 135,000. Mae'r ffaith eu bod hefyd yn borthladdoedd yn dangos y cynnydd aruthrol yn y fasnach a ddatblygodd oherwydd y cynnyrch diwydiannol yng Nghymru. Yn rhannol, o ganlyniad i'r gweithgaredd masnachol hwn, mewn porthladdoedd ac mewn trefi marchnad, er enghraifft, bu i'r Saesneg ddisodli'r Gymraeg. Roedd y Saesneg yn prysur ddod yn iaith masnach y byd. Gwelwyd cynnydd enfawr mewn mewnforio ac allforio nwyddau ac i'r un graddau fewnfudo ac ymfudo a gafodd effaith wael ar yr iaith Gymraeg. Fel roedd poblogaeth Caerdydd yn codi roedd y canran o siaradwyr y Gymraeg yn gostwng o amcangyfrif uchel 80% yn 1831 i 7% yn unig erbyn 1911. Dyna fu'r patrwm ledled Morgannwg. Roedd dirywiad cyflym ar hyd yr arfordir, oedd bron yn uniaith Saesneg erbyn 1891, ond yn y cymoedd ar dir uwch roedd y Gymraeg yn dal ei thir yn well. Trwy edrych ar Bontypridd gallwn weld y lleihad yn y nifer oedd yn siarad y Gymraeg fel canran o'r boblogaeth a oedd ar ei thwf. Tref gyda phoblogaeth o 7,600 oedd Pontypridd yn 1875. Amcangyfrifid bod tua 75% ohonynt yn siarad y Gymraeg. Erbyn 1901 roedd y boblogaeth wedi cynyddu'n gyflym hyd at 32,316, ond roedd y nifer oedd yn rhugl yn y Gymraeg wedi ei haneru i 38%.

Deuai canran uchel o'r rhai oedd yn tyrru i drefi megis Pontypridd, Caerdydd ac Abertawe o'r Gymru wledig, Gymraeg ei hiaith. Ceir tystiolaeth amlwg o ddiboblogi cefn gwlad yn siroedd Ceredigion, Meirionnydd a Threfaldwyn lle cofnodwyd lleihad clir yn y boblogaeth ym mhob degawd rhwng 1871 (o 1881 yn achos Meirionnydd) ac 1911.

**Tabl 18**

|  | 1871 | 1881 | 1891 | 1901 | 1911 |
|---|---|---|---|---|---|
| Ceredigion | 73,400 | 70,300 | 62,600 | 61,100 | 59,900 |
| Meirionnydd | 46,600 | 52,000 | 49,200 | 48,900 | 45,600 |
| Trefaldwyn | 67,600 | 65,700 | 58,000 | 54,900 | 53,100 |

Roedd effaith hyn ar yr iaith Gymraeg bron yn drychinebus. Fel y dangosodd Geraint Jenkins, 'O ganlyniad i ddiwydiannu, trefoli a mewnlifiad, ... y duedd amlwg oedd i niferoedd uwch o gymunedau dwyieithog ddatblygu a hyd yn oed yn y fro Gymraeg roedd gwead yr hen gymunedau uniaith Gymraeg wedi dechrau ymddatod'. Roedd symudedd o gefn gwlad yn torri'r cwlwm traddodiadol o fewn cymuned, oedd wedi dal ynghlwm dros genedlaethau, gan wanhau'r sylfaen diwylliannol ac ieithyddol yn y rhan roedd y diweddar E.G. Bowen, daearyddwr dynol, yn ei galw yn 'Gymru fewnol'. Bylchwyd y mur oedd yn gwarchod y rhan anghysbell oherwydd datblygiadau technolegol, gwell ffyrdd a rheilffyrdd. Nid oedd y Gymru wledig bellach mor ynysiedig a golygai hyn fod iaith a diwylliant cefn gwlad yn dirywio mwy fyth. Byddai bellach yn anoddach fyth i'r Gymru Gymraeg wrthsefyll ymosodiadau twristiaeth, masnach ac iaith ymerodrol Lloegr.

## (ii) Dehongliad 'Brinley Thomas' neu'r Adolygiad Cynnar

Yn amlwg, mae'r ddadl yn un argyhoeddiadol gan ei bod yn cynnig nifer o resymau credadwy ac yn rhestru digwyddiadau, sy'n dilyn ei gilydd yn rhesymol, a fyddai'n egluro dirywiad graddol yr iaith Gymraeg. Ond, heriwyd y ddadl draddodiadol hon yn rymus gan y diweddar Brinley Thomas. Yn ôl Geraint Jenkins, bu iddo

> ... ddymchwel dadl gonfensiynol y cyfnod trwy ddatgan fod diwydiannu de Cymru wedi bod yn gyfrwng i ymgorffori poblogaeth cefn gwlad na allai'r Gymru wledig eu cynnal o fewn ffiniau'r wlad, gan arbed iddynt orfod ymfudo ar raddfa eang fel ag a ddigwyddod i'r Gwyddelod yn yr un cyfnod, ac o'r herwydd hwyluso cadw'r iaith Gymraeg a'r diwylliant. 5

Dadleuai Brinley Thomas fod llif y mudwyr o'r Gymru wledig neu o'r Gymru 'fewnol' wedi lleihau yn hytrach na dihysbyddu'r nifer o siaradwyr y Gymraeg ond fod symud i'r de a'r dwyrain, yn hytrach na gadael y wlad yn gyfangwbl, wedi peri fod yr iaith wedi ei chyfnerthu a'i hadnewyddu yng nghymoedd diwydiannol Cymru 'allanol'. Yn wahanol i'r Gwyddelod, ychydig iawn o'r Cymry a gafodd eu temtio i ymfudo naill ai i'r Unol Daleithiau neu i Loegr, oherwydd roedd diwydiannu'r wlad yn golygu nad oedd angen iddynt wneud hynny. Roeddent yn debyg o ddod o hyd i waith arall a gwell dyfodol o fewn ffiniau Cymru, cystal â'r hyn a gynigid y tu allan.

I gefnogi ei ddadl dangosodd Thomas, er bod ardaloedd gwledig wedi dioddef colled glir yn y boblogaeth o ryw 388,000 rhwng 1851 ac 1911, roedd yr ennill clir yn gwrthbwyso hyn – tua 366,000 yn mudo i Forgannwg a Mynwy a mwy nag 80% ohonynt, o leiaf hyd ddechrau'r ugeinfed ganrif, yn dod o gefn gwlad Cymru. Yn y mwyafrif o ardaloedd diwydiannol de-ddwyrain Cymru, yn enwedig ym Morgannwg a chymoedd uchel gorllewin Mynwy, gallai'r Cymry brodorol gymathu'r newydd-ddyfodiaid o'r ochr arall i'r ffin, o Loegr. Yn wir, hyd ddegawdau cynnar yr ugeinfed ganrif, ni welwyd mwy o estroniaid, yn bennaf Saeson, nag o Gymry yn dechrau dod i'r ardaloedd diwydiannol. Bryd hynny, a'r niferoedd yn uchel y methwyd eu cymathu mor hawdd.

I ategu ei ddadl cyfeiriodd Thomas at brofiad cwm Rhondda a oedd o ran canran wedi derbyn mwy o fudwyr nag unrhyw ran arall o dde-ddwyrain Cymru a'i boblogaeth wedi codi o 11,737 yn 1861 i 127,980 erbyn 1891. Yn 1896, wrth ddisgrifio'r Rhondda, dyma'r sylw yn Adroddiad Comisiwn y Tir yng Nghymru: '… a siarad yn gyffredinol, mae nodweddion y bywyd Cymreig, y datblygiadau Anghydffurfiol, defnydd beunyddiol o'r iaith Gymraeg ac amlder math Cymreig o gymeriad mor amlwg ag yn ardaloedd gwledig Cymru'. I bob golwg roedd y mewnfudwyr o gefn gwlad oedd yn tyrru i brif gwm glofaol Cymru yn mynd â'u ffordd Gymreig o fyw gyda nhw ac felly'n parhau ac yn datblygu'r diwylliant brodorol a'r iaith yng nghymunedau diwydiannol a threfol y de. Fel pe i atgyfnerthu ei osodiad, gellir dangos o Gyfrifiad 1911 fod, o ran rhif beth bynnag, dair gwaith yn fwy yn siarad Cymraeg ym Morgannwg nag mewn unrhyw un o'r gweddill o Siroedd Cymru.

Dadl y gellid anghytuno â hi oedd hon ac fe fu beirniaid, ond amddiffynnai Brinley Thomas ei safbwynt gan ddweud, 'yn lle gresynu oherwydd y diboblogi yng nghefn gwlad dylai'r gwlatgarwr o Gymro glodfori'r datblygiad diwydiannol a roddodd fywyd newydd i'r iaith Gymraeg ac awr anterth i Anghydffurfiaeth'.

I

II

III

IV

V

**VI**

VII

VIII

IX

X

I
II
III
IV
V

# VI

VII
VIII
IX
X

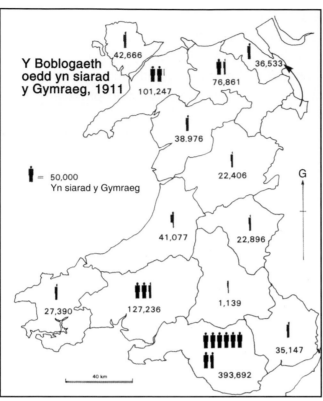

**Y Boblogaeth oedd yn siarad y Gymraeg, 1911**

42,666

101,247

76,861

36,533

38.976

22,406

▮ = 50,000
Yn siarad y Gymraeg

41,077

22,896

27,390

127,236

1,139

393,692

35,147

G

40 km

## Map 12

Nifer y boblogaeth oedd yn siarad y Gymraeg, 1911

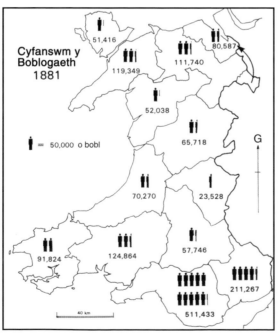

**Cyfanswm y Boblogaeth 1881**

51,416

119,349

111,740

80,587

52,038

▮ = 50,000 o bobl

65,718

70,270

23,528

91,824

124,864

57,746

211,267

511,433

G

40 km

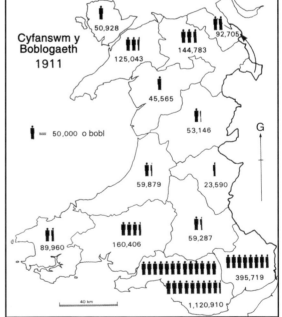

**Cyfanswm y Boblogaeth 1911**

50,928

125,043

144,783

92,705

45,565

▮ = 50,000 o bobl

53,146

59,879

23,590

89,960

160,406

59,287

395,719

1,120,910

G

40 km

## Map 13

Poblogaeth Cymru (i) 1886 (ii) 1911

## (iii) Y Dehongliad Adolygiadol Diweddarach

Erbyn hyn mae haneswyr yn fwy cymesur eu safbwynt. Nid ydynt yn ymwrthod yn llwyr â'r dehongliad traddodiadol ond nid ydynt ychwaith yn derbyn dadleuon Brinley Thomas. Yn hytrach, maent yn pwysleisio cymhlethdod y broblem ac yn awgrymu nad yw damcaniaeth Thomas yn dal dŵr ar sawl cyfrif,

1) am nad yw'n ystyried arwyddocâd y niferoedd o Gymry a adawodd Gymru. Amcangyfrifwyd bod mwy na 77,000 o siaradwyr y Gymraeg wedi symud i Loegr erbyn 1851 ac erbyn 1911 roedd y nifer yn uwch na 133,000, sy'n golygu eu bod yn ail yn unig i'r niferoedd oedd yn byw ym Morgannwg ac yn seithfed ran o'r cyfanswm a amcangyfrifid ym Mhrydain.

2) er bod y don gyntaf o fudwyr wedi mynd â'r 'ffordd Gymreig o fyw' i'w canlyn ymostyngodd y cenedlaethau ddaeth o'u hôl dan ddylanwadau Seisnig a'r iaith Saesneg. Er enghraifft, yn 1891 roedd 80% o boblogaeth Morgannwg (1,120,910) wedi eu geni'n Gymry ond dim ond 49.9 y cant oedd yn medru siarad yr iaith. Erbyn 1911 roedd wedi disgyn i 38 y cant ac aelodau o'r genhedlaeth hŷn oedd y mwyafrif o'r rhain a dim ond rhyw 34,000 ohonynt a restrwyd fel uniaith Gymraeg. Os rhywbeth, y datblygiad yn y cymoedd diwydiannol fu o siaradwyr y Gymraeg yn unig i gymdeithas ddwyieithog ac unwaith roedd hynny wedi digwydd roedd yn anorfod y byddai'r Saesneg yn disodli'r Gymraeg ym mhob cymuned ar wahân i'r fwyaf cydryw a phenderfynol. Dangosodd J.E. Southall, Sais oedd yn frwd dros y Gymraeg a'r diwylliant, fod y Gymraeg wedi goroesi 'mewn môr o Seisnigrwydd'. Canmolai gymunedau ucheldir cwm Rhymni am fod 'yn gaer yn gwrthsefyll llif y Saesneg'.

Roedd ei astudiaeth o Gyfrifiad 1901 (*Cyfrifiad yr Iaith Gymraeg yn 1901* a gyhoeddwyd yn 1904) yn ddiflastod i'w darllen gan nad oedd ond 13% o boblogaeth Mynwy, ei sir fabwysiedig, wedi eu cofrestru fel siaradwyr y Gymraeg. Mewn anobaith ysgrifennodd, 'Ble mae'r gwlatgarwr wnaiff godi i achub Gwent … rhag colli golwg ar ei brawdoliaeth Gymreig a'i delfrydau Cymreig a'i hiaith'. Yn wir, mae haneswyr wedi nodi fod Cymry eu hunain yn teimlo'n chwithig ynghylch eu hiaith, yn enwedig oherwydd agwedd nawddoglyd a beirniadol y wladwriaeth. Y Saesneg wedi'r cyfan oedd iaith yr Ymerodraeth a thros 60 miliwn o bobl yn ei siarad ledled y byd a chyfrifid

fod methu ei siarad yn golygu bod yn israddol yn ddiwylliannol ac yn gymdeithasol.

3) Dadleuwyd bod Thomas wedi tanbrisio'r dylanwadau cymdeithasol a seicolegol oedd yn tueddu i ffafrio'r Saesneg yn hytrach na'r Gymraeg. Daethpwyd i'r casgliad fod dadleuon Thomas yn ddilys hyd at tua 1870 ond nid wedyn gan fod ymlediad y Saesneg yn ddiwrthdro a'i heffeithiau ar y boblogaeth yn gwbl amlwg. Yn Ebrill 1902 derbyniodd y *Glamorgan Free Press* lythyr a'i gyhoeddi. Roedd yn pwysleisio amharodrwydd neu ddifaterwch y naill genhedlaeth ynghylch trosglwyddo'r iaith i'r genhedlaeth nesaf.

Syr. Y mae nifer dda o'n rhieni sy'n Gymry yn methu cael eu plant eu hunain i ddysgu'r iaith Gymraeg ar eu haelwydydd ac ymysg eu teuluoedd eu hunain ac rwy'n cydnabod bod hynny'n anodd mewn tref fel Pontypridd, ar sawl achlysur, a'r iaith Saesneg mor flaenllaw ymysg pob dosbarth. Hyd yn oed yn y capel Cymraeg wedi'r oedfa Gymraeg cawn fod y rhan fwyaf o'r sgwrs yn cael ei chynnal yn Saesneg.

5

4) Fel pe i danseilio dadl Brinley Thomas ymhellach dangoswyd hyd yn oed yn y Rhondda, a oedd yn dal i fod yn gryf ei Chymreictod, fod y newid ieithyddol yn bendant yn tueddu at ddefnydd o'r Saesneg. Yn 1909 gofynnodd Cadeirydd Ffederasiwn y Glowyr mewn cyfarfod, 'Oes yma unrhyw un sydd eisiau'r penderfyniad yn y Gymraeg?' Yr ateb a gafwyd oedd, 'Mae pawb yma yn deall Saesneg'.

## b) Codi neu Ostwng: Y Paradocs Ystadegol

Mae'n wir dweud fod yna fwy o Gymry yn siarad y Gymraeg heddiw nag mewn unrhyw gyfnod a aeth heibio – mae mwy ohonynt. Mae llawn cyn wired bod mwy o Gymry yn siarad Saesneg heddiw, sy'n ystyriaeth lawer pwysicach.

[J. Vyrnwy Morgan, *A Study in Nationality* (1912)]

Cyhoeddwyd yr uchod o fewn blwyddyn i'r Cyfrifiad am 1911. Ni bu i'r ffaith fod 977,366 o Gymry'n siarad y Gymraeg, y nifer uchaf erioed, wneud unrhyw argraff ar yr awdur mae'n amlwg. Yn wir, roedd nifer siaradwyr y Gymraeg wedi codi'n gyson drwy'r bedwaredd ganrif ar bymtheg, gan gynyddu o 600,000 yn 1801 i bron 900,000 yn 1891. Felly, ar droad yr ugeinfed ganrif roedd mwy o bobl nag erioed yn siarad yr iaith, sy'n awgrymu ei bod yn gryf, yn rymus ac yn iach. Ymddengys felly fod ofnau Vyrnwy Morgan yn ddisail neu hyd yn oed yn besimistaidd. Fodd bynnag, wrth edrych yn fanylach ar ddata'r cyfrifiadau bob degawd gan ddechrau gydag un 1891, sef y cyntaf i roi manylion am yr iaith, gwelwn, er bod niferoedd y siaradwyr Cymraeg yn codi, roedd y canran ohonynt o fewn y boblogaeth yn gostwng. Yn nhermau'r canran golyga hyn, er bod ar amcangyfrif 90 y cant o'r boblogaeth yn medru'r Gymraeg yn 1801, roedd wedi gostwng i 54 y cant yn 1891 ac wedi gostwng ymhellach i 45 y cant yn 1911. A'i roi mewn ffordd arall, roedd cyfrifiad 1901 yn dangos fod 84 y cant o'r boblogaeth yn medru siarad Saesneg, sy'n profi nad oedd yn bendant yn iaith estron i'r mwyafrif o bobl Cymru.

Mae'r hanesydd John Davies yn crynhoi hynt ieithyddol Cymru dros y cyfnod 1801 i 1911 fel a ganlyn: 'bu cynnydd pedwarplyg yn y boblogaeth Gymreig, deublyg yn y boblogaeth Gymraeg a deuddegplyg yn y boblogaeth uniaith Saesneg'. Mae hyn yn dangos yn glir y benbleth sy'n wynebu haneswyr a'r sawl sy'n astudio ieithyddiaeth cymdeithas, oherwydd er bod y nifer oedd yn siarad Cymraeg yn cynyddu roedd y nifer a siaradai'r Saesneg yn cynyddu hefyd, a golygai hyn fod y nifer oedd yn rhugl yn y Gymraeg yn unig yn lleihau. Hynny yw, roedd unieithedd Gymraeg yn diflannu ac unieithedd Saesneg yn cynyddu'n hynod gyflym. Roedd y frwydr cyn belled ag roedd dyfodol yr iaith yn y fantol gyda'r tyrfaoedd dwyieithog gan fod y rhan fwyaf o'r niferoedd cynyddol a siaradai'r Gymraeg yn ddwyieithog neu o leiaf, ar ôl iddynt gael addysg, fe fyddent yn ddwyieithog. Sylweddolodd pobl ar y pryd mai dyna'r ffaith a bod goblygiadau yma i ddyfodol yr iaith. Mewn erthygl a gyhoeddwyd yn *Y Goleuad* yn Rhagfyr 1901 mynegodd Y Parch R.R. Williams, Tywyn, ei ofnau:

> Tair sir fwyaf Cymreig y Gogledd yw Meirionnydd, Môn a Chaernarfon – yn y drefn yna. O blith trigolion yr ardaloedd yna sydd dros dair mlwydd oed, dim ond 6% ym Meirionnydd, 8% ym Môn a 10% yng Nghaernarfon sy'n uniaith Saesneg. Ond sylwer: o bob cant o Gymry ym Meirionnydd mae 44 yn ddwyieithog; 44 hefyd ym Môn a 42 yng Nghaernarfon. Y sefyllfa felly yw fod bron hanner y boblogaeth ym mhob un o'r siroedd mwyaf Cymreig yn siarad y Gymraeg a'r Saesneg. Mewn geiriau eraill mae'r tair sir sydd â lleiafrif o Saeson yn byw ynddynt eisoes yn ddwyieithog.

5

I
II
III
IV
V
**VI**
VII
VIII
IX
X

Felly, nid oedd y cynnydd yn y niferoedd o bobl oedd yn siarad y Gymraeg drwy'r bedwaredd ganrif ar bymtheg o angenrheidrwydd yn arwydd da i'r iaith gan nad yw'r rhifau yn dweud dim wrthym am ansawdd na deunydd dyddiol o'r iaith honno. Un dull o fesur pethau felly yw edrych ar y deunydd darllen oedd ar gael i'r Cymry Cymraeg ac ystyried ei boblogrwydd. Cytunir yn gyffredinol fod yna ddiddordeb anferthol yn y blynyddoedd ar ôl 1850 mewn cyhoeddiadau yn yr iaith Gymraeg. Yn ei lythyrau, *Letters on the Social and Political Condition of the Principality of Wales* a gyhoeddwyd yn 1866 mae Henry Richard yn honni fod pum chwarterolyn, pump ar hugain misolyn ac wyth wythnosolyn wedi eu cyhoeddi yn y Gymraeg gyda'u cylchrediad, ac ystyried y cyfan ohonynt, dros 120,000. Er enghraifft, yn niwedd yr 1850au roedd Edward Jones o Gefnarthen yn tanysgrifio'n rheolaidd i'r *Diwygiwr, Y Dysgedydd, yr Evangelical Magazine* a'r *Penny Encyclopaedia*. Ond mae llawn mor wir bod gwerthiant cyhoeddiadau Cymraeg eu hiaith wedi gostwng o'i gymharu â'r cynnydd yng ngwerthiant papurau Saesneg eu hiaith fel y *Cambrian News, Western Mail* a'r *South Wales Daily News*. Yn amlwg, cyffredinoli yw hyn ac nid yw'n profi dim, ond mae'n dangos y duedd.

Modd i gyrraedd nod yw ystadegau ac nid nod ynddynt eu hunain gan mai'r dehongliad sydd fwyaf defnyddiol i'r hanesydd. Dyma'r benbleth, oherwydd er y gellir ystyried ystadegau fel pwyntiau penodedig ar sbectrwm gall y dehongliad fod wedi ei bennu ar hap, gan amrywio'n fawr, yn dibynnu ar yr hyn y mae'r hanesydd yn dymuno ei brofi. O safbwynt yr iaith Gymraeg yn ystod y bedwaredd ganrif ar bymtheg, wrth ystyried a fu cynnydd neu ddirywiad, y cyfan y mae data'r cyfrifiad yn ein galluogi i'w wneud gydag unrhyw sicrwydd yw dangos tueddiadau tebygol. Y duedd yma oedd i'r iaith gael ei disodli'n raddol oherwydd y cynnydd mewn dwyieithedd. Fodd bynnag, mae hyn yn golygu derbyn fod yr ystadegau a geir wrth ystyried niferoedd y cyfrifiad yn ddibynadwy ac y maent felly gan mwyaf, ond fel gwers i ni i gyd mae'r ffynhonnell a ganlyn yn awgrymu na ddylem fel haneswyr dderbyn dim ar ei olwg gyntaf:

> Dewiswyd dau blwyf, un yn sir Gaernarfon a'r llall yn sir Feirionnydd, ar gyfer astudiaeth fanwl. Yn y plwyfi hyn roedd 138 o fabanod dan flwydd oed a chofrestrwyd 59 o'r rhain fel siaradwyr y Gymraeg. Roedd hefyd 147 o fabanod rhwng blwydd a dwyflwydd oed a chofrestrwyd 87 o'r rhain fel uniaith Gymraeg. Felly o blith 285 o fabanod oedd dan ddwyflwydd oed cyfrifid 146, neu fwy na'r hanner, yn siaradwyr y Gymraeg, a'r Gymraeg yn

5

10     unig. Nid ydym wedi cyfrif plant dan ddwy oed yn ein tablau iaith ac felly nid yw'r datganiadau rhyfedd ynghylch eu gallu i siarad iaith o fawr bwys, dim ond eu bod yn rhoi i ni sail digonol dros fod yn amheus ynglŷn â dilysrwydd datganiadau oedolion. Felly yn y ddau blwyf hyn roedd 1,587 o blant rhwng 5 a 15 oed, plant oedd wedi derbyn addysg dros gyfnod eithaf hir mewn ysgolion. Yn ysgolion y ddau blwyf astudid y Saesneg fel pwnc dosbarth, nid heb lwyddiant, ond o'r 1,587 o blant, cofrestrwyd 1,490 neu 94% fel rhai na allent siarad Saesneg.

[Adroddiad Cyffredinol ar Gyfrifiad 1891]

## c) 'Melltith Cymru': Agweddau at yr Iaith

'Melltith Cymru' datganodd y papur newydd *The Times* (Medi 1866) gan ystyried yr iaith Gymraeg fel rhywbeth camamserol anffodus mewn byd cynyddol Seisnig ei iaith a Seisnig ei bwysigrwydd lle mae dau biler moderniaeth, sef cynnydd a newid, yn llywodraethu. Nid yn *The Times* yn unig roedd beirniadaeth o'r hyn a ystyrid yn iaith gyntefig a barbaraidd a barai nad oedd y Cymry yn gallu mwynhau'r breintiau roedd gwareiddiad Seisnig a'r iaith Saesneg yn eu cynnig. Yn sicr, dyna'r agwedd a fynegwyd yn yr *Adroddiad i Gyflwr Addysg yng Nghymru* (1847) a ddangosai agwedd Lloegr ganol ac a fu'n fodd i lywio barn Saeson a'r sefydliad Seisnig o hyn allan.

5     Mae'r iaith Gymraeg yn llesteirio Cymru, yn rhwystr yn ffordd datblygiad moesol a ffyniant masnachol ei phobl. Nid yw'n hawdd gor-bwysleisio ei drwg effeithiau. Iaith y Cymry yw hi a chyn hynny'n iaith yr hen Frythoniaid. Mae'n rhwystr oherwydd ni all y bobl gyfathrebu. Pe gallent, byddai hynny'n rhoi hwb ymlaen i'w gwareiddiad. Mae'n golygu nad oes iddynt lwybr at wybodaeth i wella'r meddwl. Fel prawf o hyn, nid oes unrhyw lenyddiaeth Gymraeg yn werth yr enw.

[Comisiynwr, J.C.Symons, awdur Cyfrol Dau o'r Adroddiad (1847)]

Yn *y Cambrian News* (Gorffennaf 1886), ugain mlynedd yn ddiweddarach na *The Times,* datgenir y farn '…ymlynu'n glòs wrth yr iaith Gymraeg … yw'r gadwyn gryfaf sy'n clymu ffermwyr tlawd y Dywysogaeth wrth y tir …' Mae'r awgrym yn glir, rhyddid yw'r gallu i godi uwchlaw'r amgylchfyd a hyd nes y byddai'r Cymry yn dysgu'r iaith Saesneg fe fyddent hyd byth yn gaeth i'r bywyd cyntefig roedd y boblogaeth wledig yn ei fyw. Gallai rhywun ddisgwyl i bapur Saesneg fel *The Times,* a ddarparai ar gyfer y cyfoethog, yr addysgedig a'r dosbarth uwch gwybodus yng nghymdeithas Lloegr, ddatgan 'gwirioneddau' annibynadwy, yn aml, a rhagfarnllyd, ar faterion oedd yn ymwneud â chenedl a phobl na wyddai ddim neu fawr ddim amdanynt ac a faliai lai fyth amdanynt. Ond, roedd y *Cambrian News* yn cael ei argraffu yn Aberystwyth. Mae'r wasg boblogaidd, boed yr iaith yn Gymraeg neu Saesneg, sy'n ymddangos yn ddyddiol, yn wythnosol neu yn fisol, yn offeryn defnyddiol i haneswyr sy'n dymuno amgyffred agweddau cyfoeswyr tuag at yr iaith Gymraeg. Yn naturiol, fel gyda phob ffynhonnell tystiolaeth sydd ar gael i'r hanesydd, rhaid bod yn ofalus, yn enwedig gan fod llawer o gyhoeddwyr yn berchen eu papurau ac yn lleisio barn bersonol neu'n ymgyrchu dros achosion o ddiddordeb personol neu'n dilyn chwaeth neu ragfarn bersonol. Er hynny, hyd yn oed wedi derbyn eu ffaeleddau, mae papurau newydd yn adlewyrchu agweddau'r bobl oedd yn eu prynu a'u darllen.

Câi'r *Cambrian News* ei reoli a'i olygu o 1873 ymlaen gan Sais o Swydd Gaerhirfryn, John Gibson, ac ef oedd y perchennog wedi 1880. Yn ôl K.O. Morgan, 'Roedd yn affwysol anwybodus ynghylch yr iaith Gymraeg, hyd yn oed mewn ardal mor Gymreig!' Gyda chylchrediad wythnosol o tua 7,000 roedd y *Cambrian News* yn un o'r papurau mwyaf dylanwadol yng Nghymru. Roedd felly mewn safle cryf i ddylanwadu ar agweddau ei ddarllenwyr ac i lywio eu barn. Prin y byddai llawer ohonynt yn gwrthwynebu ei agwedd nawddoglyd tuag at yr iaith Gymraeg. Ar y llaw arall, mae'n amlwg hefyd y gallai'r darllenwyr ddylanwadu ar bapurau a chylchgronau gan wrthdroi egwyddorion sylfaenol a pholisi golygyddol y papur arbennig hwnnw. Ar ôl ymddangos am ddwy flynedd ar bymtheg datganodd *Llais Llafur*, papur a gyhoeddid yn Ystalyfera yn 1915, y byddai o hyn allan yn cyhoeddi papur Saesneg gyda'r teitl *Labour Voice*. Eglurodd y golygydd ei resymau:

> Roedden nhw (y darllenwyr) yn fwy o Gymry nag o Saeson, ac felly papur Cymraeg oedd *Llais Llafur*. Yn y cyfamser, mae cenhedlaeth newydd wedi tyfu ac wedi magu chwaeth newydd a thueddiadau newydd. A siarad yn gyffredinol, gellir dweud bod yn well gan y mwyafrif o bobl canol oed a phobl ifanc ddarllen Saesneg. Y Gymraeg yw iaith sgwrs gyffredin a iaith addoliad cyhoeddus eto, ond fel cyfrwng llenyddol mae'n dod yn fwy anhyblyg i bwrpas newyddiadura. Rydym mor flin ag unrhyw un ein bod yn Seisnigo'r *Llais*, ond nid yw teimladau yn newid y ffeithiau. [5]

Cytunir yn gyffredin fod y Cymry, hyd yn oed siaradwyr y Gymraeg, braidd yn ddifater ynghylch tynged yr iaith ac er bod y syniad mai'r rheswm am hyn oedd ymdeimlad o israddoldeb wedi ei hen wrthod, does dim amheuaeth nad ystyrid fod y gallu i siarad Saesneg yn rhywbeth i'w chwennych, os nad yn rhywbeth angenrheidiol, gan leiafrif cynyddol o ddechrau i ganol degawdau'r bedwaredd ganrif ar bymtheg. Roedd cymaint o wrthwynebiad i bob golwg i'r iaith mewn rhai ardaloedd fel bod papurau newydd oedd yn pryderu ynghych dyfodol yr iaith yn mynegi eu hofnau. Yn 1924 ysgrifennodd golygydd yr *Amman Valley Chronicle*, yn bryderus:

> Ofnaf fod ein plant yn colli'r cyfle i sgwrsio yn yr iaith frodorol, yn syml am y rheswm fod y rhieni yn meddwl ei fod yn fwy o anrhydedd medru siarad yn fwy rhugl yn yr iaith Saesneg. Dim ond mewn ychydig o'n cartrefi heddiw y clywn yr iaith Gymraeg yn cael ei siarad, yn wir mae'r rhieni fel pe baent wedi ei hanghofio gyda chanlyniadau trychinebus i'r genhedlaeth nesaf.

5

Ni ddylid meddwl ychwaith fod hwn yn ffenomenon nodweddiadol o dde Cymru yn unig yn ystod blynyddoedd cynnar yr ugeinfed ganrif. Ysgrifennodd y cenedlaetholwr-ryddfrydwr Michael D. Jones o Lanuwchllyn, y gŵr a wladychodd dde America â Chymry, fwy na deugain mlynedd ynghynt, yn yr 1880au cynnar, yn hallt ei feirniadaeth o'i gyfoeswyr oherwydd eu hagwedd ddifater i bob golwg tuag at eu hiaith frodorol:

> … y Cymry eu hunain sydd yn caniatáu i'r Saesneg ddod i mewn ac yn ymdrechu'n galed i waredu'r Gymraeg o'u haelwydydd, o'u capeli ac o'u masnach, ac yn llwfr oddef i'r Saeson ei throi o'n llysoedd cyfreithiol. Y Cymry eu hunain raid benderfynu a yw'r Gymraeg i farw neu fyw, ac os marw, dyna'u bai nhw. Gofaled pob Cymro gadw'r iaith ar yr aelwyd, yn yr addoldy ac yn ei fasnach, a bydd hi fyw.

5

Gadawyd i'r deallusion brodorol, dynion a gafodd addysg oedd yn perthyn i'r dosbarth canol o siaradwyr y Gymraeg, ac academyddion o brifysgolion newydd Aberystwyth a Chaerdydd a Bangor, a Chymry alltud, yn Llundain a Lerpwl yn bennaf, ymdrechu i achub yr iaith a newid agwedd ddifater eu cydwladwyr, y gweithwyr. Sefydlwyd mudiadau dros yr iaith gyda'r nod o hybu addysgu'r iaith Gymraeg mewn ysgolion a defnydd helaethach o'r iaith yn y gymuned. Yn 1885 sefydlwyd *The Society for Utilizing the Welsh Language* a'i nod oedd magu dwyieithedd (fel a nodir yn y teitl afrosgo braidd – *for the Purpose of Serving a Better and More Intelligent Knowledge of English*) a cheisiai wneud hynny drwy fynnu bod y Gymraeg lawn mor bwysig ac yn gydradd â'r Saesneg. Y dasg oedd yn wynebu grwpiau fel hyn ac unigolion oedd, nid yn unig perswadio pobl Cymru i gredu fod hyn yn wir, ond argyhoeddi'r llywodraeth a'r awdurdodau lleol oedd newydd eu hethol (1888) a'r sefydliadau addysgol yn arbennig. Llwyddodd tystiolaeth a gyflwynwyd i'r Comisiwn Addysg yn 1886-88 i sicrhau y câi'r Gymraeg sylw cydradd ag ieithoedd eraill yn ysgolion elfennol Cymru. Yn wir, bu cymaint llwyddiant wrth sicrhau cydraddoldeb a dilysrwydd i'r Gymraeg fel pwnc ar gwricwlwm yr ysgolion, gellir dweud i agweddau'r genhedlaeth nesaf, os nad yr un gyfredol, newid. Dywedwyd, yn deg, bod Deddf Addysg Ganolraddol 1889 a sefydlodd system o ysgolion gwladol er mwyn cau'r bwlch rhwng ysgolion elfennol a'r brifysgol wedi bod yn garreg filltir a newidiodd agwedd y sefydliad tuag at yr iaith Gymraeg. Dangosodd Kenneth O. Morgan fod dylanwad y Ddeddf yn ehangach, 'O safbwynt addysgol, cymdeithasol a gweinyddol roedd yn un o'r cofebau mwyaf trawiadol i'r deffroad gwleidyddol yng Nghymru'.

Mae'r ffaith fod y deddfau hyn wedi eu pasio yn y Senedd yn Westminster yn awgrymu fod yr agwedd yno wedi newid ragor na'r hyn oedd lai na hanner canrif ynghynt. Bellach nid oedd yr awdurdodau mor grintach eu hagwedd at yr iaith na'r bobl oedd yn ei siarad. Roedd ymweliad y gwladweinydd a'r gwleidydd William Gladstone â dwy eisteddfod, un ohonynt fel Prif Weinidog, yn Yr Wyddgrug yn 1873, a Wrecsam yn 1888, yn arwydd o'r newid agwedd. Yn ei areithiau soniodd am yr iaith fel 'crair hynafol o'r gorffennol' a chanmolai'n ddiwarafun 'hen hanes, hen wrhydri a hen iaith … y dywysogaeth, Cymru'. Oherwydd hyn gwnaeth lawer i liniaru dirmyg y wasg Seisnig a ymatebodd drwy ymosod ar sentimentaliaeth cyfeiliornus Gladstone. Yn wir, aeth Gladstone gam ymhellach drwy awgrymu fod y system wleidyddol Seisnig wedi gwneud cam â'r Cymry ac efallai y byddai angen gwneud rhyw iawn am hynny. Os oedd papurau fel y *London Review*, y *Pall Mall Gazette*, y *Saturday Review* a hyd yn oed *Punch* wedi arfer gwneud hwyl am ben y Cymry, ymrodd *The Times* ati i feirniadu'r rhai, fel Gladstone, oedd yn amddiffyn yr iaith a'r diwylliant Cymraeg. Dichon mai'r arwydd amlycaf fod newid yn agwedd y llywodraeth oedd sefydlu Adran Gymraeg y Bwrdd Addysg yn 1907. Ymddengys fod yr Ysgrifennydd Gwladol dros addysg, Augustine Birrell, wedi cael ei berswadio i weithredu yn bennaf oherwydd fod ei gyd-Ryddfrydwyr wedi pledio'r achos, Cymry fel Alfred Thomas a siaradai'n huawdl dros ei gydwladwyr. Mewn llythyr at Birrell yn 1906 dadleuai:

> Y Gymraeg yw'r cyfrwng y gall y mwyafrif o'r bobl dderbyn drwyddo ddiwylliant deallusol a mynegi eu hathrylith. Gobeithiwn felly y bydd i chi gytuno â ni y dylid dysgu'r iaith yn drylwyr, fel y caiff ei phriod le ym mywyd y genedl.

Roedd y gweision suful yn yr Adran Gymraeg yn Gymry oedd yn llawn cydymdeimlad ac yn weithgar dros yr iaith ac yn ôl Tim Williams 'roedden nhw'n ymdrechu'n ddiflino i roi iddi le amlwg ym mywyd yr ysgolion, gan beri eu bod yn aml ar y blaen i'r farn yng Nghymu'. Gan fwrw golwg dros y cyfnod 1889-1907 yn *Y Llenor* yn 1931, ysgrifennodd yr hanesydd J.E.Lloyd 'mae'n deg dweud nad oedd achos dros gwyno wedi hynny oherwydd diffyg cydymdeimlad a chefnogaeth ar ran yr awdurdodau yn Llundain. Doedd neb yn well ffrindiau i'r mudiad *[Cymdeithas yr Iaith Gymraeg]* na swyddogion addysg y Brifddinas a'u harolygwyr yng Nghymru'. Byddai newid agwedd y Cymry yn llawer mwy o her.

I
II
III
IV
V
**VI**
VII
VIII
IX
X

230

The

White Book

Mabinogion:

Welsh Tales & Romances

Reproduced from the

Peniarth Manuscripts:

Edited by

J. Gwenogvryn Evans.

*Y mae yma ryw yſtyr hut.*

Pwllheli:

Issued to Subscribers only.

M.DCCCC.vij.

Llun 35
Tudalen deitl argraffiad cyntaf *Llyfr Gwyn y Mabinogion* (1897) – J. Gwenogvryn
Evans. Cyfrifid fod gwaith Evans yn esiampl wych o ansawdd a hir draddodiad llên yn
yr iaith Gymraeg

## 2. Y Gwir ynteu Brad? Helynt y Llyfrau Gleision, 1847

### ■ Y Brif Ystyriaeth:
A fu i frad y Llyfrau Gleision gyfrannu at dwf cenedlaetholdeb?

### a) Cefndir

Ar 10 Mawrth 1846 dygodd William Williams (1788-1865), Aelod Seneddol dros Coventry, gynnig gerbron Tŷ'r Cyffredin 'y dylid cael arolwg i gyflwr addysg yn y Dywysogaeth, yn arbennig i weld pa gyfle oedd ar gael i'r dosbarth gweithiol ddysgu'r Saesneg'. Derbyniwyd ei gynnig ac ymhen chwe mis roedd comisiwn wedi ei benodi i wneud yr arolwg. Roedd Williams yn Gymro o Lanpumsaint yn Sir Gaerfyrddin, dyn oedd wedi gweithio'i ffordd ei hunan i ddod ymlaen yn y byd ac wedi hel ffortiwn drwy fasnachu yn Llundain. Mae'n siŵr ei fod yn ddidwyll yn dymuno gwella cyflwr addysg yng Nghymru ond heb yn wybod iddo roedd wedi procio nyth cacwn. Byddai'r canlyniadau yn gynnwrf drwy'r Dywysogaeth am flynyddoedd i ddod. Daeth yr arolwg a'r adroddiad a gyflwynwyd mewn tair cyfrol o fewn cloriau lledr, glas ei liw, yn rhan o fytholeg yn ogystal ag yn ffaith yn hanes Cymru. Y broblem i haneswyr yw didoli'r chwedlonol a'r ffeithiol a mynegi barn fwy difrif ynghylch dylanwad y cyhoeddiad 'Llyfrau Gleision' ar Gymru a'r Cymry. Gallai, efallai, fod wedi bod yn ddim ond troednodyn mewn hanes ond yn lle hynny mae rhai yn ei gyfrif yn 'garreg filltir yn nhwf yr ymwybyddiaeth o genedligrwydd'. O ganlyniad, mae haneswyr modern wedi barnu fod y Llyfrau Gleision wedi dylanwadu ar fywyd diwylliannol, gwleidyddol a chrefyddol yng Nghymru, heblaw ar y cylch roedden nhw wedi eu bwriadu i ddylanwadu arno, sef addysg.

231

## b) Darlun y Comisiynwyr o Gymru a'r Cymry

Byddwch hefyd yn gallu amgyffred cyflwr deallusol a maint gwybodaeth y dosbarth tlawd yng Nghymru a'r dylanwad a gâi gwell addysg ar gyflwr cyffredinol cymdeithas a'i chynnydd moesol a chrefyddol.

Dyna'r cyngor a roddwyd i'r Comisiynwyr, Ralph Robert Wheeler Lingen, Jelinger Cookson Symons a Henry Vaughan Johnson pan gychwynnai'r tri ar y dasg o ymchwilio i gyflwr addysg a'r ddarpariaeth a gynigid yng Nghymru. Mae goblygiadau'r cyngor hwn yn amlwg. Golygid iddo fod o gymorth iddynt wrth gyflwyno adroddiad ac felly fe'i bwriedid fel sgilgynnyrch yn unig. Fodd bynnag, ymddengys i'r Comisiynwyr ystyried yr agwedd hon o ddifrif ac o'r herwydd ni allent lai na lledaenu'r math o wybodaeth fyddai yn cythruddo cenedl nad oedd yn hoffi cael ei dadansoddi yn gymdeithasol, yn foesol ac yn grefyddol. Prif ffocws yr ymholiadau 'ychwanegol' hyn oedd amodau byw, glanweithdra a moesoldeb merched yn arbennig, crefydd ac iaith. O ganyniad i ymholiadau y Comisiynwyr, a barhaodd am bron flwyddyn, rhwng Hydref 1846 a Medi 1847, a sylwadau achlysurol, gyda Symons yn cyflwyno ei adroddiad yn gyntaf ar ei arolwg yng Nghanolbarth a Gorllwein Cymru ar 6 Mawrth 1847, roedd yr adroddiad terfynol yn dair cyfrol gyda 1256 tudalen o wybodaeth fanwl. Mae'r cyfoeth o fanylder yn cynnig nifer o esiamplau o'r hyn a ddarganfu'r Comisiynwyr, yn enwedig ddarlun o amodau byw ar y pryd.

Yn ôl Johnson eu bai nhw eu hunain oedd yr amodau byw difrifol a oddefai'r bobl oedd yn byw ac yn cael eu cyflogi yn ardaloedd y chwareli a'r maes glo yng Ngogledd Cymru. 'Mae cyflwr y chwarelwyr yn chwareli mawr Sir Gaernarfon heb ei fath … maen nhw'n dal yng nghyflwr gwarthus chwarelwyr plwyf Llandwrog. Ond gwelir y math gwaethaf o warth cymdeithasol a llygriad moesol yn yr ardaloedd glofaol ac y mae'n gwaethygu fel y nesawn at y ffin â Lloegr' (Wrecsam a Rhosllannerchrugog). Mae'n amlwg yn flin â'r rhai sy'n amau ei gasgliadau:

Roedd bodolaeth y drygau a grybwyllwyd uchod yn peri llai o syndod na phrotestiadau crefyddwyr amlwg yn y gymdogaeth, oedd yn mynnu ei bod yn annheg i dynnu sylw at ganlyniadau anfoesol oherwydd arferion anllad. Ni allai dim ddangos yn fwy clir natur amherffaith gwareiddiad brodorol os yw'n anghysbell ac heb gymorth..'

5

Nid oedd pethau'n gwella fawr wrth i Johnson deithio tua'r de fel mae'r disgrifiad a ganlyn o fythynnod yn Nhal-y-Llyn yn awgrymu:

Ffurfiwyd y bythynnod o ddarnau rhydd o graig a charreg glai wedi eu pentyrru ynghyd heb briddgalch na gwyngalch. Pridd yw'r lloriau, y toeau o blethwaith ac nid oes ffenestr mewn llawer o'r hofelau hyn. Un ystafell sydd ynddynt, a'r teulu i gyd yn cysgu ynddi. Mewn rhai mae cudynnau o wellt yn hongian i ffurfio sgrin aneffeithiol. Mae'n ymddangos mai cytiau blêr fel hyn yw dewis bwriadol y bobl, nad ydynt yn fwy tlawd na'r werin yn Lloegr.

5

Yma o leiaf nid oedd y trigolion yn rhannu eu cartrefi â'r anifeiliaid fel yr adroddwyd am Dregaron. Mae Symons yn adrodd ei ddirmyg at 'wraig a phlentyn yn ei breichiau' yn agor y drws i'w chartref a 'hwch fawr' yn ei dilyn i'r tŷ. Nid oedd yn ddigwyddiad anghyffredin yng Nghymru wledig, meddai wrth ei ddarllenwyr, gan fod 'moch a da pluog yn rhan o'r teulu'.

Roedd gan y Comisiynwyr lawer i'w ddweud am lanweithdra a moesoldeb, neu brinder y ddau! Yn ôl cynorthwydd Johnson, John James, 'mae cyflwr gwareiddiad yn Niwbwrch yn isel iawn … arferion, moesoldeb a chyflyrau cymdeithasol [ei thrigolion] yn warthus'. Dywed Lingen am y glowyr a gwrddodd yn Sir Benfro, 'Ar gyfartaledd nid yw oes y glöwr yn fwy na 33 mlynedd fel y gwelir o edrych ar gofrestr [y plwyf]. Efallai y gellir dweud mai'r achos yw eu bryntni personol oherwydd nid yw'r glowyr byth yn golchi eu cyrff'. Ymddengys mai'r hyn a gythruddodd y Comisiynwyr yn fwy na dim oedd 'anniweirdeb' ymddangosiadol, 'bwystfileiddiwch', 'pechod' cyffredinol a 'llygredd ymysg merched'. Ym marn Lingen roedd merched y werin yng Nghymru 'bron i gyd yn anniwair' a'r 'syndod fyddai pe na baent felly'. Roedd Symons wedi ei syfrdanu gan yr hyn a glywodd am yr hen arferiad 'caru ar y gwely' a olygai fod parau oedd yn canlyn yn cael caniatâd eu rhieni i gwrdd a siarad â'i gilydd yn eu hystafelloedd gwely. Dywedodd, 'Clywais storïau mwyaf ffiaidd am y modd anweddus, bron anifeilaidd, y mae cyfathrach rywiol yn digwydd ar yr adegau hyn'. Yn ei farn ef, 'ymarfer

I
II
III
IV
V
**VI**
VII
VIII
IX
X

"caru ar y gwely" sy'n peri'r anniweirdeb gan amlaf, arferiad sy'n dal yn gyffredin'. Roedd hwn yn arferiad digon drwg ond parodd amrywiad arno, profi ffrwythlondeb merched cyn priodas, i'r Comisiynwyr gynddeiriogi! Roedd Lingen yn argyhoeddedig, oherwydd tystiolaeth a gasglwyd o ardal Begelly yn Sir Benfro fod 'priodas yn dilyn llithiad os oedd y ferch yn feichiog, os nad oedd, ni fyddai yna briodas'. Felly, adroddai ficer lleol fod 64 allan o 70 o'r merched a briodwyd yn ddiweddar yn feichiog.

Nid yn ne orllewin Cymru yn unig yr arferid 'yr ymarfer drwg' hwn fel y gellir gweld o ddarllen sylwadau Johnson sy'n nodi fod y 'bai' yn 'anfad amlwg drwy Ogledd Cymru ac nid oes unrhyw ymgais wâr i'w atal'. Gwaeth fyth 'prin y caiff ei gyfrif yn ddrygioni bellach a dywedir bod arfer y Cymry yn cyfiawnhau yr arfer cyntefig a geir cyn seremoni priodas'. Nid yw'n syn fod Johnson, ar ôl penderfynu nad oedd glowyr Rhosllannerchrugog wrth ei fodd, yn dilorni merched y lle hefyd. Gan ddibynnu ar wybodaeth a gafodd gan y ficer lleol, y Parch. Richards, dywed:

> 'Mae Mr Richards yn dweud wrthyf, er ei fod wedi treulio rhai blynyddoedd ym Merthyr Tudful, yn Sir Forgannwg, a ystyrir gan amlaf y lle mwyaf llygredig ac anwar yng Nghymru, ni welodd yno gymaint o dlodi, cymaint o bydredd cymdeithasol a moesol ag yn Rhosllannerchrugog'. Cwynai nad oedd gan ferched ledled yr ardal unrhyw syniad am ddyletswydd eu rhyw nac am waith tŷ a'i ofynion; hyd yn ddiweddar doedden nhw'n gwybod dim am wnïo. 5

Wedi penderfynu beth oedd y drygau pennaf oedd yn effeithio ar fywyd yng Nghymru, dyna'r Comisiynwyr yn mynd rhagddynt i ddangos yr achos. Yn eu barn nhw roedd yn ddeublyg – yr iaith ac anghydffurfiaeth. Yn ôl Lingen,

> Mae fy ardal yn amlygu'r ffenomenon o iaith ryfedd yn gwahanu'r mwyafrif oddi wrth haen uchaf y gymdeithas … mae ei [y Cymro] iaith yn ei gadw dan yr hatshus lle na all gael yr wybodaeth angenrheidiol na chyfathrebu. Iaith amaeth hen-ffasiwn yw hi, iaith diwinyddiaeth a bywyd syml gwledig, ac o'i gwmpas mae'r byd i gyd yn Seisnig … Fe'i gadewir i fyw yn ei isfyd ei hun ac mae'r gymdeithas yn cerdded ymlaen mor gyfangwbl uwch ei ben fel na chlywir sôn amdano ond pan fydd Diwygiad rhyfedd annormal neu helynt Rebecca neu'r Siartwyr yn tynnu sylw at ran o gymdeithas sy'n cynhyrchu rhywbeth cwbl wahanol i'r hyn a brofwn mewn mannau eraill. 5

234

Mae'r awgrym yn amlwg, mae'r iaith a gweithgaredd chwyldroadol i'w cyfystyru a hyd nes bydd yr iaith wedi ei dileu o fywyd y Cymry ni bydd gobaith am heddwch, trefn a gwarineb. Ond, ar ôl dweud hyn, aeth Lingen ymlaen i gydnabod, er mai'r Gymraeg oedd y cyfrwng naturiol, fod gan bob dosbarth feistrolaeth o'r iaith frodorol oedd yn llawer amgenach na gallu'r dosbarthiadau cyffelyb yn Lloegr yn y Saesneg. Roedd hyn yn ganmoliaeth yn wir ac er bod Johnson yn cytuno ag ef, roedd yn well gan Symons lynu wrth ei farn fod cyswllt uniongyrchol rhwng yr iaith a therfysg a thorcyfraith:

> Mae camwedd yr iaith Gymraeg … yn amlwg ac yn ddychryn yn y llysoedd barn … mae'n camliwio'r gwir, yn ffafrio twyll ac yn annog tyngu anudon, yr hyn sy'n arferiad mewn llysoedd … mae arddangos twyll yn llwyddo fel hyn yn gyhoeddus yn cael dylanwad trychinebus ar foesoldeb y cyhoedd a'u parch at wirionedd. Mae dwyn achos yn y Saesneg yn erbyn Cymro sy'n droseddwr a'r rheithgor yn Gymry, gyda'r bargyfreithiwr a'r barnwr yn annerch yn Saesneg, yn wawdlun rhy ofnadwy i hawlio sylw. Ond mae'n wawdlun fydd yn gorfod parhau nes y bydd y bobl wedi dysgu Saesneg …

Er cydnabod grym, dylanwad a phoblogrwydd cyffredin crefydd yng Nghymru, nid oedd y Comisiynwyr yn meddwl bod eu crefydd yn rym er daioni am ei bod yn grefydd anghydffurfiol ac felly yn wahanol i'w crefydd nhw a hwythau'n gymunwyr yn Eglwys Loegr. Fel arfer, roedd Lingen yn barod i egluro sut roedd yn ymresymu:

> Mae cynhesrwydd ymdeimlad crefyddol brwd a barddol, presenoldeb mewn gwasanaethau crefyddol, diddordeb llawn sêl mewn gwybodaeth grefyddol, prinder cymharol trosedd, yn bodoli ochr yn ochr â rhagfarnau direswm neu ymddygiad mympwyol; heb unrhyw fath ar drefn ar feddwl na gweithred; (a'r hyn sy'n waeth lawer) gan anwybyddu cymedroldeb bob tro y mae cyfle i ormodedd o safbwynt diweirdeb, glynu wrth y gwir a bod yn deg wrth ddelio ag eraill.

Roedd Symons yn cytuno gan ddweud mai defnydd yr Anghydffurfwyr o'r iaith Gymraeg oedd y prif reswm pam roedd yn goroesi a'r rheswm pam y byddai eu crefydd yn dal i ddylanwadu ar bobl anghrediniol ac anwybodus. Roedd ei ymosodiad ar ganlyniadau canrif o Anghydffurfiaeth yn ddeifiol:

> Mae ofergoeliaeth yn para. Mae cred mewn swynion, ymddangosiadau goruwchnaturiol, hyd yn oed gwrachyddiaeth yn dal ar waethaf pob gwarineb a goleuni sydd ers amser maith wedi cael gwared â'r gweddillion o'r oesoedd tywyll ym mhobman arall. Does fawr ddim o'r goleuni wedi treiddio drwy'r caddug dudew sydd wedi ei ddiogelu gan eu hiaith. Ni bu i ymdrechion i'w gwneud yn oleuedig lwyddo i chwalu dim ar y niwl sydd ym meddyliau'r bobl.

5

Gan ffocysu yn arbennig ar Fethodistiaeth a'i heffeithiau ar grefyddolder y bobl, dewisodd Symons dref Tregaron a'i chyffiniau fel esiampl a dod i'r casgliad fod 'Methodistiaeth Gymraeg wedi tarddu o'r gymdogaeth hon, er bod ei lledaeniad wedi bod mor eang y blynyddoedd diwethaf fel na ellir dweud bod y lle hwn, na Llangeitho, yn arddangos unrhyw nodweddion arbennig na chanlyniadau dysg Fethodistaidd'.

Mae Johnson ar y llaw arall yn edmygu yn anfoddog brif offeryn dysg yr Anghydffurfwyr, yr Ysgol Sul:

> Pa mor amherffaith bynnag yw'r canlyniadau, mae'n amhosibl peidio ag edmygu'r niferoedd enfawr o ysgolion y maen nhw [yr Anghydffurfwyr] wedi eu sefydlu, amlder y presenoldeb, y nifer, yr egni a'r defosiwn a amlyga'r athrawon, cysondeb a gwedduster y gweithrediadau a'r effaith barhaol a thrawiadol a gânt ar y gymdeithas.

5

Yn anffodus, pan gyhoeddwyd yr adroddiad ni thalwyd sylw i'r enghreifftiau o ganmoliaeth ac astudiwyd y dystiolaeth feirniadol gan nifer cynyddol o bobl ddig ac anghrediniol. Yn wir, parodd y cythrwfl a gafwyd wedi cyhoeddi'r adroddiad gryn syndod i'r Comisiynwyr ac ni allent ei esbonio.

## b) 'Offeryn Perffaith yr Ymerodraeth':
## Iaith y Llyfrau Gleision

Yn yr astudiaeth feirniadol fwyaf diweddar (1998) ar yr iaith yr ysgrifennwyd y Llyfrau Gleision ynddi mae Gwyneth Tyson Roberts wedi dod i'r casgliad fod 'honiadau'r Comisiynwyr dros eu hawdurdod, eu gwrthrychedd a'u gallu i ddarganfod "y gwir" am Gymru yn gyson wedi eu tanseilio gan yr iaith a ddefnyddiwyd'. Roedd y Comisiynwyr, Saeson i gyd, yn gynnyrch system addysg a dosbarth oedd yn gweithredu o fewn terfynau penodol Ymerodraeth fyd-eang a'i hystyriai ei hunan yn rym i wareiddio. Ym marn Prif Weinidog Rhyddfrydol ar un adeg (1894-5), Iarll Rosebery, yr Ymerodraeth Brydeinig oedd 'yr asiant seciwlar pwysicaf er daioni a welodd y byd erioed'. Yr hunan-hyder hwn, oedd bron yn haerllugrwydd, oedd yn nodweddu agwedd llawer o'r rhai oedd yn ganolog i'r Ymerodraeth honno, y Saeson-Brydeinwyr a berthynai i'r dosbarthiadau canol ac uwch. Roedd eu syniad o'u safle rhagorach wedi ei chwyddo oherwydd agweddau ymerodrol ac ochr arall y geiniog oedd agwedd nawddoglyd at bobl, fel y Cymry cyffredin, oedd naill ai'n methu neu'n anfodlon cydymffurfio â'r ddelwedd gonfensiynol o Brydeinwyr gwlatgar. Er nad oeddent yn bersonol yn elyniaethus nac yn ddigydymdeimlad â'r Cymry, roedd y darlun nawddoglyd o fywyd Cymru yn gymaint o fygythiad i'r diwylliant brodorol â phe baent wedi bod yn gynrychiolwyr y llywodraeth yn ufuddhau i orchmynion i'w ddileu yn gyfangwbl. Gan ddilyn esiampl Adroddiad y Comisiynwyr cyhoeddodd rhai o'r papurau newydd Seisnig eu syniadau rhagfanllyd eu hunain am y Cymry 'anwybodus'. Roedd yr *Examiner* yn meddwl mai 'arferion anifeiliaid oedd eu harferion ac nid yw'n weddus eu disgrifio' a'r *Morning Chronicle* yn galw am ddifodi'r iaith Gymraeg a datgan fod y rhai a fynnai ddal i'w defnyddio yn 'cyflym ymgolli yn y barbareiddiwch mwyaf cyntefig'. Canlyniad yr hysbysrwydd yn y papurau, a gafwyd wedi cyhoeddi'r adroddiad, fu gwaethygu sefyllfa oedd eisoes yn cythruddo.

Yn eironig, mae astudiaeth fanwl o'r deunydd sydd yn yr adroddiad yn awgrymu fod llawer o'r hyn a welodd ac a brofodd y Comisiynwyr am Gymru Fictoraidd yn agos i'r gwir. **Roedd** problemau cymdeithasol enfawr, tlodi ac anwybodaeth ac **roedd** y ddarpariaeth addysgol yn amrywio'n fawr ac yn awyrgylch y cyfnod, a'r wladwriaeth Seisnig yn dominyddu, **roedd** yr iaith Gymraeg yn rhwystr yn ffordd cynnydd. Roedd rhai o'r bobl oedd fwyaf beirniadol o'r adroddiad fel Lewis Edwards, gweinidog Methodist, prifathro

Coleg y Bala a golygydd dylanwadol *Y Traethodydd*, a ymboenai ynghylch yr hyn oedd yn wir yn hytrach nag anwir, yn cydnabod hynny. Cytunai Hugh Owen, un o'r dyngarwyr amlycaf ym myd addysg yn y Dywysogaeth gyda llawer o'r sylwadau beirniadol oedd yn yr adroddiad. Ymateb Evan Jones (Ieuan Gwynedd), gweinidog gyda'r Annibynwyr a newyddiadurwr oedd wedi ei gythruddo'n fawr oherwydd y sarhad ymddangosiadol ar ferched Cymru, oedd sefydlu *Y Gymraes* yn 1850, cylchgrawn i 'buro chwaeth, ehangu gwybodaeth a gwella merched ein gwlad'. Yn amlwg, nid y feirniadaeth oedd yn cythruddo yn gymaint â'r iaith yr ysgrifennwyd hi ynddi a'r sawl a'i hysgrifennodd. O dan y teitl *Facts, Figures and Statements in Illustration of the Dissent and Morality of Wales* (1849) cyhoeddodd Evan Jones ei ymateb i'r adroddiadau gan nodi mai'r Comisiynydd Symons o'r tri, a barnu yn ieithyddol, oedd y lleiaf sensitif ohonynt:

> … y mwyaf anghywir ei iaith, atgas ei arddull, rhyfygus ei honiadau, llawn camsyniadau, afresymegol ei gasgliadau, penderfynol ei bwrpas ac anystyriol o safbwynt prawf. Yn nesaf ato rhaid gosod cyhoeddiad didrefn, mawreddog, gwatwarus a hynod anghywir Mr Lingen. Mae adroddiad Mr Vaughan Johnson yn hynod amddifad o arddull na ieithwedd. Mae llawn mor amddifad ei allu a'i ddidwylledd. 5

Yr hyn a gythruddodd y mwyafrif o Gymry hyd at ddicter oedd bod **Saeson** yn tynnu sylw at ddiffygion ac yn beirniadu. Yn ei *History of Brecknockshire* a gyhoeddwyd yn 1805 teimlai Thoephilus Jones fod yn rhaid iddo egluro ystyr a gwraidd y ddihareb gyffredin bryd hynny, 'Sais yw ef. Syn!':
'Mae brad y Sacsoniaid a ddaeth i'r wlad fel ffrindiau a chynghreiriaid yn adeg y Brythoniaid, a'u creulondeb yn lladd mewn gwaed oer fonedd yr hen frodorion … yn dal yn dân ar groen meibion rhyddid brodorol'. Roedd hon yn thema y byddai'r Cymry yn dychwelyd ati fwy na deugain mlynedd yn ddiweddarach i gyfiawnhau eu dig ac i osod sail i'w hymosodiad ar y Llyfrau Gleision.

## c)  Deffroad Cenedlaethol? Adweithiau yng Nghymru

Yn arferol byddai haneswyr yn ymatal rhag priodoli bwriadau ac adweithiau i grŵp mawr o bobl heb sôn am genedl, gan fod y gwahaniaethau yn ddigon i beri fod yn rhaid amau'r canlyniadau cyffredinol. Fodd bynnag, nid yw'n debyg o fod ymhell o'r gwir i ddweud mai'r adwaith i Adroddiad y Comisiynwyr oedd dig a chwerwder. Roedd y gofid a'r dig yn gyffredin ymysg y Cymry waeth beth oedd eu dosbarth, eu cred na'u crefydd. Anghofiodd yr Anghydffurfwyr eu hymraniadau enwadol ac uno yn wyneb yr ymosodiad a gyda llawer o glerigwyr Anglicanaidd yn eu cefnogi aethant ati i'w hamddiffyn eu hunain a'u plwyfolion. Roedd y gri o ddicter yn unol oddi wrth dirfeddianwyr a diwydianwyr, pileri'r awdurdod ymerodrol Seisnig, yr athrawon, clerigwyr a phamffledwyr, cynrychiolwyr y tyrfaoedd diddysg a di-lais gan mwyaf. Yn wir, roedd yr elyniaeth a gyffrowyd drwy Gymru oherwydd 'trip egotistaidd tri bargyfreithiwr balch ac anwybodus' mor sylweddol fel y cafodd eu cyhoeddiad ei lysenwi o fewn ychydig flynyddoedd wedi iddo ymddangos fel *Brad y Llyfrau Gleision*. Fe'i bwriedid fel ymadrodd mwys hanesyddol gan gofio am chwedl Gymreig o'r Oesoedd Tywyll a adwaenid fel *Brad y Cyllyll Hirion* sy'n sôn am dynged erchyll cynrychiolwyr o'r bonedd Cymreig dan arweiniad Gwrtheyrn a gafodd eu lladd mewn gwledd gan eu gwesteion, yr uchelwyr Sacsonaidd, dan arweiniad Hengist, er ei fod wedi tyngu heddwch a chyfeillgarwch. Tybir i'r llysenw gael ei dderbyn ar ôl i ddrama o'r un enw gael ei chyhoeddi yn Rhuthun yn 1853.

Awdur y ddrama honno oedd Edward Roberts (Iorwerth Glan Aled). Defnyddiodd Robert Jones, oedd yn alltud ym Manceinion ac yn adnabod Iorwerth Glan Aled mae'n debyg, yr un thema a chyhoeddi drama ddychanol gyda'r teitl *Brad y Llyfrau Gleision* yn 1854. Mabwysiadodd yr enw barddol Derfel fel cyfenw yn ddiweddarach. Yn ei hunangofiant tystia fod yr adroddiadau wedi effeithio cymaint arno fel y bu iddo ddod yn genedlaetholwr rhonc. Y brad oedd nid yn gymaint yr hyn a wnaeth y Comisiynwyr ond yr hyn a wnaeth eu cynorthwywyr o Gymry a'r rhai a roddodd wybodaeth iddynt. Cyfrifwyd bod cytuno i roi gwybodaeth yn gyfystyr â chyd-weithredu, fel y tystia ffyrnigrwydd yr iaith a ddefnyddiwyd gan y rhai oedd eisiau ymosod ar eu cydwladwyr llai gwlatgar. Roedd y ffaith fod llawer ohonynt yn Anglicaniaid yn gwaethygu'r sefyllfa. Yn 1848 dyna Owen Owen Roberts, llawfeddyg a diwygiwr cymdeithasol, yn beirniadu'n gyhoeddus gasgliadau 'rhagfarnllyd' y Comisiynwyr. Ond cyfeiriodd ei sylwadau milain at y 'cyd-weithredwyr' Anglicanaidd a ddisgrifiodd fel 'criw slei, gwasaidd yn cynffona ac enllibio a fyddai'n creu helynt rhwng buwch a thâs wair'! A bod yn deg â'r Anglicaniaid roedd y mwyafrif mor ddig â'r Anghydffurfwyr oherwydd cynnwys yr adroddiadau, dynion fel Thomas Price *(Carnhuanawc)*. Pan gafodd ef ei wawdio gan y Comisiynwyr am ei wlatgarwch galwodd nhw yn 'estroniaid enllibus a chelwyddog a dyfynnu Llyfr Ecclesiasticus – 'Deallwch yn gyntaf, ac yna geryddu'.

Ceir digon o dystiolaeth i awgrymu fod y Llyfrau Gleision wedi gwneud mwy na chyffwrdd â man tyner yng Nghymru, efallai eu bod hefyd wedi megino fflamau cenedlaetholdeb oedd yn mud-losgi neu roi rhyw ffocws iddo. Ar wahân i Derfel a Charnhuanawc roedd eraill yn mynegi eu dig mewn termau cenedlaethol digamsyniol.

Mae'r lluniau (36 a 37) yn tystio y gellid arddangos cenedlatholdeb

Llun 36
Darlun o Gymru –
Owain Glyndŵr
(dim dyddiad)

Cymreig mewn sawl ffordd.

Mewn erthygl a gyhoeddwyd yn *Y Traethodydd* diffiniai Evan Williams o Ledrod ei weledigaeth o genedlaetholdeb Cristnogol gan yr hoffai, nid yn unig weld Cymry yn unig yn cael eu penodi i swyddi yng Nghymru, ond dylid taer-gymell Saeson rhag ceisio am swyddi.

Heb sôn am wneud hwyl am ben y Comisiynwyr oherwydd 'ddiffyg arddull … diffyg chwaeth ac anallu i lunio gwaith llenyddol' yn fwy difrifol fe gyhuddod yr hanesydd Jane Williams *(Ysgafell)* hwy o geisio 'tanseilio ei chedlaetholdeb'.

Ni lwyddodd William Williams, a awgrymodd yr arolwg yn y lle cyntaf, i osgoi beirniadaeth. Cyhuddodd Evan Jones *(Ieuan Gwynedd)* ef gan ddwued ei fod yn ceisio 'difodi'r iaith Gymraeg drwy sefydlu ysgolion Seisnig'.

Ymosododd Syr Thomas Phillips, piler y wladwriaeth, a wrthwynebodd y Siartwyr pan oedd yn faer Casnewydd, ar yr adroddiad am ddatgan celwydd drwy honni 'ni ellir dod o hyd i'r elfen Gymreig ar ben y ris gymdeithasol o gwbl'. Mynnai yntau ddwued ei fod yn Gymro gwlatgar oedd wedi cael addysg dda ac yn siarad yr iaith.

Crynhôdd yr hanesydd Gwyn A. Williams effeithiau helynt y Llyfrau Gleision. Credai fod 'math ar genedlaetholdeb Cymreig, oedd ynghlwm wrth yr iaith Gymraeg ac Anghydffurfiaeth wedi ei brocio nes deffro'. Hanner can mlynedd ynghynt roedd haneswyr yn llai uniongyrchol ond llawn cyn sicred fod cyhoeddi adroddiad y Comisiynwyr wedi cychwyn cyfnod newydd. Mewn astudiaeth a elwid *The Background to Modern Welsh Politics, 1789-1846* (a gyhoeddwyd yn 1936) mae Thomas Evans yn datgan fod 'Gwerth gwleidyddol addysg, ymgyrch am well cyfleusterau addysg i Gymru, a brad y Llyfrau Gleision wedi peri fod diwedd ein cyfnod yn drobwynt yn hanes Cymru. Cyfrifid yr olaf yn un o brif ddigwyddiadau y bedwaredd ganrif ar bymtheg'

I
II
III
IV
V

**VI**

VII
VIII
IX
X

Llun 37

Cerdyn post yn hysbysebu Pasiant Cenedlaethol Cymru (1909)

# Cyngor a Gweithgareddau

## (i) Cyffredinol

Darllen Pellach.

N. Coupland (gol.), *English in Wales: Diversity, Conflict and Change* (Clevedon, 1990).

E. Higgs, *Making Sense of the Census: The Manuscript Returns for England and Wales*, 1801-1901 (Llundain, 1989).

G.H. Jenkins (gol.), *Language and Community in the Nineteenth Century* (Caerdydd, 1998).

G.T. Roberts, *The Language of the Blue Books* (Caerdydd, 1998).

G. Williams, *Religion, Language and Nationality in Wales* (Ceardydd, 1979).

## Erthyglau

Gwynfor Evans, *Seiri Cenedl*, Gwasg Gomer, 1986: Ieuan Gwynedd

## Pynciau Dadleuol.

'Gwir ynteu Brad'? Dadleuwch a) **dros** b) **yn erbyn** canfyddiadau Comisiynwyr y Llyfrau Gleision am Gymru a'r Cymry.

## Trafod.

1. A oedd yr iaith Gymraeg yn dirywio yn y bedwaredd ganrif ar bymtheg?
2. A fu 'deffroad cenedlaethol' yng Nghymru?

## (ii) Penodol i'r arholiad

### Ateb Cwestiynau Traethawd

I ateb yr enghraifft a ganlyn rhaid ystyried dehongliad hanesyddol:

> 'yn lle gresynu oherwydd y diboblogi yng nghefn gwlad, dylai'r gwlatgarwr o Gymro glodfori'r datblygiad diwydiannol a roddodd fywyd newydd i'r iaith Gymraeg'
>
> [B. Thomas, hanesydd academaidd yn arbenigo ar hanes cymdeithasol ac economaidd Cymru]

I

II

III

IV

V

**VI**

VII

VIII

IX

X

## C. Pa mor ddilys yw'r dehongliad hwn o effeithiau diwydiannu ar dynged yr iaith Gymraeg?

### Cyngor

Yn gyntaf rhaid i chi adnabod tair prif ystyriaeth – diboblogi cefn gwlad, diwydiannu/trefoli, tynged yr iaith. Fe awgrymir fod yr iaith wedi blodeuo o'r newydd. Bydd angen i chi werthuso'r hyn roddodd sail i'r cwestiwn – unwaith fe dybid fod diwydiannu wedi bod yn niweidiol i'r iaith – trwy ddenu pobl o'r ardaloedd gwledig i drefi diwydiannol, aml-hiliol, Saesneg eu hiaith. Nawr fe honnir nad yw hyn yn wir. Mae'r gosodiad yn tynnu sylw at bwynt diddorol, yn awgrymu fod yr iaith eisoes yn dirywio a bod diwydiannu wedi ei helpu i oroesi, sef, mae'n debyg, trwy gasglu ynghyd nifer fawr o siaradwyr y Gymraeg o fewn cymunedau trefol lle roeddent cyn hynny ar wasgar mewn cymunedau bach gwledig ac anghysbell. Gall hyn fod yn ddilys i raddau. Bydd angen i chi edrych ar ffactorau eraill a effeithiodd ar yr iaith Gymraeg – rôl papurau newydd yn yr iaith Saesneg, y cwricwlwm addysg yn ysgolion Cymru, agweddau pobl oedd mewn awdurdod yn lleol ac yn genedlaethol. Bydd yn rhaid i chi ystyried effeithiau diwydiannu ochr yn ochr â'r ffactorau eraill hyn (yn ogystal â newidiadau yng nghefn gwlad nad oedd wedi eu hachosi, o angenrheidrwydd, gan ddiwydiannu).

## Pennod VII

# *Cenedlaetholdeb a mudiadau cenedlaethol*

## 1. Twf Cenedlaetholdeb

### ■ Y Brif Ystyriaeth:

Beth oedd prif nodweddion cenedlaetholdeb Cymreig? Sut a pham y bu iddo dyfu yn y bedwaredd ganrif ar bymtheg?

Ar ddechrau'r bedwaredd ganrif ar bymtheg roedd trigolion Cymru yn uniaith gyda dros 70 y cant ohonynt yn rhugl yn y Gymraeg yn unig. Ond erbyn diwedd y ganrif roedd y Cymry'n ddwyieithog fwy neu lai. Mae goblygiadau'r fath newid ymddangosiadol yn iaith cenedl fechan yn aruthrol, nid lleiaf oherwydd yr effaith ar ei diwylliant a'r cyfrwng a ddefnyddir i fynegi'r diwylliant hwnnw. Mae iaith yn ganolog i ddiwylliant cenedl a'r diwylliant yn ganolog i hunaniaeth cenedl. Gelllir dweud mai rhuglder mewn iaith ac adnabyddiaeth o'r diwylliant sy'n penderfynu i ba genedl y mae dyn yn perthyn. Dyma'r paradocs, nad yw wedi ei ddatrys hyd yn hyn, sy'n broblem i bedwar allan o bump o Gymry cyfoes – nid ydynt yn rhugl yn yr iaith ac yn ôl pob tebyg nid yw tri ymhob pump yn gwybod fawr am y diwylliant. Felly, fe ddadleuwyd bod argyfwng ym mywydau Cymry cyfoes, argyfwng hunaniaeth. Fe bery'r broblem hyd nes y ceir 'model' o Gymreictod y gellir ei rannu ac sydd yn cynnwys pawb. Hyd yn hyn ni lwyddwyd i ddiffinio beth yw bod yn Gymry er bod y syniadau/damcaniaethau am Gymreictod mor gryf heddiw ar ddechrau'r unfed ganrif ar hugain ag a oeddent yn nechrau'r bedwaredd ganrif ar bymtheg. Ni ellir amau'r ffaith fod yna ymwybyddiaeth o Gymreictod, un roedd tlawd a chyfoethog, y sawl a gawsai addysg a'r anllythrennog yn ei rannu waeth pa mor anfoddhaol yw'r diffiniad. Mewn ymgais i egluro'r ymwybyddiaeth hon o Gymreictod ac i'w chymhwyso i astudiaeth gyfoes mae haneswyr wedi nodi tri chyfrwng sy'n rhoi mynegiant iddi – diwylliant,

I

II

III

IV

V

VI

**VII**

VIII

IX

X

crefydd a gwleidyddiaeth. Yn y modd hwn mae haneswyr yn gobeithio datrys, o leiaf yn rhannol, yr anhawster sy'n eu hwynebu wrth geisio llunio diffiniad hollgynhwysol o genedlaetholdeb Cymreig (h.y. un y gellir ei ddefnyddio wrth sôn am y Cymry, neu o leiaf am y mwyafrif ohonynt). Dichon ei bod yn dasg bosibl efallai pan fydd y tri chyfrwng yn cyd-daro.

## a) Cenedlaetholdeb Diwylliannol

Gwraidd y cenedlaetholdeb rhyfedd bron a welwyd yng Nghymru yn ystod y bedwaredd ganrif ar bymtheg oedd adfywiad diwylliannol y ddeunawfed ganrif. Roedd y ddeunawfed ganrif yn oes oleuedig gyda diwygiadau (crefyddol yn ogystal â diwylliannol), ail-ddarganfod a dyfeisio. Cyfunodd y rhain gan greu ffenomenon diwylliannol lle roedd y ffin oedd yn gwahanu myth a ffaith yn bur annelwig. Mae'r hanesydd Prys Morgan yn egluro'r cefndir:

> … argyfwng moderneiddio oedd y diwygiad diwylliannol neu'r adfywiad yn deillio o'r cydweithiad rhwng diflaniad hen ffordd draddodiadol o fyw a thon o ddiddordeb mewn pethau Cymreig a ddaeth o Loegr. Fe gadwyd cydbwysedd rhwng adfywiad a newyddbethau a chymhwyso i anghenion cyfoes trwy'r amser, ond erbyn diwedd y ddeunawfed ganrif fe'i goddiweddwyd gan ddyfais ramantus wyllt a brwdfrydedd gwladgarol heb ei ffrwyno.

Hanner cam sydd i'w droedio i wlatgarwr ddod yn genedlaetholwr a'r 'brwdfrydedd gwlatgar' hwn dros bethau Cymreig, boed y rheini'n llenyddol, barddol, cerddorol, crefyddol neu hanesyddol, a barodd ddiddordeb ehangach ac a roddodd ffocws i bobl, ble bynnag yng Nghymru roedden nhw'n hanu ohono, i fynegi balchder mewn bod yn Gymry. Câi'r balchder diwylliannol a'r brwdfrydedd hwn eu harddangos yn fwyaf amlwg, yn gyhoeddus ac mewn modd unigryw yn yr eisteddfod. Wedi ei hatgyfodi neu wedi ei chreu o'r newydd! yn negawdau olaf y ddeunawfed ganrif tyfodd yr wŷl hon mewn poblogrwydd a statws ac yn y proses daeth yn symbol oedd yn cynrychioli'r diwylliant cenedlaethol. Yn 1858 cynhaliwyd y gyntaf o'r Eisteddfodau Cenedlaethol modern yn Llangollen ac fe'i dilynwyd gan wyliau mwy a rhai oedd wedi eu trefnu'n well. Creodd y rhain y fath argraff nes bod addysgwyr enwog fel Matthew Arnold, a ddaeth i Eisteddfod Caer yn 1866, yn dweud, 'Pan welaf y brwdfrydedd y mae'r Eisteddfodau hyn yn ei ennyn yn eich pobl i gyd ... rwy'n llawn edmygedd'. Heblaw Arnold ymwelodd y gwladweinydd Rhyddfrydol a Phrif Weinidog William Gladstone a dug Sussex brawd y Brenin Siôr IV ag eisteddfod Dinbych yn 1828, a Fictoria, a ddaeth yn Frenhines Lloegr, a'i mam duges Kent ag eisteddfod Biwmares yn 1832. Ym marn John Davies 'Mae llwyddiant yr eisteddfodau, mawr a bach, yn profi apêl eang y diwylliant Cymraeg ei iaith. Mae'r miloedd sy'n tyrru i Ŵyl Gwalia yn profi fod yng Nghymru newyn a syched am Gymreictod'. Nid oedd y ffaith fod llawer o'r ymwybyddiaeth hwn o Gymreictod wedi ei gynhyrchu yn y ddeunawfed ganrlf yn mennu dim ar y bobl gyffredin oedd wrth eu bodd yn gwerthfawrogi popeth Cymreig. Roedd yn rhoi iddynt hyder newydd a balchder yn yr hyn oeddent ac yn arwyddocaol roedd yn ddarlun o bawb, i'r gogledd ac i'r de o'r ffin ddychmygol oedd yn bygwth rhannu pobl Cymru.

Roedd y trefnwyr a'r noddwyr, ar y llaw arall, a'u cymhellion yn gymysg, yn yr ystyr fod ystyriaethau masnachol yn aml yn bwysicach na rhai diwylliannol ac ieithyddol, yn dioddef o 'niwrosis pobl oedd bob amser yn ymwybodol o'r angen i brofi eu dilysrwydd i'r cymdog pwysig [Lloegr] oedd bob amser yn barod i feirniadu' (Hywel Teifi Edwards, *The Eisteddfod*, 1990). Rhoddwyd llais i'r pryder hwn yn eisteddfod Caerfyrddin yn 1867 gan John Griffiths, clerigwr ac addysgwr o Aberaeron, a ymatebodd i'r feirniadaeth ar ddiwylliant Cymru yn *The Times* a rhybuddio ei gyd-eisteddfodwyr '... rydym yn ymwybodol y bydd llawer yn edrych arnom, yn sylwi'n graff ... Rydym yn gwybod fod beirniadaeth flynyddol arnom ...' Yn rhyfeddol iawn tueddai'r arolygiaeth hon i beri eu bod yn fwy hunan-ymwybodol, ac yn aml o dan bwysau o'r tu allan roeddent yn uno ac yn ymroi i weithredu. Gwelir hyn yn glir gyda helynt y Llyfrau Gleision a wnaeth fwy i uno'r Cymru i amddiffyn eu diwylliant nag unrhyw sefydliad cenedlaethol na chymdeithas a sefydlwyd i'r pwrpas cyn hynny. Roedd yr eisteddfod yn darparu un cyfrwng, os nad yr un perffaith, i'r anhapus ymateb a gwrthbrofi'r cyhuddiadau gwarthus a gafwyd yn adroddiad y Comisiynwyr. Er enghraifft, ymateb ysgrifenwyr rhyddiaith a beirdd fel John Ceiriog Hughes ('Ceiriog') i ymosodiad y Llyfrau Gleision ar ferched Cymru oedd ysgrifennu Myfanwy Fychan, cerdd oedd yn honni ei bod yn adrodd stori garu lle roedd y prif gymeriadau, y bardd Hywel a anwyd yn dlawd a Myfanwy, a berthynai i'r dosbarth bonheddig, yn ymddwyn gydag urddas. Ysgrifennodd Ceiriog y gerdd ar gyfer eisteddfod Llangollen yn 1858. Ffuglen oedd hi, wrth gwrs, ond roedd ei phwrpas a'r teimlad a fynegid yn glir, dyma stori oedd yn addas i'r dosbarth canol Fictoraidd.

I
II
III
IV
V
VI
**VII**
VIII
IX
X

Llun 38
Poster Rheilffordd yn hysbysebu Eisteddfod Genedlaethol Frenhinol,
Caernarfon 1906

Darparai'r eisteddfodau, oedd yn boblogaidd ac yn cael eu cynnal yn rheolaidd, awyrgylch dymunol i amlygu ac i drafod syniadau a phryderon y Cymry. Dyma lwyfan cyhoeddus lle gellid gwyntyllu syniadau newydd fel ag a ddigwyddodd yn eisteddfod Abertawe yn 1863 pan roddwyd amlygrwydd i'r cynllun, a drafodwyd yn gyntaf yn Llundain yn 1854, i sefydlu prifysgol genedlaethol i Gymru. Yn cyfateb i'r cyhoeddusrwydd diwylliannol a geid o'r eisteddfodau, o ganol y ganrif ymlaen, gwelwyd diddordeb yn y Wasg Gymreig. Roedd papurau dyddiol, wythnosol a misol a chylchgronau yn cefnogi, yn amddiffyn a hyd yn oed yn gorliwio agweddau ar ddiwylliant y genedl a hanes ei diwylliant. Efallai mai'r cynnyrch mwyaf uchelgeisiol ym myd cyhoeddi 'diwylliadol' oedd *Y Gwyddoniadur Cymreig*, deg cyfrol yn yr iaith Gymraeg gyda chyfraniadau gan 200 o awduron a gyhoeddwyd gan Thomas Gee rhwng 1854 ac 1879. Roedd Gee yn wlatgarwr ac yn ŵr busnes craff ac y mae'r ffaith iddo wario £20,000 ar y fenter yn awgrymu fod marchnad barod i'r cyfrolau. Yn ffodus iddo ef, roedd yn iawn ac fe wnaeth elw. Dichon mai'r tu allan i Gymru roedd y mudiadau oedd yn gweithio galetaf dros ddiwylliant Cymru, cymdeithasau fel y Cymmrodorion a'r Gwyneddigion yn Llundain, noddwyr cynnar eisteddfodau yng Nghymru ac eisteddfod y Jiwbili yn Llundain yn 1887 – digwyddiad a enynnodd chwilfrydedd mae'n siŵr ymysg pobl Llundain. Hefyd gwelwyd mwy o gyhoeddi ym myd ysgolheictod oedd yn fodd i bwysleisio'r ffaith yn hytrach na'r myth fod gorffennol i'r genedl. Darparwyd tystiolaeth academaidd y gallai'r Wasg Seisnig lawn amheuon ei harchwilio a chyn bo hir roedd academyddion Seisnig yn canmol ysgolheictod y Cymry.

Ymysg y nifer a gyfrannodd tuag at y parchusrwydd newydd hwn roedd John Edward Lloyd, Cymro a anwyd yn Lerpwl, hanesydd hynod ddawnus a gyhoeddodd *A History of Wales from Earliest Times to the Edwardian Conquest* yn 1911, gwaith arbennig o ysgolheigaidd. Ym marn K.O. Morgan, roedd awdur y gyfrol wedi llwyddo i 'loywi manylder academaidd sych ag angerdd gwlatgar'. Gwlatgarwr yn sicr ond ysgolhaig gwrthrychol yn bennaf yw'r disgrifiad sy'n gweddu i Lloyd a John Morris-Jones, un arall y bu i'w gyfraniad hybu'r diwylliant Cymraeg ond un sydd wedi ei anghofio bron tu allan i'r cylch academaidd. Roedd ganddo ran mewn sefydlu Cymdeithas Dafydd ap Gwilym ym Mhrifysgol Rhydychen yn 1886 ynghyd ag eraill. Bu hyn yn fodd i ledaenu diddordeb mewn llenyddiaeth Gymraeg. Roedd yn ysgolhaig, yn fardd ac yn feirniad ac yn un o'r rhai cyntaf i

I
II
III
IV
V
VI
**VII**
VIII
IX
X

ddefnyddio'i wybodaeth ysgolheigaidd i fwrw amheuaeth, yn 1896, ar ddilysrwydd Gorsedd y Beirdd sydd efallai'n dangos pa mor bell roedd y Cymry wedi dod, yn yr ystyr fod ganddynt yr hyder i amau sylfaen a gwreiddiau eu prif ŵyl. Yn ôl Prys Morgan 'Eironi nid bychan yw fod ysgolheigion gwlatgar y ddeunawfed ganrif, wrth brysuro i achub yr olaf o'r hen draddodiadau, wedi creu [rhai newydd].' Yn yr un modd eironi nid bychan yw fod ysgolheigion gwlatgar diwedd y bedwaredd ganrif ar bymtheg, a hwythau wedi addunedu cadw a meithrin traddodiadau brodorol, yn bennaf cyfrifol am amau eu dilysrwydd hanesyddol a diwylliadol.

### b) Cenedlaetholdeb Crefyddol

Diffinnir diwylliant cenedl yn ôl yr hyn mae'n ei gredu yn gymaint ag yn ôl yr hyn mae'n ei ddarllen. Yn y ddeunawfed ganrif ochr yn ochr â'r adfywiad diwylliannol cafwyd diwygiad crefyddol llawn mor arwyddocaol â'r adfywiad a effeithiodd ar y celfyddyfau, yr iaith a'r llenyddiaeth. Ni ddymunwn orbwysleisio dylanwad a grym lledaeniad crefydd oherwydd y diwygiad hwn ond ni ellir amau'r ffaith fod canran sylweddol o'r Cymry wedi derbyn dysgeidiaeth y mudiadau efengylaidd hyn oedd yn sylfaenol yn pwysleisio moesoldeb a duwioldeb. Yn ôl Prys Morgan, 'Ychydig oedd nifer y rhai defosiynol a duwiol, ond roedden nhw'n aml yn bobl bwysig yn y gymdeithas leol, eu dylanwad yn llawer mwy arwyddocaol na'u rhif, ac ymhen amser gweithredent fel lefain yn y blawd nes effeithio ar y cyfan'. Oherwydd twf Anghydffurfiaeth wedi hynny roedd y patrwm o ymlyniad wedi ei sefydlu yn gadarn erbyn canol y bedwaredd ganrif ar bymtheg a gallai'r prif enwadau Anghydffurfiol – y Bedyddwyr, yr Annibynwyr, yr Undodiaid ac yn enwedig y Methodistiaid ddatgan mai nhw ac nid yr Eglwys Anglicanaidd oedd â'r hawl cyntaf ar deyrngarwch y bobl gyffredin. Roedd hyn yn arwyddocaol oherwydd ym marn Ieuan Gwynedd Jones 'twf Anghydffurfiaeth yng Nghymru ynddo'i hunan oedd mudiad protest mwyaf nodweddiadol y cyfnod'. Yn amlwg roedd rhaniad pendant rhwng Anghydffurfiaeth a'i ymlyniad wrth Gymreictod ac Eglwys Loegr a welid yn gynyddol fel rhywbeth estron ac an-nodweddiadol. At hyn roedd rhaniad dosbarth ac iaith gan fod Anghydffurfiaeth yn tueddu i frwydro dros y werin Gymraeg ei hiaith a'r Eglwys Anglicanaidd, fe dybid, yn cynrychioli'r dosbarthiadau canol ac uwch oedd yn siarad Saesneg. Yn sicr, dyna a gredai cyfoeswyr fel y gwelir yn adroddiad y Comisiwn Brenhinol ar y Tir yng Nghymru a Mynwy a gyhoeddwyd yn 1895.

> Anghydffurfwyr yw'r mwyafrif mawr o'r tenantiaid yn yr ardaloedd gwledig
> … Ar y stadau nodweddiadol yng Nghymru mae'r landlord a'i deulu yn
> perthyn i'r Eglwys Sefydledig, a'r mwyafrif o'r tenantiaid yn perthyn i'r naill
> neu'r llall o'r enwadau Anghydffurfiol … Bu'r ffaith hon yn ddylanwad
> 5  grymus gan greu gwahaniaeth barn dybryd rhwng y dosbarth oedd biau'r tir
> a'r mwyafrif o'r bobl, yn chwyddo'r gwahaniaethau cymdeithasol rhwng
> dosbarth a dosbarth a fyddai'n bodoli p'un bynnag, ac yn pwysleisio
> buddiannau cyferbyniol landlord a thenantiaid.

Yn naturiol, nid yw'r sefyllfa real fyth mor rhwydd ag y mae'n ymddangos rhwng cloriau gwerslyfr ac os yw barn J.E. Vincent yn cyfrif fe ddylem fod yn ofalus wrth gloriannu'r broblem. Tirfeddiannwr, bargyfreithiwr a gohebydd un amser i *The Times* oedd Vincent. Dadleuai fod yr Eglwys wedi newid i'r fath raddau fel ei bod bellach yn fwy o Eglwys i'r Cymry nag i'r Saeson.

> Nid wyf yn honni fod Sir Ddinbych bellach yn rhydd oddi wrth glerigwyr
> sy'n esgeuluso eu dyletswyddau … ond ar y cyfan, ni ellir amau na chafwyd
> llawer o welliannau yn yr Eglwys yn ddiweddar. Cafwyd mwy o wasanaethau
> yn y Gymraeg, adeiladwyd neuaddau i genhadu a chapeli … mae ymgeiswyr
> 5  sydd am gael eu hordeinio yn gorfod pasio arholiad anodd yn y Gymraeg …
> [*Letter from Wales*: ailargraffiad o gyfres o erthyglau a ysgrifennwyd gan
> Vincent ar faterion Cymreig ac a ymddangosodd yn *The Times* (1889)]

Ond ar waethaf apêl daer Vincent a pheth pylu ar y rhaniadau enwadol ymysg y dosbarth canol a'r dosbarth is yn yr ardaloedd trefol, diwydiannol, dal yn gryf roedd yr ymdeimlad fod yna Anghydffurfiaeth 'Gymreig' ac Anglicaniaeth 'Seisnig'. Yn wir, roedd y rhaniad yn amlwg pan ffrwydrodd Rhyfel y Degwm, fel y'i gelwid, yng ngogledd-ddwyrain Cymru rhwng 1886 ac 1892. Yn ei lyfr *The Anti-Tithe Movement in Wales* a gyhoeddwyd yn 1891, soniodd W. Thomas, gweinidog Anghydffurfiol nid yn unig am amhoblogrwydd y dreth ond hefyd am yr annhegwch a hynny mewn dull cwbl hiliol: 'Onid yw'n annheg i orfodi Annibynwyr, Methodistiaid, Bedyddwyr, Wesleaid, Undodwyr … i gyfrannu at gynnal clerigwyr yr Eglwys Anglicanaidd. Mae degymau Cymru yn cael eu cymryd o'r wlad i chwyddo incwm esgobion Seisnig, eglwysi cadeiriol a cholegau'.

Roedd Henry Richard yn sicr yn credu hynny pan gyhoeddodd yn 1866 mai 'Anghydffurfwyr Cymru yw pobl Cymru'. Mae hwn yn fwy na gosodiad syml yn cyhoeddi ffaith, ymddengys ei fod yn ddatganiad hynod genedlaethol ei natur. Mae'n wir fod rhai'n dadlau mai 'Rhyddhäwr' nid 'cenedlaetholwr' oedd Henry Richard, mai'r hyn a'i cymhellodd i sefyll etholiad i ddod yn Aelod Senddol dros Ferthyr Tudful oedd nid yn gymaint hawliau cenedlaethol Cymru ond yr anghyfartaledd dosbarth a nodweddai Anghydffurfwyr. Nid yw'r ddadl hon yn argyhoeddi'n llwyr oherwydd mae'n anwybyddu'r ffaith ei fod yn ystod ei ymgyrch etholiadol yn sefyll fel Cymro oedd yn siarad yr iaith Gymraeg ac a oedd yn awyddus i atgoffa pleidleiswyr ei fod yn Gymro o ran cenedl. Ni ellir amau ei falchder a'i wlatgarwch ac er y gellid dweud mai 'cyntefig' oedd ei amgyffrediad o 'genedlaetholdeb' y mae o leiaf yn arddangos cydymdeimlad â chenedlaetholdeb poblogaidd/gwerinol a amlygid bob amser oherwydd annhegwch o ryw fath.

Ac yntau'n weinidog gyda'r Annibynwyr, yn radical ac aelod o'r Gymdeithas Heddwch roedd Henry Richard yn pwysleisio'r gwahaniaeth rhwng y ddau hanner yn y gymdeithas yng Nghymru, a dim ond un hanner oedd â'r hawl i'w galw eu hunain yn wir Gymry. Eglurodd ei safbwynt mewn erthygl i'r *Aberdare Times* (14 Tachwedd 1868):

> Y bobl sy'n siarad yr iaith hon, sy'n darllen y llenyddiaeth hon, sy biau'r hanes, sy'n etifeddu'r traddodiadau hyn, sy'n parchu'r enwau hyn, a greodd ac sy'n cynnal y sefydliadau crefyddol gwych, y bobl a gyfrifir fel traean y boblogaeth – onid oes ganddynt hwy'r hawl i ddweud wrth y dosbarth sy'n berchen eiddo … Ni yw pobl Cymru ac nid chi? Ein gwlad ni yw hon nid eich gwlad chi … 5

Mae ei ddadl fod Anghydffurfiaeth nid yn unig yn llais y bobl ac yn eu cynrychioli ond mai dyna **oedd** y bobl yn gredadwy am dri rheswm:

- ei pherthynas glòs ac yn ddiweddarach ei nawdd rhannol i wyliau diwylliannol y genedl a gwyliau gwerin fel eisteddfodau
- ei hamddiffyniad o'r bobl, eu hiaith a'u diwylliant wedi helynt y Llyfrau Gleision
- llwyddiant gwleidyddol etholiad 1868.

Bu'r Anghydffurfwyr gynt yn feirniadol o ysgafnder gwyliau ac arferion gwerin ond erbyn dechrau'r 1830au (ar wahân i'r Methodistiaid) roeddent 'wedi closio at yr eisteddfod a'r diwylliant a gynrychiolai'. Roedd William Roberts ('Nefydd'), gweinidog gyda'r Bedyddwyr, argraffydd ac awdur yn credu 'dylid cefnogi diwylliant Cymreig nawr gan ei fod wedi dod yn barchus' (Prys Morgan, *The Eighteenth Century Renaissance*, 1981). Amlygir y newid hwn gan y ffaith a ganlyn – yn 1831 enillodd Arthur Johnes, a ddaeth yn farnwr llys sirol, wobr a noddwyd gan Gymdeithas y Cymmrodorion yn yr eisteddfod am ysgrifennu traethawd gyda'r teitl *Yr Achosion yng Nghymru a barodd yr ymneilltuo o'r Eglwys Sefydledig*.

Cyhoeddi'r Llyfrau Gleision a ysgogodd y Methodistiaid i gefnogi'r iaith a'r diwylliant ond unwaith roeddent wedi eu cyffroi, a hwythau'n cynrychioli'r mwyafrif o ymneilltuwyr Cymru, roeddent yn sicrhau y byddid yn uniaethu Anghydffurfiaeth â Chymreictod. Roedd eu hymosodiad brwd ar y Llyfrau Gleision yn gwrthgyferbynnu â difrawder ymddangosiadol yr Anglicaniaid a'r bonedd oedd wedi ymseisnigo ac a oedd fel pe'n ymddangos yn wrth-Gymreig, ac er mai cam-argraff oedd fe'i derbyniwyd fel ffaith. Trodd hyn yn elw i'r Anghydffurfwyr pan ddechreuasant ymhél â gwleidyddiaeth yn yr 1860au er mwyn hyrwyddo eu hachos ac achos y Cymry. Dywedwyd fod etholiad 1868 'wedi dod ag Anghydffurfiaeth Gymreig i Dŷ'r Cyffredin', ac mae hynny'n wir ac ymysg y rhai a etholwyd roedd Henry Richard. Cynhwyswyd o fewn fframwaith wleidyddol ddwy ystyriaeth oedd wedi dod i berthyn yn fwy clòs i'w gilydd, sef diwylliant a chrefydd y Cymry, oherwydd fod dynion fel Richard wedi eu hethol. Bellach roedd cyfle i fynegi ymlyniad/teyrngarwch a chyfle i weithredu. Felly yn ôl Prys Morgan, 'Roedd Anghydffurfwyr yn yr 1850au a'r 1860au yn ymwybodol mai eu ffordd nhw o fyw, gyda'i chapeli a'i chorau, ei chylchgronau a'i Hysgolion Sul, a'i gwleidyddiaeth radical oedd "Y Ffordd Gymreig o Fyw" bellach.

I

II

III

IV

V

VI

**VII**

VIII

IX

X

Llun 39
Baled Owain Griffith (Ywain Meirion) yn dathlu ymosodiad y Siartwyr ar
Gasnewydd (1839)

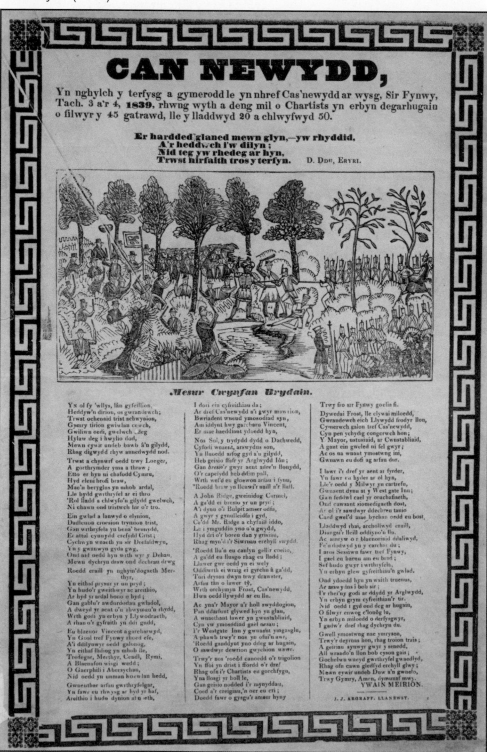

## c) Cenedlaetholdeb Gwleidyddol

> Rhaid i Gymro fod yn Gymro, nid yn unig mewn gair ac o waed ond o egwyddor ac mewn gwaith. Ni ddylai Cenedlaetholdeb fod yn ddall a chul.

Dyna sut y dehonglodd Thomas Edward Ellis genedlaetholdeb y Cymro mewn cyfarfod cyhoeddus yn Nhywyn yn 1885. Y craidd, fe gredai, oedd yr iaith Gymraeg, a ddisgrifiodd mewn cyfarfod gwleidyddol arall a gynhaliwyd ym Mehefin 1886 fel 'angor cenedlaetholdeb y Cymro'. Mewn llythyr a ysgrifennodd at Thomas Jones yn 1886, disgrifiodd Ellis adwaith pobl Corris i'r newydd fod darpar-ymgeisydd Meirionnydd yn siarad y Gymraeg: 'Cawsom ein tynnu o'r orsaf gan dyrfa fawr. Roedd pobl wrth eu bodd cael dyn oedd yn siarad y Gymraeg – felly derbyniad da'. Roedd Ellis yn frwd dros yr iaith ac fel rhan o'i addewid i bobl ei etholaeth dywedodd y byddai o hynny allan yn defnyddio'r Gymraeg ym mhob cyfarfod etholiadol. Fodd bynnag, nid oedd hyn wrth fodd rhai o'r papurau newydd, 'datganiad gwirion' meddai'r *Cambrian News*, yn debygol o ddieithrio Saeson oedd yn byw yng Nghymru, 'Nid yw cael eich ethol yn Aelod Seneddol 'run fath â chael eich ethol yn aelod o Gymdeithas y Cymmrodorion!' oedd ei gri. Rhybuddiai'r *Cambrian News* dylanwadol Ellis a Chymry eraill oedd yn ymwybodol o'u diwylliant o'r peryglon o gyplysu gwlatgarwch a gwleidyddiaeth, a allai annog cenedlaetholdeb treisgar fel ag a ddigwyddodd yn Iwerddon.

Does dim amheuaeth nad oedd yna weithredwyr yng Nghymru y gellid eu cymharu â Gwyddelod fel Thomas Davis a Michael Davitt sylfaenydd Cynghrair Tir Iwerddon. Ymysg y mwyaf blaenllaw roedd Michael Daniel Jones a Robert Ambrose Jones ('Emrys ap Iwan'). Ystyria llawer mai Michael D. Jones oedd tad cenedlaetholdeb fodern yng Nghymru. Yn ôl y Parch. Richard Griffith Owen, awdur cofiant iddo yn y Bywgraffiadur (1953), '… cenedlatholwr pybyr – ef oedd tad y deffroad cenedlaethol Cymreig; ffieiddiai Sais-addoliad ac iddo ef ac i Emrys ap Iwan yn fwyaf arbennig y mae'r clod am droi gwladgarwch Cymreig yn genedlaetholdeb egnïol ymarferol'. Fodd bynnag, ateb Michael D. Jones i annhegwch y system Seisnig oedd ffoi i Batagonia, ond roedd Emrys ap Iwan yn brwydro i newid y system o'r tu mewn.

I
II
III
IV
V
VI
**VII**
VIII
IX
X

Gweinidog Methodistaidd o Fryn Aber, ger Abergele, oedd Emrys ap Iwan ac ysgrifennwr llythyrau toreithiog. Ei bin sgrifennu oedd ei gleddyf. Roedd yn bamffledwr dawnus oedd yn gweld gwerth cyhoeddiadau o'r fath fel arf i newid agwedd ei gyd-Gymry. Roedd ei ddull o ddefnyddio propaganda gwleidyddol yn ei roi o flaen ei oes ac wrth geisio dylanwadu ar etholwyr Sir Fôn fe gymerodd arno ei fod yn ei gynnig ei hun fel 'ymgeisydd Cymreig' a rhoi 'amlinelliad o bolisi arbennig i Gymru yn cynnwys ymreolaeth, ac addewid i weithio'n annibynnol ar y pleidiau Seisnig'. (D.M. Lloyd, *Y Bywgraffiadur*, 1953). Dyna'r araith etholiadol gyntaf o'r fath. Roedd Emrys ap Iwan yn fwy o genedlaetholwr nag o Anghydffurfiwr oherwydd fel y dywedodd ei hun pan ofynnwyd iddo beidio ag anghytuno â daliadau ei enwad, 'Rwy'n Gymro yn ogystal ag yn Fethodist, ac ni allaf addo dim fel Methodist fyddai'n rhwystr i mi siarad a theimlo fel Cymro'.

Roedd Michael D. Jones ac Emrys ap Iwan ac eraill tebyg iddynt, yn enwedig William Rees ('Gwilym Hiraethog'), a ledaenodd i'r Cymry syniadau oedd ar led yn Ewrop ac Iwerddon am genedlaetholdeb drwy ei ysgrifau i'r papur newydd *Yr Amserau*, rai camau ar y blaen ragor na dynion fel Henry Richard. Roedd ei gred grefyddol ef yn cymedroli ei genedlaetholdeb. Roedd Jones ac Iwan yn cynrychioli math newydd o genedlaetholwyr gweithredol ac ymosodol a baratodd y ffordd i ddynion ifancach a bu i'r rhai a'u dilynodd fynd bob cam i'r Senedd. Yn flaenaf ymysg y genhedlaeth newydd, y rhain i gyd yn Rhyddfrydwyr, roedd Thomas Edward Ellis, Methodist a mab i denant-ffermwr Cynlas, Cefnddwysarn ger Y Bala. Pan enillodd sedd dros Feirionnydd yn yr etholiad i'r Senedd yn 1886 hawliai rhai ei bod yn fuddugoliaeth i'r werin Anghydffurfiol Gymraeg ei hiaith oedd dan ormes. Er iddo bwysleisio ei wreiddiau gwerinol ceisiai bob amser apelio at gynulleidfa ehangach gan werthfawrogi'r rhaniadau yn y gymdeithas Gymreig. Roedd ganddo weledigaeth wir 'genedlaethol' a ddymunai weld Cymru unol. Roedd yn gadarn ei gred fod Cymru yn ddigon aeddfed i ddelio â'r pwysau a'r gofalon a ddeilliai o ennill ymreolaeth. Bu'n flaenllaw yn yr ymgyrch i sefydlu mudiad, yn 1886, a fyddai'n hybu achos ymreolaeth, Cymru Fydd. Tyfodd dylanwad y mudiad a'i amlygrwydd a'i rym gwleidyddol. Yn y gorffennol roedd llywodraethau Rhyddfrydol wedi anwybyddu neu ddiystyru materion Cymreig ond roedd aelodau Rhyddfrydol Cymru Fydd yn sicrhau fod llais yn dadlau dros Gymru.

Gyda chefnogaeth cenedlaetholwyr o'r un fryd yn y Senedd fel Lloyd George a D.A. Thomas a 'barwniaid y wasg' gartref fel Thomas Gee, cyhoeddwr *Baner ac Amserau Cymru*, llwyddodd Ellis i greu awyrgylch lle gallai cenedlaetholdeb Cymreig ffynnu. Erbyn yr 1890au roedd ymreolaeth i Gymru yn denu cymaint o sylw y tu mewn a'r tu allan i'r Senedd ag a wnaethai ymreolaeth i Iwerddon. Roedd Ellis wedi uniaethu i'r fath raddau â chenedlaetholdeb Cymreig a'i ddylanwad mor gryf fel bod y Lloyd George ifanc wedi tystio mewn llythyr at D.R. Daniel: 'Fe wyddoch fy mod i'n Genedlaetholwr Cymreig o fath Ellis'. Er bod grym gwleidyddol cenedlaetholdeb Cymreig wedi cyrraedd ei uchafbwynt gyda mudiad Cymru Fydd yng nghanol yr 1890au, roedd newid llawer mwy sylfaenol wedi digwydd ym mywyd Cymru. Roedd y Cymry wedi dod i'w hoed fel cenedl. Dichon fod yna raniadau dwfn eto yn gymdeithasol ac yn ieithyddol, hyd yn oed yn ddiwylliadol ond roeddent yn fwy ymwybodol ohonynt eu huanin a'u hunaniaeth fel Cymry. Yn wir, yn negawd olaf y bedwaredd ganrif ar bymtheg a blynyddoedd cynnar yr ugeinfed gwelwyd sefydlu a datblygu rhai o'r nodweddion hanfodol sy'n rhoi arwahanrwydd i genedl, – dinas (a Chaerdydd yn cael ei chyfrif yn answyddogol yn brifddinas), Amgueddfa Genedlaethol, Llyfrgell Genedlaethol a Phrifysgol Genedlaethol. Gallwn fesur pa mor bell roedd y Cymry wedi dod efallai o sylwi y gallai J.V. Morgan, hanesydd pur enwog, drafod tynged yr iaith Gymraeg gan gyfeirio at ddylanwad cenedlaetholdeb brodorol a oedd erbyn iddo ef ysgrifennu ei lyfr, *The Welsh Mind in Evolution*, yn 1925, rywle ar y ffordd at ddod yn rhywbeth mwy nag elfen ymylol ym mywyd gwleidyddol a chymdeithasol Cymru.

5

> Ni allwn yma drafod yn fanwl yr holl elfennau sydd wedi cyfrannu at y dirywiad cyson yn yr iaith Gymraeg, mae cenedlaetholwyr Cymreig yn dal i ddweud mai polisi gwrth-Gymreig yr Eglwys, y Senedd a'r gyfundrefn addysg Seisnig sy'n cyfrif am hynny. Nid yw, meddent, yn ddim i'w wneud â diffyg diddordeb ymysg y boblogaeth frodorol, ond yn deillio o ymdrechion y Saeson a swyddogion Seisnig yng Nghymru i'w darostwng er mwyn lladd ysbryd cenedligrwydd Cymreig.

I

II

III

IV

V

VI

**VII**

VIII

IX

X

## 2. Cymru Fydd

### ■ Y Brif Ystyriaeth:

'Mudiad oedd wedi ei dynghedu i fethu'. A yw hwn yn ddisgrifiad teg neu gywir o'r mudiad Cymru Fydd?

### a) Gwraidd a Phwrpas

Ganwyd 'Cymru Fydd' ym meddyliau dynion oedd yn dymuno bod â rhan weithredol mewn hyrwyddo lles cymdeithasol, diwylliadol a gwleidyddol eu gwlad. Bwriedent wneud hyn, yng ngeiriau'r hanesydd John Davies, 'trwy ddatblygu amgyffrediad o genedligrwydd a gysylltai hanes, llenyddiaeth, celfyddyd, gwerthoedd cymdeithasol a sefydliadau gwleidyddol mewn undod organig'. Delfrydwyr oeddent, dynion ifanc uchelgeisiol a mentrus oedd yn gweld gwerth mewn meithrin ymwybyddiaeth o Gymreictod trwy roi trefn ar syniadau am genedlaetholdeb Cymreig a oedd hyd yma, er yn aeddfedu, yn ddi-gyfeiriad – dangos ffordd i'w chanlyn. Yn baradocsaidd, efallai, alltudion oedd y dynion hyn ac o ganlyniad cynhaliwyd cyfarfodydd cynharaf mudiad a fwriedid i hyrwyddo amcanion Cymru y tu allan i'w ffiniau. Rhaid cyfaddef nad oedd dim yn newydd yn hynny gan mai dyna hanes Cymdeithasau gwlatgarol Cymry Llundain yn y ddeunawfed ganrif, y Cymmrodorion a'r Gwyneddigion a sefydlwyd yn 1751 ac 1770. Ond yr hyn a wahaniaethai 'Cymru Fydd' o'i gymharu â'r mudiadau alltud eraill oedd y 'wleidyddiaeth-wlatgar' a nodweddai'r ffyddloniaid gan beri ei fod yn fudiad ag iddo sylfaen eang. Dyma fudiad, er mai un byr ei barhad, dim ond degawd, a dyfodd, o ddechreuadau bychan, annelwig ac heb fawr o argoel am lwyddiant, i ddod yn fudiad sylweddol, llawn pwrpas ac yn un dylanwadol.

Sefydlwyd y gangen gyntaf o 'Cymru Fydd' yn Llundain yn 1886 ac yna'r ail gangen yn Lerpwl flwyddyn yn ddiweddarach. Bu'n rhaid i Gymru aros am bedair blynedd cyn i'r mudiad ymsefydlu yn y Barri yn 1891, ond wedyn ymledodd yn gyflym. Yr un pryd ag y sefydlwyd y mudiad etholwyd T.E. Ellis yn Aelod Seneddol dros Feirionnydd ac iddo ef yn bennaf yn fwy nag i unrhyw aelod arall o'r 'cwmni bychan' yn Llundain a freuddwydiodd 'sawl breuddwyd am Gymru' y mae'n rhaid diolch am gychwyn y mudiad ac awgrymu'r enw, fe ymddengys. Ceir cyfeiriad at yr ysgogiad a barodd i Ellis sefydlu'r mudiad mewn llythyr a ysgrifennodd yn Chwefror 1886 at ei ffrind a'i gyd-weithiwr gwleidyddol D.R. Daniel:

Mae'r cwestiwn cymdeithasol a dyfodol Cymru ar fy meddwl o fore hyd hwyr. Ni allaf eistedd i lawr i weithio'n gyson ar unrhyw waith sylweddol, am fod rhyw deimlad aflonydd fel twymyn ynglŷn â'r pynciau hyn yn mynd â'm bryd … Mae Cymru, ei haelodau, ei harweinwyr fel y'u gelwir, a'r werin yn
5 ymddangos fel pe baent yn morio'n ddigyfeiriad ac yn awr ac yn y man yn eu cyffroi eu hunain i weithredu ac yna'n ymollwng i ddifrawder mwy ac i daeogaeth. [Trosiad o'r Saesneg gwreiddiol]

Ar y cychwyn nid oedd llawer o wahaniaeth rhwng pwrpas y mudiad â'i ragflaenwyr gwlatgar yn yr ystyr mai ystyriaethau diwylliadol a llenyddol oedd flaenaf. Fodd bynnag, cyn pen pedair blynedd roedd cenedlaetholdeb diwylliadol wedi cael gwaed newydd, sef gwlatgarwch gwleidyddol ac o ganlyniad roedd gwedd radicalaidd ar ei weithgareddau – yn hawlio datgysylltiad, ymreolaeth a diwygio deddfau tir. Nid yw hyn yn beth syn gan fod gwaed newydd wedi ymuno – Lloyd George, D.A. Thomas a W. Llewelyn Williams, y rhain i gyd yn pledio achos 'Cymru Ifanc' gan ddynwared 'Iwerddon Ifanc'. Golygai'r gwleidyddu graddol fod dynion oedd yn enwog am eu hymroddiad diwylliadol a deallusol wedi eu gwthio i'r cyrion, – John Viriamu Jones, John Edward Lloyd ac Owen M. Edwards. Erbyn 1894 roedd y gwleidyddion yn rheoli a'r bobl hyn dan gwmwl.

Nid yr awgrymir fod 'Cymru Fydd' wedi troi cefn ar ystyriaethau diwylliadol a llenyddol. Daliodd i hybu'r 'pethe' ond o fewn fframwaith wleidyddol gan gredu fod gwleidyddiaeth yn allwedd i'w diogelu a'u cadw. Dengys araith Ellis, o flaen cynulleidfa luosog yn y Bala ym Medi 1890, hyn yn glir. Fe amlinellodd ei weledigaeth ar gyfer dyfodol Cymru:

… gweithiwn dros Gymanfa Ddeddfwriaethol, wedi ei hethol gan ddynion a merched Cymru, ac yn gyfrifol iddynt hwy. Bydd yn symbol ac yn rhwymyn o'n hundeb cenedlaethol, yn erfyn i weithio allan ddelfrydau cymdeithasol a buddiannau diwydiannol, yn ernes o'n hetifeddiaeth … yn gennad i'n neges
5 a'n hesiampl i'r ddynoliaeth, yn fan cyfarfod i'n cenedligrwydd, yn ymgorfforiad ac yn gyflawniad o'n gobaith fel pobl.

Er mai cam bychan i ddynion fel y rhain oedd o ddiwylliant i genedlaetholdeb wleidyddol sylweddolodd rhai, os nad pawb, y byddai colli golwg ar y ddolen hanfodol rhyngddynt yn ergyd farwol i fudiad oedd wedi ei fwriadu i hyrwyddo'r naill trwy gyfrwng y llall. Ym marn W.P. Wheldon

(*Famous Welshmen*, 1944), roedd T.E. Ellis yn ddarlun byw o'r ddelfryd hon: 'Mae ei areithiau a'i ysgrifau a'i waith ar Morgan Llwyd yn dangos ei allu llenyddol ac yn arwydd o'r berthynas glòs sydd rhwng y gwleidyddol a'r llenyddol yn yr adfywiad ym mywyd Cymru yn ail hanner y ganrif ddiwethaf'.

Yn raddol, fodd bynnag, daeth eraill gyda gweledigaethau mwy radical i gymryd lle Ellis a thrawsffurfiodd y rhain y mudiad i'r sefydliad cenedlaethol gwleidyddol a ymdrechai i ddod i'r amlwg ar ôl 1894. Ganwyd y mudiad 'newydd' hwn yn Awst 1894 yn Llandrindod lle y penderfynwyd llunio cyfansoddiad ar gyfer Cynghrair Cymru Fydd cenedlaethol, ceisio uno'r holl ganghennau ledled Cymru a chyflogi trefnydd. O ganlyniad, yn ôl Kenneth Morgan, 'daeth ei amcan wreiddiol o ddiogelu'r Gymraeg ac adnewyddu diwylliant Cymru yn ail i'r nod gwleidyddol o ennill ymreolaeth'. Nid oedd pawb o'r aelodau yn cytuno â hyn ac roedd ambell lais yn gwrthwynebu. 'Nid dyna'r math o "Genedlaetholdeb" yr hoffwn i ei weld yng Nghymru – Cenedlaetholdeb nad oes a wnelo ddim ag unrhyw beth heblaw gwleidyddiaeth', ysgrifennodd Llewelyn Williams at J.E. Lloyd ym Medi 1894. Pryderai Williams y byddai'r Cynghrair yn dirywio i fod yn fudiad gwleidyddol cenedlaethol cul yn debyg i Blaid Genedlaethol Iwerddon oedd wedi dod, yn ei farn ef, yn 'blaid salw o'i chymharu â phlaid Iwerddon Ifanc yn y pedwardegau'. Ond roedd y penderfyniad wedi ei wneud a chamodd 'Cymru Fydd' i'w gyfnod olaf fel sefydliad oedd yn benderfynol o hybu achos Ymreolaeth drwy gyfrwng Rhyddfrydiaeth Gymreig ac Anghydffurfiaeth frodorol.

## b) Effaith a Dylanwad

… ni ddaeth o ddifrif ond yn unig pan aeth yn wleidyddol yn yr 1890au …

Gyda'i arddull bryfoclyd a'r dweud di-flewyn ar dafod sy'n nodweddiadol ohono barnai'r diweddar Gwyn Williams, awdur *When Was Wales*? (1985), pe na bai 'Cymru Fydd' wedi ei wleiddu byddai ei effaith a'i ddylanwad, yn wir ei bwysigrwydd, yn llawer llai nag y buont. Awgrymir fod yna gefnogaeth i'r farn hon yn sylw John Davies fod y mudiad 'yn ei flynyddoedd cynnar gyda rhethreg ddelfrytgar ei arweinwyr ac amhendantrwydd eu polisïau yn gorff pur niwlog', heb ffocws clir a rhaglen drefnus/gydlynol ar gyfer ei weithgareddau. Pe bai 'Cymru Fydd' wedi dal i rygnu ymlaen fel y gellir yn deg ddweud iddo ei wneud yn y ddwy neu dair blynedd o'r adeg y'i cychwynnwyd gallai fod wedi bod yn un o gyfres o fudiadau alltud a fyddai wedi dal i fod yn wleidyddol farw. Ni ddigwyddodd hyn. Os rhywbeth, roedd cyfraniad y mudiad o safbwynt cyfoethogi diwylliant Cymru yn ddiwerth o'i gymharu â'i lwyddiannau gwleidyddol. Gwir fod y mudiad wedi llwyddo i hysbysebu Cymru a materion Cymreig a hybu balchder a hyder mewn bod yn Gymry ond ym myd gwleidyddiaeth roedd ei effaith a'i ddylanwad pennaf ac un Rhyddfrydol yn bendant oedd hwn.

Er nad oedd yn ei hanfod yn wleidyddol ei wreiddiau roedd y mudiad heb amheuaeth yn ddyledus i'r Blaid Ryddfrydol gan fod aelodau o'r blaid honno wedi bod yn deyrngar o'r dechrau. Roedd ei brif sylfaenydd, T.E. Ellis, ei hunan yn wleidydd ac yn A.S. Rhyddfrydol felly o'r dechrau roedd meddyliau gwleidyddol yn gweithio o fewn y mudiad. Efallai mai dim ond amser oedd ei angen cyn y byddai'r mudiad yn datblygu rhaglen wleidyddol a phan wnaeth hynny roedd yn un Ryddfrydol, Anghydffurfiol a Chenedlaethol ei hamcanion, ei chynnwys a'i gweithrediadau a hynny yn ddiedifar ac yn ôl y disgwyl. O ganlyniad, roedd effaith y mudiad bron yn gwbl wleidyddol a'i ddylanwad bron yn gwbl Ryddfrydol. Roedd hyn yn gryn fantais mewn gwlad a gâi ei chynrychioli bron yn ddieithriad gan Ryddfrydwyr a'i theyrngarwch bron yn gyfan i Ryddfrydiaeth. Gan weithio o fewn fframwaith y Blaid Ryddfrydol Brydeinig ceisiodd arweinwyr 'Cymru Fydd' ddylanwadu ar y blaid, ac, am ei bod mewn grym, ar bolisi'r Senedd, i hyrwyddo datgysylltiad, diwygio deddfau'r tir ac yn ogystal, wedi eu calonogi oherwydd y cynnydd a wnaed yn Iwerddon, eu fersiwn nhw o ymreolaeth. Yn y dechrau ychydig o lwyddiant a gafwyd ond fel roedd y nifer o aelodau o blith y blaid seneddol yn cynyddu, y rhai oedd yn cynrychioli etholaethau yng Nghymru (erbyn 1892 roedd mwy na hanner y 31 A.S. Rhyddfrydol oedd yn cynrychioli etholaethau yng Nghymru yn aelodau o 'Cymru Fydd') ac fel y deuent yn fwy milwriaethus yn eu gweithgaredd a chenedlaethol eu bwriad dechreuodd yr arweinyddiaeth Ryddfrydol dalu sylw, hyd yn oed os nad oedd yn barod i ganiatáu eu gofynion bob amser.

Mae'n debyg pe na bai'r llywodraeth wedi gorfod dibynnu ar gefnogaeth ei 31 A.S. dros Gymru oherwydd bod ei mwyafrif wedi ei leihau i 40 yn etholiad 1892, y byddai materion gwleidyddol oedd yn ymwneud yn benodol

I
II
III
IV
V
VI

**VII**

VIII
IX
X

261

â Chymru, megis datgysylltiad, wedi eu gohirio neu hyd yn oed eu hanwybyddu. Fel y digwyddodd bu'n rhaid i'r garfan, a radicaliaid 'Cymru Fydd' Lloyd George a D.A. Thomas yn gnewyllyn iddi, wasgu yn y senedd mewn ymdrech i argyhoeddi'r llywodraeth i basio Mesur Datgysylltu, hynny ddim ond wedi gwrthryfel 'Y Pedwar' yn gynnar yn Ebrill 1894. Y pedwar A.S. y cyfeirir atynt oedd Lloyd George (yn cynrychioli Bwrdeistrefi Caernarfon, D.A. Thomas (Merthyr Tudful), Frank Edwards (Sir Faesyfed) a Herbert Lewis (Bwrdeistrefi Fflint). Gwrthododd y rhain ufuddhau i'r Chwip Ryddfrydol gan fwriadu codi cywilydd ar y llywodraeth oherwydd ei hanwadalwch a'i blerwch wrth ddelio â Datgysylltiad. Mewn llythyr at y Prif Chwip, T.E. Ellis, gan annog iddo ymuno â nhw a'u harwain, ond yn ofer, dadleuodd Herbert Lewis eu hachos ar ran 'Y Pedwar': 'Mae sgyrsiau diweddar â gefais â Gweinidogion ac Aelodau wedi f'argyhoeddi fod Cymru'n cael ei harwain ymlaen o gam i gam heb unrhyw nod pendant o'i blaen, na fydd i ni ennill dim trwy fod yn weision i'r Blaid Ryddfrydol, ac na lwyddwn fyth i gael y Saeson i wneud cyfiawnder â ni nes y bydd i ni ddangos ein hannibyniaeth'. Gan obeithio ennill cefnogaeth a thipyn o hysbysrwydd aeth 'Y Pedwar' ar daith drwy Ogledd Cymru. Yno, a hwythau'n cyfiawnhau eu 'gwrthryfel' ar dir cenedlaetholdeb, cawsant groeso cynnes gan y mwyafrif a chymeradwyaeth frwd gan rai. Yn sicr, roedd ymateb y Wasg Gymreig yn galonogol a'r penawdau a'r erthyglau golygyddol yn galw'r 'Pedwar' yn arwyr y genedl.

Ni ellir ond dyfalu a oedd y Mesur Datgysylltu a gyflwynodd Herbert Asquith i'r Senedd yn ddiweddarach yn Ebrill yn ganlyniad i'r 'Gwrthryfel Cymreig' ai peidio ond yn sicr mae i'r digwyddiad arwyddocâd o safbwynt twf gwleidyddol mudiad 'Cymru Fydd'. Yn raddol, daeth ei arweinwyr, yn enwedig Lloyd George, a ddaeth i'r amlwg fel prif ysbrydolwr y mudiad, i sylweddoli mai dim ond trwy sicrhau senedd i Gymru y gellid rhoi'r flaenoriaeth roeddent yn ei haeddu i fesurau oedd yn ymwneud â Chymru. Gyda'r nod hwn sefydlodd Gynghrair Cymru Fydd yn Awst 1894 yn Llandrindod. Gobeithiai y golygai hynny uno'r ddwy ffederasiwn Ryddfrydol – Gogledd a De Cymru. Hynny yw, roedd yn ymgais i amlygu hunaniaeth wleidyddol ar ffurf plaid genedlaethol, er nad yn gwbl annibynnol, gan ddynwared heb fod yn hollol gydnaws â Phlaid Iwerddon yn y Senedd.

Er bod 'Plaid Gymreig' wedi bodoli yn Nhŷ'r Cyffredin ers amser maith, plaid mewn enw yn unig oedd hi heb ddim o'r ideoleg, y drefniadaeth, y ddisgyblaeth a'r annibyniaeth ariannol oedd yn nodweddu gwir blaid wleidyddol yn y senedd. Yr unig beth oedd yn gyffredin ymysg ei haelodau, traean ohonynt heb fod yn Gymry hyd yn oed, oedd y ffaith eu bod yn cynrychioli etholaethau Cymreig. Dim ond ychydig o gytgord a berthynai iddi na chyfeiriad o ran polisi na hyd yn oed wrth lunio polisïau. Gwelwyd newid yn hyn o beth ar ôl etholiad 1892 pan ymddangosai'r Blaid Gymreig yn fwy cryno a chydryw gyda mwy o Gymry brodorol, anghydffurfiol, cytûn, yn deyrngar i'r achos cenedlaethol, wedi eu hethol i'r Senedd. Roedd y feddylfryd hon yn amlwg iawn ymysg y Rhyddfrydwyr Cymreig oedd newydd gael eu hethol, dynion fel Herbert Lewis a awgrymodd y dylai'r Blaid Gymreig eistedd yn un garfan gyda'i gilydd yn y Senedd er mwyn dangos eu hymlyniad wrth genedlaetholdeb Cymreig. Ni ddigwyddodd hynny. Yn wir, tebyg na allai ddigwydd, yn y Senedd yn anad unman, gan fod pwysau plaid yn aml yn cuddio neu'n gwrthweithio yn erbyn syniadau am genedlaetholdeb. Tebyg ei bod yn deg dweud fod nifer sylweddol o'r rhai oedd o fewn y Blaid Gymreig yn Rhyddfrydwyr yn gyntaf ac mai eilbeth iddynt oedd cenedlaetholdeb Gymreig. Yr ymryson hwn rhwng Rhyddfrydiaeth a chenedlaetholdeb, nad oedd eto'n amlwg ym mhopeth, fu'n gyfrifol yn y pen draw am ddinistr a thranc y mudiad 'Cymru Fydd'.

Yn wir, os rhywbeth roedd yn edrych fel pe bai 'Cymru Fydd' yn mynd o nerth i nerth. Yn 1895, blwyddyn ei anterth, ysgubodd bopeth o'i flaen. Ar ddechrau'r flwyddyn cyhoeddwyd cylchgrawn cenedlaethol newydd *Young Wales* a J.H. Edwards, cyn weinidog gyda'r Annibynwyr, yn olygydd. Roedd *Young Wales* yn sicr yn fwy effeithiol yn lledaenu neges y mudiad na'i ragflaenydd llai radical *Cymru Fydd* a ddaeth i ben ar ôl tair blynedd a thri golygydd gwahanol – T.J. Hughes, R.H. Morgan ac O.M. Edwards yn y drefn yna – yn 1891. Ac yntau'n ymwybodol o bwysau plaid a gwleidyddiaeth y Senedd, aeth Lloyd George rhagddo i gynllunio gan obeithio sicrhau trefniadaeth na fyddai'n cael ei chyfyngu gan y fframwaith lesteiriol ac fe lwyddodd i berswadio Ffederasiwn Rhyddfrydol Gogledd Cymru i uno â 'Cymru Fydd'. Digwyddodd hynny mewn cyfarfod yn Aberystwyth yn Ebrill 1895. Y siom oedd nad oedd cynrychiolwyr o Ffederasiwn Rhyddfrydol De Cymru yn bresennol. Galwodd cynrychiolwyr yn Aberystwyth am sefydlu 'Ffederasiwn Cymreig Cenedlaethol' ond ni lwyddwyd i berswadio'r deheuwyr i uno â nhw.

I
II
III
IV
V
VI
**VII**
VIII
IX
X

Cychwynnodd Lloyd George a'i gefnogwyr ymgyrch frwd i ennill cefnogaeth eu cyd-Ryddfrydwyr a 'chenedlaetholwyr' De Cymru. A barnu oddi wrth lythyrau personol Lloyd George at ei wraig roedd yn fwy na bodlon gyda'r derbyniad a gafodd yn darlithio yng nghymoedd De Cymru, hyd yn oed mewn ardaloedd 'lled-Seisnig' fel Tredegar lle roedd y bobl wedi 'suddo i bêl-droed afiach'. Roedd yn croesawu'r ymateb ym Merthyr Tudful a'r Rhondda yn arbennig gan deimlo'i fod yn argoeli y gellid ennill De Cymru i'w cefnogi.

> Roedd y dystiolaeth neithiwr yn wir aruthrol – dyna'r gair. Ni bu dim tebyg yn y Rhondda – nid o fewn cof y person hynaf y gwelwyd dim hafal. Daeth tyrfaoedd o bob rhan o'r Rhondda yma. Cannoedd o lowyr D.A. Thomas' yn eu plith. Roedd Mabon yn edrych yn flin. Siaredais am ymreolaeth i Gymru a'r ddadl dros genedlaetholdeb sy'n gas gan ddilynwyr Mabon – ond roedd y dyrfa'n cymeradwyo hyd yr eco. Mae'r Rhondda wedi ei ennill.
>
> [Lloyd George at ei wraig (21 Tachwedd 1895)]

O fewn dau fis i ddyddiad y cyfarfod hwn roedd gobeithion Lloyd George a'i ddisgwyliadau o safbwynt 'Cymru Fydd', cenedlaetholdeb Cymreig a phlaid wleidyddol Gymreig yn chwilfriw, wedi eu chwalu gan gynrychiolwyr gelyniaethus Ffederasiwn De Cymru. Bu i gyfarfod Casnewydd yn Ionawr 1896 ganu cnul mudiad oedd wedi bod yn ddylanwad gwleidyddol sylweddol yn y Senedd a'r tu allan iddi rhwng 1892 ac 1895. Gellir mesur ei ddylanwad ar wleidyddiaeth leol drwy dynnu sylw at ei lwyddiant yn gorfodi derbyn ei aelod, William Jones, fel darpar ymgeisydd i'r senedd dros etholaeth Arfon gan herio dewis swyddogol y blaid. Roedd y blaid wedi enwebu D.P. Williams i lenwi sedd a gyfrifid yn un saff i'r Rhyddfrydwyr.

Yn y Senedd hefyd roedd cenedlaetholdeb 'Cymru Fydd' yn dwyn perswâd gan ennill o 26 o bleidleisiau ar gynnig am 'ymreolaeth i bawb'. Ar y llaw arall fe ddadleuwyd nad oedd fawr o gefnogaeth boblogaidd i'r mudiad heblaw o fewn rhengoedd aelodau gweithgar o'r blaid Ryddfrydol a sefydliadau Rhyddfrydol lleol. Roedd yn fudiad a apeliai'n fwy at y dosbarth canol deallus nag at y werin. Yn ôl pob tebyg nid oedd gan y gweithwyr na'r amser na'r awydd i ymwneud â materion oedd yn amherthnasol i'w byw bob dydd. Iddynt hwy roedd cenedlaetholdeb yn foeth na allent ei fforddio.

## c) Dirywiad a Thranc

Cyrhaeddodd mudiad 'Cymru Fydd' yr uchelfannau gyda chyfarfod Ffederasiwn Rhyddfrydol De Cymru yng Nghasnewydd ar 16 Ionawr 1896. Wedi llwyddo i uno â Ffederasiwn Rhyddfrydol Gogledd Cymru y cyfan oedd ei angen nawr oedd perswadio rhyddfrydwyr y De i gydymffurfio a phleidleisio dros uno â mudiad 'Cymru Fydd'. Roedd Lloyd George yn gwybod fod tasg anodd o'i flaen. Mor gynnar â Chwefror 1892 roedd Llewelyn Williams wedi ysgrifennu at Ellis yn dweud ei farn am Gaerdydd, – ei bod 'eisoes wedi ei cholli o safbwynt cenedlaetholdeb' a disgrifiai Abertawe fel' anialwch Philistaidd erchyll'. Ond daliai Lloyd George yn obeithiol. Ysgrifennodd lythyr at ei wraig y diwrnod cyn y cyfarfod tyngedfennol gan awgrymu rheswm dros ei optimistiaeth: 'Clywais o'r Rhondda fod aelodau 'Cymru Fydd' wedi ennill 'buddugoliaeth wych' yno neithiwr ac y bydd y cynrychiolwyr yn pleidleisio drosom yfory yng Nghasnewydd. Dyna roi llyffethair ar ddrygioni Mabon'.

Yn anffodus, ac ar waethaf holl ymdrechion Lloyd George, aeth y cyfarfod ar chwâl a phleidleisiodd 133 yn erbyn y cynnig am uno a 70 o blaid. Yn ôl gohebydd y *Western Mail* (17 Ionawr 1896) roedd aelodau 'yn bloeddio ar draws' Lloyd George a nododd llygad-dyst arall, Herbert Lewis, yn ei ddyddiadur fod ei ffrind a'i gydweithiwr wedi gorfod tewi am na allai neb ei glywed oherwydd y gwrthwynebiad. Eglurodd Lloyd George i'w wraig beth oedd y rheswm pam y bu iddo golli'r dydd: 'Roedd y cyfarfod o'r Ffederasiwn yn orlawn. Ni chaniatawyd i Sefydliadau oedd o'n plaid anfon cynrychiolwyr ac roedd dynion na chawsant eu hethol o gwbl wedi cael tocynnau'. Gwaeth na chamgynrychiolaeth ym marn Lloyd George oedd mai dim ond saith o'r ugain etholaeth yn Ne Cymru oedd wedi cael anfon cynrychiolwyr i'r cyfarfod – 'Saeson o ardal Casnewydd oedd y mwyafrif oedd yn bresennol'. Dychwelodd at y thema hon mewn llythyr at Herbert Lewis gan ddweud fod y cyfarfod 'yn warthus o lawn o Saeson o Gasnewydd' ac awgrymodd mewn llythyr arall at ei wraig fod 'y Gymru Gymraeg o'n plaid. Yn syml, rhaid i ni ei chynhyrfu'. Mae hyn yn tanlinellu'r cenedlaetholdeb brwd oedd o fewn y mudiad. Dyna, yn gam neu'n gymwys, fu'n ddychryn i'r de diwydiannol, masnachol, Seisnigaidd. Datganodd Robert Bird, gŵr busnes, Sais a henadur o Gaerdydd, 'Mae Rhyddfrydiaeth yn bwysicach na Chymreictod' ac na fyddai'r de-ddwyrain fyth yn derbyn 'tra-arglwyddiaeth syniadau Cymreig'.

I
II
III
IV
V
VI
**VII**
VIII
IX
X

Roedd arweinyddiaeth Rhyddfrydwyr De Cymru yn amau cymhellion Lloyd George a glastwraidd oedd eu cefnogaeth i 'Gymru Fydd'. Roedden nhw'n gwrthwynebu cynlluniau i uno am eu bod yn ofni tra-arglwyddiaeth y Gymru Gymraeg – gwaeth fyth Cymru a'i hiaith yn Gymraeg y Gogledd! Roedd hyd yn oed y Rhyddfrydwyr a fu'n gweithio i sefydlu plaid wleidyddol annibynnol Gymreig, fel D.A. Thomas, yn gwrthod achub ar y cyfle i gydnabod 'Cymru Fydd' fel sefydliad gwir genedlaethol fyddai'n cynrychioli Cymru gyfan. Bu i berthynas, bersonol a gwleidyddol, nifer o bobl oedd wedi cydweithio ers amser maith chwalu oherwydd uchelgais. Roedd dynion fel D.A. Thomas yn eiddigeddus o dwf poblogrwydd ei gydymaith gynt, Lloyd George. Ond, yn fwy difrifol, ofnai y byddai'n cael ei gyfyngu i'w ardd gefn pe bai 'Cymru Fydd' dan dra-arglwyddiaeth Lloyd George yn ennill rheolaeth ar y de. Felly, defnyddiodd ei safle fel llywydd Ffederasiwn Rhyddfrydol De Cymru i danseilio Lloyd George a gwadu hawliau'r etholaethau yn ne Cymru oedd yn dangos unrhyw awydd i gefnogi uno gyda mudiad 'Cymru Fydd'.

Roedd eraill hefyd yn gyndyn o adael i 'Cymru Fydd' fanteisio ar y sail – Rhyddfrydiaeth Cymru – fyddai'n eu galluogi i sefydlu Plaid Ryddfrydol Gymreig ar wahân i'r Blaid fyddai yn cyfateb iddi yn Lloegr. Yn amheus mynegodd un Rhyddfrydwr, Fred Llewellyn Jones, ac yntau yn Ogleddwr hefyd, ei farn – 'Mae'r mudiad o'r dechrau wedi ei lunio'n hyfryd ar gais i fod yn feistr ar bawb yng Nghymru a dywedodd bod Ffederasiwn Rhyddfrydwyr Gogledd Cymru, hyd yn oed, 'ymhell o fod mewn cariad â mudiad 'Cymru Fydd'.

Heb ddigalonni penderfynodd Lloyd George droi'r llanw yn ne Cymru. Amlinellodd ei gynllun mewn llythyr at ei wraig: 'Y cam nesaf yw ein bod yn bwriadu galw Cynhadledd o Dde Cymru ac ymladd y frwydr ynddi. Rwy' mewn hwyl brwydro ac ni wn pryd y gallaf ddod adre'. Roedd Herbert Lewis, ffrind a chyd-aelod ffyddlon o'r mudiad 'Cymru Fydd' lawn mor bendant y byddai'r frwydr yn parhau: 'Dyma ddiwedd y trafod gyda nhw a bydd Ffederasiwn Cenedlaethol Cymru yn symud ymlaen'. Ond doedd dim sail i'w ffydd optimistaidd. Edwinodd 'Cymru Fydd' yn gyflym a marw. Er bod Cyngor Cenedlaethol Rhyddfrydol Cymru wedi cael ei gynnig gan Lloyd George a'i sefydlu yn gynnar yn 1898 nid oedd yn ddim tebyg i'r sefydliad cenedlaethol a chenedlgarol roedd aelodau 'Cymru Fydd' wedi ei ragweld.

I

II

III

IV

V

VI

**VII**

VIII

IX

X

Doedd fawr neb yn y de-ddwyrain yn gofidio am y golled ond mae'n annheg beio Cymry oedd yn siarad Saesneg heb ystyried ffactorau eraill a ddaeth yn amlwg yn nes ymlaen yn hanes y mudiad. Yn bennaf yn eu mysg roedd y ffaith nad oedd y Rhyddfrydwyr, wedi iddynt golli yn etholiad cyffredinol 1895, bellach yn blaid oedd yn llywodraethu. Roedd hynny'n lleihau apêl ac effeithiolrwydd y Cynghrair yn sylweddol. Nid oedd Rhyddfrydwyr Cymru bellach yn dal y ddysgl yn wastad h.y. yn cadw cydbwysedd grym ac o'r herwydd lleihaodd eu gallu i ddylanwadu ar lefel cenedlaethol. Yn wir, roedd eu cwymp yn un fawr yn 1895 ac er bod eu colledion yng Nghymru yn llai nag mewn mannau eraill ledled Prydain, yn anorfod bu'n ergyd i sefydliad a gysylltid â nhw. Roedd y frwydr wedi peri chwerwedd o fewn rhengoedd Rhyddfrydol gan gyfrannu at dranc mudiad 'Cymru Fydd' oherwydd parlyswyd gweithgareddau'r blaid yng Nghymru am beth amser ac ar ôl 1896 profwyd amheuon, casineb ac amharodrwydd i gydweithredu.

Dichon mai Lloyd George ei hun oedd yn bennaf gyfrifol. Pan gwynodd nad oedd cyfarfod Casnewydd yn gynrychioladol o Ffederasiwn Rhyddfrydwyr De Cymru adwaith ei wrthwynebwyr oedd chwerthin am ei ben. Honnent nad oedd 'Cymru Fydd' yn ddim mwy nag arf i wireddu ei uchelgais ef. Roedd ei genedlaetholdeb brwd, ei bersonoliaeth egnïol a'i dalent yn ormod i'r rhai oedd yn ofni newid, yn llawn dig ac angen eu trin gyda gofal a sensitifrwydd. Pan oedd y cynnwrf oherwydd llanast Ionawr 1896 wedi tawelu gallai Lloyd George ystyried yn bwyllog, yntau wedi ei wrthod am y tro cyntaf yn ystod ei yrfa. Trodd ei gefn ar y mudiad, rhoi ei dueddiadau cenedlaethol o'r neilltu a chilio o'r frwydr i ennill ymreolaeth i Gymru. Mae ei gofiannydd, K.O. Morgan, yn crynhoi'r rhesymau pam:

> Sylweddolodd er bod Rhyddfrydwyr Cymru yn gadarn o blaid datgysylltu'r Eglwys, diwygio deddfau tir, addysg a dirwest a chydraddoldeb cenedlaethol o fewn yr Ynysoedd Prydeinig, doedden nhw ddim eisiau arwahanrwydd. Nid oedd y Cymry 'run fath â'r Gwyddelod. Doedden nhw ddim eisiau torri'n rhydd oddi wrth Loegr nac oddi wrth y system ymerodraethol. Hynny yw, dilewyd ymreolaeth i Gymru oddi ar yr agenda gwleidyddol, efallai am byth, ac roedd Lloyd George yn cydnabod hynny. Fe frwydrai dros achos oedd yn colli ond nid dros achos oedd wedi ei golli eisoes.

I

II

III

IV

V

VI

**VII**

VIII

IX

X

# Cyngor a Gweithgareddau

## (i) Cyffredinol

### Darllen Pellach

J. Davies, *Hanes Cymru/A History of Wales* (Llundain, 1991/1993).
Wyn Jones, *Thomas Edward Ellis, 1859-1899* (Caerdydd, 1986). [cyfrol ddwyieithog]
K.O. Morgan, *Rebirth of a Nation Wales, 1880-1980* (Caerdydd, 1980).
K.O. Morgan (gol.), *Lloyd George Family Letters 1885-1936* (Caerdydd, 1973).

### Erthyglau:

G.E. Jones, 'Wales 1880-1914', in T. Herbert & G.E. Jones (golygyddion), *Wales 1880-1914* (Caerdydd, 1988).
K.O. Morgan, 'Radicalism and Nationalism' in A.J. Roderick (gol.), *Wales through the Ages, cyfrol 2* (Llandybie, 1960).
Gwynfor Evans, *Seiri Cenedl*, Gwasg Gomer, 1986:
Gwilym Hiraethog; Henry Richard; Michael D. Jones; Emrys ap Iwan; O.M.Edwards; Tom Ellis; J.E. Lloyd; Lloyd George; Llewelyn Williams

### Ymchwil

Wrth ddarllen drwy'r bennod hon bydd angen geiriadur arnoch oherwydd fe'i hysgrifennwyd gyda'r bwriad o ymestyn eich geirfa. Dysgwch beth yw ystyron y geiriau y byddwch yn chwilio amdanynt yn y geiriadur a cheisio eu defnyddio yn eich traethodau a'ch aseiniadau. Yn sicr, dylech ddod yn gyfarwydd â'r geiriau – diwylliant, cenedlaetholdeb ac adfywiad.

### Pynciau Dadleuol

'Roedd cyfraniad Lloyd George at ddatblygiad Cenedlaetholdeb Cymreig hyd 1896 yn llawer mwy nag un Tom Ellis'.
Dadleuwch **dros** ac **yn erbyn** y gosodiad hwn.

## Trafodaeth

1. Roedd cenedlaetholdeb Cymru yn wleidyddol ei natur, yn ddiwylliadol ei gymeriad ac yn grefyddol ei angerdd. Trafodwch ddilysrwydd y gosodiad hwn.
2. Trafodwch eich dehongliad chi o genedlaetholdeb.
3. Pam y bu i fudiad 'Cymru Fydd' fethu?
4. Oedd mudiad 'Cymru Fydd' o unrhyw arwyddocâd i Gymru'

## (ii) Penodol i'r Arholiad

### Ateb Cwestiynau Traethawd

**C. Pa mor arwyddocaol oedd mudiad Cymru Fydd yn nhwf ymwybyddiaeth o berthyn i genedl erbyn 1914?**

## Cyngor

Mae'r traethawd hwn yn gofyn i chi ddadansoddi a gwerthuso datblygiad ymwybyddiaeth y Cymry o'u cenedligrwydd hyd at ac yn ystod y flwyddyn 1914.

Y geiriau allweddol yw 'arwyddocaol' a 'twf'. Ond ble dylech chi ddechrau traethawd heb gael dyddiad pendant? Mae hyn yn dibynnu ar eich cwrs a'r modiwl rydych chi'n ei astudio a dyna pam mae'n bwysig i chi ddod yn gyfarwydd â'r fanyleb. Yn yr enghraifft arbennig hon, rydym yn sôn am Astudiaeth Cyfnod 3 – Agweddau ar Hanes Cymru a Lloegr tua 1815-1914 – modiwl 4 sy'n dechrau yn 1868. Felly, mae'n rhaid i chi weithio o fewn y dyddiadau hyn.

Dylech roi sylw arbennig i ddadansoddi hyd a lled y gefnogaeth oedd yna i fudiad Cymru Fydd e.e. i ba raddau roedd yn cynrychioli Cymru gyfan. Rhaid i chi hefyd edrych ar y berthynas rhwng Cymru Fydd a'r Blaid Ryddfrydol e.e. oedd llwyddiant / poblogrwydd Cymru Fydd yn dibynnu ar lwyddiant / poblogrwydd y Rhyddfrydwyr yng Nghymru? Rhaid edrych ar rôl Lloyd George ac un D.A. Thomas a'u gwerthuso – e.e. oedd y naill wedi creu a'r llall wedi dinistrio neu a yw'n fwy cymhleth na hyn'na. Rhaid i chi ddangos mai ffocws i grŵp bychan oedd y mudiad ac ei bod yn bosibl nad

I

II

III

IV

V

VI

**VII**

VIII

IX

X

oedd mwyafrif y boblogaeth yn rhannu eu delfrydau. Ni bu i'r mudiad gyfrannu'n sylweddol at sefydlu persbectif Cymreig annibynnol ar fywyd gwleidyddol yng Nghymru. Fodd bynnag, rhaid i chi nodi fod y mudiad wedi darfod amdano i bob pwrpas ar ôl 1896. Felly, bydd yn rhaid i chi ddadansoddi'r ffactorau / digwyddiadau / sefydliadau a gyfrannodd at ddatblygu ymwybyddiaeth genedlaethol rhwng 1896 ac 1914. Gwerthuswch gyfraniad Cymru Fydd ochr yn ochr â'r ffactorau hyn. Rydych yn debyg o ddod i'r casgliad fod Cymru Fydd yn arwyddocaol ond dim ond i ryw raddau.

# Pennod VIII

# Gwleidyddiaeth ac ystyriaethau Gwleidyddol

## 1. Anghydffurfiaeth a Gwleidyddiaeth Radical 1815-68

### ■ Y Brif Ystyriaeth:

Beth a ysbrydolodd bobl Cymru gan eu harwain i gyfeiriad radicaliaeth ac ymgyrchu gwleidyddol?

### a) Radicaliaeth ac Anghydffurfiaeth

Yn y cyfnod rhwng 1815 ac 1868, roedd crefydd yn bwysig iawn i ddatblygiad Radicaliaeth yng Nghymru. Yn wir, gellid dadlau y dylid edrych ar Radicaliaeth Cymru yn ystod y cyfnod enbydus hwn (yn sicr hyd at ganol yr 1840au) fel mynegiant o densiynau crefyddol yn bennaf. Datganwyd y rhesymau yn gryno gan Lewis Edwards, golygydd *Y Traethodydd*, oedd yn credu, 'Prif bwnc yr oes hon yw'r undod rhwng Eglwys a Gwladwriaeth', hynny yw y cynghrair rhwng y Senedd, eisteddle'r llywodraeth, a'r Eglwys Sefydledig. Roedd esgobion yr Eglwys honno yn eistedd yn Nhŷ'r Arglwyddi. Roedd Anghydffurfwyr yn arbennig, a hyd yn oed rai Anglicaniaid, yn teimlo'r bygythiad – fod y Wladwriaeth yn ymyrryd mewn materion crefyddol a'r hyn oedd yn berthnasol i'r Eglwys yn fewnol. Yn sicr, erbyn yr 1820au cynnar roedd anfodlonrwydd yr Anghydffurfwyr yng Nghymru gyda statws breintiedig a natur gormesol yr eglwys Sefydledig Anglicanaidd wedi darbwyllo llawer fod yn rhaid wrth weithredu gwleidyddol i newid pethau. Rheswm arall pam roedd cyswllt mor glòs rhwng Radicaliaeth ac Anghydffurfiaeth oedd y ffaith mai'r capel oedd yn darparu yr unig fodd i fynegi barn wleidyddol ar y cyd, y tu allan i gylch cul a breintiedig yr etholaeth, cyn y deddfu i ddiwygio'r Senedd.

I
II
III
IV
V
VI
VII
**VIII**
IX
X

271

I

II

III

IV

V

VI

VII

VIII

IX

X

Ffactor grymus arall yn nhwf Anghydffurfiaeth radical oedd dylanwad cynyddol y wasg enwadol a wnaeth gymaint i roi addysg wleidyddol i'r bobl. I'r mwyafrif o Anghydffurfwyr radical modd i gyrraedd nod oedd gwleidyddiaeth, nid nod ynddi'i hun. Ni ddymunent gael pleidlais na grym gwleidyddol er ei fwyn ei hun ond fel cam tuag at sylweddoli eu hamcanion, sef goddefgarwch crefyddol a rhyddid oddi wrth Wladwriaeth ac Eglwys Sefydledig. Nid hyd ddiwedd yr 1840au neu'r 1850au cynnar y bu i Anghydffurfiaeth ymuno â'r brif ffrwd wleidyddol a chofleidio ystyriaethau cymdeithasol, gwleidyddol a diwylliannol a hynny ddim ond oherwydd na ellid bellach eu hanwybyddu. O ganlyniad cyfrifir y cyfnod o 1859 hyd 1868 fwy neu lai gan lawer o haneswyr fel un pur arwyddocaol yn hanes gwleidyddol Cymru oherwydd gwelwyd twf cyflym yn ymwybyddiaeth wleidyddol y Cymry.

Fodd bynnag, nid oedd pob Anghydffurfiwr yn radical na phob radical yn Anghydffurfiwr. Roedd y Methodistiaid, er enghraifft, yn hynod gyndyn i gamu i faes y frwydr wleidyddol a bu iddynt wneud hynny yn bennaf oherwydd y dadleuon ynghylch y Llyfrau Gleision yn 1847. Fe'u prociwyd i weithredu oherwydd beirniadaeth y Comisiynwyr ar wahanol agweddau ar ffydd y Cymry, eu bywyd a'u haddysg. Ymunodd y Methodistiaid â'r Anghydffurfwyr gan alw am ddiwygio etholiadol a grym gwleidyddol.

Efallai bod radicaliaeth Cymru yn ddyledus i Anghydffurfiaeth frodorol am ei gwreiddiau, gan ei bod yn bennaf yn cynrychioli'r dosbarth canol yng Nghymru wledig, ond pan ystyriwn ei datblygiad, i ddod yn rym gwleidyddol nerthol, rhaid cydnabod ei bod yn ddyledus i radicaliaid y dosbarth gweithiol yn y trefi diwydiannol ac ardaloedd fel Merthyr a Chasnewydd. Yma, yn 1831 ac 1839, y bu i radicaliaeth, wedi ei hysbrydoli i weithredu oherwydd amodau byw ac amodau gwaith difrifol a chydag anogaeth radicaliaid Lloegr, droi at drais. Er bod radicaliaid Anghydffurfiol yn teimlo'n rhwystredig ac yn ddig oherwydd diffygion Deddf Diwygio'r Senedd yn 1832 a Deddf Cyfnewid y Degwm yn 1836 roeddent fel rheol yn gwrthwynebu trais ac yn amharod i ddwyn pwysau ar lywodraethau i'w hannog i ddiwygio. Gwell oedd ganddynt ddeisebu a phregethu dros achos y teimlent ei fod yn gyfiawn.

Nid yw hyn yn golygu nad oedd cyswllt rhwng radicaliaid y dosbarth gweithiol a radicaliaid Anghydffurfiol y dosbarth canol (roedd canran deg o'r dosbarth gweithiol yng Nghymru, wedi'r cyfan, yn mynychu'r capeli) ond proses a ddatblygodd dros gryn amser oedd y berthynas fwy clòs rhyngddynt ar lefel gwleidyddol. Fel y datblygodd radicaliaeth y dosbarth gweithiol yn Siartiaeth ac undebaeth lafur, aeth radicalwyr Anghydffurfiol yn nes at y Blaid Ryddfrydol a gwleidyddiaeth Ryddfrydol. Felly, o'r 1860au, syrthiodd mantell radicaliaeth Gymreig ar ysgwyddau diwygwyr y Blaid Ryddfrydol.

Llun 40

Dau gartŵn gan Cruikshank yn dangos ofn y llywodraeth yn wyneb yr hyn a welent fel bygythiad radicaliaeth (1819)

I
II
III
IV
V
VI
VII

**VIII**

IX
X

## b) Mudiadau, Cymdeithasau a Chynghreiriau

Yn ystod y bedwaredd ganrif ar bymtheg gwelwyd sefydlu nifer o fudiadau, cymdeithasau a chynghreiriau gyda'r bwriad o hybu diwygio o ryw fath neu'i gilydd. Ffurfiwyd llawer ohonynt gyda'r nod o wella bywydau'r tlawd a'r diddysg. Roedd rhai yn llawn delfrydiaeth yn ceisio ennill goddefgarwch crefyddol a rhyddid ac eraill yn gofidio am fod cynnydd mewn dulliau ymosodol a'r gweithwyr heb gynrychiolaeth. Ond daeth pawb i gredu mai dim ond trwy wleidyddiaeth yn y pen draw, drwy'r Senedd a diwygio gwleidyddol, y gellid sicrhau newid ym mywydau'r bobl o ddydd i ddydd.

## (i) Mudiad Rhydychen

John Keble (m. 1866) yw'r gŵr a enwir fel cychwynnydd Mudiad Rhydychen gyda'i Bregeth Aseis yn 1833. Roedd Keble yn un o nifer o ddarlithwyr yn Rhydychen a sefydlodd y mudiad mewn ymgais i wrthweithio'r hyn oedd, yn eu barn nhw, yn rheolaeth ormodol y Senedd dros Eglwys Loegr. Y sbardun a barodd i Keble draddodi'r bregeth oedd penderfyniad y llywodraeth i ddiwygio'r Eglwys yn Iwerddon, a olygai haneru'r nifer o ddeoniaethau. Er nad oedd Keble o angenrheidrwydd yn anghytuno â'r syniad o ddiwygio'r Eglwys, roedd yn gwrthwynebu ymyrraeth y Senedd ym materion yr Eglwys. Yr hyn oedd yn poeni Keble ac eraill oedd y ffaith fod Senedd, nad oedd yn wir Anglicanaidd bellach, gan fod nifer cynyddol o'r Aelodau Seneddol yn dod o gefndir Anghydffurfiol, â'r gallu i reoli ac i ddiwygio'r Eglwys. Rhwng 1833 ac 1840 llwyddodd y Senedd i basio cyfres o fesurau i ddiwygio'r Eglwys

- deliwyd ag amlblwyfaeth, sef hawl clerigwr i fod â gofal mwy nag un plwyf er mwyn ychwanegu at gyflog oedd yn aml yn wael;
- roedd yn rhaid talu'r degwm mewn arian bellach nid mewn cynnyrch;
- y wladwriaeth nid yr Eglwys oedd bellach yn gyfrifol am gofrestru genedigaethau, marwolaethau a phriodasau;
- gorchmynnwyd fod yr Eglwys i gynnal ei gwasanaethau Sul yn y Gymraeg yn yr ardaloedd lle roedd y Gymraeg yn iaith y mwyafrif o'r plwyfolion.

Ar y llaw arall, methiant fu ymgais, yn 1836, i leihau'r nifer o ddeoniaethau yng Nghymru o bedair i ddwy drwy uno Bangor a Llanelwy a'r hyn a barodd fwy fyth o ddadlau, Llandaf a Bryste. Gwrthwynebai Anglicaniaid Cymreig yn ffyrnig. Yn eu plith roedd rhai oedd yn aelodau o Fudiad Rhydychen fel

Isaac Williams o Langorwen ger Aberystwyth. Er bod llawer o'r diwygiadau a gafwyd yn yr Eglwys wedi bod o fudd ac wedi gwella'r sefydliad daliodd Mudiad Rhydychen i ymgyrchu:

- i wneud yr Eglwys yn llai gwleidyddol trwy ei gwahanu oddi wrth y Senedd;
- i roi pŵer i'r Eglwys i ddelio â'i materion ei hun drwy ei gwneud yn fwy annibynnol o'r Senedd;
- i helpu'r Eglwys i ad-ennill ei statws fel sefydliad dwyfol ac ysbrydol trwy ail-ddarganfod ei gwreiddiau catholig;
- i gefnogi'r achos a hybu poblogrwydd yr Eglwys trwy gyhoeddi cyfres o bamffledi byr gyda'r teitl *Tracts for the Times*, rhwng 1833 ac 1841.

Er bod llawer yn gwrthwynebu'r Mudiad o fewn a thu allan i'r Eglwys Anglicanaidd, yn enwedig yn y Senedd lle roedd esgobion anglicanaidd yn Nhŷ'r Arglwyddi yn gorfod wynebu dylanwad cynyddol Aelodau Seneddol Anghydffurfiol yn Nhŷ'r Cyffredin, daliodd ati gyda'r dasg o adfywio'r Eglwys. Yng Nghymru dynion fel Esgob Thirlwall, Tŷ Ddewi oedd yn arwain. Oherwydd ei arweiniad ef, yn rhannol, ac oherwydd yr ysbrydoliaeth a roddai Mudiad Rhydychen, yn ôl Gwyn A. Williams,

> yr Anglicaniaid yn bennaf a ymrôdd i gefnogi'r eisteddfod a'r adfywiad cenedlaethol. Hwy oedd y garfan fwyaf o danysgrifwyr a gyfrannodd at sefydlu prifysgol yn Aberystwyth ac roedden nhw ymhlith y rhai mwyaf selog dros genedligrwydd Cymreig – ffaith a ddiystyrwyd yn fwriadol cyn hir yn hanes Cymru fodern sy'n gynnyrch poblyddiaeth Anghydffurfiol a oedd wedi ennill buddugoliaeth.

## (ii) Y Gymdeithas Heddwch

Ni bu'r Gymdeithas Heddwch erioed y ddim ond mudiad o ddiddordeb ymylol yng Nghymru ond roedd un o'i brif gefnogwyr yn ŵr o gymeriad cryf ac yn dylanwadu ar wleidyddiaeth Anghydffurfwyr Cymru. Yn gynnar yn ei yrfa, gwelwyd Henry Richard (m. 1888), a anwyd yn Nhregaron (1812) ac a hyfforddwyd i'r weinidogaeth yng Ngholeg yr Annibynwyr yn Highbury, Llundain, (1830-34), yn llafurio dros achos heddwch rhyngwladol. Ac yntau yn weinidog Eglwys Annibynnol Marlborough, Llundain (1835-50), pregethai heddwch o'r pulpud ac annog llywodraethau Prydain ac Ewrop i gydweithio mewn ysbryd newydd. Yn 1848 penodwyd Richard yn ysgrifennydd y Gymdeithas Heddwch, swydd a'i galluogodd i fynd i gynadleddau Heddwch

I

II

III

IV

V

VI

VII

**VIII**

IX

X

ym Mrwsel, Paris and Frankfort rhwng 1848 ac 1850. Yn fuan wedyn fe'i penodwyd yn olygydd cylchgrawn misol y Gymdeithas, *Herald of Peace*. Oherwydd ei brofiadau yn y cynadleddau ymddiswyddodd o'i weinidogaeth ac aeth i weithio'n llawn amser dros heddwch. Fodd bynnag, ehangwyd ei ddiddordebau a thros y deng mlynedd ar hugain nesaf bu'n brwydro dros achosion teilwng eraill, megis Pwnc y Tir, crefydd a'r Wladwriaeth ac addysg. Fe'i darbwyllwyd mai gwleidyddiaeth oedd yr arf gorau i'w ddefnyddio er mwyn hyrwyddo ei achosion. Er iddo fod yn ymarhous ar y dechrau – tynnodd ei enw'n ôl yn 1865 ac yntau wedi ei enwebu'n ymgeisydd Rhyddfrydol dros Geredigion – fe'i hetholwyd yn aelod dros Ferthyr yn 1868. Defnyddiodd ei safle yn y Senedd er daioni yn enwedig mewn araith yn Nhŷ'r Cyffredin yn 1873 oedd yn cefnogi cynnig y dylid sefydlu cynllun cyflafareddu i drafod anghydfod cydwladol. Oherwydd ei ymdrechion dros heddwch Ewropeaidd a byd-eang enillodd y teitl 'Apostol Heddwch'. Roedd llawer yn meddwl ei fod yn cynrychioli agwedd pawb o bobl Cymru.

### (iii) Y Gymdeithas Ryddhad

Bu gan y Gymdeithas Ryddhad ran bwysig i'w chwarae yn y proses o addysgu Cymru yn wleidyddol. Fe'i sefydlwyd yn 1844 fel Cymdeithas Wrth-Wladwriaeth-Eglwys ac roedd iddi ddau amcan – gwahanu Eglwys a Gwladwriaeth a hybu diwygio'r Senedd. Er ei bod wedi ei sefydlu gan Saeson oedd yn anghydffurfwyr dan arweinyddiaeth Edward Miall o Gaerlŷr, a gynigiodd sefydlu cymdeithas o'r fath yn y lle cyntaf yn ei bapur newydd *The Nonconformist* (sefydlwyd yn 1841), roedd nifer o gynrychiolwyr yn y cyfarfod cyntaf yn Llundain yn Gymry.

## Tabl 19

**Cynrychiolwyr o Gymru yng nghyfarfod cyntaf y Gymdeithas Gwrth-Wladwriaeth-Eglwys**

| Sir | Nifer o Gynrychiolwyr |
|---|---|
| Mynwy | 8 |
| Morgannwg | 4 |
| Maldwyn | 4 |
| Caerfyrddin | 3 |
| Dinbych | 2 |
| Meirionnydd | 1 |
| **Cyfanswm** | 22 |

Fodd bynnag, ar waethaf y gynrychiolaeth gref o Gymru yn y gynhadledd gyntaf, dim ond yn araf yr ymunodd Cymry â'r gymdeithas. Tebyg mai felly yn byddai wedi para oni bai am ddau ddigwyddiad a barodd hybu'r mudiad yng Nghymru:

• penodi un o Gymry Llundain, J.C. Williams, yn ysgrifennydd y Gymdeithas
• cyhoeddi yn 1847 adroddiad y llywodraeth ar gyflwr addysg yng Nghymru (y Llyfrau Gleision).

Gweithiodd Williams yn ddiflino i hyrwyddo'r Gymdeithas ac o dan ei arweinyddiaeth sefydlwyd celloedd yng Nghymru. Gyda chyhoeddi adroddiad y Llyfrau Gleision cafodd gwaith Williams amlygrwydd anferthol gan eu bod wedi cythruddo'r enwadau Anghydffurfiol gymaint fel y bu iddynt anghofio pob anghydweld a ffurfio cynghrair i wrthdystio i'r sarhad ar bobl Cymru a'u ffydd. Arweiniwyd yr ymosodiad gan y Methodistiaid, oedd yn arfer cadw ar wahân, gyda Lewis Edwards o'r Bala ar flaen y gad. Yn rhifyn y gwanwyn o'r chwarterolyn *Y Traethodydd* (a sefydlwyd yn 1845), ceisiai Edwards, y golygydd, annog ei gyd-Fethodistiaid i weithredu'n wleidyddol gan obeithio y byddai 'Anghydffurfwyr o egwyddor yn cael eu hethol i'r Senedd ym mhob sir a bwrdeistref yng Nghymru'. Mae ei gasgliad, 'Prif gynnen yr oes hon yw'r undod rhwng Eglwys a Gwladwriaeth' yn awgrymu y byddai'r Eglwys sefydledig yn dal i sarhau, i ddifrïo ac i ynysu hyd nes y byddai gan Anghydffurfwyr lais pendant a chlir yn y Senedd. Mae'r ffaith fod Anghydffurfwyr dylanwadol eraill wedi ymuno ag ef, dynion deallus fel

Henry Richard, Evan Jones (Ieuan Gwynedd) a R.J. Derfel, wedi peri i'r hanesydd John Davies farnu 'mae'n bosibl gweld gwraidd y syniad mai pobl y capel oedd yr unig wir Gymry a bod Cymreictod yn gyfystyr ag Anghydffurfiaeth'. Yn bwysicach fyth roedd Anghydffurfwyr yn dod yn fwyfwy ymwybodol o rym y Senedd a'r modd y gellid dwyn perswâd ym myd gwleidyddiaeth. Roedd hyn yn arbennig o wir am y Methodistiaid oedd wedi ymwrthod â gwleidyddiaeth a gweithredu gwleidyddol cyhyd gan gredu fod gwneud hynny yn bechod.

Yn 1853 newidiodd y Gymdeithas ei henw i 'Cymdeithas Rhyddhad Crefydd oddi wrth Nawdd a Rheolaeth y Wladwriaeth'. Fel hyn y bu i Anghydffurfwyr Cymru gofleidio mudiad a ddaeth i nifer cynyddol ohonynt yn fodd i ennill rhyddid llwyr, nid yn unig ym myd crefydd ond hefyd yn gymdeithasol, yn wleidyddol ac yn ddiwylliadol. Yn Lloegr daeth y Gymdeithas Ryddhad yn fwyfwy dylanwadol ac ym mhob etholiad wedi 1847 daeth yn fwy proffesiynol ei dull wrth fynegi barn yr Anghydffurfwyr. Wedi ennill ei thir ar y gororau ac mewn rhannau o dde-ddwyrain Cymru yn yr 1840au a'r 1850au, arafodd y twf yn nifer y pwyllgorau Rhyddhad a sefydlwyd. Ar waethaf y brwdfrydedd dros waith y Gymdeithas, ymylol oedd ei dylanwad yng ngorllewin, canolbarth a gogledd Cymru ac nid oedd yn unman cystal ag ym Morgannwg a Mynwy. Roedd nifer o resymau am hyn:

- prinder arian – roedd tanysgrifiadau o Gymru yn rhy ychydig i gynnal gweithgareddau'r Gymdeithas.
- prinder deunydd darllen yn y Gymraeg – cost cyfieithu a chyhoeddi yn rhy uchel.
- anaml y byddai darlithwyr y Gymdeithas yn mynd ar gylchdaith yng Nghymru – Saeson uniaith oedd y mwyafrif o'r darlithwyr ac nid oedd digon o arian i'w cynnal nac i hyfforddi digon o siaradwyr y Gymraeg.
- trefniadaeth wael oedd yn golygu fod llai o bwyllgorau lleol – roedd prinder affwysol o weithwyr lleol oedd â'r amser a'r ynni i drefnu.
- amharodrwydd rhai Anghydffurfwyr i gymryd rhan mewn gweithredu uniongyrchol – dim ond yn raddol y daeth y Methodistiaid i weld manteision gweithredu gwleidyddol.

Yn 1862 rhoddodd y Gymdeithas Ryddhad ei holl sylw a'i hadnoddau i Gymru. Cynhaliwyd cynadleddau ar wahân a sefydlu pwyllgorau yng ngogledd a de Cymru. Penodwyd asiantwyr ardal ac etholiadol gyda chyflogau blynyddol o rhwng £40 a £50, a galw am wasanaeth arbenigwyr gwleidyddol a darlithwyr cylchol ar adeg etholiad. Yng ngogledd Cymru cynyddodd y nifer o bwyllgorau Rhyddhad oedd yn cyfrannu at gyllid y prif sefydliad o ddeg yn 1863 i bum deg pump yn 1868. Yn ne Cymru roedd y raddfa o lwyddiant wrth sefydlu pwyllgorau lleol yn gyffelyb gyda chynnydd o ddau ar hugain i bedwar deg pump. Does dim amheuaeth nad oedd y Gymdeithas yn ddyledus i'r Wasg Gymreig am lawer o'i llwyddiant, yn enwedig cylchgronau enwadol megis *Y Diwygiwr* a *Seren Gomer*, oedd yn cefnogi ei gweithgareddau. Yn sicr cyfrannodd cyhoeddiad y Gymdeithas ei hunan, *The Liberator,* at y llwyddiant hefyd.

Yn ogystal â deffro Anghydffurfwyr Cymru i werthfawrogi grym gweithredu gwleidyddol, cyfraniad mwyaf y Gymdeithas Ryddhad fu annog a threfnu cofrestr etholwyr. Pasiwyd Deddf Diwygio 1867 a ledeanai'r bleidlais i etholwyr y dosbarth gweithiol yn y trefi ar sail perchenogaeth tŷ. Bu hyn yn sbardun i'r Gymdeithas Ryddhad gefnogi sefydlu yn Aberdâr Gymdeithas Cynrychiolaeth y Cymry a amcanai at hyrwyddo cynrychiolaeth seneddol yr Anghydffurfwyr, ac yng Nghaerfyrddin y flwyddyn ddilynol Gymdeithas Gofrestru De Cymru. Lai na blwyddyn wedyn cafwyd help y Gymdeithas i sefydlu Cynghrair Diwygio Cymru. Roedd y gweithgaredd gwleidyddol hyn i gyd yn peri fod arwyddocâd arbennig i etholiadau 1868. Eto, ar waethaf ei holl waith caled tu ôl i'r llenni, unig lwyddiant y Gymdeithas Ryddhad yn uniongyrchol oedd buddugoliaeth Henry Richard, un o'i haelodau, yn etholiad Merthyr yn 1868, ar ôl ymgyrch hynod effeithiol.

Ar ôl 1868 gwnaeth y Gymdeithas fwy o ymdrech i addysgu'r Cymry mewn dulliau gwleidyddol ac yn 1883 ailddiffiniwyd ei hamcanion a'i strwythur yng Nghymru i ganolbwyntio yn arbennig ar faterion Cymreig megis datgysylltu. Pan gafwyd gwaed newydd yn yr 1890au a gwleidyddion fel Lloyd George yn gwasanaethu ar ei phwyllgor gweithredol, llwyddodd y Gymdeithas Ryddhad i berswadio'r llywodraeth i lunio Mesur Datgysylltu 1894, er mai gwael fu ei dynged.

I
II
III
IV
V
VI
VII
**VIII**
IX
X

### (iv) Y Cynghrair Diwygio

Cyfrifwyd mai dim ond 62,000 o bobl Cymru, allan o gyfanswm o 1.35 miliwn, oedd â'r hawl i bleidleisio yn 1866. Bu'r ffaith warthus hon yn hwb i lawer o bobl, hyd yn oed yr Anghydffurfwyr oedd yn ymwrthod â gweithredu gwleidyddol, sylweddoli ei bod hi'n bryd gwneud rhywbeth. Wedi eu sbarduno gan y Sentars cynnar, eu deffro gan helynt y Llyfrau Gleision a'u trefnu gan y Gymdeithas Ryddhad, roedd Anghydffurfwyr yn barod i ehangu eu gorwelion. Roedd nifer o garfannau oedd yn barod i bwyso am welliannau ym myd gwleidyddiaeth wedi dod i'r amlwg yn niwedd yr 1850au a dechrau'r 1860au ac yn barod i gynnig help. Efallai mai'r ddau grŵp pwysicaf oedd yr Undeb Diwygio Cenedlaethol a'r Cynghrair Diwygio, y ddau wedi eu sefydlu yn Lloegr a'u pencadlys yno.

- Sefydlwyd yr Undeb Diwygio Cenedlaethol yn 1864. Pobl o'r dosbarth canol yn bennaf oedd ei aelodau ac ymgyrchai am ryddfraint i berchenogion tŷ. Ym Manceinion roedd ei bencadlys ac roedd yn boblogaidd gydag Anghydffurfwyr. Dylanwadai yn bennaf ar ogledd Cymru. Erbyn 1866 roedd y gymdeithas yn gweithio'n glòs iawn â'r Cynghrair Diwygio oedd wedi cymryd yr awenau o safbwynt diwygio.
- Cymdeithas o'r dosbarth gweithiol oedd y Cynghrair Diwygio a sefydlwyd yn 1865. Yn wahanol i'r Undeb Diwygio Cenedlaethol cymedrol nid oedd yn credu y dylai perchenogaeth eiddo fod yn sail dros benderfynu hawl i bleidleisio. Felly, roedd y Cynghrair yn ymgyrchu dros ryddfreinio pob dyn a thros y bleidlais gudd. Roedd y de diwydiannol yng Nghymru yn cefnogi'r Cynghrair.

Ffurfiodd y Cynghrair dros 400 o ganghennau ledled Prydain, tua 13 ohonynt yng Nghymru. Fodd bynnag, ac eithrio Merthyr Tudful o bosib, a fu ers amser yn grochan ferw dros ddiwygio gwleidyddol a'i gweithwyr yn barod i gefnogi cynnwrf, llugoer oedd yr ymateb i waith y Cynghrair. Er bod niferoedd mawr yn mynychu cyfarfodydd i wrando ar ddarlithwyr gwâdd roedden nhw'n amharod i ymuno â'r canghennau lleol na chyfrannu arian at gynnal gweithgareddau. Teimlai dynion gweithgar fel y Parch. John Jones o Langollen, Is-Lywydd y Cynghrair yng Nghymru yn rhwystredig ac yn ddig oherwydd y difrawder hwn. Yn ei lyfr dylanwadol ar ystyriaethau etholiadol, *Llawlyfr Etholiadaeth Cymru* ceisiodd addysgu ei gyd-wladwyr anfoddog am fanteision gwleidyddiaeth a'r hawl i bleidlais. Yn ei farn ef gellid olrhain y difrawder hwn yn ôl i deyrnasiad Harri VIII pan gafodd y Cymry, gyda'r

Deddfau Uno (1536-43) 'ran o freintiau'r deyrnas' ac o'r herwydd 'eisteddodd y genedl yn dawel wrth draed y gorchfygwr, ac o'r diwrnod hwnnw hyd heddiw, mae'r genedl wedi ymollwng i gyflwr llugoer a difaterwch gwleidyddol'.

Ar y llaw arall, mae'n amlwg hefyd fod yna yng Nghymru yng ngeiriau'r Parch Jones, 'eithriadau gwych, unigolion a grwpiau oedd yn barod i gefnogi gwaith y Cynghrair. Er enghraifft, Cyngor Masnach Caerdydd ac Undeb Cryddion Merthyr oedd yn gyfrifol am sefydlu canghennau o'r Cynghrair yn y trefi hynny. Yn wir, heb weithgaredd sefydliadau megis yr Undeb a'r Cynghrair ac eraill fel y Gymdeithas Ryddhad byddai'r Cymry wedi para 'yn anwybodus ynghylch materion cenedlaethol'. Roedd hyd yn oed Henry Richard, a fu'n beirniadu difrawder ac anwybodaeth ei gydwladwyr yn y gorffennol, yn gallu ysgrifennu yn 1866 fod 'pobl Cymru wedi dechrau dangos diddordeb deallus a difrif mewn gwleidyddiaeth'. Roedd y newid hwn i'w briodoli, i raddau helaeth, i dwf grym a dylanwad y wasg yng Nghymru oedd yn cyfrannu gwybodaeth ac yn annog ei darllenwyr i ddod yn fwy ymwybodol ac i weithredu. Y wobr i'r sawl fu'n ymroddgar yn ceisio newid system wleidyddol Prydain oedd Deddf Diwygio'r Senedd 1867 a roddodd y bleidlais i bob dyn oedd yn berchen tŷ mewn etholaethau sirol lle roedd y dreth yn £12 neu fwy bob blwyddyn. O ganlyniad dyblwyd bron y nifer o bleidleiswyr yng Nghymru, o 62,000 i 121,000 gyda Merthyr ar y blaen yn y bwrdeistrefi a nifer ei phleidleiswyr yn codi o 1,387 i 14,577. Rhaid derbyn nad oedd ymwneud Cymru a'r Cymry yn ôl pob tebyg yn bwysig o safbwynt pasio'r Ddeddf Diwygio. Ond, mae haneswyr yn anghytuno a fu pwysau poblogaidd yn allweddol gan ddwyn perswâd ar y llywodraeth i basio'r Ddeddf Diwygio yn 1867, y gyntaf ers Deddf Diwygio 1832, neu ai canlyniad cynllwynio gwleidyddol ymysg y pleidiau a gystadlai yn y Senedd oedd y Ddeddf.

## c) Y Wasg yng Nghymru

Yn ôl Gwyn A. Williams, 'Y rheilffyrdd a'r wasg oedd yn gyfrifol am dwf yr ymwybyddiaeth wleidyddol'. Deuai'r rheilffyrdd â newyddion ond y wasg oedd yn 'gwneud' newyddion a gellid dadlau mai'r wasg enwadol Gymreig oedd fwyaf dylanwadol yn y proses o addysgu pobl Cymru yn wleidyddol.

Dilewyd y Dreth ar Wybodaeth yn 1854 a'r doll ar bapur yn 1861 gan hybu argraffu nifer o gyfnodolion a phapurau newydd brodorol, y mwyafrif yn y Gymraeg. Gwelwyd newid yn agwedd y wasg enwadol Gymraeg ei hiaith oedd bellach yn rhoi mwy o sylw i faterion gwleidyddol. Ar adeg pan nad oedd fawr o gylchrediad i bapurau Saesneg yng Nghymru, darparodd y papurau Cymraeg a'r cyfnodolion addysg wleidyddol i boblogaeth oedd yn dod yn fwyfwy llythrennog a llawn cywreinrwydd. Ymysg y nifer fawr o olygyddion ac ysgrifenwyr Anghydffurfiol, llawer ohonynt yn bregethwyr a darlithwyr enwog, mae dau ŵr yn denu mwy o sylw na'r gweddill sef William Rees (Gwilym Hiraethog) a Thomas Gee.

### (i)  William Rees (Gwilym Hiraethog) (1802-83)

Ganwyd ym mhlwyf Llansannan, Sir Ddinbych, a'i hynafiaid yn ffermwyr. Ni chafodd Rees fawr o addysg ffurfiol cyn iddo fynd yn weinidog gyda'r Annibynwyr. Roedd yn bregethwr a darlithydd huawdl a siaradai ar amrywiol bynciau megis 'Chwyldro 1848', 'Garibaldi' a 'Williams Pantycelyn'. Roedd ymysg y rhai cyntaf i sylweddoli gwerth papurau newydd a dylanwad posibl 'pregethu mewn print', ac yn 1843, yn fuan ar ôl iddo ymgartrefu yn Lerpwl, sefydlodd *Yr Amserau*. Dyna'r papur newydd cyntaf i fod yn llwyddiannus yn fasnachol ac yn ei feirniadaeth. Deliai â phynciau megis Dileu'r Ddeddf Ŷd, Y Degwm, Addysg Elfennol, Datgysylltiad a Mudiad Rhydychen. Bu cyfres Rees, *Llythyrau 'Rhen Ffarmwr*, yn hynod boblogaidd, wedi eu hysgrifennu yn nhafodiaith ei ardal enedigol, Hiraethog. Bu'n gyfrwng i fagu brwdfrydedd yn y Cymry o blaid rhyddid gwleidyddol a chrefyddol gartref a chydymdeimlad â'r sawl oedd yn ceisio ennill yr un hawliau dramor. Roedd yn fardd ac yn emynwr ac yn arloeswr ym myd y nofel yng Nghymru.

### (ii)  Thomas Gee (1815-98)

Mab i Sais o argraffydd oedd wedi ymgartrefu yn Ninbych oedd Thomas Gee. Daeth yn Rhyddfrydwr cadarn ac yn bregethwr Ymneilltuol a drodd ei gefn ar Anglicaniaeth ei deulu gan droi at Fethodistiaeth Galfinaidd. Er na fu i Gee gymryd gofal eglwys llwyddodd i gyfuno ei gariad at grefydd a phregethu â'i fuddiannau masnachol fel argraffydd a chyhoeddwr.

Dyma'r mudiadau oedd agosaf at ei galon:
- addysg anenwadol am ddim i bawb;
- yr ymgyrch yn erbyn gormes landlordiaeth;
- rhyddfraint i bob dyn a'r bleidlais gudd;
- diwygio'r Senedd;
- cyfartaledd crefyddol a'r frwydr i Ddatgysylltu'r Eglwys yng Nghymru.

Llwyddodd i roi llais grymus i'r mudiadau hyn yn ei chwarterolyn *Y Traethodydd* (1845) ond yn bennaf drwy ei bapurau newydd cenedlaethol wythnosol, *Y Faner* (1857) a'i olynydd *Baner ac Amersau Cymru* (1859). O dan ofal Gee bu i'r papur hwn, oedd yn gyfuniad o'i bapur ef ei hun a *Yr Amserau* William Rees, ddod yn ddylanwad sylweddol ar feddwl a barn y Cymry yn ail hanner y bedwaredd ganrif ar bymtheg. Trwy ddatgan safbwynt Cymru Radicalaidd ac Anghydffurfiol bu'n gyfrwng i daflu goleuni ar y farn ar faterion pwysig y dydd. Wrth ymladd dros achos democratiaeth Gymreig ym myd addysg, gwleidyddiaeth a chrefydd, gyda'i chylchrediad o dros 50,000, gwireddodd *Baner ac Amersau Cymru* y brolio a wnâi cyhoeddwr cyfnodolyn Aberdâr – 'Yr hyn rydym ni'n ei feddwl heddiw, bydd Cymru'n ei feddwl yfory'.

Ar ôl Rees a Gee daeth llu o bapurau newydd, pamffledi a chyfnodolion. Er enghraifft, yn ei gyfrol *The Provincial Newspaper Society, 1836-1886*, a gyhoeddwyd yn 1886, amcangyfrifai H. Whorlow fod yna tuag 83 o bapurau newydd yng Nghymru o'i gymharu â 18 yn 1856. Daeth rhai trefi yng Nghymru – y Fenni, Caernarfon, Caerdydd, Caerfyrddin, Dinbych, Abertawe a Merthyr yn enwedig – yn ganolfannau argraffu gyda'r gallu i ddylanwadu ar y cyrion ac, o ystyried papurau newydd, ar ardaloedd pellach, gyda chyhoeddiadau megis *Yr Herald Cymraeg, Tarian y Gweithiwr, Y Genedl Gymreig, Cardiff Times, Carmarthen Times, Caernarvon and Denbigh Herald, The South Wales Daily News* a'r *Merthyr Express*. Mae Gwyn A. Williams wedi crynhoi gallu'r wasg i ddylanwadu ar wleidyddiaeth Cymru, '… gyda'r wasg daeth y Gymdeithas Ryddhad … ac wedyn y Cynghrair Diwygio, yn galw eto am bleidlais i'r gweithwyr'. Daeth gwleidyddion hefyd i werthfawrogi gallu'r wasg Gymreig. Yn eu plith roedd Lloyd George a ddefnyddiai'r wasg, a'i chamddefnyddio ar dro, i gyrraedd ei nod gwleidyddol.

I

II

III

IV

V

VI

VII

**VIII**

IX

X

Ar ôl areithio mewn cyfarfod o Cymru Fydd yn Aberdâr ar 5 Gorffennaf 1894, ysgrifennodd Lloyd George at ei wraig:

> Cawsom gyfarfod ardderchog neithiwr – tua 4,000 o bobl i gyd. Roedd golygydd a phrif ohebydd *The South Wales Daily News* yno a chawsant argraff dda iawn. Maen nhw wedi rhoi lle amlwg dros ben a theip arbennig i'm haraith gan ei rhannu yn adrannau gyda phenawdau ymfflamychol. Maen nhw'n cyfeirio ati yn y brif erthygl fel "araith huawdl ac ati".

Ddeuddydd yn ddiweddarach roedd Lloyd George yn ysgrifennu 'cefais ddwyawr o sgwrs gyda golygydd y *South Wales Daily News* bore heddiw'. Yn amlwg, iddo ef ac egin wleidyddion eraill yng Nghymru roedd y wasg yn dod yn arf amhrisiadwy i'w galluogi i ennill grym gwleidyddol. Yn wir, gwelodd y cyfnod rhwng yr 1840au a'r 1890au newid sylweddol yn natur a chynnyrch argraffu yng Nghymru. Lle roedd crefydd a materion crefyddol wedi hawlio'r holl sylw, nawr gwleidyddiaeth a materion gwleidyddol oedd bwysicaf. Gellir cyfeirio at gyfres o erthyglau gan J.O. Jones (Ap Ffarmwr) yn y cyfnodolyn *Young Wales* i enghreifftio'r newid. Mae teitl rhifyn Rhagfyr 1895 yn enwedig yn arwyddocaol – 'Y Deffroad Cenedlaethol yng Nghymru IV Yn ei Berthynas â'r Wasg'. Yn ôl Jones, wedi eu deffro i grefydd yn y ddeunawfed ganrif, roedd y Cymry, drwy'r wasg, wedi eu deffro'n eang i wleidyddiaeth yn y bedwaredd ganrif ar bymtheg. Nid yw hyn yn syn o gofio sylw J.E. Vincent, gohebydd Cymraeg *The Times*, yn ei *Letter from Wales* (a gyhoeddwyd yn 1889):

> Bu twf newyddiaduraeth, a'r newyddiaduraeth yn yr iaith frodorol yn enwedig, yn y Dywysogaeth yn y blynyddoedd diweddar yn wir syfrdanol. Yr argraff a gaf yn wir yw fod Cymru yn cynnal mwy o newyddiadurwyr, ac ystyried beth yw ei phoblogaeth, nag unrhyw ran arall o'r byd gwareiddiedig.

Does fawr amheuaeth nad oedd y wasg erbyn yr 1860au wedi dod yn rym gwleidyddol yng Nghymru, diolch yn bennaf i waith arloesol Anghydffurfwyr. Yn raddol llwyddodd i gyffroi'r cyhoedd i ddangos diddordeb mewn etholiadau ac ennill cefnogaeth i rai ymgeiswyr, fel rheol yr Anghydffurfwyr Rhyddfrydol.

Mae etholiad Meirionnydd yn 1859 yn tystio i ddylanwad y wasg pan ddefnyddiodd *Baner ac Amserau Cymru* (oedd newydd gyfuno) ei dylanwad i gefnogi David Williams, cyfreithiwr Rhyddfrydol o Benrhyndeudraeth, yn erbyn y tirfeddiannwr Torïaidd a'r Aelod Seneddol oedd yn y swydd eisoes, W.W.E. Wynne o Beniarth. Gan roi ei ffydd yn y traddodiad disgwyliai Wynne gael ei ail-ethol (am y trydydd tro yn olynol) heb neb yn ei wrthwynebu ond mae'r ffaith iddo orfod wynebu cystadleuaeth na lwyddodd i'w hennill ond o 389 pleidlais i 351 yn dangos yn eglur mor ddylanwadol oedd y gair printiedig. Roedd yr 'Hen Drefn' roedd Wynne yn ei chynrychioli – etholaethau gwledig a'r tirfeddiannwr yn tra-arglwyddiaethu – trefn oesol eu penarglwyddiaeth, wedi ei siglo gan fod tenantiaid wedi herio gan feiddio pleidleisio yn erbyn eu tirfeddiannwr. Nid yw'n syn fod teuluoedd wedi eu troi allan o'u cartrefi ac wrth gwrs canlyniad hynny fu protest yn y wasg Gymreig. Dros y degawd nesaf bu dylanwad y wasg a'r gwahanol gynghreiriau diwygio a chymdeithasau yn fodd i newid agweddau pleidleiswyr ac i newid patrwm traddodiadol y gefnogaeth wleidyddol. Y canlyniad fu etholiad cofiadwy 1868 y gellir dweud ei fod, ar un ystyr o leiaf, yn arwyddo fod gwleidyddiaeth Cymru yn symud oddi wrth radicaliaeth grefyddol i gyfeiriad cenedlaetholdeb seciwlar. Wrth gwrs, ni ellir gwneud datganiad o'r fath, os yw'n wir, ond trwy ddibynnu ar synnwyr trannoeth oherwydd er bod gafael haearnaidd Anghydffurfiaeth ar wleidyddiaeth Cymru wedi llacio, dim ond yn raddol y bu iddi wneud hynny.

Wedi deffro'r Cymry i wleidyddiaeth roedd Anghydffurfiaeth, ar un ystyr, wedi hau hadau ei dinistr oherwydd, er na ddaeth hynny'n amlwg hyd ddegawd cyntaf yr ugeinfed ganrif, roedd poblogaeth a seciwlareiddiwyd yn troi fwyfwy oddi wrth bapurau a chyfnodolion enwadol at bapurau newydd dyddiol, rhad. Yn y de-ddwyrain diwydiannol, poblog oedd wedi ei seisnigeiddio, yn enwedig, byddai'r brwydro rhwng Ceidwadwyr a Rhyddfrydwyr o hyn allan yn bennaf ar dudalennau'r *Western Mail* Torïaidd a'r *South Wales Daily News* Rhyddfrydol. Dim ond yn y Gymru wledig, Gymraeg ei hiaith, yn y gorllewin a'r gogledd y byddai dylanwad Anghydffurfiaeth yn para ar ddarllenwyr a byddai nifer y darllenwyr hynny yn gostwng yn gyson o hyn allan.

I

II

III

IV

V

VI

VII

**VIII**

IX

X

285

## 2. Deffroad Gwleidyddol, 1868-1914

### ■ Y Brif Ystyriaeth:
Beth oedd natur y 'deffroad gwleidyddol', fel y'i gelwid, yng Nghymru?

Roedd darostyngiad gwleidyddol Cymru yn gyflawn … Nid oedd ganddi lais yn y Senedd, neb i ddadlau drosti yn y Wasg, 'run cyfaill dewr i frwydro dros ei hanrhydedd y tu hwnt i'w ffiniau, neb i gwrdd â'r gelyn wrth y porth.

[Tom Ellis, *'Wales and the Local Government Act, 1894'*, *Speeches and Addresses* (Wrexham, 1912)]

### a) Etholiad 1868

Gwnaed cymaint o sylw o etholiad cyffredinol 1868 fel bod y flwyddyn honno yn hanes gwleidyddol Cymru yn garreg filltir ym meddyliau haneswyr. O ganlyniad, mae rhai wedi galw'r flwyddyn 1868 yn *Annus Mirabilis* (blwyddyn ryfeddol) yng ngwleidyddiaeth Cymru ac mae ei harwyddocâd yn hanes Cymru'r bedwaredd ganrif ar bymtheg wedi dod yn chwedlonol bron. A yw'n bosibl felly gwahaniaethu rhwng chwedl a realaeth wrth drafod etholiad 1868? Yr ateb, yn syml, yw 'ydyw' ond i ni gymryd gofal i wahaniaethu rhwng hanes a hanesyddiaeth y digwyddiad.

## Archwilio'r Dystiolaeth

### • Yr Hanes

Wrth drafod hanes mae'n bwysig astudio'r ffeithiau ynghylch yr hyn a ddigwyddodd er mwyn darganfod y gwir. Fodd bynnag, nid yw 'ffaith' a 'gwir' o anghenraid yr un peth a dyna pam mae haneswyr yn gorfod defnyddio eu sgil i ddehongli'r ffeithiau. Mae'n bwysig cofio nad yw ffeithiau yn newid ond bod y dehongliad. Gellir darllen y 'ffeithiau' allweddol am etholiad 1868 yn y ffynonellau a ganlyn ond rhaid eu didoli oddi wrth 'ddeongliadau' ysgrifenwyr y ffynonellau.

## • Yr Hanesyddiaeth

Wrth drafod hanesyddiaeth mae'n bwysig cofio mai wrth ysgrifennu am ddigwyddiadau wedi iddynt ddigwydd y gellir naill ai orliwio neu danbrisio eu harwyddocâd. Mae gwirionedd yr hyn a ddigwyddodd yn dibynnu ar ddehongliad o'r ffeithiau ac ar farn yr ysgrifennwr. Isod ceir nifer o ddyfyniadau o weithiau haneswyr, pob un ohonynt yn mynegi barn ar arwyddocâd a chanlyniadau etholiad 1868. Darllenwch y rhain yn ofalus oherwydd, er ei bod yn ymddangos eu bod yn cytuno, y mae gwahaniaethau cynnil o ran pwyslais a dehongliad.

**A**

Cafodd gwleidyddiaeth Cymru wedd newydd gydag etholiad rhyfeddol 1868. Mewn ymron i draean yr etholaethau cafodd yr arweinwyr traddodiadol eu dymchwel gan newydd-ddyfodiaid oedd yn ymlynu wrth Ryddfrydiaeth ac Anghydffurfiaeth. Roedd arferion gwleidyddol dwy ganrif wedi eu bwrw o'r neilltu … a llawn mor arwyddocaol oedd y nifer uchel o denantiaid a gafodd eu troi allan am eu bod wedi meiddio torri'n rhydd yn wleidyddol oddi wrth eu landlordiaid – cymaint â saith deg yn Aberteifi a Chaerfyrddin.

[A.H. Dodd, *Life in Wales* (1972)]

**B**

Ystyriwyd etholiad mawr 1868 erioed fel un o symbolau pwysicaf y deffroad cenedlaethol yng Nghymru. Yn wir roedd iddo arwyddocâd sylweddol: mae'r dychweliadau i'r Senedd yn tystio i'r newidiadau cymdeithasol a gwleidyddol oedd yn digwydd yn y wlad. Yn 1868 y gwelwyd hadau newid yn blaguro gyntaf yn Sir Ddinbych; am y tro cyntaf heriwyd gwaharddiad, dylanwad a gwrogaeth wrth fwrw pleidleisiau.

[Jane Morgan, 'Denbighshire's Annus Mirabilis: The Borough and County Elections of 1868', *The Welsh History Review* (1974)]

**C**

Cyfrifwyd 1868 bob amser yn flwyddyn ryfeddol, *annus mirabilis*, yng ngwleidyddiaeth Cymru, pan etholwyd Henry Richard dros Ferthyr gan uno Rhyddfrydiaeth ac Anghydffurfiaeth yn rym cryf. Y ffaith yw nad oedd cwynion Anghydffurfwyr Cymru yn benodol yn achos pryder yn 1868 ac roedd nifer o Aelodau Seneddol Cymru eisoes yn radical ac yn Rhyddfrydol. Roedd Aelodau Seneddol eisoes wedi ymgyrchu dros hawliau Anghydffurfwyr, yn arbennig ym myd addysg.

[Gareth Jones, *Modern Wales* (1979)]

I

II

III

IV

V

VI

VII

**VIII**

IX

X

**CH**

Yn ôl traddodiad ehangu'r etholaeth yn 1867 a'r 'etholiad mawr' yn yr *annus mirabilis* honno, 1868, a ddengys wrthdaro pendant yn erbyn patrwm traddodiadol awdurdod gwleidyddol. Heb amheuaeth, roedd canlyniadau etholiad 1868 yn ddigon syfrdanol. Etholwyd tri ar hugain o Ryddfrydwyr a dim ond deg o Geidwadwyr yng Nghymru. Yn fwyaf trawiadol dychwelwyd tri anghydffurfiwr gan gynnwys yr heddychwr radical enwog Henry Richard, 'apostol heddwch', yn etholaeth dau-aelod hynod ddemocrataidd Merthyr Tudful. Ond gweddnewidiad rhannol yn unig oedd un 1868. Roedd pedwar ar hugain o'r tri deg a thri Aelod Seneddol dros Gymru eto yn dirfeddianwyr; roedd y rhan fwyaf o'r etholaeth Gymreig, heb sôn am bobl Cymru eto heb gynrychiolaeth. Nid oedd yna fawr i'w gymeradwyo o safbwynt ymdrechion yr Aelodau Seneddol Rhyddfrydol dros Gymru ychwaith wedi sesiwn 1868-74 yn y Senedd. Methiant cywilyddus fu hanes cynnig Watkin Williams, bargyfreithiwr a gynrychiolai Ranbarth Dinbych, o blaid datgysylltu'r Eglwys yng Nghymru.

[Kenneth Morgan, *Rebirth of a Nation: Wales 1880-1980* (1981)]

**D**

Gyda chwynion Anghydffurfwyr yn ganolog yn ymgyrch 1868, gellid disgwyl newid sylfaenol. Roedd y canlyniadau yn rhyfeddol. Yn 1868 roedd math newydd o Ryddfrydwr yn dod i'r amlwg gyda nerthoedd newydd y tu cefn iddo. Dilynwyd etholiad 1868 â llanw newydd o droi allan o gartrefi. Oherwydd y merthyron newydd sbardunwyd ymgyrch anferthol a ffocysai ar gasineb y Cymry at y barwn, yr esgob a'r bragwr, trindod aflan Torïaeth.

[Gwyn Williams, *When was Wales* (1985)]

**DD**

Yn etholiad cyffredinol 1868 dychwelodd Cymru dri ar hugain o Ryddfrydwyr a deg Tori, o'i gymharu â deunaw Rhyddfrydwr a phedwar ar ddeg o Dorïaid yn yr etholiad blaenorol. Ond ni ddylid camliwio'r canlyniadau. Dim ond tri Aelod Seneddol oedd yn Anghydffurfwyr a'r gweddill, dri deg, yn Anglicaniaid. Dychwelwyd deg Ceidwadwr ac roedd y mwyafrif o'r tri ar hugain o'r Rhyddfrydwyr yn Chwigiaid (tirfeddianwyr cyfoethog). Ond roedd rhai o'r buddugoliaethau dros yr hen drefn yn ddramatig ac roedd yr etholiad yn arwyddo chwalfa. Roedd etholiad 1868 yn arwydd o newidiadau dirfawr ym mywyd gwleidyddol Cymru.

[Gareth Evans, *A History of Wales* (1989)]

I
II
III
IV
V
VI
VII
VIII
IX
X

288

**E**

Byddai lle canolog i'r etholiad hwnnw [1868] yn chwedloniaeth y Gymru Ryddfrydol. Ddeugain mlynedd yn ddiweddarach, haerodd Lloyd George iddo fod yn gyfrwng 'i ddeffro ysbryd y mynyddoedd ... Chwalwyd grym gwleidyddol landlordiaeth yng Nghymru'[yn llwyr] ... Yr oedd Lloyd George yn gor-ddweud braidd. Chwigiaid o'r dosbarth tiriog oedd mwyafrif y 23 Ryddfrydwr a etholwyd, ac o rengoedd y meistri tir y tarddai pob un o'r deg Ceidwadwr. Serch hynny, cafwyd o tua chwarter etholaethau Cymru ganlyniadau a oedd yn brawf o'r cyfeiriad yr oedd y gwynt yn chwythu iddo.
[John Davies, *Hanes Cymru* (1990)]

Er ei bod yn ffasiynol yn ddiweddar i ddadlau fod arwyddocâd etholiad 1868 yng Nghymru wedi ei or-liwio, mae'n amlwg fod rhai haneswyr yn dal yn amharod i wadu pwysigrwydd y canlyniadau. Ar y llaw arall, byddai eraill hyd yn oed yn awgrymu fod etholiad 1885 yn llawer pwysicach nag un 1868, yn enwedig i 'ddosbarth canol anghydffurfiol' Cymru. Cafwyd y ddau etholiad ar ôl pasio Deddfau Diwygio'r Senedd a olygai fod nifer y dynion oedd â'r hawl i bleidleisio wedi cynyddu'n sylweddol a gwelwyd y Rhyddfrydwyr yn ennill buddugoliaethau yn y ddau etholiad. Er enghraifft, roedd Deddf Diwygio 1867 wedi rhoi'r bleidlais i'r dosbarth gweithiol yn yr etholaethau trefol ar sail perchenogaeth tŷ. O safbwynt Prydain roedd hyn yn ychwanegu 938,000 o bleidleiswyr at y 1,056,000 oedd eisoes yn pleidleisio. Yng Nghymru ychwanegwyd 59,000 at y pleidleiswyr blaenorol o 62,000, oedd o ran canran o'r boblogaeth gyfan yn golygu cynnydd o 4.5% i 9.1% o'r rhai oedd â'r hawl i bleidleisio. I ddarlunio effaith hyn dewiswyd dwy etholaeth fwrdeistrefol sef Dinbych a Merthyr Tudful. Yn Ninbych cynyddodd y nifer o bleidleiswyr o 934 i 2,785 ond gwelwyd y cynnydd mwyaf ym Merthyr gyda'r nifer yn codi o 1,387 i 14,577. Dychwelwyd aelodau Rhyddfrydol i'r Senedd yn y ddwy etholaeth, Watkin Williams a Henry Richard, mewn buddugoliaethau syfrdanol, fe ddywedwyd. Y prif wahaniaeth rhwng etholiadau 1868 ac 1885 oedd yng nghymeriad yr aelodau a etholwyd. Yn 1885 o'r 34 a etholwyd

- dim ond naw oedd yn cynrychioli'r tirfeddianwyr
- roedd ugain ohonynt yn Gymry, deg yn siarad yr iaith Gymraeg
- roedd tua pedwar ar ddeg yn Anghydffurfwyr.

Ym marn K.O. Morgan 'Roedd hon yn wir, yn fwy felly nag 1868, yn *annus mirabilis* i Ryddfrydiaeth yng Nghymru'.

I

II

III

IV

V

VI

VII

**VIII**

IX

X

## b) Rhyddfrydiaeth: twf a dirywiad

Roedd y ddolen gydiol oedd yn cryfhau rhwng Gwleidyddiath Ryddfrydol ac Anghydffurfiaeth Gymreig yn sicrhau mai'r Blaid Ryddfrydol yn hytrach na'r Blaid Geidwadol fyddai'n ennill parch a chefnogaeth y Cymry. Roedd nifer o resymau am hyn:

- Roedd Rhyddfrydiaeth wedi etifeddu traddodiadau radicaliaeth ac roedd natur ddiwygio adain radical y Blaid Ryddfrydol yn apelio at y Cymry.
- Datblygwyd perthynas glòs rhwng Rhyddfrydiaeth ac Anghydffurfiaeth Gymreig sef y dull mwyaf poblogaidd o addoli yng Nghymru, a chrefydd a gysylltid â Chymreictod.
- Roedd Rhyddfrydiaeth mewn cytgord â meddyliau a theimladau'r bobl ac roedd bob amser yn ymgyrchu ar ystyriaethau oedd yn adlewyrchu'r farn boblogaidd.
- Roedd trefniadaeth dda gan y Blaid Ryddfrydol. Sefydlwyd dau Ffederasiwn Rhyddfrydol yng ngogledd a de Cymru yn ystod yr 1880au oedd yn adlewyrchu'r twf yn nifer y cymdeithasau Rhyddfrydol lleol oedd eisoes wedi eu sefydlu mewn trefi ac ardaloedd ledled Cymru.
- Nid oedd raid i'r Rhyddfrydwyr wynebu unrhyw her bendant i'w hawdurdod yng Nghymru. Llwyddodd y Ceidwadwyr i ennill peth tir ond nid oedd yn duedd barhaol. Dim ond gyda thwf y mudiad Llafur y gwelwyd her i Ryddfrydiaeth.
- Roedd cynrychiolaeth dda gan Ryddfrydwyr Cymru ac arweinwyr deinamig fel Tom Ellis a Lloyd George.
- Roedd y wasg Gymreig yn tueddu i gefnogi'r Blaid Ryddfrydol a rhoddodd hynny fantais bendant i Ryddfrydiaeth yng Nghymru o safbwynt hysbysrwydd a phoblogrwydd.

Fel mae'r tabl o ganlyniadau etholiadau cyffredinol yng Nghymru (1880-1906) yn awgrymu doedd gan y Rhyddfrydwyr fawr ddim i'w ofni o du Ceidwadaeth na Llafur o leiaf hyd 1906. Ymddangosai fel pe bai goruchafiaeth Rhyddfrydiaeth yng Nghymru yn gyflawn ac yn ddiogel rhag unrhyw ymosodiad.

## Tabl 20

### Seddau i'r Senedd a enillwyd gan y Blaid Ryddfrydol yng Nghymru, 1865-1906

| Dyddiad Etholiad | Nifer o seddau yn y Senedd |
|---|---|
| 1865 | 18 allan o 33 |
| 1868 | 23 allan o 33 |
| 1874 | 19 allan o 33 |
| 1880 | 29 allan o 33 |
| 1885 | 30 allan o 34 |
| 1886 | 25 allan o 34 |
| 1892 | 31 allan o 34 |
| 1895 | 25 allan o 34 |
| 1900 | 28 allan o 34 |
| 1906 | 33 allan o 34 |

Fodd bynnag, dangoswyd mai ymddangosiadol yn hytrach na real oedd cadernid anorchfygol Rhyddfrydiaeth yng Nghymru oherwydd erbyn dechrau'r ugeinfed ganrif roedd hunanfodlonrwydd wedi gwanhau strwythur y Cymdeithasau Rhyddfrydol Lleol ac fe gollodd y blaid ei chefnogaeth yn raddol. Hefyd, ymddangosai fel pe bai'n methu newid gyda'r amserau ac roedd rhai o'i pholisïau fel pe wedi eu gwreiddio yn syniadau diwedd y bedwaredd ganrif ar bymtheg. Efallai mai'r rheswm pennaf dros ei dirywiad oedd twf y mudiad Llafur. Rhoddodd Deddfau Diwygio'r Senedd yn y bedwaredd ganrif ar bymtheg gyfle i'r dosbarth gweithiol leisio barn am yr hyn oedd yn effeithio'n uniongyrchol arnyn nhw megis tlodi, diweithdra, iechyd gwael a thai gwael. Parodd hyn newid yn agwedd y Rhyddfrydwyr a'r Ceidwadwyr tuag at y dosbarth gweithiol gan iddynt sylweddoli y byddai'n hanfodol iddynt ennill eu pleidleisiau mewn etholiadau yn y dyfodol. Anogai'r radicaliaid o fewn y blaid Ryddfrydol y dosbarth gweithiol i bleidleisio iddyn nhw ac ennill cynrychiolaeth yn y Senedd. Mewn rhai ardaloedd lleol, lle roedd pleidlais y gweithwyr gryfaf, cytunodd y Rhyddfrydwyr i gefnogi ethol dynion o'r dosbarth gweithiol yn aelodau Seneddol. Daethpwyd i alw'r Aelodau Seneddol o'r dosbarth gweithiol hyn yn *Lib-Labs* ac erbyn 1906 roedd eu nifer wedi codi i 24.

Fodd bynnag, roedd rhai radicaliaid o'r dosbarth gweithiol eisoes wedi colli amynedd â'r Rhyddfrydwyr a gwelwyd yr arwydd cyntaf o undebaeth filwriaethus yn paratoi i herio cymdeithasau Rhyddfrydol oedd dan dra-arglwyddiaeth y dosbarth canol Anghydffurfiol ym Merthyr a Sir Gaernarfon mor fuan ag yn etholiadau 1880. Credent mai'r unig ffordd y gallai'r dosbarth gweithiol wella eu byw oedd trwy ethol eu cynrychiolwyr eu hunain i'r Senedd. Roedd llawer o'r dosbarth gweithiol yn teimlo nad oedd y *Lib-Labs* yn cynrychioli eu syniadau nhw, felly, penderfynwyd ffurfio eu plaid eu hunain. Profodd hyn yn anodd gan nad oedd ganddynt na'r arian na chefnogaeth undebau llafur grymus. Ar waethaf y problemau hyn dechreuasant eu trefnu eu hunain yn gymdeithasau sosialaidd lleol a oedd erbyn 1893 wedi uno i ffurfio'r Blaid Lafur Annibynnol neu'r ILP.

Sefydlydd ac arweinydd y blaid oedd Keir Hardie. Sylweddolodd fod y blaid newydd yn rhy wan i fod yn effeithiol yn y Senedd, felly amcanai at gyfnerthu ei safle mewn llywodraeth leol. Rhwng 1895 ac 1916 cynyddodd y nifer o gynghorwyr Llafur yn sylweddol ac roedd yn glir fod y mudiad llafur ar ei dwf ar lefel lleol. Gobeithiai Hardie y byddai grym cynyddol Llafur yn nhrefi a dinasoedd Prydain yn rhoi pwysau ar y pleidiau gwleidyddol hŷn i weithredu diwygio cymdeithasol. Ond, ar waethaf y ffaith fod cymoedd de-ddwyrain Cymru, a Merthyr yn arbennig, wedi eu diwydiannu a'u trefoli ers peth amser, nid oedd y mudiad llafur yn ennill tir ar y dechrau. Roedd agwedd y dosbarth gweithiol Cymreig yn amrywio o ddifrawder i atgasedd a chanlyniad hyn oedd mai yn araf y llwyddai'r mudiad i ennill aelodau. Am lawer o'r bedwaredd ganrif ar bymtheg roedd Cymru bron yn gwbl Ryddfrydol a rhwng 1890 ac 1914 roedd Aelodau Seneddol Rhyddfrydol Cymru mor niferus ac mor gryf fel y gallent ddylanwadu ar bolisi'r llywodraeth. Roedd yn ymddangos fod y pleidleiswr yng Nghymru yn amharod i gefnogi plaid (Llafur) a syniad (Sosialaeth) oedd y estron a Seisnig, i bob golwg.

Fodd bynnag, fe newidiodd agweddau yng Nghymru yn raddol. Cyn 1906 nid oedd ond ychydig o weithwyr Cymru yn perthyn i undeb, er enghraifft, allan o weithlu o 150,000 o lowyr roedd llai na 45,000 wedi ymuno ag undeb llafur. Ar ôl 1906 cododd y nifer yn sylweddol a'r un pryd lleihaodd y gefnogaeth i'r Blaid Ryddfrydol yn raddol. Roedd yr hyn a ymddangosai'n radical a diwygiol yn yr 1870au, 80au a 90au bellach yn cael ei gyfrif yn wan ac amherthnasol. Tra roedd y Rhyddfrydwyr yn ymladd am Ymreolaeth a Datgysylltiad ac yn ceisio ennill annibyniaeth grefyddol a gwleidyddol, roedd Llafur yn ymladd am sicrwydd gwaith a chyflogau teg a chyfiawnder cymdeithasol. Yng Nghymru o leiaf roedd yr ysgrifen ar y mur i'r Blaid Ryddfrydol.

Llun 41

Cartŵn cyfoes gyda'r teitl '*Forced Fellowship*' (1909).

Mae'n dangos y berthynas anesmwyth oedd rhwng Llafur a'r Rhyddfrydwyr. Y neges yw: Cymeriad (Plaid) amheus yr olwg: "Rhyw wrthwynebiad i mi ddod i'ch cwmni, mistar? Rwy'n mynd 'run ffordd â chi – ac ymhellach!"

FORCED FELLOWSHIP.

Suspicious-looking Party. "ANY OBJECTION TO MY COMPANY, GUV'NOR? I'M AGOIN' YOUR WAY"—(*aside*) "AND FURTHER."

I
II
III
IV
V
VI
VII
VIII
IX
X

## c) Twf Llafur

Tra roedd Eglwyswyr ac Anghydffurfwyr yn croesi cleddyfau, roedd grym diwydiannol a gwleidyddol newydd, y mudiad llafur, yn dod i'r amlwg yn y gymdeithas yng Nghymru. Roedd Undebaeth Lafur, er yn wir yn araf a darniog, yn ennill grym a mentrodd yn ansicr i faes y gad wleidyddol, tra roedd y syniad yn gwreiddio am gynrychiolaeth annibynnol i'r gweithwyr yn y Senedd ac ar gyrff lleol.

Mae'r hanesydd Ryland Wallace yn crynhoi'n berffaith dwf llafur yng Nghymru. Roedd yn 'chwyldro tawel' a barodd syndod i'r pleidiau gwleidyddol ac i'r Anghydffurfwyr.

Pa ffactorau oedd yn cyfrannu at dwf llafur?

- **Undebau Llafur**. Gellir olrhain gwraidd llafur yn economaidd a gwleidyddol i undebaeth lafur gynnar a chymdeithasau cyfeillgar yr 1820au a'r 30au. Er bod yr undebau cynnar yn aml wedi eu trefnu'n wael ac yn fyr eu parhad roedd y syniad y tu ôl i undebaeth lafur yn ei hanfod, sef diogelu a hyrwyddo hawliau eu haelodau, wedi para i ennyn brwdfrydedd ac annog cenedlaethau eraill o weithwyr. Erbyn yr 1860au roedd aelodaeth o undeb a gweithgaredd undebau wedi cynyddu'n sylweddol. Roedd eu trefniadaeth a'u harweinyddiaeth wedi gwella ac roedd ganddynt fwy o gyllid. Yn 1861 rhestrodd *The United Kingdom First Annual Trades Union Director*y gymaint â 51 undeb yng Nghymru. Roedd arweinwyr undebau wedi sylweddoli na ellid gwahanu buddiannau diwydiannol a gwleidyddol gweithwyr ac er mwyn hybu gwelliannau ym mywyd eu haelodau byddai'n rhaid iddynt chwarae rôl grŵp fyddai'n dwyn pwysau gwleidyddol. Roedd eu grym wedi cynyddu i'r fath raddau fel bod llywodraeth Gladstone yn 1871 wedi pasio Deddf Undebau Llafur. Roedd hon yn cyfreithloni undebaeth lafur ac yn darparu ar gyfer rheoli eu cyllid oedd yn dod yn fwy sylweddol. Roedd yn bwysig am ei bod yn arwydd o'r cynnydd ym mhwysigrwydd y gweithwyr i'r etholaethau. Er iddi gymryd cryn amser cyn i undebaeth lafur ennill calonnau gweithwyr Cymru, pan oedden nhw wedi eu hargyhoeddi mai'r unig ffordd y gallent gael gwell cyflogau a gwell amodau gwaith oedd trwy gefnogi plaid oedd yn eu cynrychioli yn y Senedd, tyfodd y mudiad llafur yn gyflym o ran maint a grym. O'r herwydd, yn ystod y cyfnod 1880-1920 undebaeth lafur oedd y prif rym a hybai dwf y Blaid Lafur yng Nghymru.

- **Cynghrair Cynrychiolaeth Llafur**/*Labour Representation League* (LRL). Sefydlwyd y Cynghrair Cynrychiolaeth Llafur yn 1869 yn fuan wedi'r Cynghrair Tir a Llafur byr ei barhad. Sefydliad milwriaethus oedd hwnnw yn galw yn bennaf am greu trydedd plaid wleidyddol. Roedd y Cynghrair Cynrychiolaeth yn fwy cymedrol a gellir crynhoi ei amcanion trwy sylwi ar y datganiad a luniwyd pan ffurfiwyd y cynghrair – 'Cymdeithas o Weithwyr a'r sawl sy'n Cefnogi eu Datblygiad Gwleidyddol a Chymdeithasol'. Nid oedd y Cynghrair yn awgrymu creu Plaid Lafur Wleidyddol ond roedd yn nod ganddo roi llais gwleidyddol i'r gweithiwr naill ai trwy iddo ethol ei ymgeisydd ef ei hun i'r Senedd neu, trwy ddealltwriaeth â chymdeithasau lleol y Blaid Ryddfrydol, iddo ethol Rhyddfrydwyr oedd yn cydymdeimlo ag amcanion y gweithiwr. Yn raddol, fodd bynnag, daeth y Cynghrair i sylweddoli nad oedd ei amcanion bob amser yn gydnaws â rhai Rhyddfrydwyr lleol ac mai'r unig ffordd ymlaen oedd bod yn fwy annibynnol. Yn rhannol oherwydd dadleuon o fewn y Cynghrair rhwng undebwyr llafur oedd o blaid a rhai oedd yn gwrthwynebu Rhyddfrydiaeth ac yn rhannol oherwydd iddo fethu ag ennill seddau mewn etholiadau lleol a chenedlaethol daeth oes y Cynghrair i ben yn 1879.
- **Deddfau Diwygio'r Senedd, 1867 ac 1884**. Rhyddfreiniwyd mwy a mwy o bobl gan y deddfau hyn nag erioed o'r blaen gan ychwanegu rhyngddynt rhyw dair milwn o ddynion at gofrestr etholwyr Prydain. Cafodd y pleidleiswyr newydd, y mwyafrif ohonynt ar ôl 1884 yn lafurwyr amaethyddol heb sgiliau, effaith ddramatig ar batrwm traddodiadol gwleidyddiaeth Prydain gan iddynt yn raddol droi cefn ar y blaid oedd wedi achub eu cam, y Rhyddfrydwyr, a chreu eu trefniadaeth eu hunain i gefnogi'r nod o ethol eu cynrychiolwyr eu hunain i'r Senedd. O ganlyniad i Ddeddf Diwygio 1884 cododd y bleidlais sirol (o'i chyferbynnu â'r bleidlais drefol/fwrdeistrefol) yng Nghymru o 74,936 i 200,373. Yma, parhaodd Rhyddfrydiaeth yn weddol gryf beth yn hwy, ond erbyn diwedd degawd cyntaf yr ugeinfed ganrif roedd y mudiad llafur wedi ennill cryn dipyn o dir.
- **Hysbysrwydd a Phropaganda**. Gwasanaethwyd y mudiad llafur yn dda gan nifer cynyddol o gyhoeddiadau oedd yn ennyn cryn ddiddordeb ac yn lledaenu propaganda effeithiol. Mor gynnar â Mawrth 1855 datganodd y *People's Paper* 'Wrth lowyr Cymru, bawb ynghyd, dywedwn: 'Unwch! Unwch! i gael eich cynrychiolwyr eich hunain yn y Senedd, ac yna ffarwel i ormes y brenin glo am byth'. I annog gweithwyr diwydiannol Merthyr i weithredu cyhoeddodd Cyngor Undebau Llafur

I
II
III
IV
V
VI
VII
**VIII**
IX
X

Merthyr, oedd newydd ei sefydlu yn gynnar yn 1874, y *Workman's Advocate*. Ychwanegwyd at gylchgronau lleol gyhoeddiadau cenedlaethol megis y *Labour Standard*, a lansiwyd ym Mai 1881, oedd yn rhoi llais i'r Cynghrair Rhyddfreinio Dynion a sefydlwyd yn 1879. Yn Ionawr 1884 lansiwyd *Justice*, cyhoeddiad oedd yn cynrychioli agweddau'r Ffederasiwn Democrataidd Cymdeithasol (SDF) oedd wedi ei sefydlu yn 1881. Oherwydd eu perthynas glòs â sefydliadau llafur gallai'r cyhoeddiadau hyn ddylanwadu'n fawr ar eu darllenwyr dosbarth gweithiol. Roedd y cyhoeddiadau hyn ac eraill tebyg iddynt yn arwyddocaol am fod y bobl wedi cael llais y bu iddynt ei ddefnyddio mewn modd dramatig i ledaenu'r gair ac i roi trefn arnynt eu hunain.

- **Dirywiad Rhyddfrydiaeth.** Yn raddol collodd Rhyddfrydiaeth ei gafael ar y dosbarth gweithiol. Wedi cynrychioli eu buddiannau am gynifer o flynyddoedd y bedwaredd ganrif ar bymtheg, methodd y mudiad Rhyddfrydol addasu wedi twf radicaliaeth dosbarth gweithiol oedd yn llawer mwy milwriaethus ei natur na radicaliaeth Ryddfrydol nac Anghydffurfiol. Gellir gweld y ffaith fod Rhyddfrydwyr wedi ceisio defnyddio grym llafur drwy sefydlu cynghrair gwleidyddol a elwir *Lib-Labism* ar un ystyr fel arwydd o wendid yn hytrach na chryfder. Erbyn blynyddoedd cynnar hyd ganol yr 1890au roedd gweithwyr yng ngeiriau Ryland Wallace, 'yn dod yn llai goddefol, nid yn yr ystyr eu bod yn ymwrthod â'r blaid Ryddfrydol – am flynyddoedd eto, roedd arweinwyr llafur yng Nghymru yn dal i fod yn deyrngar i werthoedd cymunedol traddodiadol Rhyddfrydiaeth Anghydffurfiol – ond yn yr ystyr eu bod eisiau gweld gosod pwyslais haeddiannol ar ochr llafur i'r cynghrair *Lib-Lab*.'. Roedd yr ysgrifen ar y mur, roedd newid yn anorfod ac ni bu'n hir yn dod. Mor gynnar ag 1874 roedd y *South Wales Daily News* a gefnogai'r Rhyddfrydwyr yn mynegi ei farn, 'Yn siŵr mae llawer o weithwyr ym Mwrdeistrefi Merthyr … sydd oherwydd eu cymeriad, addysg a gallu yn gwbl haeddiannol addas i gynrychioli etholaeth Merthyr'. Erbyn 1895 roedd y Rhondda wedi gwneud hynny trwy wrthod yr ymgeisydd a enwebwyd gan y Rhyddfrydwyr a dewis un ohonyn nhw eu hunain. Erbyn 1908 roedd *Lib-Labism* wedi peidio â bod, wedi i'w 24 A.S ymuno â'r Blaid Lafur oedd newydd ei hail-fedyddio.

- **Y Blaid Lafur Annibynnol** (ILP) a'r Pwyllgor Cynrychiolaeth Llafur/ *Labour Representation Committee* (LRC). Sefydlwyd y Blaid Lafur Annibynnol yn 1893 yn Bradford gyda 120 o gynrychiolwyr o'r gogledd diwydiannol ac o'r Alban. Er nad oedd cynrychiolwyr o Gymru yng nghynhadledd Bradford, erbyn 1906 roedd o leiaf bedair cangen wedi eu sefydlu yng Nghymru, – yng Nghaerdydd, Merthyr Tudful, Treharris a Wrecsam. Erbyn 1898 roedd 27 yn ychwaneg o ganghennau ILP wedi eu sefydlu yng Nghymru, mwy na thraean ohonynt yn ddyledus i fethiant llwyr streic y glowyr y flwyddyn honno. Roedd yr ILP yn ceisio ennill cefnogaeth a help ariannol yr Undebau Llafur ac fe'i cafodd, ond dim ond wedi cryn ymdrech, pan sefydlwyd y Pwyllgor Cynrychiolaeth Llafur yn 1900. Y dasg a osodwyd iddo oedd:

(i) ennill aelodau i'r mudiad llafur;

(ii) dewis ymgeiswyr i gynrychioli'r mudiad yn y Senedd;

(iii) sefydlu plaid Seneddol fyddai'n ddigon cryf i herio'r Rhyddfrydwyr a'r Ceidwadwyr.

Ar drothwy'r etholiad yn 1906 newidiodd y blaid ei henw o'r ILP i 'Y Blaid Lafur' ac er na bu iddynt ennill dim ond 29 o'r 670 o seddau yr ymgeisient amdanynt ni ellid eu hanwybyddu bellach. Yn 1908 dyblodd cynrychiolaeth y blaid yn y Senedd bron pan ymunodd Aelodau Seneddol *Lib-Lab* â'r blaid Lafur.

- **Keir Hardie a Merthyr Tudful**. Roedd buddugoliaeth etholiadol Hardie ym Merthyr yn 1900 yn hynod bwysig yn hanes y mudiad Llafur yng Nghymru. A hithau'r fuddugoliaeth etholiadol gyntaf i Lafur yng Nghymru darparai ysbrydoliaeth a sylfaen ar gyfer datblygiad pellach. Er mai mwyfrif bychan o bleidleisiau a gafodd roedd yn sicr yn torri tir newydd yn wleidyddol a bu'n gryn ysgytwad i'r Rhyddfrydwyr, yn enwedig i'w wrthwynebydd Pritchard Morgan. Sosialydd a berthynai i'r dosbarth gweithiol oedd Hardie. Buasai'n swyddog undeb mwynau yn yr Alban, ei wlad frodorol. Roedd ei egni a'i frwdfrydedd a rhyw carisma a berthynai iddo yn apelio at y dosbarth gweithiol ym Merthyr. Roedd Hardie yn meddwl bod y Cymry yn 'sosialwyr naturiol' ac fe weithiodd yn galed i hyrwyddo'r blaid yn y wlad. Erbyn 1905 roedd 25 Cymdeithas Lafur leol wedi eu sefydlu ledled y wlad, yn bennaf yng nghymoedd diwydiannol y de a'r dwyrain. Roedd Hardie yn sylweddoli mai prif dasg y Blaid Lafur yng Nghymru oedd denu teyrngarwch y gweithwyr oddi wrth y Rhyddfrydwyr ac fel y cam cyntaf i sicrhau hyn llwyddodd i gael yr Aelodau Seneddol *Lib-Lab* i droi cefn ar y Rhyddfrydwyr ac ymuno â Llafur yn 1908. Yn wir, ym marn llawer o haneswyr, 1908 oedd y trobwynt yn hanes datblygiad y Blaid Lafur yng Nghymru oherwydd er na ddaeth Llafur yn brif blaid y Dywysogaeth cyn 1922 roedd yn amlwg yn mynd o nerth i nerth o'r dyddiad hwnnw ymlaen. Yn eironig, o gofio

I

II

III

IV

V

VI

VII

**VIII**

IX

X

ymlyniad cryf Hardie wrth heddychiaeth, digwyddiadau'r Rhyfel Byd Cyntaf, 1914-18, fu'n fodd i sicrhau'r nod o sefydlu Llafur yn gadarn yng Nghymru. Yn ystod y cyfnod hwnnw gwelwyd y cynghrair rhwng y Capeli a'r Rhyddfrydwyr yn ymddatod gan ganu cnul Anghydffurfiaeth Ryddfrydol.

Llun 42

Poster Etholiadol Keir Hardie

Tabl 21

Canlyniadau Etholiadau Cyffredinol Prydain, 1906-1924

| Dyddiad | Rhyddfrydwyr | Llafur | Ceidwadwyr |
|---------|--------------|--------|------------|
| **1906** | 377 | 29 | 157 |
| **1918** | 162 | 59 | 338 |
| **1922** | 117 | 142 | 347 |
| **1923** | 158 | 191 | 258 |
| **1924** | 40 | 151 | 419 |

## d) Datgysylltiad

Erbyn ail hanner y bedwaredd ganrif ar bymtheg roedd pobl yn dechrau ymholi i hawl yr Eglwys Anglicanaidd i fod yn eglwys sefydledig. Y rheswm am hyn oedd mai dim ond y lleiafrif roedd yr Eglwys yng Nghymru yn eu cynrychioli, neu yn fras 20%, o'r Cristnogion. Golygai hyn fod y mwyafrif Anghydffurfiol yn anfodlon â'r gofyn cyfreithiol iddynt gynnal clerigwyr nad oedd ganddynt unrhyw gydymdeimlad â nhw ac eglwys nad oeddent yn perthyn iddi. Roedd cenedlaetholwyr Iwerddon wedi rhoi esiampl drwy wasgu ar y Llywodraeth, dros amser ac ar y cyd ag Eglwys Rufain Gatholig, ac yn y diwedd wedi llwyddo i berswadio'r Prif Weinidog Rhyddfrydol, Gladstone, i ddeddfu Datgysylltu'r Eglwys yn Iwerddon. Yng Nghymru hefyd roedd twf cenedlaetholdeb diwylliannol a chrefyddol wedi arwain at ymgyrch gyffelyb a'r arwydd cyntaf o hynny oedd dechrau Rhyfel y Degwm yng ngogledd-ddwyrain Cymru yn 1886. Rhoddwyd hwb ymlaen i'r ymgyrch gyda thwf y blaid Ryddfrydol ac ymlediad y rhyddfraint a daeth yn ymgyrch wleidyddol o'r herwydd. Ar ôl 1886, parodd propaganda gwleidyddol a chyhoeddusrwydd y wasg fod pwysigrwydd newydd yn perthyn i'r ymgyrch dros ddatgysylltiad yn rhaglen ddeddfwriaethol Rhyddfrydwyr Cymru. Fe ddaethant i deimlo fod balchder y genedl yn dibynnu ar sicrhau'r ddedfwriaeth.

Oherwydd fod Rhyddfrydwyr Cymru yn gwasgu perswadiwyd yr arweinyddiaeth Ryddfrydol i frwydro dros yr achos ac yn 1891 derbyniodd y blaid Ryddfrydol y byddai yn swyddogol yn cefnogi Datgysylltiad yr Eglwys yng Nghymru. Fodd bynnag, fel y mae'r llythyr a ganlyn, a ysgrifennwyd gan Lloyd George at ei wraig yn 1894, yn dangos, nid oedd pob Rhyddfrydwr o blaid datgysylltu:

> Mae Torr, yr ymgeisydd Rhyddfrydol dros Horncastle, yn erbyn Datgysylliad neu'n hytrach Dadwaddoliad ac rwy'n barnu y byddai budddugoliaeth iddo ef yn drychineb i Gymru. Rwy wedi penderfynu naill ai ei argyhoeddi neu ei gosbi. Bûm mewn cyfarfod o'r Gymdeithas Ryddhad heddiw a chynigiais y dylid anfon Fisher i'w gyf-weld ac i ddweud wrtho os na fydd iddo bleidleisio dros Ddatgysylltiad yng Nghymru y gofynnir i'r Rhyddhawyr yn yr etholiad beidio â'i gefnogi.

I II III IV V VI VII **VIII** IX X

Gan weithio'n annibynnol ac heb dalu fawr o sylw i ddisgyblaeth plaid, gwasgodd Aelodau Seneddol Rhyddfrydol Cymru am ddeddfwriaeth yn y Senedd. Bu sawl ymdrech rhwng 1870 ac 1914 i basio cynigion neu gyflwyno mesurau Seneddol ar bwnc datgysylltu ond cafodd pob un ond yr olaf, yn 1814, naill ai ei dynnu nôl neu ei wrthod.

### Tabl 22

**Prif Gynigion yn y Senedd dros Ddatgysylltu**

| | |
|---|---|
| **1870** | Watkin Williams, A.S. dros Fwrdeistrefi Dinbych |
| **1886** | Lewis Llewellyn Dillwyn, A.S. dros Abertawe |
| **1889** | Lewis Llewellyn Dillwyn, A.S. dros Abertawe |
| **1891** | Pritchard Morgan, A.S. dros Ferthyr Tudful |
| **1892** | Samuel Smith, A.S. dros Sir y Fflint |
| **1897** | Samuel Smith, A.S. dros Sir y Fflint |
| **1902** | Wiliam Jones, A.S. dros Arfon |

### Table 23

**Mesurau Seneddol ar Ddatgysylltiad a gyflwynwyd i'r Senedd**

| | |
|---|---|
| **1892** | Mesur yn Gohirio (crisialu asedion yr eglwys) – ei dynnu nôl |
| **1894** | Mesur Datgysylltu – ei basio o 304 pleidlais i 260 ond gohiriwyd oherwydd dadleuon. Cynigiwyd dros 250 gwelliant, 148 gan Geidwadwyr, cyn iddo ddod yn ddeddf. |
| **1909** | Mesur Datgysylltu – ei dynnu nôl |
| **1912-14** | Mesur Datgysylltu – ei basio yn Nhŷ'r Cyffredin ond ei drechu yn Nhŷ'r Arglwyddi. Yn ôl i Dŷ'r Cyffredin a'i basio ond Y Rhyfel Byd Cyntaf yn golygu oedi. |
| **1920** | Deddf Eglwys yng Nghymru yn peri datgysylltu yr Eglwys yng Nghymru yn ffurfiol a chyfreithiol. |

Achoswyd llawer o chwerwder a chweryla gwleidyddol rhwng Anglicaniaid ac Anghydffurfwyr, rhwng Ceidwadwyr a Rhyddfrydwyr ac ymysg Rhyddfrydwyr hyd yn oed. Daeth math newydd o Ryddfrydwr Cymreig i'r amlwg yn ystod y cyfnod hwn, dynion fel Lloyd George a D.A. Thomas. Pan ddeallodd y rhain na fyddai'r Mesur Datgysylltu yn cael sylw yn rhaglen ddeddfwriaethol 1894, yn Ebrill a Mai, penderfynasant wrthod ufuddhau dros dro i'r chwip Ryddfrydol. Roedd rhai yn y Blaid Ryddfrydol yn beio

Lloyd George am y methiant oherwydd, er ei fod ef yn hynod frwd dros ddatgysylltu, ni allai golli'r cyfle i ychwanegu mesurau eraill a fyddai wedi ehangu dylanwad y ddeddf trwy ymdrin ag ystyriaethau eraill megis cyllid a rheolaeth ym myd addysg. Yn rhannol, ei welliannau ef, a gwrthwynebiad y Ceidwadwyr, fu'n gyfrifol am yr oedi yn Nhŷ'r Cyffredin a phan oedd yn barod fe gollodd y Rhyddfrydwyr yr etholiad. Am ddeng mlynedd, ar ôl 1895, anwybyddodd y Ceidwadwyr y mesur, fel y gellid rhagweld, a diflannodd 'datgysylltiad' oddi ar raglen y Senedd dros dro.

Roedd y Cymry wedi eu deffro a gwelwyd twf yn yr ymdeimlad o genedligrwyddd ledled y wlad a'r ymgyrch dros ddatgysylltiad yn rhan o'r ymdeimlad hwn. Yn bennaf oherwydd areithiau llawn angerdd gwleidyddion gwlatgarol fel Tom Ellis a Lloyd George ac oherwydd gwaith mudiad 'Cymru Fydd' daeth datgysylltiad ac ymreolaeth yn fwyfwy pwysig ar raglen y blaid Ryddfrydol. Nid yw'n syn fod datgysylltu yn ystyriaeth o bwys wrth feddwl am Ymreolaeth. Y frwydr hon yn anad un a sbardunodd wleidyddion Rhyddfrydol Cymreig i ymgyrchu dros hunan-reolaeth. Roeddent yn ymresymu mai dim ond wedi iddynt ei ennill y gallent lwyddo yn eu hamcan. Efallai ei fod yn eironig fod yr ymgyrch dros Ymreolaeth wedi methu ond yr un dros Ddatgysylltiad wedi llwyddo. Pan ddeddfwyd Datgysylltiad ychydig iawn o sylw a roddwyd i'r fuddugoliaeth yn y wasg. Stori i'r dudalen ôl oedd hon bellach, heb fod yn agos mor bwysig ag y bu cryn ugain mlynedd ynghynt.

### e) Ymreolaeth

Nid y Cymry yn unig oedd yn meddwl am Ymreolaeth. Roedd cenedlaetholwyr Celtaidd Iwerddon a'r Alban yn rhannu'r freuddwyd. Yn sicr, y Gwyddelod oedd fwyaf penderfynol, yn ymgyrchu am Ymreolaeth o leiaf, os nad annibyniaeth lwyr. Eu hesiampl nhw a anogodd y cenedlaetholwyr llawer mwy cymedrol ymysg y Cymry i lunio'u rhaglen eu hunain. Trwy lawer o flynyddoedd y bedwaredd ganrif ar bymtheg roedd cenedlaetholdeb Cymreig wedi mud-losgi ond nid oedd iddo ffocws na grym. Ymysg arloeswyr a bleidiai arwahanrwydd Cymreig roedd y gweinidog Annibynnol o Lanuwchllyn, Michael D. Jones, oedd yn flin oherwydd gormes meistri tir Torïaidd yng Nghymru ac yn casáu gwaseidd-dra ei gyd-Gymry. Breuddwydiai am Gymru fyddai'n ei rheoli ei hun a'i phobl yn diogelu eu hiaith a'u traddodiadau. Daeth ei weledigaeth yn ddelfryd i genedlaethau o Gymry deallus a gwleidyddol ddylanwadol.

Yn wir, daeth Y Wladfa, y drefedigaeth ym Mhatagonia a sefydlodd Michael D. Jones, yn bennaf, a'i hariannu yn 1865, i lawer o bobl yn ddrych o'r Gymru annibynnol.

Roedd Cymry, wedi eu sbarduno gan radicaliaeth, a'u hannog gan ysbryd cenedlaethol gwlatgar, os gwleidyddol a Rhyddfrydol yn bennaf, wedi dechrau meddwl o ddifrif am fanteision Ymreolaeth i Gymru. Fodd bynnag, dim ond ychydig ohonynt oedd yn rhannu breuddwyd Michael D. Jones am Gymru wleidyddol-annibynnol fyddai'n rhydd o bopeth Seisnig ac roedd nifer llai fyth yn cytuno â'i agwedd ymosodol. Nid oedd cenedlaetholdeb Cymreig yn agos mor eithafol na'r Cymry mor unol â'r Gwyddelod ac i Gymry Ryddfrydol, o leiaf, cam tuag at gyrraedd nod oedd Ymreolaeth nid nod ynddo'i hunan. Eu cysyniad o ymreolaeth oedd hunan-reolaeth o fewn fframwaith ymerodrol Seisnig a fyddai'n eu galluogi, yn nhrefn blaenoriaeth, i sicrhau datgysylltiad yr Eglwys, diwygio'r deddfau tir a gwella byd addysg. Roedd yn ymddangos nad oedd y mwyafrif o Gymry oes Fictoria eisiau arwahanrwydd, nid oeddent yn dymuno torri'n rhydd oddi wrth Loegr ond roeddent yn awyddus i ennill cydraddoldeb i'r genedl o fewn Ynysoedd Prydain. Ond eto, pan gymerwyd y camau cyntaf tuag at Ymreolaeth yn 1886, pan sefydlwyd y mudiad Cymru Fydd, roedd arwahanrwydd yn sicr ar yr agenda.

### Cyfansoddiad a Rheolau Cymdeithas 'Cymru Fydd' (1888)

1. Prif bwrpas Mudiad 'Cymru Fydd' fydd sicrhau corff deddfu cenedlaethol (Senedd) i Gymru i drafod materion Cymreig yn unig, gan gadw'r berthynas â Senedd Prydain ym mhob ymwneud â phethau sy'n gysylltiedig â'r Ymerodraeth.
2. Bydd y mudiad yn cynorthwyo i sicrhau fod ymgeiswyr i'r Senedd yn llwyr gynrychioli ac yn y cyfamser y byddant yn hybu diwygiadau yng Nghymru yn unol â'r gobeithion Cenedlaethol.
3. Bydd y Mudiad yn annog y Blaid Gymreig i weithredu yn fwy unol ac yn fwy egnïol wrth ystyried diwygiadau a buddiannu Cymru.
4. Bydd y mudiad yn ymdrechu hyd yr eithaf i sefydlu Cymdeithasau cyffelyb o fewn a'r tu allan i'r Dywysogaeth ac yn cydweithredu â chymdeithasau eraill er hyrwyddo'r amcanion hyn.

Yn amlwg, roedd hunan-reolaeth gyda chorff deddfwriaethol ar wahân yn nod yn nyddiau cynnar y mudiad. Ond, yn fuan, gwanhaodd gweledigaeth a delfrydiaeth y bobl yr oedd llwyddiant Ymreolaeth a'r mudiad 'Cymru Fydd' yn dibynnu arnynt.

### Pam y bu i'r ymgyrch am Ymreolaeth fethu?

- Bu'r profiad o ddelio â realaeth y system wleidyddol Brydeinig yn ei holl gymhlethdod o ddydd i ddydd yn dreth ar bobl fel Tom Ellis a Lloyd George. Roedd yr olwynion yn troi'n rhy araf o lawer i'r sawl oedd yn dyheu am weld gweithredu.

- Roedd y croesdynnu yn natur cenedlaetholdeb Cymreig yn dreth ar y sawl oedd â gweledigaeth a delfrydau, y bobl roedd llwyddiant y mudiad yn dibynnu arnynt. Roedd gormod o fwlch rhwng y Gymru drefol/ddiwydiannol a'r Gymru wledig, Gymraeg ei hiaith.

- Nid oedd gweledigaeth glir a gâi ei chefnogi'n gyson neu nod benodol. I rai, roedd Ymreolaeth yn nod ynddi ei hun. I eraill, dim ond dyfais wleidyddol oedd Ymreolaeth a fyddai'n arf i ennill Datgysylltiad neu ddeddfu ar Bwnc y Tir.

- Roedd arweinwyr yr ymgyrch am Ymreolaeth yn anghytuno'n ddybryd. Bu i'r ymryson rhwng D.A. Thomas a Lloyd George ladd y mudiad bron.

- Roedd y mudiad yn rhy ddibynnol ar y blaid Ryddfrydol ac ar amcanion gwleidyddol y blaid Ryddfrydol. Roedd yn rhaid i Ryddfrydwyr Cymru ymladd i gadw Ymreolaeth ar agenda'r blaid a dim ond gyda'r blaid yn llywodraethu y gellid gobeithio llwyddo i ennill y nod.

- Doedd fawr ddim cefnogaeth i Ymreolaeth yng Nghymru, doedd y bobl ddim yn frwd o'i phlaid.

- Oherwydd tranc Cymru Fydd nid oedd gan y mudiad Ymreolaeth bellach sylfaen ar gyfer trefnu ymgyrchu. Aeth Ymreolaeth i ddifancoll 'run pryd â Chymru Fydd.

Er bod y mudiad am Ymreolaeth wedi dod i ben i bob pwrpas tua 1896 ni bu i'r syniad am hunan-lywodraethu farw'n llwyr. Lai na ugain mlynedd yn ddiweddarach dechreuwyd ail ymgyrch am Ymreolaeth gan Edward Thomas John (m. 1933) a ymunodd â'r newyddiadurwr a dramodydd Beriah Gwynfe Evans (m. 1927) i ledaenu'r syniad yng Nghymru. Fodd bynnag, ni lwyddodd y mudiad i ennill digon o gefnogaeth yn y Senedd nac yng Nghymru. Nid oedd Lloyd George yn barod i hybu'r mudiad ac roedd cyd-Ryddfrydwyr Cymreig John ( roedd wedi ei ethol yn A.S. Rhyddfrydol dros Ddwyrain Dinbych yn 1910) yn pryderu y gallai ymgyrchu am Ymreolaeth ddifetha eu siawns am ennill Mesur Seneddol ar Ddatgysylltiad. Methiant fu cefnogaeth John i Fesur Ymreolaeth yn 1914 yn Nhŷ'r Cyffredin a daeth yr ymgyrchu am ddatganoli i ben.

I
II
III
IV
V
VI
VII
**VIII**
IX
X

# Cyngor a Gweithgareddau

## (i) Cyffredinol

### Darllen Pellach

A.G. Jones, *Press, Politics and Society: A History of Journalism in Wales* (Caerdydd, 1993).

K.O. Morgan, *Wales in British Politics 1868-1922* (3ydd. argraffiad, Caerdydd, 1991).

C. Parry, *The Radical Tradition in Welsh Politics: A Study of Liberal and Labour Politics in Gwynedd, 1900-20* (Hull, 1970).

Emyr Price, *Ennill y Bleidlais*, Cyfres CBAC/ Gwasg Prifysgol Cymru, Unedau Astudio Hanes, 1982

### Erthyglau:

T.I. Jeffreys-Jones, 'The Rise of Labour' in A.J. Roderick (gol.), *Wales through the Ages, cyfrol 2* (Llandybie, 1960).

I.G. Jones, 'Wales and Parliamentary Reform', in A.J. Roderick (gol.), *Wales through the Ages, cyfrol 2* (Llandybie, 1960).

G.O. Pierce, 'Nonconformity and Politics' in A.J. Roderick (gol.), *Wales through the Ages, cyfrol 2* (Llandybie, 1960).

D. Gwenallt Jones, Hanes Mudiadau Cymraeg a Chenedlaethol y 19edd Ganrif yn S*eiliau Hanesyddol Cenedlaetholdeb Cymru*, (tt. 106-126), Plaid Cymru, Caerdydd, 1950

### Ymchwil

1. Chwiliwch am wybodaeth am y bobl allweddol a ganlyn ac ysgrifennwch bortread byr o bob un. Ystyriwch beth oeddd eu cyfraniad i wleidyddiaeth Cymru.
   a) David Lloyd George
   b) Thomas Edward Ellis
   c) Keir Hardie
   ch) Thomas Gee

2. Edrychwch ar Ddeddfau Diwygio'r Senedd 1832, 1867, 1884 ac 1918. Ceisiwch asesu sut y bu i bob un ymestyn y rhyddfraint a sefydlu gwell democratiaeth yn Lloegr a Chymru.

## Pynciau Dadleuol

1. 'Anghydffurfiaeth a sbardunodd yr holl fudiadau blaengar yng Nghymru yn ystod y bedwaredd ganrif ar bymtheg'.

Dadleuwch **dros** ac **yn erbyn** y gosodiad hwn.

## Pwyntiau i'w trafod

1. Ydych chi'n ystyried fod etholiad 1885 yn llawer pwysicach i'r 'dosbarth canol anghydffurfiol' yng Nghymru nag un 1868?
2. 'O radicaliiaeth i genedlaetholdeb'. A yw hwn yn ddisgrifiad cywir o'r duedd yng ngweleidyddiaeth Cymru ar ôl 1868?
3. A ellid cyfiawnhau galw'r Blaid Gymreig yn y Senedd yn yr 1880au a'r 1890au yn blaid 'genedlaethol'?

## (ii) Penodol i'r Arholiad

**Ateb Cwestiynau Strwythuredig**

**C.**
a) **Eglurwch yn fyr dwf y Blaid Lafur yng Nghymru cyn 1915 (24 marc).**
b) **I ba raddau y gellir dweud mai poblogrwydd sosialaeth oedd yn cyfrif am fuddgoliaeth Hardie yn etholiad Merthyr yn 1900? (36 marc).**

## Cyngor

Yn gyntaf bydd angen i chi ddod o hyd i'r geiriau allweddol sef yn a) 'twf' ac yn b) 'poblogrwydd' a 'sosialaeth'. Yna, dylech ystyried y cyngor a ganlyn ar gyfer y ddau gwestiwn:

a) Dylech ddechrau trwy amlinellu twf y Blaid Lafur o'i dechreuad (fel yr ILP) yn 1839 hyd farw'r arweinydd Keir Hardie yn 1915. Dylech ddangos eich bod yn ymwybodol o'r gwahaniaeth rhwng y mudiad Llafur (gweithwyr, undebaeth lafur ac ati) a'r Blaid Lafur Seneddol a cheisio dangos sut y bu i'r naill gyfrannu at ddatblygiad a thwf ym mhoblogrwydd y llall. Canolbwyntiwch ar y gyfres o fuddugoliaethau etholiadol Keir Hardie ym Merthyr ar ôl 1900 a manylu ar dwf y gefnogaeth i'r blaid ymysg y cyhoedd – aelodaeth, lleoliad a nifer y canghennau – a sut y bu i anfodlonrwydd diwydiannol gyfrannu at dwf a phoblogrwydd Llafur (yn enwedig digwyddiadau 1898).

b) Dylech asesu natur sosialaeth ym Merthyr a'r gefnogaeth ac egluro pam y bu i'r gefnogaeth honno gyfrannu at fuddugoliaeth etholiadol Hardie – egwyddorion dosbarth gweithiol yn gryf ym Merthyr, canolfan radicaliaeth, undebaeth lafur ac anfodlonrwydd diwydiannol – gan ofalu nodi nad oedd y rhain o angenrheidrwydd yn sicrhau cefnogaeth i sosialaeth na chred sosialaidd gan mai ffurf newydd ar radicaliaeth oedd sosialaeth. Rhaid i chi ddelio â'r gair allweddol 'poblogaidd' – ai dyma'r unig elfen neu'r elfen bwysicaf – NA. Rhaid i chi ystyried elfennau eraill fel y rhaniad yn y Blaid Ryddfrydol, casineb y ddau ymgeisydd Rhyddfrydol y naill at y llall (D.A. Thomas a P. Morgan); Rhyfel y Boer ac mor amhoblogaidd oedd hwnnw ymysg yr etholwyr (Hardie yn wrth-ryfel /Morgan yn cefnogi'r rhyfel); y traddodiad yn yr ardal – cefnogwyr heddwch, ers dyddiau Henry Richard ac enw da Hardie yn bersonol.

## Ateb Cwestiwn Traethawd Synoptig

**Edrychwch ar yr enghraifft a ganlyn**

C. 'Yn 1815 dim ond yr ychydig breintiedig oedd â'r hawl i bleidleisio ond erbyn 1918 roedd bron y cyfan o boblogaeth Lloegr a Chymru wedi eu rhyddfreinio'. Oedd Cymru a Lloegr wedi ennill democratiaeth etholiadol erbyn 1918?

## Cyngor

Y geiriau allweddol yw 'democratiaeth etholiadol' ac 'ennill'. Mae'r cwestiwn hwn yn gofyn i chi werthuso a dadansoddi'r system etholiadol rhwng 1815 ac 1918. Bydd angen egluro neu ddiffinio 'democratiaeth etholiadol'. Dylech ganolbwyntio ar y system bleidleisio (Deddf y Tugel 1872), hyd a lled y rhyddfraint, grym Tŷ'r Arglwyddi, cynnal etholiadau yn gyson, cymwysterau a thâl Aelodau Seneddol, statws merched ac effeithiau Deddfau Diwygio'r Senedd 1832, 1867, 1884 ac 1918. Dylech geisio osgoi rhestru yn eich ateb ond ymdrin â phob ystyriaeth o fewn cynllun strwythuredig. Rydych yn debyg o ddod i'r casgliad bod map gwleidyddol Lloegr a Chymru wedi ei newid yn sylweddol erbyn 1918 a bod democratiaeth etholiadol yn wir wedi ei sefydlu.

## Pennod IX

# Anniddigrwydd y Gweithlu: Anfodlonrwydd Cymdeithasol a Diwydiannol, 1895-1914

### 1. Gwreiddiau Gwrthdaro Diwydiannol

■ **Y Brif Ystyriaeth:**
Beth oedd achos a natur y gwrthdaro cymdeithasol a diwydiannol yn ystod y cyfnod 1895-1914?

I'r prif ddiwydianwyr, y cyflogwyr a'r perchenogion roedd y cyfnod cyn y Rhyfel Mawr yn oes aur y diwydiant trwm yng Nghymru. Oherwydd technoleg newydd, rhwyddineb benthyca arian, marchnadoedd newydd a dawn pobl fel Barwn Penrhyn ym mro'r chwareli a D.A.Thomas, Brenin y Glo, ym myd busnes, gallai diwydiant Cymru gystadlu a dod ag elw. I'r gweithiwr cyffredin ni ddaeth y ganrif newydd â fawr o newid na gwaredigaeth rhag cyflogau isel yn gyffredinol, amodau gwaith afiach a'r cyflogwyr yn ymelwa. I'r mwyafrif o'r gweithlu ni bu unrhyw oes aur yn y diwydiant trwm yng Nghymru. Nid oedd eu gwaith caled ond yn sicrhau fod yr aur yn aros yn nwylo nifer fechan ddethol o bobl. Yn ei lyfr *What We Want and Why*, a gyhoeddwyd yn 1922, mae Noah Ablett yn cofio'r dyddiau cyn y rhyfel ac yntau'n gweithio ar y talcen glo:

> Y torrwr i lawr yn y pwll heb olau haul nac awyr iach, weithiau mewn tymheredd o 90 gradd, bob munud o'r dydd yn anadlu llwch y glo, cur yn ei ben oherwydd yr ymdrech annynol bron; y to efallai mor isel â 18 modfedd neu ar uchder o 20 troedfedd ... yn anadlu arogleuon drewllyd (afiach) gan nad oedd unrhyw fath ar garthffosiaeth ... gall gael ei anafu neu ei ladd oherwydd cwymp y to a'r ochrau ac yn waeth na'r cyfan mae'n byw gydag

5

ofn cyfoglyd, ofn y danchwa ddychrynllyd; mae dyn felly yn haeddu ein cydymdeimlad a'n parch – ond yr hyn a gaiff yn aml yw ei ddifrïo.

Roedd y mwyafrif o'r dosbarth gweithiol wedi dod i dderbyn yr anghyfartaledd cymdeithasol, hyd yn oed yn derbyn caledi'r driniaeth a gaent gan gyflogwyr digydymdeimlad, ond roedden nhw'n dod yn llai parod i ddioddef cwtogi ar gyflogau a'u hamgylchiadau byw gwael. Daeth dynion fel William Abraham (Mabon) dan bwysau. Roedd ef yn cynrychioli agwedd fwy traddodiadol a cheidwadol at berthynas gweithiwr a chyflogwr ym myd diwydiant. Roedd yn Rhyddfrydwr ac yn arweinydd cymedrol i'r glowyr. Roedd yn credu mewn polisi o gydweithrediad gyda chyflogwyr-berchenogion. Ond, erbyn degawd olaf y bedwaredd ganrif ar bymtheg, roedd byd diwydiant yn newid yn gyflym a chanlyniad twf yr Undebau Llafur oedd twf y mudiad llafur. Cafwyd mwy o barodrwydd i weithredu. Roedd dynion fel Noah Ablett, arweinydd y glowyr a anwyd yn y Rhondda ac a oedd yn Farcsydd, yn benderfynol o geisio cael gwell tâl a gwell amodau gwaith ac o'r herwydd daeth yn un o brif aelodau'r Ffederasiwn. I'r Undebau Llafur a'u haelodau nid oes aur ond oes o anniddigrwydd diwydiannol oedd y cyfnod cyn y Rhyfel Mawr.

### (i) Pa gamau a gymerwyd tuag at wrthdaro diwydiannol?

Mae gwreiddiau'r anniddigrwydd i'w gweld yn negawd olaf y bedwaredd ganrif ar bymtheg, pan fu i'r berthynas rhwng cyflogwr a gweithiwr ddirywio. Pam?

- twf cwmnïau cyfun a chartélau. Er enghraifft, ffurfiwyd Cymdeithas Perchenogion Pyllau Glo yn 1873 a chyfunwyd sawl cwmni glo i ffurfio cwmnïau mawr – Powell Duffryn, Lewis Merthyr, yr *Ocean Company* a *Cambrian Combine* D.A.Thomas. Roedd hyn yn sicrhau y byddai grym ym maes glo De Cymru yn nwylo yr ychydig. Daeth yr ychydig hyn yn gyfoethog ac ymbellhau oddi wrth eu gweithwyr. Hefyd daethant yn llai goddefol a llai parod i ystyried y gweithiwr ac roedd eu grym yn golygu y gallent bennu cyflogau a phrisiau bron fel y mynnent.

- perchenogion a chyflogwyr oedd yn lleihau costau. Er mwyn cael mwy o elw roedd cyflogwyr yn lleihau costau oedd yn aml yn golygu fod gweithwyr yn colli eu gwaith a/neu bod llai o sylw i fesurau diogelwch. Bu ffrwydrad ym mhwll glo'r Albion yng Nghilfynydd yn 1894 gan ladd 250 o lowyr. Beiwyd, yn rhannol, y perchenogion am iddynt wrthod talu am welliannau drudfawr fyddai'n sicrhau diogelwch.

- cais cyflogwyr i resymoli cyflogau a phrisiau. Er mwyn cadw costau yn isel roedd y diwydiant glo wedi mabwysiadu cynllun 'graddfa symudol' (ers 1875) oedd yn cysylltu cyflogau a phris gwerthiant glo. Byddai newid o 1swllt (5c) ym mhris glo yn golygu y byddai'r cyflog cymedraidd yn newid hyd at 8%. Gallai cyflogwyr reoli cyflogau trwy or-gynhyrchu neu trwy danbrisio eu glo.

- twf undebaeth lafur ac agwedd filwriaethus ymysg y dosbarth gweithiol. Roedd gweithwyr yn mynnu sicrwydd cyflogaeth a'r hawl i fargeinio â chyflogwyr am gyflog teilwng. Roedd yr undebau yn benderfynol o ennill lleiafswm cyflog ac, yn y diwydiant glo, o weld y raddfa symudol yn dod i ben.

- gwahaniaethau ideolegol a gwahaniaethau dosbarth rhwng cyflogwyr a'r cyflogedig. Roedd cyflogwyr cyfoethog fel Barwn Penrhyn yn gwrthod cydnabod undeb llafur ei weithwyr, heb sôn am drafod â'r undeb. Fel perchennog chwareli llechi oedd ar ei dir, credai fod ganddo'r hawl i ddiswyddo dynion yn ôl ei fympwy a gostwng eu cyflogau pan oedd pris llechi yn gostwng. Ni allai'r naill garfan ddeall na gwerthfawrogi amodau byw na meddylfryd y garfan arall.

- cystadleuaeth ryngwladol yn enwedig o'r Almaen ac UDA. Er enghraifft, dinistriwyd y diwydiant tunplat ym Mhrydain oherwydd treth McKinley, yn 1891, a osodai dreth uchel ar fewnforion tunplat o Brydain. Er mwyn para'n gystadleuol caewyd rhai gweithfeydd, gostyngwyd cyflogau a chollodd rhai gweithwyr eu gwaith. Erbyn 1914 roedd y diwydiannau glo, dur a llechi hefyd yn dioddef oherwydd cystadleuaeth frwd o dramor.

I

II

III

IV

V

VI

VII

VIII

IX

X

## (ii) Oedd gwrthdaro yn anochel?

Penderfynwch drosoch eich hunain drwy ddarllen yn ofalus y dyfyniadau a ganlyn sy'n pwysleisio agweddau a'r berthynas o fewn y diwydiant glo yn y blynyddoedd cyn y rhyfel.

Mae'r hanesydd David Egan yn dweud ei farn yn ei lyfr *Coal Society* (1987)

> Roedd gwaith cyhoeddus y Meistri Glo yn golygu eu bod hefyd yn gweithredu fel Ynadon Heddwch, Gwarcheidwaid y Tlodion, Cynghorwyr ac ambell dro Aelodau Seneddol … Roedd y Meistri Glo yn ffyddiog bod eu gweithwyr yn eu cefnogi ac yn eu hoffi … Adroddir y stori fel y bu i [Lewis Davies] roi arian i un o'i weithwyr na allai weithio dim mwy oherwydd 5
> salwch. Sonnir am David Davies yn gwahodd 6,000 (i ben-blwydd 21 ei fab) gan gludo 3,400 ohonynt ar drenau arbennig o byllau Davies yn y Rhondda Uchaf … ond peth cymharol anghyffredin oedd i'r Meistri Glo ddefnyddio'u cyfoeth mor hael … Roedd eu dull o fyw yn dod yn un gwahanol i un eu gweithwyr. Nid oedd yn beth anghyffredin bryd hynny fod gwahanfur 10
> pendant rhwng 'meistr' a 'gweithiwr'. Ond mae'n ymddangos bod y Perchenogion Glo wedi bod yn gyflogwyr hynod galed … Trinnid glowyr bron fel cynnyrch yn hytrach na bodau dynol… Yn aml byddent yn beio ffrwydrad nwy ar y gweithwyr oedd yn ysmygu pibau. Roeddent bob amser yn brwydro'n galed rhag gorfod talu iawndal am farwolaeth ac anafiadau… 15
> Roeddent bob amser yn barod i ddod ag achos llys yn erbyn glowyr am dorri contract a Rheolau'r Lofa … Am lawer blwyddyn roedd y 'nodyn-diswyddo' yn arf grymus a ddefnyddid yn erbyn undebau llafur a hefyd y niferoedd lluosog o fradwyr allai dorri streic.

Roedd D.A.Thomas yn ŵr busnes llwyddiannus dros ben ac yn Aelod Seneddol Rhyddfrydol. Erbyn dechrau'r Rhyfel Mawr roedd ymysg y cyfoethocaf a'r mwyaf dylanwadol o 'frenhinoedd' diwydiannol Cymru. Ysgrifennodd Thomas:

> Rwy wedi rhoi'r cyfle i ddynion dalu am fwyd a dillad iddynt eu hunain a'u teuluoedd … Trwy ychwanegu at fodd y bobl rwy wedi cyfrannu mwy at hapusrwydd materol a lles glowyr Cymru a'u teuluoedd na holl arweinwyr y glowyr gyda'i gilydd … Coeliwch fi, dydw i ddim yn casglu cyfoeth er ei fwyn ei hun … Unig werth cyfoeth yw'r dylanwad a'r grym mae'n ei roi yn 5
> nwylo'r sawl sy'n ei gael i wneud daioni.

Roedd W.F. Hay o'r Rhondda yn sosialydd amlwg ac yn arweinydd y glowyr, un ymosodol. Dywedodd ei farn:

> Mae'r glöwr Cymreig, wedi ei drechu mewn sawl ysgarmes chwerw pan geisiai ennill amodau dynol; wedi ei dwyllo yn ei waith gan reolwyr diegwyddor oherwydd cynllun annheg gwaith bargen/gweithio ar hur … wedi cael ei daflu allan a'i wahardd am iddo hawlio cyfiawnder syml … wedi cael ei lofruddio wrth y cannoedd a'r miloedd oherwydd esgeuluso diogelwch, wedi ei dwyllo gan gyfraith barnwyr fel na châi iawndal prin am y damweiniau sy'n anochel oherwydd chwant am elw; yn ddioddefwr miloedd o ddulliau gorelwa a gweithredoedd ysgeler – gall hwn, caethwas y lamp, fynnu pridwerth gan yr Ymerodraeth Brydeinig …

5

### (iii) Streic y Glowyr, 1898. Trobwynt?

Rhwng 1891 ac 1899 gostyngwyd cyflogau glowyr ym maes glo De Cymru. Yn 1896 deisebodd 30,000 o lowyr eu cyflogwyr gan ofyn am ddileu'r raddfa symudol. Gwrthododd y cyflogwyr. Yn Ionawr 1898 ceisiodd Mabon (William Abraham) a William Brace drafod a rhesymu gyda'r cyflogwyr a gytunodd i gwrdd â nhw i drafod ond heb wneud unrhyw addewid. A'r trafodaethau yn parhau heb lwyddiant, collodd Mabon a Brace eu dylanwad a gwelwyd arweinwyr mwy ymosodol yn dod i'r adwy. Ceisiodd y rhain berswadio'r cyflogwyr i wneud consesiynau trwy hawlio cyflog sylfaenol, 10% o godiad cyflog a dileu'r raddfa symudol neu fe fyddent yn mynd ar streic. Ymateb y cyflogwyr fu gwrthod trafod a chau'r gweithwyr allan. Ymatebodd y glowyr drwy fynd ar streic. Bu'r glowyr ar streic o fis Mawrth 1898 ac yn ystod y chwe mis tra parhaodd y streic dioddefodd y glowyr a'u teuluoedd galedi mawr. Yn y diwedd dychwelodd y gweithlu newynog, di-obaith a chwerw i'r pyllau heb ennill dim byd, ond yn benderfynol na fyddent fyth yn anghofio. Yn Hydref 1898 ffurfiwyd Ffederasiwn Glowyr De Cymru a'r undebau glowyr lleol i gyd yn cyfuno i ffurfio un undeb grymus. Yn Ionawr 1899 cytunodd Ffederasiwn De Cymru i ymuno â Ffederasiwn Glowyr Prydain Fawr ac erbyn 1908 roedd dros 144,000 o lowyr De Cymru (mwy na 70% o'r gweithlu cyfan) yn aelodau o'r undeb.

I

II

III

IV

V

VI

VII

VIII

IX

X

## 2. Streic Rheilffordd Cwm Taf, 1900-01

### ■ Y Brif Ystyriaeth:

Ym mha ffordd roedd Anghydfod Cwm Taf yn garreg filltir ym mherthynas cyflogwr a gweithiwr yn niwydiannau Cymru?

- Pan wrthododd cyfarwyddwyr Cwmni Rheilffordd Cwm Taf drafod yr ystyriaethau – oriau hir a graddfeydd tâl annheg – galwodd Undeb Gwŷr y Rheilffyrdd, Cymdeithas Gyfun y Gweithwyr Rheilffordd, ei haelodau allan ar streic. Gan ei bod wedi ennill streic debyg yn 1890 roedd y Gymdeithas yn ffyddiog y byddai'n ennill eto.

- Ceisiodd Cwmni Cwm Taf ddal i gadw'r trenau ar y rheiliau drwy ddefnyddio **llafur bradwyr**. Bu trais a difrodwyd eiddo'r Cwmni a pharhaodd yr helynt am rai misoedd. Oherwydd tlodi a newyn bu'n rhaid i'r gweithwyr ddychwelyd i'r gwaith.

- Roedd y Cwmni yn benderfynol o drechu'r undeb a gwysiwyd y Gymdeithas i'r llys gan hawlio iawndal i'r Cwmni am y colledion roedd wedi eu hwynebu yn ystod y streic.

- Enillodd y Cwmni'r achos llys ond gwnaed apêl gan y Gymdeithas ac fe enillodd.

- Yna, aeth y Cwmni â'r Gymdeithas i'r llys uchaf, sef Tŷ'r Arglwyddi. Yn anffodus i'r undeb, barnodd yr Arglwyddi dros y cyflogwr a gwyrdroi dyfarniad y Llys Apêl. Unodd undebwyr Llafur ledled Prydain i gondemnio yr hyn a elwir yn Ddyfarniad Cwm Taf. Gorfodwyd yr undeb i dalu'r swm anferthol o £42,000 yn iawndal a chostau i'r Cwmni.

- Ar waethaf dyfarniad y llys, oedd yn peryglu'r hawl i fynd ar streic, dal i weithredu'n filwriaethus wnaeth gweithwyr y rheilffyrdd. Os rhywbeth, cawsant hwy a'u cyd-undebwyr eu sbarduno i ymladd yn erbyn yr hyn a ystyrient yn anghyfiawnder enbyd.

Roedd Anghydfod Cwm Taf, 1901 yn ddigwyddiad o bwys eithriadol yn nhwf a datblygiad y Blaid Lafur a'r Undebau Llafur. Argyhoeddwyd llawer o weithwyr fod yn rhaid wrth ryw fath o undeb i'w hamddiffyn rhag cyflogwyr barus ac annibynadwy. Argyhoeddwyd yr undebau fod arnynt angen cynrychiolaeth yn y Senedd fel y gallent fod â llais, i ddylanwadu ar basio neu wrthwynebu cyfreithiau a allai effeithio ar undebaeth lafur a hawliau gweithwyr. Manteisiodd y Blaid Lafur ar y chwerwedd a achoswyd gan

I

II

III

IV

V

VI

VII

VIII

IX

X

Ddyfarniad Cwm Taf i fynnu ei hawl i fod 'y blaid a gynrychiolai'r gweithwyr' yn y llywodraeth. Gan iddi addo gwneud popeth o fewn ei gallu i wyrdroi dyfarniad y llys, cynyddodd ei haelodaeth o 356,000 yn 1901 i 861,000 erbyn diwedd 1902.

Yn 1903 ffurfiodd Plaid Ryddfrydol bryderus gynghrair â'r blaid Lafur, oedd ar ei thwf, i ymladd yn erbyn y Ceidwadwyr yn yr etholiad nesaf. Pris cefnogaeth Llafur yn yr etholiad oedd Deddf Anghydfod Llafur 1906. Deddfai na ellid dod ag achos llys yn erbyn undeb yn y dyfodol oherwydd streic niweidiol. Roedd hyn yn amddiffyn hawliau gweithwyr i fynd ar streic ac yn adfer pŵer diwydiannol i'r undebau. Yn anffodus, nid oedd yn golygu na fyddai yna wrthdrawiad rhwng undebau a chyflogwyr a rheolwyr a gweithwyr yn y dyfodol. Roedd sosialaeth a syniadau sosialaidd wedi ennill tir ac roedd arweinwyr undeb cymedrol eu hagwedd yn cael eu disodli gan weithredwyr ac ymgyrchwyr milwriaethus.

## 3. Cau allan y Penrhyn, 1900-03

### ■ Y Brif Ystyriaeth:

Pam y bu i'r chwarelwyr gael eu cau allan o chwareli llechi Barwn y Penrhyn yng Ngogledd Cymru?

Roedd y diwydiant llechi yn tra-arglwyddiaethu yng ngogledd-orllewin Cymru gan mai ardal wledig nid un ddiwydiannol oedd hi. Y teulu Douglas-Pennant neu Arglwyddi Penrhyn oedd biau y mwyaf a'r cyfoethocaf o chwareli llechi Sir Gaernarfon, y Penrhyn ym Methesda. Tirfeddianwyr oedd y teulu i gychwyn, oedd wedi elwa ar werth y mwyn ar eu stadau anferth (erbyn 1890 y drydedd stad o ran maint yng Nghymru) yn hytrach nag ar werth eu tir amaethyddol yn unig. O'r herwydd daeth y perchennog yn un o ddiwydianwyr pwysicaf Cymru. Erbyn 1898 roedd incwm blynyddol y teulu, o'r llechi, sef £133,000, yn fwy na dwbl yr hyn a gaent o'u rhenti a'r amaethu. Fodd bynnag, nid oedd popeth yn dda yn y chwareli a rhwng 1896 ac 1903 bu dwy streic chwerw a niweidiol (Medi 1896 i Awst 1897 a Tachwedd 1900 i Tachwedd 1903). Bu'r rhain yn ergyd farwol i ddiwydiant llechi Gogledd Cymru. Pam?

### Beth oedd achos yr helynt a pham roedd cymaint o chwerwedd?

O fewn ychydig ddyddiau i ddechrau'r streic cyhoeddodd papur lleol Saesneg, y *Sheffield and Rotherham Independent* (20 Tachwedd 1900):

> Gwrthdaro ydyw rhwng gŵr (Barwn Penrhyn) sy'n credu bod ganddo hawliau ffiwdal diymwad dros ei weithwyr a nifer o ddynion sy'n ei wrthwynebu yn styfnig ond heb gynllun … Mae'n broblem y mae'n ymddangos y gellid ei datrys o fewn ychydig oriau trwy drafod rhwng cyflogwyr rhesymol a chynrychiolwyr Undeb Llafur cymwys.

Mae'r ffaith fod streic mewn chwarel yng ngogledd Cymru yn ddigon pwysig i ddenu sylw papur newydd yn Swydd Efrog yn awgrymu nad helynt cyffredin mo hwn. Cynted ag y clywodd Barwn y Penrhyn am y bleidlais i fynd ar streic nid arhosodd i'r chwarelwyr gerdded allan ond fe'u caeodd allan. Yn ofer y ceisiodd undeb y chwarelwyr gwrdd â Penrhyn i drafod. Mewn llyfr a gyhoeddwyd yn Hydref 1901, dan y teitl *The Penrhyn Lock-Out, 1900-01*, mae W.J. Parry yn amlinellu'r hyn a gredai oedd wrth wraidd y streic a'r cau allan.

> Y rheswm am yr anghydfod ar y pryd oedd system o roi contractau mawr i un dyn (nid i grŵp) ac roedd hynny, ym marn y dynion, yn annheg â nifer fawr o weithwyr. Roedd gweithwyr gwael yn cymryd y contractau hyn ac yn cyflogi dynion o well safon i weithio danynt am gyflogau is. Yr Hydref diwethaf roedd 14 o ddynion yn gweithio ar ddarn o Ffridd Ponc; rhoddwyd dau o'r dynion i wneud gwaith arbennig wrth y dydd; cawsant eu cyflogi ar ddydd Iau a Dydd Gwener, a doedden nhw ddim wedi gorffen … Weithiodd y dynion ddim ar y dydd Sul a chafodd y 14 eu gwahardd am dri diwrnod. Ymhen pythefnos cawsant glywed eu bod i weithio mewn gwahanol fannau yn y chwarel, ac yn y cyfamser roedd eu bargeinion i gyd i gael eu rhoi yn un contract i un o'r contractwyr mawr. Roedd gelyniaeth tuag at y rheini wedi bod yn cynyddu . . ar 18 Rhagfyr 1900 … aeth deisebwyr i ofyn i Mr Young am y consesiynau a ganlyn:
>
> 1.  Yr hawl rhydd i ethol llefarydd . . i drafod achwynion gyda'r rheolwyr …
> 2.  Yr hawl i'r dynion drafod materion ymysg eu hunain yn ystod yr awr ginio yn y chwarel.
> 3.  Ailgyflogi rhai arweinwyr oedd wedi cael cam.
> 4.  Pennu lleiafswm cyflog.
> 5.  Cosbi fformyn a swyddogion oedd yn camdrin y dynion.
> 6.  Cyflwyno, fel arbrawf, system gwaith-bargen cyd-weithredol yn lle'r gwaith a wneid dan gontract cyn hyn.

5

10

15

20

I II III IV V VI VII VIII IX X

7. Dyneiddio'r rheolau disgyblaeth caled a lleihau'r gosb am eu torri.
8. Ailsefydlu'r gwyliau blynyddol ar Fai'r 1af.
9. Rheoli Clwb Salwch y Chwarel yn fwy democrataidd.

Cyn hir roedd dig a chwerwedd wedi arwain at drais. Pan geisiodd Penrhyn ailagor y chwarel gyda llafur bradwyr neu weithwyr dros dro, ffurfiodd y chwarelwyr linellau picedd. Disgrifiwyd yr olygfa gan E.A.Young, prif Reolwr Chwarel y Penrhyn (6 Mawrth 1901):

> Wyth niwrnod yn ddiweddarach ymosodwyd yn ffiaidd ar gontractwr arall a'i ddau fab yn y chwarel gan rai cannoedd o gyd-weithwyr. Yr un diwrnod aeth tyrfa o weithwyr i chwilio am nifer o'r swyddogion … Yr un noswaith cynhaliodd y gweithwyr gyfarfod a phenderfynu dychwelyd i'r gwaith y bore
5 wedyn … er bod y mwyafrif o'r dynion wedi dechrau'r gwaith ar yr amser arferol … fe'u rhwystrwyd a'u bygwth gan nifer o ddynion oedd wedi ymgasglu ynghyd mewn grwpiau mewn gwahanol fannau yn y chwarel.

Er bod rhai chwarelwyr wedi dychwelyd i'r gwaith arhosodd y mwyafrif allan ar streic. Ymateb Penrhyn fu eu troi i gyd o'r gwaith. Anfonwyd mwy o blismyn o Lerpwl, ac ar un adeg filwyr arfog, i atal y streicwyr oedd yn ymderfysgu. Gan ei fod yn ŵr cyfoethog nid oedd Penrhyn yn dibynnu ar elw ei chwareli ac roedd mor benderfynol o ennill, roedd yn barod i ddinistrio'r diwydiant a gweld gwaith chwarel yn dod i ben yng ngogledd Cymru. Nid oedd ei gyn-weithwyr mor ffodus ac i lawer ohonynt roedd misoedd heb waith ac heb gyflog yn golygu eu bod wedi suddo'n ddyfnach i bwll anobaith a thlodi. Roedd y ffaith mai gaeaf oedd hi yn gwneud pethau'n waeth ac erbyn y Nadolig 1900 sefydlwyd pwyllgor i roi cymorth i'r chwarelwyr di-waith a'u teuluoedd. Erbyn Chwefror 1901 roedd y sefyllfa'n ddifrifol a gwnaed yr apêl a ganlyn:

> Rydym yn apelio ar ran Hen ddynion, Gweddwon a'r Amddifaid sydd eisoes yn dioddef caledi mawr oherwydd y cau allan. Rydym ni sydd yn y fan a'r lle ac yn dioddef ein hunain yn gwybod mor gyfiawn yw achos y dynion, ac am y gormes maent wedi ei oddef er pan ddaeth y Barwn presennol i'w
5 etifeddiaeth. Mae'r ewyllys da a fodolai rhwng ei dad nobl a'i weithwyr wedi ei ddinistrio gan y barwn presennol o fewn tri mis iddo etifeddu'r eiddo a bu ei holl ymwneud â nhw ers hynny yn ormesol. Dileodd gyda mis o rybudd yr amodau gwaith oedd yn bod o dan ei dad nobl … Gwnaeth hyn i gyd heb ymgynghori â'r dynion, y rhai yr oedd o'r pwysigrwydd mwyaf iddynt.

I
II
III
IV
V
VI
VII
VIII

X

Trwy ei weithredoedd mae wedi ceisio creu drwgdeimlad rhwng chwarelwyr     10
sy'n Undebwyr a'r rhai nad ydynt yn perthyn i undeb.

Ar ran y Pwyllgor Cynnal,
W.J. Parry, Cadeirydd
G.Roberts, Y.H. Is.Gadeirydd
Daniel Lloyd, Trysorydd
Y Parch. W.W. Lloyd, Ysgrifennydd Cyfffredinol (6 Chwefror, 1901)

'Dydych chi ddim yn gallu wynebu'ch credydwyr? Yna, cerddwch wysg eich
cefn' meddai is-reolwr o Sais wrth chwarelwr o'r Penrhyn oedd yn gofidio.
Oherwydd yr agwedd galed hon a'r ffaith mai Saeson oedd Penrhyn a'i dîm
o reolwyr, trodd y mwyafrif o'r gymdeithas leol – Cymry a chapelwyr – yn
erbyn y Barwn. Roedd clerigwyr, ynadon, siopwyr, gwŷr busnes, hyd yn oed
gwleidyddion yn unol yn eu cefnogaeth i'r chwarelwyr. Un o'r bobl a
ddefnyddiodd ei arbenigedd cyfreithiol a gwleidyddol a'i gysylltiadau i
helpu'r chwarelwyr oedd David Lloyd George, Aelod Seneddol Rhyddfrydol
dros Fwrdeistrefi Caernarfon. Mewn llythyr at ei wraig, dyddiedig 22
Mawrth 1902, ysgrifennodd:

Hoffwn pe baech yn gofyn i D.R.Daniel [ysgrifennydd Undeb Chwarelwyr
Gogledd Cymru o 1896] ddod i dreulio'r Pasg ac i drafod helynt y Penrhyn
rywbryd. Dyna araith ddialgar a draddododd Barwn Penrhyn pwy ddydd.
Clywais fod yn rhaid fod y streic wedi costio dros £120,000 iddo'n barod.
Aeth â'i fab i'r chwarel i'w rhybuddio na fyddent yn ennill dim pe baent yn ei     5
ladd ef. Dyma un o'r streiciau mwyaf enbydus erioed.

Wedi tair blynedd hir daeth yr helynt i ben a'r chwarelwyr wedi eu trechu.
Pan ail-agorodd Penrhyn y chwarel cafodd llai na dwy ran o dair o'r
streicwyr eu cyflogi. Yn rhannol y rheswm am hyn oedd nad oedd y
rheolwyr yn barod i ail-gyflogi 'rhai oedd yn creu helynt' ond yn bennaf
oherwydd y lleihad yn y galw am lechi Cymru.

### Archwilio'r Dystiolaeth: Barwn Penrhyn – cnaf neu ddioddefwr?

Y person allweddol yn yr helynt yn ddiamau oedd y cyflogwr, Barwn Penrhyn.

Soniwyd llawer am ei falchder a'i benderfyniad i beidio â chydnabod Undeb y Chwarelwyr, heb sôn am drafod cyflogau ac amodau gwaith ei weithwyr. Ar y llaw arall, fe'i disgrifiwyd fel cyflogwr caredig, ystyriol a gofalus. Pwy sy'n iawn? Dyma farn rhai haneswyr am 'Farwn y Penrhyn' a'r 'helynt'. Darllenwch nhw ac ail-ddarllen y ffynonellau a barnu drosoch eich hun.

> Ffurfiasant (y chwarelwyr) undeb yn 1874. Roedd Barwn Penrhyn yn gwrthwynebu hwn yn gyson a phan leisiodd gweithwyr Bethesda rai achwynion gwaharddodd rai o'u cynrychiolwyr o'r gwaith. Daeth tair mil o chwarelwyr allan ar streic. Gofynasant i'r Bwrdd Masnach drafod (bod yn ganolwr) ond mynnodd Barwn Penrhyn nodi amodau amhosibl cyn y byddai'n derbyn ymyrraeth swyddogion y llywodraeth …
>
> [David Williams, *A History of Modern Wales* (1950)]

> Cafodd chwarelwyr parchus penderfynol y gogledd frwydr ffyrnig i gael Barwn Penrhyn, oedd yn wleidyddol neanderthalaidd, i gydnabod eu hundeb o gwbl a bu'n rhaid iddynt ymladd eu ffordd ymlaen yn erbyn gwrthwynebiad oes yr iâ gan un o feddylfryd trefedigaethol.
>
> [Gwyn A. Williams, *When was Wales* (1982)]

> Cyfalafwyr *par excellence* oedd dynion felly … , yn berchenogion chwareli, y tir lle roedd tai eu gweithwyr wedi eu codi a'r dulliau cyfathrebu. Roedd ganddynt bŵer economaidd anferthol a glynent wrtho yn ddidostur, ond roeddent hefyd yn dadol, yn cynnal ysbytai ac yn gofalu am gronfeydd er budd y sâl.
>
> [Gareth E. Jones, *Modern Wales* (1979)]

> Er ei fod yn un o'r tirfeddianwyr mwyaf hael yn y wlad, roedd ef (Barwn Penrhyn) byth a hefyd yn gwrthdaro â chwarelwyr Bethesda.
>
> [Thomas Richards, *Y Bywgraffiadur Cymraeg* (1959)]

> Yn 1886 cafwyd etifedd newydd, Barwn Penrhyn, a oedd â'i fryd ar chwalu undeb y chwarelwyr ac arweiniodd hynny at gyfnod di-waith a barhaodd am bron flwyddyn yn 1896-7 ac un arall yn 1900 a barhaodd, gyda help pobl o'r tu allan oedd yn cydymddwyn, am dair blynedd.
>
> [A.H. Dodd, *Life in Wales* (1972)]

I
II
III
IV
V
VI
VII
VIII
IX
X

Deilliodd yr anghydfod … o ddehongliad ail farwn Penrhyn o'i hawliau fel cyflogwr… . Bu arglwyddi Penrhyn, gyda'u hysgolion a'u hysbyty, yn gyflogwyr paternalistaidd, ond yn gyfnewid disgwylient ufudd-dod a gwyleidd-dra.

[John Davies, *Hanes Cymru* (1993)]

Llun 43
Rhybudd Chwarel y Penrhyn

# PENRHYN QUARRY.

## NOTICE.

Inasmuch as a number of the Penrhyn Quarry Employees has during the last fortnight actively participated in certain acts of violence and intimidation against some of their fellow-workmen and officials, and to-day nearly all the Employees have left their work without leave, Notice is hereby given that such Employees are suspended for 14 days.

### E. A. YOUNG

PORT PENRHYN,
Bangor, November 6th, 1900.

# Chwarel y Penrhyn.

## RHYBUDD.

Yn gymaint ag i nifer o weithwyr Chwarel y Penrhyn yn ystod y pythefnos diweddaf gymeryd rhan weithredol mewn ymosodiadau o greulondeb a bygythiadau yn erbyn rhai o'u cyd-weithwyr a swyddogion, ac heddyw i agos yr oll o'r gweithwyr adael eu gwaith heb ganiatad, rhoddir Rhybudd drwy hyn fod y cyfryw weithwyr yn cael eu hatal am bedwar-diwrnod-ar-ddeg.

### E. A. YOUNG

PORT PENRHYN,
Bangor, Tachwedd 6ed, 1900.

318

## 4. Streiciau a Therfysgoedd

### ■ Y Brif Ystyriaeth:

Pam roedd streiciau a therfysgoedd blynyddoedd cynnar yr ugeinfed ganrif mor ffyrnig ac mor beryglus?

Erbyn 1910 roedd anfodlonrwydd diwydiannol ar gynnydd ym Mhrydain. Yr ardal gyntaf lle bu streiciau a chyfnodau di-waith oedd de Cymru. Yn ystod Hydref a Thachwedd 1910 aeth bron 30,000 o lowyr Cymru ar streic gan geisio cael sicrwydd gwaith a chyflogau uwch. Ceisiodd perchenogion glofeydd fel D.A.Thomas dorri'r streic drwy ddefnyddio bradwyr, arweiniodd hyn at drais a galwyd ar y fyddin i adfer trefn. Parhaodd y streic am wyth mis ac yna dychwelodd y glowyr, wedi eu trechu, i'r gwaith. Mewn mannau eraill yn ne Cymru ymunodd gweithwyr diwydiannau eraill i ddangos cefnogaeth neu mewn protest yn erbyn y modd roedd eu cyflogwyr yn eu trin nhw. Erbyn 1911 roedd yr undebau llafur yn datgan eu dig gyda'r llywodraeth gan ei chyhuddo o fod yn ormesol ac yn wrth-undebaeth, ac yn enwedig, yn ddig â Winston Churchill, yr Ysgrifennydd Cartref, gan ei feio am wneud pethau'n waeth drwy anfon milwyr.

### a) Terfysg Tonypandy

Ar 7 ac 8 Tachwedd ym mhentref Tonypandy yn y Rhondda terfysgodd glowyr oedd ar streic. Er bod terfysgoedd mewn mannau eraill yn ne Cymru yn ystod 1910-11, yn Aberdâr, Pontypridd ac yn enwedig Llanelli lle cafodd dau o weithwyr y rheilffordd oedd ar streic eu saethu'n farw gan y milwyr, terfysg Tonypandy yw'r un a gofir yn bennaf heddiw. Mae amryw o resymau am hyn. I sosialwyr daeth yn chwedl yn hanes y mudiad Llafur yng Nghymru, y wreichionen a daniodd yr achos diwygio diwydiannol yn y cymoedd. I eraill mae Tonypandy yn cynrychioli gormes llywodraeth Seisnig oedd yn defnyddio milwyr Prydeinig arfog, gyda gynnau a bidogau, yn erbyn glowyr di-arfau oedd yn ceisio ennill cyflog ac amodau byw teilwng. Gwelai mwy fyth y digwyddiad fel enghraifft o'r dyrfa yn rheoli, drwgweithredwyr barus yn ymddwyn yn anghyfreithlon ac yn creu llanast. Mae'r gwir am Donypandy yn dal yn destun dadl hyd heddiw.

I
II
III
IV
V
VI
VII
VIII
IX
X

## Archwilio'r dystiolaeth: Terfysgoedd Tonypandy

### Beth a achosodd derfysgoedd Tonypandy?

Darllenwch dystiolaeth dau o bobl oedd yno.

Yn 1948 rhoddwyd cyfweliad i Arthur Horner, gŵr o Ferthyr oedd erbyn hynny yn aelod blaenllaw o undeb y glowyr. Yn 1910 llanc ifanc dwy ar bymtheg oed oedd ef ac yn newydd i'r diwydiant. Yn y cyfweliad gofynnwyd iddo beth oedd achos 'terfysgoedd Tonypandy'.

Digwyddodd digwyddiad Tonypandy yn dilyn streic 15,000 o ddynion, a gâi eu cyflogi ym mhyllau Cambrian, oedd yn achwyn am y tâl gwarthus a gaent ar y talcen glo am waith bargen/gwaith hur. Roedd y raddfa yn amrywio o ardal i ardal ac o bwll i bwll ond y cwyn mwyaf oedd na allai glöwr gael digon o lo i ennill cyflog byw truenus. Gallai gael ei anfon i fan lle roedd wal 5 yr wythïen wedi ei falurio yn lo mân ac nid oedd tâl o gwbl am hwnnw bryd hynny yn Ne Cymru. Efallai y byddai'n rhaid iddo ddefnyddio coed i rwystro cwymp peryglus, ac ni fyddai'r rheolwyr yn rhoi tramiau iddo i gario'r hyn roedd wedi ei dorri am eu bod yn gwybod nad oedd yn cloddio glo da, felly waeth pa mor galed na waeth faint o sgil a ddefnyddiai, gallai fod heb y nesa' 10 peth i ddim cyflog. Mewn rhai pyllau byddai'r dynion yn bwrw coelbren i gael lle. Roedd y dynion bryd hynny yn hawlio lleiafswm cyflog dyddiol i bawb oedd yn gwneud gwaith hur a chan fod y perchenogion yn gwrthwynebu bu gwrthdaro ledled cymoedd Aberdâr a'r Rhondda.

Ar ddiwedd 1911 cyhoeddodd David Evans, newyddiadurwr, lyfr gyda'r teitl *Labour Strife in the South Wales Coalfield 1910-11*. Yno, mae'n egluro beth achosodd y terfysgoedd.

Roedd y streicwyr wedi eu cythruddo am fod rhai gweithwyr wedi derbyn gwaith ym mhyllau Cwmni'r Llynges a gorymdeithiodd 3,000 ... Areithiodd un o'r arweinwyr. Achwynai nad oeddynt wedi cael caniatâd i weld y bradwyr a'u bod wedi cael eu cynghori i fynd i weld Mr Llywellyn [rheolwr y pwll]. Ond roedden nhw wedi cael digon ar ddeisebu ac yn benderfynol o aros yno a 5 dod i ddealltwriaeth â'r bradwyr pan fydden nhw'n dod allan. Erbyn hyn, roedd nifer fawr o'r streicwyr wedi mynd dros ben llestri'n lân ... y mwyafrif yn taflu cerrig, ac anfonwyd negeseuon brys i bencadlys yr heddlu yn Nhonypandy i ofyn am gymorth ... Cyrhaeddodd ychwaneg o blismyn ym mhwll Trelái yn fuan wedyn ... gan olygu bod dros gant o blismyn yno. 10 Roedd y nifer yn gwbl annigonol i wynebu 3,000 i 4,000 o derfysgwyr cynddeiriog oedd ar wasgar ar hyd y mynydd, ymhell o gyrraedd yr heddlu ac wrthi'n rholio meini anferth i gyfeiriad y pwll a bu'n rhaid galw am gymorth y milwyr.

## Pam y bu i filwyr gael eu hanfon i Donypandy a phwy oedd yn gyfrifol am eu hanfon?

Un o agweddau mwyaf dadleuol terfysgoedd Tonypandy oedd y defnydd a wnaed o'r milwyr i ymdrin â'r sefyllfa. Er bod milwyr wedi eu defnyddio o'r blaen gan lywodraethau pryderus Prydain – ym Merthyr Tudful yn 1831, Casnewydd yn 1839 a de-orllewin Cymru rhwng 1839-44 – fel arfer nid ystyrid gwneud hynny ond pan fyddai popeth arall wedi methu a hynny gan lywodraeth anfoddog. Nid oedd yn ymddangos mai felly roedd hi yn 1910 a'r cwestiwn a ofynnir amlaf yw pam y bu iddynt gael eu defnyddio o gwbl? Efallai y bydd y ffynonellau a ganlyn yn ein helpu i ddeall yr amgylchiadau yn well a beth oedd bwriadau'r bobl oedd â rhan yn y digwyddiad.

Dyfyniad o hunan-gofiant Arthur Horner *Incorrigible Rebel* (1960)

> Pan gyrhaeddais Donypandy roedd cynnwrf wedi bod yno drwy'r nos. Roedd y siopau i gyd wedi eu difrodi. Dechreuodd y gynnen ar ôl i'r perchenogion geisio dod â bradwyr i weithio yn y lofa. Gwelais y diwrnod hwnnw gynghrair milain y llywodraeth a'r perchenogion gyda chefnogaeth yr heddlu a milwyr arfog yn erbyn glowyr nad oeddent ond yn gofyn am gyflog ychydig yn uwch na'r un na wnâi fawr ddim ond eu cadw rhag newyn. Ni allwn fyth anghofio'r wers yna.

5

Dyfyniad o lyfr David Evans *Labour Strife in the South Wales Coalfield 1910-11* (1911)

> Wrth ffoi o Lwynypia, gan dybio bod y plismyn buddugoliaethus yn dal i'w herlid, yn llawn anobaith am na lwyddodd eu cynllun i feddiannu'r lofa ac yn ddig, malodd y terfysgwyr ffenestr pob siop oedd o fewn cyrraedd.

Cyfweliad gyda heddwas o Heddlu Llundain, W.Knipe (Rhagfyr 1910)

> Oedden … roedden nhw'n trio … malurio adeiladau'r lofa. Wel, aeth hynny 'mlaen am rai oriau, a'r un fath eto trannoeth, yn y p'nawn ac wedyn yn y nos. Yna, y drydedd noson roedd yn uffern go iawn. Cawsom job ofnadwy yno, yn eu gwthio nôl i'r Sgwâr, wel allen ni ddim eu gwthio ymhellach na'r Sgwâr. Y noson honno … fe falurion nhw'r siopau i gyd a'r adeiladau. Fe aethon nhw â phopeth o un siop yn arbennig, un Mr. T. P. Jenkins, siop ddillad. A thrwy'r amser doedden ni ddim yn gallu gwneud dim yn ei gylch. Roedden nhw'n ein gwthio nôl bob tro.

5

I
II
III
IV
V
VI
VII
VIII
IX
X

Adroddodd Mrs Phillips, Siopwraig yn cadw siop ddillad, mewn cylchgrawn diwydiannol *Draper's Record*, (19 Tachwedd, 1910)

> Gellid gweld pobl y tu ôl i'r cownter yn estyn nwyddau allan. Yna wedyn roedden nhw'n cerdded o amgylch y Sgwâr yn gwisgo dillad oedd wedi eu dwyn … Doedd dim cywilydd arnyn nhw … ac roedd y merched cynddrwg â'r dynion.

Mae'r Cadfridog Macready, y swyddog oedd yng ngofal y milwyr yn y Rhondda, yn cofio am y terfysgoedd yn ei lyfr *Annals of an Active Life* (1924)

> Wedi arolwg yn y fan a'r lle, deuthum i'r casgliad fod yr adroddiadau gwreiddiol am yr ymosodiadau ar y glofeydd ar Dachwedd 8 wedi eu gorliwio [gan yr heddlu]. Nid oedd yr hyn a ddisgrifiwyd fel 'ymdrechion rhyfygus' i ddifrodi'r lofa yn Llwynypia yn ddim ond ymgais i wthio'u ffordd drwy'r giât … a chryn dipyn o daflu cerrig.

Telegram oddi wrth Mr Lindsay, Prif Gwnstabl Sir Forgannwg, at Winston Churchill yn y Swyddfa Gartref (10 o'r gloch y bore, 8 Tachwedd 1910)

> Bygythiad i holl lofeydd Cambrian neithiwr. Torf fawr o streicwyr wedi ymosod yn chwyrn ar lofa Llwynpia. Llawer wedi eu hanafu o'r ddwy garfan. Disgwyliaf ddau gwmni o wŷr traed a 200 o wŷr meirch heddiw … Sefyllfa enbydus.

Telegram oddi wrth Churchill i'r Prif Gwnstabl, Mr. Lindsay (1.30 y p'nawn, 8 Tachwedd, 1910)

> Gofynnwch am filwyr. Ni ddylid defnyddio milwyr traed nes y bydd pob ymgais arall wedi methu. Felly fe wnaed y trefniadau a ganlyn. Bydd 10 heddwas ar geffylau a 200 heddwas ar draed o Heddlu Llundain yn dod i Bontypridd gyda thrên arbennig. Disgwyliaf y bydd y gwŷr hyn yn ddigon, ond, rhag ofn, bydd 200 o wŷr meirch yn cael eu hanfon i'r ardal heno. Bydd y Cadfridog Macready yn arwain y milwyr … ond ni fyddant ar gael oni bai ei bod yn amlwg na all yr heddlu ychwanegol ymdopi â'r sefyllfa.

5

**Telegram oddi wrth Churchill at y Cadfridog Macready (8.10 o'r gloch, 8 Tachwedd 1910)**

Gan fod y sefyllfa yn ymddangos yn fwy difrifol, dylech, os yw'r Prif Gwnstabl yn dymuno hynny … symud y gwŷr meirch i gyd i'r ardal lle mae terfysg, ar fyrder.

**Telegram oddi wrth Lleufer Thomas, Ynad Cyflogedig at WInston Churchill yn y Swyddfa Gartref (tua 5.30 p'nawn 8 Tachwedd, 1910)**

Ni all yr hedddlu ymdopi â'r terfysgwyr yn Llwynypia, cwm Rhondda. Rhaid cael milwyr Caerdydd i amddiffyn ymhellach. A wnewch orchymyn iddynt ddod yn syth.

Llun 44
'Roedd Tonypandy'n edrych fel ardal dan warchae mewn rhyfel' (Keir Hardie, Aelod Seneddol dros Ferthyr

DANGEROUS DISEASES NEED DRASTIC REMEDIES.

Llun 45
Cartŵn y *Western Mail*: Afiechydon peryglus a meddyginiaethau eithafol

IN THE COMMONS AND OUT OF IT.

Llun 46
Cartwnau gan J. M. Staniforth yn ymosod ar (i) amddiffyniad Keir Hardie o Derfysgwyr Tonypandy a (ii) enw da'r glowyr oedd yn gwrthdystio (1910)

HIS OWN REPUTATION.

Winston Churchill yn annerch yng Nghaerdydd yn ystod cylchdaith cyn
etholiad cyffredinol (1950)

Pan oeddwn yn Ysgrifennydd Cartref yn 1910, roeddwn yn ofni, yn arswydo
rhag bod yn gyfrifol am weithred y milwyr yn saethu at dyrfa o derfysgwyr
neu streicwyr. Cydymdeimlwn â'r glowyr drwy'r amser ac rwy'n meddwl eu
bod yn haeddu eu hawliau cymdeithasol … Anfonodd Prif Gwnstabl
5    Morgannwg gais am … y fyddin, am filwyr … Ond yna fe'u rhwystrais ac
anfon yn eu lle 850 o heddlu Llundain a'm hunig fwriad oedd gofalu am
beidio colli bywydau. Galwyd y milwyr yn ôl a'r unig rai a ddaeth i
gyffyrddiad â'r terfysgwyr oedd heddlu dibynadwy Llundain, heb arfau, a
ymosododd, nid â gynnau a bidogau, ond â'u cotiau glaw wedi eu rholio.
10   Felly dyna osgoi … unrhyw golli gwaed. Dyna'r stori wir am Donypandy ac
rwy'n gobeithio y bydd yn disodli unrhyw gelwydd creulon a ledaenwyd ym
mhentrefi Cymru ar hyd y blynyddoedd.

## b) Terfysgoedd Llanelli

Yn 1911 galwodd yr undeb oedd newydd ei ffurfio, Undeb Cenedlaethol
Gweithwyr y Rheilffyrdd (NUR), ei aelodau allan ar streic. Anfonwyd milwyr
eto i Dde Cymru ac mewn un helynt yn nhref Llanelli saethwyd yn farw ddau
o'r streicwyr. Er bod rhai cyflogwyr yn barod i gytuno â chais y gweithwyr er
mwyn datrys y gwrthdaro, roedd eraill, a'r llywodraeth yn eu cefnogi, yn
gwrthod. Mae'r ffynonellau isod yn rhoi darlun o'r digwyddiadau:

### Archwilio'r dystiolaeth

**A**

Y peth cyntaf a dynnodd fy sylw oedd y ffyrdd budr/brwnt, y mwg afiach a
tram â cheffyl yn ei dynnu … Doedd dim modd dianc rhag y mwg gan fod y
gweithfeydd dur a thunplat ac eraill wedi eu lleoli yng nghanol y lle a thai
wedi eu codi blith draphlith o'u cwmpas. O'r fath lanast hyll …

[Disgrifiad o Lanelli o *Llais Llafur*, cyhoeddiad sosialaidd radical, Medi
1907]

**B**

Ymunodd merched â'r bechgyn, a dynion â hwythau i ysbeilio'n llwyr a
hynny am oriau … heb unrhyw ysbaid. Cydiai merched mewn dillad ac er
mwyn bod yn siŵr y byddent yn cyrraedd adref gyda'r gwisgoedd gwych
roeddent newydd gael gafael arnynt, roedden nhw'n tynnu rhai o'u dillad eu
hunain ac yn ymwisgo yn y rhai newydd yn y fan a'r lle.

[*South Wales Daily News*, 21 Awst 1911]

## C

Llwyddodd terfysgwyr Llanelli, a hwythau'n cael llonydd i wneud fel y mynnent heb ymyrraeth heddlu na milwyr am rai oriau, mewn ychydig o strydoedd y dref yn y min nos ac yn feddw a gwyllt, i beryglu bywyd a chorff, i golli mwy o waed, i beri mwy o anafiadau ymysg ei gilydd na'r 50,000 o filwyr oedd wedi eu cyflogi ar ddyletswydd streic ledled y wlad yn ystod y dyddiau diwethaf.

[W. S. Churchill, Ysgrifennydd Gwladol, *Parliamentary Debates* (Tŷ'r Cyffredin) 22 Awst 1911]

## CH

Mae'r mwyafrif o bobl Llanelli yn aelodau cyfrifol o'r gymdeithas ond dyw hynny'n newid dim ar y ffaith fod yna garfan stwrllyd sy'n berygl i'r cyhoedd … mae'n ffaith na ellir ei gwadu fod yna ddigon o hwliganiaid yn Llanelli i dra-arglwyddiaethu ar y dref.

Mae yna wragedd yn Llanelli a'u hymddygiad yn debyg i un y *'petroleuses'* (gwragedd oedd yn terfysgu) yn ystod y Chwyldro Ffrengig … pe bai'r Almaenwyr yn meddiannu Llanelli ar adeg rhyfel ni fyddai'r dref yn dioddef cymaint ag a wnaeth oherwydd pobl Llanelli …

[*Carmarthen Weekly Reporter*, 25 Awst 1911]

## D

Roedd fy ngwraig a minnau allan yn siopa. Pan oedden ni wrth giatiau'r groesfan reilffordd gwelais yr ham yn agos i'r tryciau a'r esgidiau hefyd oedd yn gorwedd yno …

[O ddatganiad a wnaed i'w amddiffyn ei hun gan William Trimming, terfysgwr, Papurau Llys Chwarter Caerfyrddin, Awst 1911]

## DD

Llun 47
Lluniau a dynnwyd gan y *Llanelli County Guardian* yn dangos difrod i gerbydau a falwyd yng ngorsaf Llanelli yn ystod y streic]

E

Llun 48

Baner y gweithwyr yn cysylltu anghydfod a marwolaethau 1911 â digwyddiadau cynharach (1911)

## c) *The Miners' Next Step* a'r Cynghrair Triphlyg, 1912

Argyhoeddwyd llawer o aelodau Ffederasiwn y Glowyr, oherwydd y digwyddiadau yn Nhonypandy a Llanelli ac mewn mannau eraill yn Ne Cymru, mai'r unig ateb i sefyllfa'r glowyr oedd i'r gwahanol undebau llafur uno i wrthwynebu cryfder cyflogwyr y genedl a'r llywodraeth hefyd os oedd angen. Hefyd, roedd undebwyr radical yn pregethu athrawiaeth **syndicaliaeth** (o'r gair Ffrangeg *syndic* yn wreiddiol, yn golygu undeb) oedd yn gofyn am rannu elw rhwng gweithwyr, mwy o lais i'r gweithiwr pan oedd angen gwneud penderfyniadau a rheolaeth i'r gweithwyr dros gynnyrch diwydiannol. Roedd hyn yn rhy chwyldroadol i'r llywodraeth a'r cyflogwyr oedd yn ofni chwyldro gweithlu. Ym Medi 1912 cyhoeddwyd neges Syndicaliaeth gan Noah Ablett mewn pamffledyn dan y teitl *The Miners' Next Step*. Amlinellai beth ddylai ei undeb ef ei hun, yr SWMF ac undebau eraill ei wneud er mwyn ennill eu nod. Er na fabwysiadwyd syniadau mwyaf radical Ablett, cafodd y pamffledyn gryn ddylanwad a bu'n batrwm i weithredu arno a dyna a ddigwyddodd o fewn ychydig fisoedd wedi ei gyhoeddi. Yn 1912 trefnodd Ffederasiwn y Glowyr y streic fwyaf mewn hanes pan ddaeth dros filiwn o'i aelodau allan ar streic i gefnogi lleiafswm cyflog. Yn fuan dilynwyd eu hesiampl gan ddocwyr Ffederasiwn y Gweithwyr Trafnidiaeth Wladol (NTWF) a gweithwyr rheilffordd yr NUR a llwyddodd y cynghrair triphlyg hwn o undebau grymus i beri fod y wlad yn segur. Daeth y streic i ben pan gytunodd y llywodraeth, yn anfoddog, i'w cais a phennu lleiafswm cyflog.

Llun 49
Wyneb-ddalen *'The Miners' next Step'*

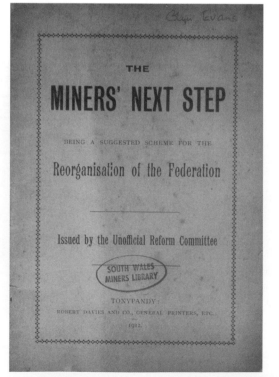

Dywedwyd pa na bai'r Rhyfel Mawr wedi digwydd yn 1914 y gallai'r anghydfod diwydiannol fod wedi parhau a dod yn fwy chwerw fyth. Er bod yr undebau a'r llywodraeth wedi cydweithio'n dda yn ystod y rhyfel, diflannodd yr ysbryd cyfeillgar yn fuan pan ddaeth y rhyfel i ben yn 1918. Ond roedd yna eithriadau. Daliodd glowyr de Cymru ac adeiladwyr llongau ar y Clyde i fynd ar streic yn achlysurol yn ystod y rhyfel. Galwai'r wasg hwy yn fradwyr am eu bod yn bradychu eu gwlad ar awr dyngedfennol yn ei hanes. Roedd yn well ganddyn nhw eu hystyried eu hunain yn arwyr oedd yn ymladd eu rhyfel 'diwydiannol' eu hunain i ennill hawliau gweithwyr. Yn 1918 daeth rhyfel y milwyr Prydeinig i ben a daethant adref yn fuddugoliaethus, ond, fel y mae'r adroddiad streic a ganlyn, a gyhoeddwyd gan yr NUR (12 Ebrill 1921) yn dangos yn glir, ailddechreuodd 'rhyfel' gweithwyr Prydain, oedd wedi ei ohirio dros flynyddoedd y rhyfela, o ddifrif.

YR YSTYRIAETH – MAE BRWYDR EICH CYD-WEITHWYR YN FRWYDR I CHI. Mae'r Dosbarth sy'n Rheoli wedi penderfynu mai nawr yw'r amser i iselhau'r dosbarth gweithiol i gyflwr gwaeth na chyn y rhyfel. Maen nhw wedi ymosod ar y glowyr, gan gredu mai'r glowyr sy'n amddiffyn

5    y rhan wannaf yn ffrynt y dosbarth gweithiol … byddai trechu'r glowyr nawr yn golygu crasfa sicr i ni … mae holl rym byddin Cyfalafiaeth wedi uno mewn ymdrech ryfygus – gadewch i ni obeithio ymdrech sy ar fin trengi – i ddarostwng y gweithwyr i gyflwr caethweision diwydiannol.

… mae llais ein Meistr – Gwasg y wlad – wedi bod yn canu nodau'r

10   graddfeydd i fyny ac i lawr, yn arbrofi gyda'r thema gyffredinol, 'Rhaid i gyflogau ddod i lawr', neu 'rhaid cynyddu'r cynnyrch'. Yma ac acw, yn enwedig oherwydd cloi allan seiri coed y llongau, gallem ganfod yr had, sut y byddant am weithredu i'r dyfodol. Mae'r wasg, y pulpud, llwyfan, theatr a sinema – pob llwyfan i Gyfalafiaeth – wedi gweithio'n galed i gynyddu'r straen. Heddiw rydyn ni, wŷr y rheilffyrdd wedi rhoi'r gorau i'r gwaith er mwyn ymuno â'n cyd-weithwyr, y glowyr, sydd wedi eu cloi allan yn greulon gan garfan o'r dosbarth sy'n rheoli, perchenogion y gwaith.

I

II

III

IV

V

VI

VII

VIII

IX

X

# Cyngor a Gweithgareddau

## (i) Cyffredinol

*Darllen Pellach*

G. Baber a L.J. Williams (golygyddion.), *Modern South Wales, Essays in Economic History* (Caerdydd, 1986).

E.W. Evans, *The Miners of South Wales* (Caerdydd, 1961).

R.M. Jones, *The North Wales Quarrymen 1874-1922* (Caerdydd, 1982).

J.H. Morris & L.J. Williams (golygyddion), *The South Wales Coal Industry, 1841-75* (Caerdydd, 1958).

D. Smith a H. Francis, *The Fed* (Caerdydd, 1997).

R M.Morris, *Troad y Ganrif* , Cyfres CBAC/ Gwasg Prifysgol Cymru, Unedau Astudio Hanes, 1984 (Caerdydd a Chwareli'r Gogledd).

## Erthyglau:

G.M. Holmes, 'The South Wales Coal Industry, 1850-1914', THSC (1976).

D. Smith, 'From Riots to revolt: Tonypandy and the Miners' Next Step', yn T. Herbert & G.E. Jones (golygyddion), *Wales 1880-1914* (Caerdydd, 1988).

## Ymchwil

Chwiliwch am wybodaeth am y dynion allweddol hyn ac ysgrifennwch bortread o bob un. Canolbwyntiwch ar y rhan a chwaraeodd pob un ohonynt yn yr anghydfod diwydiannol yn ystod y cyfnod cyn y rhyfel.

1. Noah Ablett
2. Winston Churchill
3. W.F. Hay
4. Arthur Horner
5. Mabon (William Abraham)
6. Barwn Penrhyn
7. D.A. Thomas

330

## Pynciau Dadleuol

1. Dadleuwch a) **dros** a b) **yn erbyn** y farn fod gwrthdaro rhwng cyflogwr a chyflogedig yn anorfod yng Nghymru'r dyddiau cyn y rhyfel.

2. Dadleuwch a) **yn cytuno â** b) **yn anghytuno â** barn Kenneth Morgan fod '1898 yn 1868 y maes glo' [K.O.Morgan, Rebirth of a Nation: Wales, 1880-1980 (1980)]
(Ail-ddarllenwch bennod VIII, rhan 2 i'ch helpu)

## (ii) Penodol i'r Arholiad

### Ateb Cwestiynau ar Ffynonellau

1. Darllenwch y ffynhonnell gan W.J. Parry ar dudalennau 312-313 ac atebwch y cwestiynau a ganlyn:
    a) Eglurwch yn fyr beth mae'r cymal 'system gwaith-bargen cyd-weithredol' yn ei olygu (llinell 20) (4 marc)
    b) Pa wybodaeth ellir ei chasglu o'r ffynhonnell ynghylch gwahardd eu hawliau democrataidd sylfaenol i weithwyr Chwarel y Penrhyn? (8 marc).
    c) Pa mor ddefnyddiol yw'r ffynhonnell os am ddeall beth oedd asgwrn y gynnen adeg y Cau Allan yn y Penrhyn? (20 marc)

## Cyngor

a) grŵp o chwarelwyr yn cydweithio ar dasg arbennig am swm o arian y cytunwyd arno.

b) Mae'r ffynhonnell yn rhestru nifer o ofynion. Gellid gweld sawl un fel gwaharddiad – yn gwrthod hawliau democrataidd sylfaenol e.e.1. hawl i ethol llefarydd 2. hawl i drafod ac ati. Sylwch hefyd fel roedd y rheolwyr yn y Chwarel yn cyflwyno newidiadau heb ymgynghori â'r gweithwyr e.e. colli dydd gŵyl blynyddol ym Mai, a 'system y contractau mawr'.

c) Mae'r ffynhonnell yn ddefnyddiol iawn gan ei bod yn cyflwyno darlun o ddulliau'r rheolwyr yn Chwareli'r Penrhyn a'r anawsterau a brofai'r gweithwyr pan geisient drafod â'r cyflogwr. Hefyd, cawn lawer o wybodaeth am ofynion y gweithwyr sy'n ymddangos yn gwbl resymol. Hefyd mae'n ddefnyddiol am ei bod yn rhoi gwybodaeth i'r darllenydd am ddulliau gwaith a sut roedd cael contractau.

Fodd bynnag, dylech nodi'r diffyg safbwyntiau gan nad yw'r ffynhonnell yn dweud dim am Arglwydd Penrhyn na'i agwedd tuag at ei weithwyr.

2. Darllenwch y ffynonellau sy'n sôn am derfysgoedd Llanelli ar dudalennau 323-325 ac atebwch y cwestiynau a ganlyn:

    a) Cymharwch ffynonellau B ac C. Sut mae'r ddwy ffynhonnell yn gwrthgyferbynnu yn eu disgrifiad o derfysgoedd Llanelli? (8 marc)

    b) Astudiwch ffynonellau A a CH. Pa mor ddibynadwy yw ffynonellau A a CH i hanesydd fel tystiolaeth o achosion terfysgoedd Llanelli? (16 marc)

    c) Pa mor ddefnyddiol yw'r ffynonellau os am ddeall terfysgoedd Llanelli? (24 marc).

## Cyngor

a) Mae Ffynhonnell B yn awgrymu mai prif gonsarn y terfysg oedd dwyn neu ysbeilio a bod oedolion a phlant wrthi'n dwyn. Hefyd mae'n awgrymu fod y lladron yn gwybod yn iawn beth oedden nhw'n ei wneud.

Mae Ffynhonnell C yn awgrymu bod y terfysgoedd yn llawer mwy treisiol eu bwriad ac mai ffocws bwriad y terfysgwyr oedd difetha ac anafu. Awgrymir hefyd fod y terfysgwyr yn feddw ac nad oeddent yn gwbl ymwybodol o'r hyn oedden nhw'n ei wneud.

b) Mae Ffynhonnell A yn ddibynadwy yn yr ystyr ei bod wedi ei hysgrifennu cyn y terfysgoedd ac y mae digon yn y ffynhonnell i awgrymu bod budreddi, iechyd gwael ac amodau byw yn debyg o gyfrannu at ryw gythrwfl neu anghydfod yn y dyfodol. Ar y llaw arall, does dim cyfeiriad nac unrhyw sôn am wir achos y terfysgoedd sef streic gweithwyr y rheilffyrdd.

Mae Ffynhonnell CH yn ddibynadwy yn yr ystyr ei bod yn ceisio cyflwyno i'r darllenydd farn gytbwys ynghylch y rhesymau pam y cafwyd terfysgoedd yn y dref. Ar y llaw arall, mae'r cyfeiriad at 'garfan stwrllyd' braidd yn amhendant ac yn nodi fel ffaith yr hyn nad yw'n ddim ond barn h.y. 'fod digon o hwliganiaid yn Llanelli i dra-arglwyddiaethu ar y dref'. Gellid nodi'r ffaith bod ffynhonnell CH wedi ymddangos mewn papur newydd a busnes y wasg yw gwerthu copïau ac ambell waith mae'n gor-liwio digwyddiadau.

c) Mae'r ffynonellau yn rhoi darlun rhesymol o natur y terfysg a bwriad y terfysgwyr ynghyd â rhai rhesymau gwahanol pam y gallent fod wedi digwydd. Mae'r ffynonellau yn cynnig ystod eithaf o farn wahanol – yn bennaf papurau newydd, cyhoeddiad radical (os nad yn amlwg berthnasol), safbwynt gweinidog yn y llywodraeth a baner undeb llafur. Fodd bynnag, ar wahân i un ffynhonnell – a allai fod yn derfysgwr, yn lleidr yn gweld ei gyfle neu'n sylwebydd diniwed – does dim tystiolaeth oddi wrth y terfysgwyr eu hunain. Does dim sôn am eu hagwedd, eu hymresymu na'u cymhelliant yma. Os rhywbeth, mae'r dystiolaeth yn dod o adroddiadau pobl nad oedd a wnelont fawr â'r digwyddiad ond fod ganddynt ddigon o wybodaeth am y digwyddiadau i allu mynegi barn. Felly, gellid dadlau mai golwg arwynebol a gawn o'r terfysgoedd. Ar y llaw arll, mae ffynhonnell E (gyda chefnogaeth cyfeiriad dros ysgwydd yn ffynhonnell C) o leiaf yn dangos y terfysg yn ei gyd-destun hanesyddol ehangach a'i gysylltu â digwyddiadau cyffelyb ledled y wlad dros y blynyddoedd cyn hynny. Yn amlwg, nid digwyddiad unigryw mo derfysg Llanelli.

## Ateb Cwestiynau Traethawd Synoptig

### Edrychwch ar yr enghraifft hon

Astudiwch y ddau ddehongliad isod ac atebwch y cwestiwn sy'n dilyn.

Cyn 1914, roedd gwanc anniwall a dygn gweddill y byd am lo ager, di-fwg, wedi creu is-strwythur economaidd ac agweddau meddwl yng nghymoedd De Cymru oedd ymhell o fod yn iach.
> [T. Boyns & Barber, haneswyr academaidd yn arbenigo yn hanes cymdeithasol ac economaidd Cymru ]

Mewn sawl ystyr, rocdd y byd diwydiannol newydd hwn yn ne Cymru yn un bodlon, yn fodlon arno'i hun, yn hapus gyda'r cyfoeth newydd oedd yn cyfoethogi ei fywyd cymunedol yn ogystal â'i bocedi. Nid oedd, yn gyffredinol, yn fyd oedd yn cwestiynu'n sylfaenol y gwerthoedd oedd yn ei gynnal.
> [K.O. Morgan, hanesydd academaidd yn bwrw golwg yn gyffredinol dros hanes Cymru]

I

II

III

IV

V

VI

VII

VIII

IX

X

### C. Dadansoddwch a gwerthuswch ddilysrwydd y ddau ddehongliad ynghylch natur cymdeithas De Cymru yn y cyfnod 1900-1914.

## Cyngor

Yn y ffynhonnell gyntaf, fe awgrymir mai ffactorau allanol, fel y galw o dramor am lo ager o Gymru, oedd yn bennaf gyfrifol am greu is-strwythur economaidd de Cymru. Dylai'ch atebion archwilio dilysrwydd yr asesiad hwn. Er eich bod yn debyg o gytuno, dylech nodi'r pwynt dadleuol fod 'yr agweddau meddwl ymhell o fod yn iach'. Mae hyn yn awgrymu nad oedd y gymdeithas yn fodlon arni ei hun ac mae hynny'n destun y gellid dadlau llawer yn ei gylch.

I'r gwrthwyneb, mae'r ail ffynhonnell yn awgrymu golwg wahanol ar gymdeithas De Cymru – cymharol ffyniannus a bodlon. Er bod ei darlun o gymdeithas egnïol, fywiog a chyfoethog ei diwylliant yn groes i'r gosodiad cyntaf, dylech nodi nad yw'r darluniau o angenrheidrwydd yn gwrth-ddweud ei gilydd – roedd cymdeithas yn cael ei newid oherwydd dylanwad bywyd economaidd ffyniannus. Ar y llaw arall, gallai hyn, ac fe wnaeth, greu tensiwn rhwng cyflogwyr a gweithwyr e.e. Anghydfod Cwm Taf, Tonypandy a Llanelli.

Mae'n bwysig i chi amodi beth a olygir wrth 'gymdeithas De Cymru' gan nad oedd yr un ym mhobman na chydryw, roedd gwahaniaethau lleol a rhanbarthol rhwng e.e. cymoedd gorllewin Cymru a'r Rhondda a rhwng cymunedau'r cymoedd a'r trefi ar yr arfordir oedd yn allforio h.y. Caerdydd, Abertawe a Chasnewydd.

# Pennod X

# Rhyfel ac Effaith Rhyfel 1914 -18

---

## 1. Rhyfel

### ■ Y Brif ystyriaeth:

Sut y bu i'r Cymry ymateb ac ymdopi â'r profiad o ryfel a beth fu ei effaith?

Cefais fy synnu lawer gwaith er pan ddes i'r tŷ hwn glywed pa mor ddigynnwrf ac mor dafotrydd mae'r Aelodau yn sôn am ryfel Ewropeaidd … Yr unig ddiwedd posibl i ryfel Ewropeaidd fyddai dinistr y gorchfygedig a phrin yn llai angheuol i'r gorchfygwyr – datgymaliad masnach a llwyr ymlâdd.

[Dyfyniad o araith Winston Churchill yn Nhŷ'r Cyffredin (13 Mai 1901)]

Ar 4 Awst 1914, ychydig dros fis wedi llofruddio Tywysog Awstria, Franz Ferdinand, yn Sarajevo (28 Mehefin 1914) gan genedlaetholwr o Serbia, Gavrilo Princip, cyhoeddodd Prydain ryfel yn erbyn yr Almaen. Dros y pedair blynedd nesaf gwelodd y byd holl ryfeddod ac erchylltra rhyfel a ddibynnai ar wyddoniaeth fodern a thechnoleg. Y paradocs yw, er bod y gwledydd Ewropeaidd yn barod am ryfel, doedd fawr neb yn barod am ryfel fel hwn, y rhyfel modern cyntaf a'r rhyfel byd cyntaf yn hanes y ddynoliaeth. Yn ogystal â rhyfela ar dir a môr, rhyfelid yn yr awyr a golygai hynny nad oedd unrhyw un yn ddiogel rhag ymosodiadau; ni fyddai yna unrhyw 'Wirioniaid' yn y rhyfel hwn. Yn raddol defnyddiwyd tanciau a thryciau yn lle ceffylau, cafwyd gynnau peiriant i gynyddu cyflymder y saethu, ymladdwyd gornestau rhwng awyrennau yn yr awyr a suddwyd llongau gan longau tanfor. Defnyddiwyd ffrwydron, bomiau llaw a nwy gwenwynig am y tro cyntaf a dinistriwyd ardaloedd gwledig gan filiynau o dunelli o sieliau ffrwydrol a saethwyd o'r gynnau mawr. Roedd y 12 miliwn o ddynion ar bob ochr a ymladdai ar y ffrynt gorllewinol, y dwyreiniol a'r deheuol yn byw hunllef.

## a) Agweddau at Ryfel

Mae'n anodd asesu agwedd un person, heb sôn am bobl, at ddigwyddiad nad yw ef neu hi yn uniongyrchol yn rhan ohono, nad yw'n ei ddeall yn iawn ac nad yw o'r herwydd yn gwybod beth yw ei arwyddocâd. Mae haneswyr yn ceisio delio â'r broblem hon mewn amrywiol ffyrdd. Mae rhai yn ceisio bwrw amcan am agwedd 'y bobl' drwy amgyffred agwedd rhyw un person blaenllaw neu rywun neu rywrai a berchid. Mae eraill yn dewis, fel sail i'w honiadau, ddirnadaeth gyffredinol a gasglwyd drwy astudio deunydd archif. Pa ddull bynnag a ddefnyddir, rhaid i'r hanesydd weithio o fewn fframwaith ddisgybledig sydd yn rhoi sylw i ystyriaethau gwleidyddol, diwylliannol, cymdeithasol, economaidd neu grefyddol a allai fod yn fodd i uno pobloedd gan ddylanwadu ar eu ffordd o feddwl a phennu eu hymddygiad. Yn y darn a ddyfynnir isod mae Kenneth O. Morgan wedi dewis asesu agweddau pobl Cymru at y rhyfel drwy ystyried teimladau a meddyliau Lloyd George a chyffredinoli wedyn ynglŷn ag agweddau pobl Cymru.

> 'Rwy'n byw mewn byd hunllefus y dyddiau hyn', ysgrifennodd Lloyd George at ei wraig ar 3 Awst 1914. Roedd ei ragfarnau i gyd yn erbyn rhyfela â'r Almaen, fel ag yr oedden nhw yn erbyn rhyfel y Boer yn 1899. Ond, barnai os byddai ymosodiad ar Wlad Belg fechan, ni fyddai ganddo unrhyw ddewis ond cefnogi penderfyniad y Cabinet … i fynd i ryfel. 'Rhaid i mi dderbyn fy rhan o'r baich erchyll er ei fod yn dân ar fy nghroen i wneud hynny.' Wedi 4 Awst newidiodd agwedd Lloyd George. Aeth yn ei flaen mewn hwyl anturus bron i wynebu her rhyfel diarbed … Yr un fu hanes y mwyafrif o'i gyd-wladwyr. Anghofiodd y mwyafrif llethol o'r Cymry eu rhaniadau gwleidyddol a diwydiannol ac ymroi i ryfel yn llawn brwdfrydedd.
>
> [K.O. Morgan, *Rebirth of a Nation: Wales 1880-1980* (1981)]

Rhaid ystyried i ba raddau roedd Lloyd George yn cynrychioli ei bobl er mwyn mesur dilysrwydd yr asesiad hwn o agwedd y Cymry. Mae'n wir ei fod yn Gymro Cymraeg ei iaith o fro wledig yn y gogledd-orllewin, ardal roedd yn dal mewn cysylltiad â hi oherwydd ei ymlyniad â theulu a ffrindiau, ac fel eu haelod Seneddol Rhyddfrydol am bron i bedair blynedd ar hugain, gallai honni'n ddi-ffuant ei fod yn eu cynrychioli a'u hadnabod a bod hwythau yn

336

ei adnabod ef. Ond fodd bynnag, erbyn 1914 roedd llai na 50% o'r boblogaeth yn siarad y Gymraeg a mwy na 60% o'r Cymry yn byw yn yr ardaloedd trefol-ddiwydiannol yn ne ddwyrain Cymru a nifer gynyddol ohonynt yn cefnogi'r Blaid Lafur. Gallai hyn awgrymu nad oedd Lloyd George yn gwybod beth oedd agweddau ei gyd-wladwyr. Roedd ers amser wedi gadael Cymru a'i wreiddiau Cymreig gwerinol am y brifddinas a'i goleuadau llachar ac yno wedi meithrin rôl newydd fel gwleidydd a gwladweinydd heb ei ail. Roedd yn Gymro eithriadol a oedd bellach yn byw bywyd breintiedig o'r math na allai fawr neb o'i etholwyr ei amgyffred, heb sôn am ei ddeall. Efallai mai ei brif fraint oedd ei fod yn derbyn gwybodaeth am ddigwyddiadau rhyngwladol yn ystod y dyddiau a'r wythnosau o argyfwng a ddilynodd y weithred o lofruddio'r Archddug Franz Ferdinand.

Yn wahanol i'w gyfoeswyr yng Nghymru, roedd gan Lloyd George amser ar ei ddwylo i fedru myfyrio ar yr argyfwng yn Ewrop a'r deallusrwydd i allu asesu sut y byddai'n effeithio ar Brydain. Yn yr ystyr hwn nid oedd yn cynrychioli y mwyafrif o bobl Cymru. Ni fyddai'r wybodaeth berthnasol ganddynt hwy. Roedd Lloyd George yn cynrychioli agwedd y dosbarth llywodraethol, y breintiedig, y cyfoethog a'r rhai oedd yn derbyn gwybodaeth. Roedd y mwyafrif o'r rhain yn cefnogi'r rhyfel a pholisïau'r llywodraeth. Yr hyn oedd yn dylanwadu ar agweddau ei gydwladwyr yng Nghymru oedd yr hyn y gallent ei ddysgu drwy ddarllen y papurau newydd a gwrando pregethau o'r pulpudau a siarad eraill o'u cydnabod a'r pytiau o wybodaeth o gaent o'r llywodraeth. Mae ymchwil ddiweddar wedi herio'n rymus y gred eu bod wedi 'bwrw o'r neilltu eu rhaniadau gwleidyddol a diwydiannol ac ymroi'n frwd i achos y rhyfel' ac yn awgrymu nad oedd y fath frwdfrydedd ymysg y Cymry.

Tra roedd rhai o'r cyhoedd yn rhannu'r cyffro a gafwyd gyda'r dwymyn wlatgar ar y dechrau, roedd y mwyafrif yn llawer llai brwd na'u harweinwyr. 'Pan dorrodd y rhyfel allan', ysgrifennodd un nofelydd gan gyfeirio at bobl gyffredin ardaloedd y chwareli yn Sir Gaernarfon, 'doedd neb yn gwybod sut i ymateb.' Gyda sêl y sawl oedd newydd gael tröedigaeth mynegodd Syr Henry Lewis farn ddidostur, 'mae pobl Caernarfon a Bangor wedi eu syfrdanu, wedi eu parlysu yn feddyliol ac y mae angen eu hysgwyd.' Yn ystod yr wythnosau cynnar hyn fodd bynnag, ni allai dig yr arweinwyr gwlatgar wrthweithio penbleth a dryswch y cyhoedd. Nid oedd pobl gyffredin yng Ngwynedd, mwy nag mewn mannau eraill ym Mhrydain, yn gwybod beth oedd y rhesymau dros fynd i ryfel, ni wyddent am bolisïau diplomyddol y llywodraeth ac, wedi

I

II

III

IV

V

VI

VII

VIII

IX

X

eu cyflyru gan flynyddoedd o heddwch, roedd yn anodd iddynt amgyffred realaeth rhyfel ac asesu beth fyddai'n ei olygu iddyn nhw.

[C. Parry, 'Gwynedd and the Great War, 1914-1918',
*Welsh History Review* (1988)]

Yng nghanol Gwynedd fodern mae'r hen sir Gaernarfon, cartref Lloyd George ac felly ei bobl ef oedd y bobl oedd mewn 'penbleth' a 'dryswch'. Yn amlwg, nid oeddent yn rhannu agwedd Lloyd George, 'yr hwyl i wynebu antur iach bron', ond pwy oedden nhw? Yn bennaf, y bobl gyffredin oedd yn byw eu bywydau yn gweithio ar y tir neu yn y chwareli ac mewn gwaith arall oedd yn mynnu eu bod yn llafurio â'u dwylo. Nid oedd ganddynt brofiad o ryfel ar wahân i Ryfel y Boer (1899-1902), ymryson pell nad oedd wedi prin gyffwrdd â'u bywydau. Fel y dengys y niferoedd a recriwtiwyd cyn y rhyfel, nid oedd traddodiad militaraidd yng Ngwynedd. Ychydig oedd yn ymuno â'r fyddin a chyfrifid y rhai hynny yn bobl yr ymylon bron. Cyfeiriai'r nofelydd Kate Roberts at y rhai a 'berthynai i'r fyddin' fel 'rhai na ellid bod yn falch ohonynt'.

A ellir dweud bod Gwynedd yn cynrychioli agwedd y Cymry tuag at y rhyfel? Os ystyrir pobl Morgannwg, yna yn bendant, nag oedd. Mae'n ymddangos fod ymateb pobl y cymoedd diwydiannol yn y de a'r dwyrain yn llai llugoer. Stori wahanol a ddywed rhestr recriwtio Morgannwg, Sir Fynwy a Sir Frycheiniog oherwydd roedd traddodiad militaraidd yn yr ardaloedd hyn. Bron cynted ag y cyhoeddwyd rhyfel tyrrai miloedd o ddynion i'r swyddfeydd recriwtio a agorwyd ar frys. Mae'r adroddiad yn y *Rhondda Leader* am 14 Awst 1914 yn nodweddiadol o lawer a welwyd mewn papurau newydd ar hyd a lled de Cymru.

### Galw i'r Gad
### Miloedd yn listio
Bu'r ymateb ym Morgannwg, i alwad y Brenin drwy'r Iarll Kitchener, yr Ysgrifennydd Gwladol dros Ryfel, mor frwd fel nad yw'r peirianwaith ar gyfer eu derbyn a'u cofrestru yn ddigonol. Ym mhobman drwy Dde Cymru mae dynion ifanc wedi bod yn galw yn swyddfeydd yr heddlu i gael listio ac anfonwyd y rhain i Farics Caerdydd.

Roedd hyd yn oed y llywodraeth wedi synnu at eu brwdfrydedd ac felly nid oeddent yn barod i ddelio â'r sefyllfa. Mae'n siŵr fod llawer yn ymateb oherwydd gwladgarwch, i wasanaethu ac i amddiffyn eu gwlad fel Alf Jackson o Abertawe a ddywedodd, 'Awydd dynion ifanc bryd hynny oedd cefnogi Cymru yn erbyn y gelyn. Doedden ni ddim yn hoffi'r Kaiser a'i ddull o weithredu.' Ar y llaw arall roedd llawn cynifer o ddynion yn cytuno â rheswm Oliver Powell, a anwyd yn Nhredegar, dros ymuno â'r fyddin o fewn ychydig ddyddiau wedi cyhoeddi'r rhyfel: 'O oeddwn, roeddwn yn wlatgarwr gwych, yn falch tu hwnt o gael gadael y pwll. Roeddwn yn meddwl y byddem yn cael amser da, llawer o antur, roedd y cyfan i fod drosodd erbyn y Nadolig 1914, dyna jôc.' Ar waethaf yr agweddau cymysg ac yn aml negyddol hyn tuag at y rhyfel, roedd Lloyd George yn fodlon iawn â'r niferoedd oedd wedi ymrestru yn ne Cymru, cymaint felly nes iddo ddweud mewn araith ar 19 Medi 1914 fod

> gan y byd eithaf dyled i'r cenhedloedd bychan pum troedfedd … Rhaid i Gymru ddal ati i wneud ei dyletswydd. Hoffwn weld Byddin Gymreig yn y maes. Hoffwn weld yr hil a wynebodd y Normaniaid am gannoedd o flynyddoedd mewn ymryson am ryddid … yr hil a ymladdodd am genhedlaeth o dan Glyndŵr yn erbyn y cadben mwyaf yn Ewrop – hoffwn weld yr hil honno yn profi ei gwerth yn yr ornest yn Ewrop; ac fe wnânt hynny.

Wrth amlygu ei falchder mewn bod yn Gymro, efallai fod Lloyd George yn bwriadu apelio at genedlaetholwyr Cymru, dynion fel Ifor Gruffydd o Fôn. Yn ddiweddarach, ysgrifennai Ifor Gruffydd am ei agwedd a'i brofiadau bryd hynny, gan ddweud fod 'milwyr a byddinoedd a phopeth militaraidd yn bell ac yn ddieithr i ni … perthynent i'r Saeson a gwaith Lloegr oedd rhyfela a ninnau'n clywed am ei gorchestion'. Dangoswyd fod llai o Gymry Cymraeg eu hiaith nag o siaradwyr y Saesneg wedi ymrestru yn y fyddin. Gall hyn olygu fod y sawl oedd fwyaf tebygol o gefnogi cenedlaetholdeb Cymreig yn debyg o fod yn wrthwynebus i'r rhyfel. Yn sicr, roedd rhai o'r cyfnodolion Cymraeg eu hiaith fel *Y Wawr*, gydag Ambrose Bebb (gŵr a ddaeth wedyn yn un o sylfaenwyr Plaid Genedlaethol Cymru) yn ei olygu, ac o Hydref 1916, *Y Deyrnas* dan olygyddiaeth Thomas Rees, yr heddychwr gwlatgar, yn gyson yn gwrthwynebu'r rhyfel. Ar y llaw arall, nid oedd Cymry a siaradai'r Gymraeg o anghenraid yn cefnogi'r cenedlaetholwyr Cymreig heb sôn am fod yn wrthwynebus i'r Saeson. Yn wir mae'r ffaith fod cyhoeddiadau Cymraeg eu hiaith eraill oedd lawn mor ddylanwadol, fel y misolyn *Y Beirniad* dan olygyddiaeth y bardd a'r ysgolhaig mawr ei barch Syr John Morris-Jones, yn cefnogi'r rhyfel yn ddiysgog bron, yn awgrymu

I

II

III

IV

V

VI

VII

VIII

IX

X

nad oedd fawr o wahaniaeth rhwng Cymry a'u cydwladwyr Saesneg eu hiaith yn eu hagweddau at y rhyfel.

Fawr lai brwd eu hymateb i ryfel oedd y crefyddwyr oedd wedi eu magu a'u meithrin yn y traddodiad Cristnogol a bleidiai heddwch. Roedd dylanwad credoau'r anghydffurfwyr, a oedd yn pwysleisio egwyddorion heddwch, yn arbennig o gryf. Os ydym i gredu esgob Anglicanaidd Llanelwy cyfrifid y rhain yn bwysicach na dyletswydd at frenin a gwlad. Roedd llawer o weinidogion, er nid pawb, yn ei chael yn anodd i gysoni eu cred grefyddol a'u dyletswydd gwlatgarol. Tra roedd y rhain yn pregethu heddwch ac ymatal roedd eraill yn annog gweithredu, cefnogi achos cyfiawn. Y mwyaf blaenllaw o blith yr olaf oedd y Parch. John Williams Brynsiencyn, Môn a achosodd gryn siarad drwy bregethu o'r pulpud mewn gwisg filwrol. Cynigiodd gweinidogion eraill oedd yn cytuno â'r farn hon y gellid defnyddio eu capeli fel canolfannau recriwtio. Syfrdanwyd y bardd a'r darlithydd Prifysgol, T. Gwynn Jones gan yr agwedd hon ac yn ddiweddarach, pan anogodd ei weinidog y gynulleidfa i weddïo am fuddugoliaeth Brydeinig, fe gerddodd allan o'i gapel lleol, Y Tabernacl yn Aberystwyth. Ar y llaw arall, yn Harlech a'r ardal gyfagos ni bu i fawr neb wirfoddoli i wasanaethu eu gwlad. Yn ôl y bardd, Robert Graves, a oedd yn byw yn yr ardal am gryn dipyn o'r flwyddyn, dylanwad y capeli yn bennaf oedd yn cyfrif am hyn. Ysgrifennodd, 'mae'r capeli yn cyfrif fod ymfyddino yn bechod, ac ym Meirionnydd gan y capeli roedd y gair olaf'. Ym marn un papur newydd lleol, *The North Wales Observer and Express* (11 Medi 1914), Meirionnydd, heb amheuaeth oedd 'y sir waethaf yng Nghymru o safbwynt recriwtio'.

Gwelir yr ymateb cymysg hefyd yng nghyhoeddiadau'r anghydffurfwyr fel *Y Goleuad*, papur y Methodistiaid a oedd yn ffyrnig wrth-ryfel, ac wythnosolyn yr Annibynwyr, *Y Tyst* oedd yn hynod wlatgar. Testun dadl yw i ba raddau roedd eu golygyddion, sef E. Morgan Humphreys a'r Parch Hugh M. Hughes yn cynrychioli barn y mwyafrif o'u darllenwyr. Roedd nifer sylweddol, os lleiafrif, o'r darllenwyr yn beirniadu Morgan Humphreys yn gyson ac roedd Hughes yn aml yn honni nad oedd a wnelo ef ddim â'r llythyrau gwrth-ryfel, ond roedd yn dal i'w cyhoeddi yng ngholofnau *Y Tyst*. Fel Hughes, roedd Morgan Humphreys yntau yn gwneud ei ddyletswydd golygyddol yn hynod deg heb geisio celu na thocio barn ei wrthwynebwyr. Yn rhifyn Medi o'r *Goleuad* (1914) cafodd Syr O.M. Edwards, a oedd yn recriwtiwr i'r fyddin ac yn brif ladmerydd y diwylliant Cymreig, gyhoeddi llythyr damniol At *wŷr Meirionnydd*. Ynddo roedd yn beirniadu eu diffyg gwlatgarwch gan ddweud fod Meirionnydd 'wedi gwneud llai nag unrhyw sir arall dros ei gwlad yn yr argyfwng hwn'. Roedd gan y Bedyddwyr hefyd eu llefarwyr, fel y Parch E.K. Jones, gweinidog yng Nghaernarfon, oedd yn cyfrannu'n rheolaidd i *Y Deyrnas* ar y themâu sensoriaeth y wasg, atal hawl i ryddid barn a'r driniaeth wael a gâi gwrthwynebwyr cydwybodol.

Roedd heddychwyr hefyd yng Nghymru, pobl oedd wedi pregethu yn erbyn rhyfel ers amser ac a gredai fod rhyfel ei hun yn anghyfiawn ac yn ddieflig. Ymysg y mwyaf enwog a diflewyn ar dafod oedd Keir Hardie, yr arch-sosialydd, yr Aelod Seneddol dros Ferthyr Tudful a ddangosodd yn glir ei fod yn gwrthwynebu'r rhyfel o'r dechrau. Ar 6 Awst 1914 o fewn deuddydd wedi i Brydain gyhoeddi rhyfel, siaradai Hardie â chynulleidfa luosog o'i etholwyr yn Aberdâr. Cythruddodd y mwyafrif ohonynt drwy geisio rhoi'r bai am y rhyfel ar Rwsia a'i chynllwynion yn hytrach nag ar yr Almaen a'i huchelgais. Roedd cynulleidfa Hardie, aelodau o'r dosbarth gweithiol Saesneg eu hiaith yn bennaf, yn llawn cydymdeimlad â 'gwlad Belg druan' ac yn morio ar fôr o wlatgarwch, wedi eu dylanwadu heb amheuaeth gan y wasg leol – *y Merthyr Express, y South Wales Daily News a'r Aberdare Leader* – oedd yn mynnu bod gan Brydain hawl foesol i gyhoeddi rhyfel yn erbyn yr Almaen. Yn baradocsaidd, roedd heddychwr arall llai enwog ar y pryd, Emrys Hughes, yn argyhoeddedig nad oedd pobl cymoedd Cynon a Rhondda o blaid rhyfel o gwbl. Yn ei farn ef, 'Nid oedd yr ymdeimlad o blaid rhyfel mor gryf yma ag yn y dinasoedd mawr. Câi glowyr eu hesgusodi a châi bechgyn ifanc oedd o fewn oed ymuno lonydd heb orfod wynebu'r sarhau a'r anhwylustod oedd bellach yn gyffredin yn y rhan fwyaf o'r wlad.' Un o Abercynon a mab i weinidog anghydffurfiol oedd Hughes. Yn ddiweddarach dywedodd, 'Ni chefais fy nghamarwain gan y ffrwd o rethreg ar ran y gwleidyddion na gwlatgarwch gorffwyll y wasg ... nid oedd yn haeddiannol nac yn gyfiawn i Brydain fynd i ryfel ... cafodd y genedl ei chamarwain ... cafodd y bobl eu twyllo.'

Yn raddol, fel yr âi'r rhyfel rhagddo drwy fisoedd hydref a gaeaf 1914-15 dechreuodd agweddau newid. Roedd propaganda'r llywodraeth yn chwarae rhan yma oherwydd defnyddiwyd storïau am anfadwaith yr Almaen yng ngwlad Belg yn ystod wythnosau cynharaf yr ornest er mwyn cyfiawnhau rôl Prydain. Bu propaganda'r llywodraeth mor effeithiol cyn diwedd y flwyddyn nes bod rhai gweinidogion anghydffurfiol yn pregethu'r credo 'moliannwch

I
II
III
IV
V
VI
VII
VIII
IX
X

I

II

III

IV

V

VI

VII

VIII

IX

X

yr Arglwydd a lladd yr Almaenwyr'. Dechreuodd propaganda gwrth-Almaenig dan nawdd y llywodraeth, peth ohono'n gywilyddus o eithafol a gorffwyll, lunio barn y cyhoedd. Roedd y rhai oedd wedi ymgodymu â chydwybod yn penderfynu, ambell un yn anfoddog, o blaid rhyfel. Roedd ffocws i deimladau a meddyliau'r rhai a fu mewn 'penbleth' a 'dryswch', roedd rhywbeth i'w ofni, i'w gasáu ac i'w orchfygu. Cyn bo hir roedd Cymru hefyd yn dioddef o'r 'dwymyn Jingo' a'r cyhoedd yn ymostwng i'w greddfau gwael drwy fwrw sen ar dramorwyr diniwed fel yr Athro Hermann Ethé, ieithydd ac aelod o staff y Brifysgol yn Aberystwyth. Almaenwr o waed oedd Ethé a dymuniad y dyrfa afreolus o'r dref a ymgasglodd y tu allan i'w gartref ger y môr oedd gweld y gwaed hwnnw'n llifo hyd y palmant. Cafodd ei erlid yn ddidrugaredd, collodd ei swydd ac fe'i halltudiwyd o'r 'coleg ger y lli'. Hyd yn oed yng Ngwynedd, oedd yn llugoer i bob golwg, roedd enghreifftiau o'r 'dwymyn jingo'. Erlidiwyd Puleston Jones, gweinidog dall a gwrth-ryfel rhyddfrydol yr Annibynwyr ym Mhwllheli, gan ei gynulleidfa ef ei hun. Efallai mai yn Eisteddfod Bangor yn 1915 y gwelwyd yr ysbryd gwlatgar amlycaf pan gafodd pleidwyr y rhyfel y lle blaenaf. Cafodd siaradwyr gwâdd y cyfle i werthu eu math arbennig o jingoistiaeth a'r mwyaf effeithiol ohonynt oedd y Gweinidog Arfau oedd newydd ei ddyrchafu i'r swydd, David Lloyd George. Cyflwynodd araith ryfelgar a gafodd dderbyniad gwresog gan y mwyafrif yn y gynulleidfa. Yn eironig, ac fel pe bai'n adlewyrchu'r gwahanol agweddau ymysg y Cymry, enillwyd y goron a'r gadair gan y bardd disglair T.H. Parry-Williams, heddychwr nodedig oedd yn cenhadu'n agored yn erbyn rhyfel!

Pan ddechreuodd yr ail flwyddyn o ryfela daeth pobl yn ymwybodol o realaeth erchyll rhyfel. Fel y cynyddodd niferoedd y clwyfedigion, lleihaodd niferoedd y reicriwtiaid. Daeth gorfodaeth, cafwyd llai o jingoistiaeth a gwelwyd y genedl yn ceisio wynebu'r ornest orau y gallai. Bellach ni ellid portreadu'r rhyfel fel antur arwrol na hyd yn oed fel croesgad Gristnogol yn erbyn drygioni, ac ar waethaf ymdrechion y llywodraeth i berswadio pobl i feddwl yn wahanol, roedd yna ddigalondid cynyddol a phobl yn teimlo mai gwastraff a chwbl ddifudd oedd yr ymgyrch hon. Erbyn 1916 roedd cenedl y Cymry wedi dod i delerau â'i gwrth-agweddau tuag at y rhyfel. Yn fras, roeddech naill ai yn wlatgarwr neu'n heddychwr. Nid yw hyn yn awgrymu fod pob gwlatgarwr o blaid y rhyfel, roedd y newyddion oedd yn dod o'r ffrynt am y gyflafan, y colledion a'r dinistr yn sicrhau hynny, ond roedd y bobl yn teimlo na allent adweithio yn y naill ffordd na'r llall. Nid oedd unrhyw ddewis ond cefnogi'r rhyfel nes y byddai'r frwydr wedi ei hennill.

Byddai peidio â gwneud hynny yn golygu bod yn annheyrngar, nid yn gymaint i'r brenin a'r wlad ond i'r dynion oedd yn ymladd yn y llinell flaen. Yn yr un modd, byddai awgrymu fod pob heddychwr yn anwlatgar yn gwbl groes i'r gwir ac er eu bod yn gwrthwynebu rhyfel yn gyson nid oeddynt yn fradwyr ac yn ochri gyda'r Almaen fel roedd y wasg a phropaganda yn honni. Yn wir, roedd y mwyafrif ohonynt yn mynnu eu bod yn wlatgarwyr ond roedd y llywodraeth, y wasg a'r cyhoedd yn ogystal yn ymosod arnynt ac yn eu herlid.

Os yw'n gymhleth ceisio penderfynu ar agweddau'r Cymry at y rhyfel yna mae ceisio mesur eu hymateb bron yn amhosibl. Mae rhai haneswyr wedi ceisio gwneud hyn drwy ddefnyddio'r niferoedd oedd wedi eu recritwio fel sail i ddadansoddi. Maent yn dangos, pe ystyrid y canran, fod mwy o Gymry wedi ymuno â'r lluoedd arfog nag o Saeson nac Albanwyr nac yn wir o Wyddelod. Amcangyfrifir bod 280,000 o Gymry, neu 13.82% o holl boblogaeth Cymru wedi eu recriwtio, ffaith a barodd i un hanesydd ddweud 'er bod Cymru yn wlad gyda thraddodiad maith o radicaliaeth a gwrth-filitariaeth' bu iddi ymateb 'i'r alwad wlatgarol gyda … brwdfrydedd'. Fodd bynnag, mae defnyddio data mor amrwd braidd yn anhanesyddol mewn sawl ystyr oherwydd er y gallai awgrymu pobl yn frwd gan awydd gwlatgar i ryfela, mae'r gwirionedd yn peri i ni sobri peth. Er enghraifft, mae'r rhif yn cynnwys y rhai oedd wedi gwirfoddoli, h.y. rhwng Awst 1914 a Rhagfyr 1915 a'r rhai dan orfodaeth, h.y. ar ôl Ionawr 1916. Amcangyfrifwyd bod 122,985 o ddynion wedi gwirfoddoli (tua 43.9% o'r rhai a wasanaethodd yn y lluoedd arfog) sy'n awgrymu fod mwy na'r hanner, sef 157,015 (tua 56.1%) dan orfodaeth. Er y gellid dadlau y byddai rhai, efallai llawer, o'r rhai oedd dan orfodaeth wedi gwirfoddoli pe baent wedi cael y dewis, ni ellir gwrthbrofi'r ffaith fod y nifer oedd yn ymuno'n wirfoddol wedi lleihau'n sylweddol cyn deddfu gorfodaeth. Er enghraifft, cofnododd swyddfa recriwtio Wrecsam, oedd yn recriwtio o chwe sir gogledd Cymru, gyfanswm o 2,569 yn Awst 1914 ond roedd y rhif wedi gostwng i 1,332 yn Ionawr 1915 ac i lawr ymhellach i 634 yn Rhagfyr 1915.

Fel mae'r tablau isod yn dangos, rhaid defnyddio tystiolaeth ystadegol yn ofalus oherwydd efallai bod yr ystadegau wedi eu seilio ar amcangyfrifon sydd heb fod yn hollol gywir. Nodwch, er enghraifft, y swm crwn yn y drydedd golofn sy'n cofnodi'r nifer a wasanaethodd yn y lluoedd arfog. Mae ymchwil ddiweddar wedi awgrymu mai 272,984 ddylai'r rhif fod ar gyfer Cymru, o rai oedd wedi listio ac wedi eu gorfodi rhwng 1914-18. Ar y llaw arall, nid yw'n cynnwys Cymry a allai fod wedi listio mewn canolfannau recriwtio y tu allan i Gymru, yn enwedig Caer, yr Amwythig a Bryste, felly cawn y swm crwn a ddefnyddir yn arferol gan y mwyafrif o haneswyr. Eto, rhaid nodi fod gan Gymru, a chyfrif yn ôl canran, fwy o ddynion yn yr oed i wasanaethu, h.y. 18-45, na Lloegr na'r Alban, a chanran uwch ohonynt â'r hawl i gael eu hesgusodi oherwydd eu gwaith yn y pyllau glo.

## Tabl 24

### Amcangyfrif o'r niferoedd a recritiwyd i'r lluoedd arfog, 1914-18

| Gwlad | Poblogaeth yng nghyfrifiad 1911 | Niferoedd a wasanaethodd yn y lluoedd arfog | Canran o'r boblogaeth gyfan | Canran o'r dynion yn y boblogaeth |
|---|---|---|---|---|
| Lloegr | 34,045,294 | 4,530,000 | 13.31% | 24.02% |
| Yr Alban | 4,760,904 | 620,000 | 13.02% | 23.71% |
| Cymru | 2,025,198 | 280,000 | 13.82% | 21.52% |
| Iwerddon | 4,930,198 | 170,000 | 3.87% | 6.14% |

## Tabl 25

### Amcangyfrif mewn canrannau o'r rhai a wirfoddolodd Awst 1914-Rhagfyr 1915

| Gwlad | % |
|---|---|
| Yr Alban | 6.18 |
| Lloegr | 5.5 |
| Cymru | 4.8 |
| Iwerddon | 2.06 |

Amcangyfrifon wedi eu seilio ar *Statistics of the Military Effort of the British Empire during the Great War, 1914-1918* (Y Swyddfa Ryfel, 1920)

Yn yr un modd, pe bai haneswyr yn defnyddio'r ffigurau sy'n dangos y niferoedd a gofrestrwyd ac a garcharwyd oherwydd eu bod yn wrthwynebwyr cydwybodol neu'r rhai oedd yn perthyn i sefydliadau heddychol, ni fyddent fawr nes i fedru asesu yn gywir a dibynadwy 'agwedd' y bobl at y rhyfel. Yn wir, mae'r dulliau damcaniaethu er mwyn asesu yn golygu cymaint o addasu fel eu bod bron yn ddiwerth. Felly, rhaid i'r gwir hanesyddol yn yr achos hwn, o reidrwydd a pha mor chwith bynnag, ddibynnu ar gyffredinoli, ar amcangyfrifon ac ar ddirnadaeth bersonol.

## b) Lloyd George a'r Ymdrech Ryfel ym Mhrydain

Wedi i ryfel gael ei gyhoeddi roedd y llywodraeth Brydeinig yn wynebu argyfwng posibl. Nid oedd yn barod i gynnal dim mwy nag ymgyrch dros gyfnod byr, wythnosau yn hytrach na misoedd. Ni bu unrhyw arolwg i weld beth oedd adnoddau economaidd y wlad, ni bu unrhyw ymdrech i gasglu defnyddiau crai hanfodol na bwydydd rhag ofn gwarchae ac ni chofrestrwyd dynion i wasanaethu. Sefydlwyd canolfannau recriwtio ar frys. Roedd y rhain yn aml yn ddi-drefn ac ni bu unrhyw ymgais i ystyried effeithiau recriwtio ar gynnyrch amaethyddol na diwydiannol. Gwaeth fyth, roedd difrawder rhai gwleidyddion dylanwadol yn frawychus. Dywedodd Syr Edward Grey, yr Ysgrifennydd Tramor, 'Os awn i ryfel wnawn ni ddim dioddef fawr mwy na phe baem yn sefyll o'r neilltu'. Mynegodd Iarll Kitchener, yn amlwg yn rhwystredig a llawn beirniadaeth, ei farn am wleidyddion fel Grey, 'Wnaethon nhw ystyried pan aethon nhw ar eu pennau i ryfel fel hwn, nad oedd ganddynt fyddin nac unrhyw ddarpariaeth ar gyfer ei harfogi?' Yn ffodus, roedd yna wleidyddion deallus ac abl a ymatebodd i'r argyfwng yn egnïol ac yn bositif. Yn flaengar yn eu mysg roedd Lloyd George. Fel y dangosodd digwyddiadau wedi hyn, ef yn unig yn y Cabinet oedd yn meddu ar yr egni a'r ddawn i arwain oedd eu hangen i ennill y rhyfel.

Ar ddechrau'r rhyfel roedd Lloyd George yn un o'r tri aelod hynaf o'r llywodraeth ar wahân i'r Prif Weinidog, Herbert Asquith. Yn ei swydd fel Canghellor y Trysorlys aeth rhagddo ar ei ben ei hun i sicrhau fod gan Brydain yr adnoddau cyllidol i gwrdd â chost uchel yr ymgyrch. Yn ei Gyllideb ryfel gyntaf, Tachwedd 1914, dyblodd gyfradd y dreth incwm a gyfrannodd filiwn o bunnau yr wythnos yn ychwaneg. Efallai mai ei brif gyfraniad i'r ymdrech ryfel fel Canghellor oedd ym Mawrth 1915 pan enillodd gefnogaeth y TUC gan gynyddu'r niferoedd yn y gweithlu diwydiannol, yn enwedig y rhai oedd wedi eu cyflogi i gynhyrchu arfau a chynnyrch rhyfel arall. Roedd cyflogi cymaint o weithwyr newydd, llawer ohonynt yn ferched, yn bygwth y gwahaniaethau pendant rhwng gweithwyr sgilgar a'r rhai oedd heb sgiliau. O ganlyniad i'r hyn a alwyd yn Gytundeb y

I

II

III

IV

V

VI

VII

VIII

IX

X

345

Trysorlys cytunodd y TUC i gais Lloyd George – fod iddynt dderbyn bod sgiliau traddodiadol i'w cyfrif yn rhai di-grefft dros gyfnod y rhyfel. Yn arwyddocaol, am y tro cyntaf, roedd y llywodraeth wedi ymgynghori â'r TUC ar fater pwysig o bolisi. Hefyd cafwyd sicrwydd y byddai'r TUC â rôl ymgynghorol yn y dyfodol drwy bwyllgorau lleol ar y cyd, pan ystyrid cynlluniau economaidd strategol. Cyfeiriai Lloyd George ato fel 'siarter pwysig i lafur'. Mae barn Hanes yn canmol hefyd. Yn ôl yr hanesydd A.J.P. Taylor, 'oherwydd Cytundeb y Trysorlys bu chwyldro yn agwedd yr undebau llafur: lle roeddent cyn hyn wedi gwrthwynebu, roeddent nawr yn chwarae rhan'.

Ym Mai 1915 penodwyd Lloyd George yn brif Weinidog Arfau yn llywodraeth glymblaid newydd y Rhyddfrydwyr a'r Unoliaethwyr. Roedd tasg Lloyd George yn syml, rhoi terfyn ar y prinder arfau difrifol oedd yn y llinell flaen! Byddai llwyddo, a dyfynnu un cyfoeswr, yn golygu 'dim llai na gwyrth' neu fod gŵr o athrylith gyda gweledigaeth a gallu i drefnu yn llwyddo i sicrhau cynnydd mewn cynnyrch – o sieliau, gynnau peiriant, ffrwydron, gynnau mawr a gofalu am eu dosbarthu a'u cyflenwi i'r dyfodol. Drwy anghofio'r dulliau traddodiadol o weinyddu a dewis dulliau mwy radical oedd yn golygu anwybyddu'r gwasanaeth sifil arferol a sianelau biwrocrataidd eraill a thrwy ddefnyddio gwasanaeth gwŷr busnes, llwyddodd Lloyd George i weddnewid y sefyllfa. Er enghraifft, ar ddechrau'r rhyfel roedd gan y fyddin 1,330 o ynnau peiriant ond erbyn diwedd y rhyfel roedd y cyflenwad yn 240,506. Ar y llaw arall, aeth dwy flynedd heibio cyn llwyddo i ddigoni'r galw am sieliau. Fodd bynnag, fe werthfawrogid ei ymdrechion ar ran y milwyr yn y llinell flaen fel y dengys y dyfyniad hwn o'r *Caernarvon and Denbigh Herald* (Awst 1915): 'Sieliau newydd LLoyd George a roddodd i ni'r galon i ymosod ar ôl cael ein bwrw mor galed. Mae'r sieliau newydd yma yn ardderchog ac wedi i'n dynion ni gyrraedd y ffosydd roeddent wedi eu hennill, rhoddasant dair bonllef i Lloyd George'. Roedd llwyddiant y dewin Cymreig ymhell o fod yn wyrth ond eto roedd yn eithriadol o wych.

Yng Ngorffennaf 1916 penodwyd Lloyd George i olynu Kitchener, a oedd wedi ei golli ar y môr, fel Gweinidog Rhyfel. Aeth ati yn syth i ddelio â'r hyn a ystyriai yn ddiffygion ymysg y Cadfridogion. Roedden nhw'n ei chael yn anodd i ddod i delerau ag agwedd newydd ddeinamig a llawn dychymyg Lloyd George at 'ryfel diarbed'. Cwerylodd Lloyd George â chadlywydd y lluoedd Prydeinig yn Ffrainc, y Pen-Gadfridog Haig. Tybiai Lloyd George nad oedd ganddo ddychymyg am ei fod yn mynnu y dylid dyfeisio strategaeth newydd i daro ergyd farwol ar y gelyn. Ni ellid sicrhau hyn meddai ond drwy strategaeth ddwyreiniol, nad oedd unrhyw gynlluniau manwl ar ei chyfer, er mwyn lleihau'r pwysau ar y llinell orllewinol neu drwy gydweithredu mwy clos â Ffrainc a'r cynghreiriaid eraill. Roedd y Cadfridogion wedi gwrthwynebu'r Gweinidog Arfau yn gyson ond pan ddaeth yn Brif Weinidog cafodd well cydweithrediad. Un o'i syniadau gorau oedd ffurfio Cabinet Rhyfel a fyddai'n cynnwys dim mwy na llond dwrn o weinidogion gyda'r prif ddyletswydd o gynllunio'r rhyfel. Gwrthododd Asquith y syniad ac ar 5 Rhagfyr ymddiswyddodd Lloyd George. Wedi llawer o gynllwynio gydag arweinydd yr Unoliaethwyr Bonar Law, ymddiswyddodd Asquith hefyd gan gredu, yn anghywir, ei fod yn anhepgor ac y byddai'n fuan yn cael ei alw yn ôl i arwain y llywodraeth. Yn anffodus, roedd wedi camgymryd yn ddirfawr, ac yn ei absenoldeb cynghorodd Bonar Law y brenin i wahodd Lloyd George i arwain y wlad. Derbyniodd yntau'r gwahoddiad i ffurfio llywodraeth newydd a chyda chefnogaeth yr Unoliaethwyr daeth Lloyd George yn Brif Weinidog ar 7 Rhagfyr 1916. Teimlai Asquith iddo gael ei fradychu a gwrthododd wasanaethu yn y llywodraeth. Yng ngeiriau A.J.P. Taylor 'Roedd dyrchafiad Lloyd George i rym yn chwyldro, yn null Prydain'.

Yn ôl ei arfer, ymrôdd i'w rôl newydd, ffurfiodd ei Gabinet Rhyfel ac mewn byr amser roedd wedi sefydlu Gweinyddiaethau – Llafur, Bwyd, y Llynges, Pensiynau ac yn 1917 Gwasanaeth Gwladol. Er mwyn sicrhau effeithiolrwydd cynyddol y gweinyddu cysylltwyd y gweinyddiaethau hyn drwy bwyllgorau â'i gabinet rhyfel. Gwasanaethid hwn gan staff egnïol, dynion ifanc gan mwyaf a rhai yn Gymry, cynghorwyr a lysenwyd 'yr Ardd-Faestref' oherwydd eu bod yn cwrdd mewn cytiau. Efallai mai ei benderfyniad mwyaf dadleuol wedi iddo dderbyn ei swydd oedd deddfu gorfodaeth a barodd fod nifer o'i blaid ef ei hunan wedi troi yn ei erbyn. O dan Asquith roedd y llywodraeth wedi barnu nad oedd angen gorfodaeth ac am eu bod yn ymwybodol ei fod yn bolisi amhoblogaidd roedd yn well ganddynt ymrestru gwirfoddol. Ochrodd yr Aelodau Seneddol oedd yn anghytuno ag Asquith, yn eu plith Gymry amlwg fel Ellis Griffith a Syr Ivor Herbert, gyda Lloyd George ac yn Ionawr 1916 sefydlwyd y 'Pwyllgor Rhyfel Rhyddfrydol'. Roedd Cymry Rhyddfrydol eraill, hwythau lawn mor amlwg – Llewelyn Williams, E.T. John a Caradog Rees – yn glynu wrth eu gwrthwynebiad i orfodaeth filwrol ac o'r herwydd yn elyniaethus i Lloyd George.

### c) Polisi'r Llywodraeth: DORA a'r canlyniadau

Erbyn 1917 roedd Prydain gyfan wedi ei chynnull ar gyfer yr ymdrech ryfela gan lywodraeth oedd yn benderfynol o reoli pob agwedd ar fywyd y bobl. Cynted ag y cyhoeddwyd rhyfel yn Awst 1914 pasiwyd Deddf Amddiffyn y Deyrnas (Defence of the Realm Act/DORA) a ganiatâi i'r llywodraeth bwerau eang i atal, cyfyngu neu sensro unrhyw beth a allai niweidio ymdrechion y rhyfel. Yn fyr, derbyniodd y Prif Weinidog bwerau unben bron. Effeithiwyd yn gyntaf ar bapurau newydd a chylchgronau gan y deddfau sensoriaeth newydd yn enwedig rhai sefydliadau gwleidyddol neu heddychol fel y papur newydd Sosialaidd *Forward* a ffrwynwyd oherwydd iddo feiddio cyhoeddi'r gwir am gyfarfod stormus Lloyd George gyda gweithwyr milwriaethus Clydeside yn Rhagfyr 1915. Roedd y prif bapurau newydd Cymreig – *yr Herald Cymraeg, y Genedl Gymreig, Y Cymro* a *Baner ac Amserau Cymru* – yn cefnogi'r llywodraeth ac felly nid oedd galw am sensoriaeth. Fodd bynnag, cadwyd golwg manwl ar y cylchgronau y gwyddid eu bod yn wrthwynebus i'r rhyfel yn gyffredinol ac yn enwedig i bolisi'r llywodraeth a phe gwelid bod angen hynny caent eu cau. Dyna fu tynged *Y Wawr*, cyfnodolyn gwrth-ryfel a gynhyrchid yn Aberystwyth. Daeth ei oes i ben yn niwedd 1917. Cafodd J.H. Jones, golygydd y papur newydd Cymraeg *Y Brython* a gynhyrchid yn Lerpwl, ei erlyn yn llwyddiannus am iddo dorri llythyren y gyfraith yn ôl DORA. Ambell waith câi'r awdurdodau eu rhwystro yn eu hymdrechion i ddistewi neu i frawychu eu gwrthwynebwyr fel yn hanes y Parch.T.E. Nicholas, golygydd y papur Sosialaidd y *Merthyr Pioneer*. Sawl gwaith, ond yn ofer, ceisiodd Prif Gwnstabl Morgannwg, Lionel Lindsay, arweinydd y plismyn yn ystod streic Tonypandy cyn y rhyfel, drefnu i erlyn y clerigwr, oedd â daliadau marcsaidd ac a oedd yn ochri gyda'r sosialwyr.

Roedd DORA yn galluogi'r llywodraeth i reoli llongau masnach, gwaith adeiladu llongau, peirianwaith, amaethyddiaeth, y rheilffyrdd a'r pyllau. Drwy'r Gweinidog Arfau, swydd newydd, roedd y llywodraeth yn gofalu am gynnyrch a chyflenwad ac felly gallai reoli prisiau ac elw. Drwy'r Ddeddf Arfau Rhyfel ceisiai'r llywodraeth reoli'r gweithwyr oedd yn ymwneud yn uniongyrchol â gwaith y rhyfel ac un o'r darpariaethau mwyaf amhoblogaidd oedd fod mynd ar streic yn anghyfreithlon. Daerh rhyfel diarbed i olygu rheolaeth ddiarbed o du'r llywodraeth. Yn anorfod bu beirniadaeth. Cyhuddid y llywodraeth o ddileu hawliau sifil ac o unbennaeth amlwg.

Daeth y gwrthwynebu mwyaf croch, a'r peryclaf o safbwynt y llywodraeth, o du'r undebwyr Sosialaidd a gwrth-filitaraidd. Roedd y rhai mwyaf milwriaethus yn ymwrthod ag unrhyw ymdrechion i'w rheoli. Ar waethaf eu daliadau sosialaidd-heddychol ymatebodd y mwyafrif o weithwyr Cymru i'r alwad i wasanaethu yn 1914. Bu iddynt gefnogi'r llywodraeth ac wynebu, gyda difrifoldeb, eu cyfraniad i ymdrechion y rhyfel. Bu i Ffederasiwn Glowyr De Cymru, na ellid ei gyfrif yn gyfaill i'r llywodraeth Ryddfrydol, gefnogi'r rhyfel er bod nifer o'i gynrychiolwyr fel Noah Ablett, Will Hay ac Arthur Horner wedi glynu'n gadarn wrth eu hegwyddorion heddychol. Rhyw flwyddyn fu oes y cynghrair hwn. Yng Ngorffennaf 1915 aeth y glowyr ar streic gan barlysu'r maes glo yn Ne Cymru a rhwystro'r cyflenwad o lo i longau rhyfel y Llynges. *'Germany's Allies in Wales'* oedd y pennawd yn y *London Evening Standard* ac fe gyhuddid y glowyr o frad a llyfrdra ac o gydweithredu ag ysbïwyr yr Almaen oedd, fe dybid, wedi eu llwgrwobrwyo â £60,000.

Nid oedd y gwir agos mor syfrdanol. Sail cwyn y glowyr oedd fod pris glo wedi codi 50% ond na chafwyd codiad cyfatebol yn eu cyflogau. Roedd perchenogion y pyllau yn gwneud elw anferth, y cyfran-ddalwyr yn elwa ond y glowyr yn ei chael yn anodd i ymdopi â'r chwyddiant yn enwedig y codiad ym mhris bwyd. Methiant fu pob ymdrech i drafod strwythur cyflogau newydd oherwydd nad oedd y cyflogwyr yn fodlon dod i unrhyw delerau. Ymyrrodd y llywodraeth. Roedd Bonar Law yn annog defnyddio'r fyddin i setlo anghydfod nad oedd yn ddim llai na gwrthryfel yn ei farn bersonol ef: 'Byddai'n well saethu cant o ddynion i atal streic na cholli miloedd ar faes y gad o ganlyniad iddi'. Ymgymrodd Lloyd George â datrys y broblem a theithiodd ef a dau weinidog arall ar y trên i Gaerdydd i wynebu arweinwyr y 'Fed'. Cafwyd cytundeb. Cytunwyd i'r glowyr gael y cyflogau roedden nhw'n eu hawlio ar yr amod na fyddent yn mynd ar streic yn ystod cyfnod y rhyfel. Wedi ennill mwy mewn ychydig ddyddiau nag mewn deng mlynedd cyn hynny, yn unig oherwydd y rhyfel, roedd y glowyr yn awyddus i roi prawf ar y cyflogwyr a'r llywodraeth eto. Felly, ni pharhaodd y cytundeb am fwy na rhyw chwe mis. Pleidleisiodd Ffederasiwn Glowyr De Cymru yn groes i ddymuniad Ffederasiwn Glowyr Prydain gyda mwyafrif o ddwy ran o dair i fynd ar streic pe bai'r llywodraeth yn deddfu gorfodaeth filwrol. Fel y digwyddodd, ni bu iddynt fynd ar streic ond roedd cryn densiwn.

I

II

III

IV

V

VI

VII

VIII

IX

X

Ni bu i'r cynllun gwladoli leihau'r tensiwn rhwng y glowyr a'r llywodraeth ychwaith. Roedd Ffederasiwn Glowyr Prydain yn croesawu'r polisi ond roedd Ffederasiwn Cymru yn amheus. Daeth y newydd am chwyldro'r gweithwyr yn Rwsia – a glowyr Dyffryn Aman yn canu o'r herwydd – â mwy o anfodlonrwydd. Ym Mai 1917 cyrhaeddodd ei benllanw a chafwyd cyfres o streiciau a gweithwyr diwydiannol eraill yn ymuno â'r glowyr ledled y wlad. Ymateb Lloyd George fu penodi comisiynwyr i ymholi i achosion yr anghydfod diwydiannol yn Ne Cymru ac mewn mannau eraill ym Mhrydain. Roedd adroddiad y comisiynwyr yn feirniadaeth hallt ar ymdrechion llywodraethau'r gorffennol i ddelio â phroblemau dwys, rhai cymdeithasol ac economaidd, cymunedau difreintiefdig a thlawd cymoedd De Cymru. Gan ddangos ei ymlyniad wrth ei egwyddorion Rhyddfrydol roedd Lloyd George yn benderfynol o frwydro'n ddi-ildio yn erbyn tlodi gyda'r un brwdfrydedd ag y brwydrai yn erbyn y gelyn ar faes y gad.

## ch) Rhyfela, Lles a 'Sosialaeth Ryfel'

Ar waethaf natur awdurdodol y llywodraeth dros gyfnod y rhyfel ac agwedd wrthwynebus rhai o'r undebau, roedd yna fanteision i bobl Prydain. Credai Lloyd George fod rhyfela a lles yn cerdded law yn llaw a phan ddaeth yn Brif Weinidog yn 1916 ymrôdd i geisio gwella safon byw y bobl gyffredin. Dechreuodd y llywodraeth gyllido sefydliadau fel Cwmni Gardd-Faestref Porth Tywyn a adeiladai gartrefi gyda rhenti isel ar gyfer gweithwyr ffatri arfau Pembre ger Llanelli. Gwelwyd cynnydd yn safon addysg y wladwriaeth, iechyd a gofal mewn ysbytai, er i hyn ddigwydd yn rhy hwyr i ddatrys argyfwng yr ymrestru a achoswyd gan y ffaith fod niferoedd uchel o'r recriwtiaid yn afiach ac felly'n anaddas i ymuno â'r lluoedd arfog. Pan gafwyd archwiliad meddygol mwy manwl ar gyfer dynion oedd dan orfodaeth i ymuno yn 1916 gwaethygodd y broblem. O'r 2.4 miliwn a alwyd i wasanaethu yn y lluoedd arfog yn 1917-18 roedd bron i filiwn neu 40% ohonynt yn anaddas, oherwydd cyflwr eu hiechyd, i wasanaethu yn y llinell flaen. Roedd problemau iechyd a rhai cymdeithasol Prydain Edwardaidd wedi dod yn ôl i beri hunllef i'r gwleidyddion. Eu hymateb fu creu Gweinyddiaeth Iechyd yn 1919.

Gwellaodd amodau gwaith, cafwyd gwasanaeth ffreutur a chododd cyflogau gweithwyr diwydiannol ac amaethyddol, ond dim ond wedi iddynt gytuno na fydddent yn mynd ar streic. Enillwyd y codiad cyflog mwyaf sylweddol gan ddynion yn y diwydiant amaeth. Cododd eu cyflogau 200% rhwng 1914 ac 1919. Ar ôl streic 1915 gwelodd y glowyr hwythau gyfnod llewyrchus a sicrwydd swyddi nas gwelwyd cyn hynny. Roedd cyfradd diweithdra yn y wlad yn gyffredinol yr isaf ers mwy na chwarter canrif ac yn Ne Cymru, canolbwynt Prydain ddiwydiannol, nid oedd unrhyw ddiweithdra o gwbl. Yn anffodus, nid oedd hyn yn wir am Ogledd Cymru, yn enwedig ardaloedd y chwareli. Codid llai o dai ac oherwydd y rhyfel nid oedd modd na galw am allforio llechi. Cyhoeddwyd fod cynhyrchu llechi yn alwedigaeth anhanfodol ac nad oedd yn haeddu fawr ddim cymorth oddi wrth y llywodraeth. Pan gaeai'r chwareli roedd y chwarelwyr yn ymrestru neu'n symud i ardal arall. Yn groes i'r diwydiannau mwyngloddio ac amaethyddiaeth ni ddaeth unrhyw fanteision i ran y diwydiant llechi oherwydd ymyrraeth y llywodraeth.

Ar y dechrau ni bu fawr o newid ym mywydau pobl gartref ond fel yr âi'r rhyfel rhagddo daeth yn fwy anodd i anwybyddu ei effeithiau. Gwragedd tŷ a sylwodd yn gyntaf ar y cynnydd ym mhrisiau bwydydd a bod rhai bwydydd sylfaenol yn brin. Yn rhannol, chwyddiant oedd y rheswm am hyn ond hefyd roedd llongau tanfor yr Almaen yn suddo cannoedd o longau masnach, un ymhob pedair erbyn dechrau 1917, a oedd yn cludo bwyd a defnyddiau crai i Brydain. Gan ddefnyddio'r pwerau a gawsai dan y Ddeddf Amddiffyn deddfodd y llywodraeth ei bod yn anghyfreithlon i wastraffu ac o'r herwydd bu'n rhaid i un wraig yng Nghymru dalu dirwy o £20 am roi cig i'r ci. Erbyn Ionawr 1918 roedd y sefyllfa mor ddifrifol fel y bu'n rhaid penderfynu dogni bwydydd angenrheidiol. Y gŵr a gafodd ei ddewis i arolygu'r cynllun dogni bwyd oedd D.A.Thomas, Is-Iarll Rhondda, Cymro a chyn-Aelod Seneddol Rhyddfrydol. Fe'i penodwyd yn Rheolwr Bwyd ym Mehefin 1917 a bu'n hynod lwyddiannus yn y swydd gan lunio cynllun na ffafriai gyfoeth na statws ond a gyfrifai fod pawb yn gyfartal. Yn ôl rhai, y cynllun hwn, ynghyd â gwladoli diwydiannau allweddol fel glo a rheoli cynnyrch amaethyddol, yw prif nodweddion 'Sosialaeth Ryfel'.

Yn anorfod, nid oedd popeth yn wych. Er bod cyflogau wedi codi yn sylweddol, roedd y llywodraeth yn codi trethi uwch. Yn 1915 roedd y llywodraeth yn gwario dros filiwn o bunnau y dydd ar y rhyfel, felly rhag mynd yn feth-dalwr dyblodd gyfradd y dreth incwm o 1s. 3c. i 2s. 6c. (codiad o tua 6c. i 12c. yn y bunt). Erbyn diwedd 1917 roedd gwariant y llywodraeth wedi codi i £5.5 miliwn y dydd a chynyddodd cyfradd sylfaenol y dreth incwm i gyfateb. Erbyn 1918 roedd yn 6s yn y bunt (30c.).

I

II

III

IV

V

VI

VII

VIII

IX

X

Nid oedd modd digoni'r galwadau ar bwrs y wlad ac anogid pobl i wario llai a chynilo mwy a defnyddio'u cynilion i brynu bondiau rhyfel a fyddai'n helpu'r llywodraeth i dalu costau'r rhyfel. Addawai'r llywodraeth dalu'r arian yn ôl gyda llog pan fyddai'r rhyfel wedi dod i ben. Gan fod y ddyled genedlaethol mor anferthol ar ddiwedd y rhyfel roedd yn anodd cadw'r addewid hwn.

## 2. Effaith y rhyfel

Bu effaith y Rhyfel Mawr yn ddwys ar bawb fu byw drwy'r profiad, yn enwedig y rhai fu yn y llinell flaen neu a ddysgodd yn ail-law am fywyd y ffrynt. Mae'r etifeddiaeth gennym hyd heddiw, yn y Balcanau lle mae Bosniaid, Croatiaid a Serbiaid yn ceisio dadwneud camgymeriadau'r gorffennol a barodd eu cyplysu yn groes i'w hewyllys. Yn nes at gartref mae perthnasau'r milwyr Prydeinig yn ceisio adennill enw da'r milwyr a saethwyd am iddynt gael eu cyhuddo o fod yn llwfr, ac felly achub cam. Mae'r mynwentydd a'r cofgolofnau yn Ffrainc a Gwlad Belg fel Hill 62, Thiepval a'r Menin Gate a'r cofgolofnau ym mhob tref a phentref bron yng Nghymru yn ein hatgoffa o'r gyflafan, y difrodi a'r golled, y gwastraff dynol, o drasiedi rhyfel. Y gred gyffredin ar un adeg oedd fod rhyfel yn niweidio cymdeithas ac yn difetha economi cenedl, y byddai'n golygu'r fath golledion materol a dynol fel ag i beri bod y syniad o fynd i ryfel yn wrthun. Fodd bynnag, cydnabyddir yn awr nad oes yn rhaid ystyried fod 'rhyfel diarbed', sy'n golygu fod poblogaethau yn ymfyddino ac adnoddau economaidd yn cael eu defnyddio i'r eithaf, yn arwain at ddinistr ond y gellir ei ystyried fel modd i sicrhau newid sylfaenol. Mae haneswyr yn cytuno i effaith y Rhyfel Mawr ar gymdeithas ac economi Cymru fod yn anferthol ond does fawr o gytundeb ar wir natur ac arwyddocâd yr effaith. Mae rhai haneswyr wedi mynd mor bell â dweud fod y rhyfel wedi achosi ail chwyldro diwydiannol ac amaethyddol a barodd newidiadau i'r un graddau ag un y ganrif flaenorol. Mae eraill yn dadlau iddo achosi chwyldro cymdeithasol a gwleidyddol a welodd ryddfreinio merched, ddirywiad y blaid Ryddfrydol a thwf Llafur. Ni ellir amau nad oedd Cymru ar ôl y rhyfel, mewn sawl ystyr, yn wahanol iawn i Gymru cyn y rhyfel.

## a) Newid Cymdeithasol ac Economaidd

Dywedwyd yn aml mai'r rhyfel a barodd y dirywiad yn niwydiant Cymru a'r diffyg twf yn yr economi. Collwyd llawer o weithwyr, dinistriwyd eiddo/asedau materol a chollwyd marchnadoedd tramor. Dyma'r rhesymau meddid am nad oedd Cymru a Phrydain bellach ar y blaen ym myd masnach ryngwladol. Fodd bynnag, mae haneswyr yn awr yn ystyried economi Cymru yn ystod y cyfnod hwn gydag agwedd fwy ymarferol. Maent yn nodi'r ffaith nad oedd Cymru'n allforio cymaint o gynnyrch, ar wahân i'r glo efallai, cyn y rhyfel ac y byddai'n rhaid i ddiwydiant Cymru fod wedi wynebu newidiadau p'un bynnag. Felly, nid y rhyfel oedd wedi peri newidiadau, nid oedd ond wedi cyflymu'r broses oedd eisoes yn bod. Y rheswm pam y mae haneswyr wedi cael eu camarwain yn y gorffennol yw fod economi Cymru wedi profi ffynniant, ar wahân i'r chwareli llechi yng Ngogledd Cymru, gyda chyflogaeth, sicrwydd gwaith a thaliadau uwch yn gyffredin. Dywedai W.J. Edwards o Aberdâr nad oedd glowyr Cymru 'erioed wedi gweld gwell byd'. Manteisiodd y diwydiannau haearn, glo a dur ar y galw yn ystod y rhyfel. Defnyddiwyd dur Cymru i wneud y tanciau cyntaf. Cynyddodd cyfradd y cynnyrch ac roedd gwell rheolaeth. Cafodd y diwydiannau hyn, a rhai eraill, eu gwladoli dros dro. Elwodd y rheilfffyrdd yn arbennig o fod dan reolaeth y wladwriaeth oherwydd datblygwyd eu potensial gan lywodraeth oedd yn fwy parod i ystyried yr undebau ac yn fwy derbyniol gan y gweithlu. Fodd bynnag, dioddefodd yr un diwydiannau oherwydd fod llai o alw o dramor a gartref yn y cyfnod ar ôl y rhyfel ac oherwydd iddynt gael eu dad-wladoli a hynny'n eu gadael heb lefel gyfatebol o gefnogaeth. Nid oedd y wladwriaeth yn eu diogelu bellach.

Bu newid hefyd yn y berthynas rhwng yr undebau a'r cyflogwyr. Oherwydd argyfwng y rhyfel roedd y ddwy ochr wedi closio, gan ffurfio perthynas dros dro – un anesmwyth, un ffrwydrol a bregus, fel y dangosodd streic y glowyr. Wedi ennill mwy o gonsensiynau oddi wrth y cyflogwyr a'r llywodraeth yn ystod pedair blynedd y rhyfel nag a gafwyd yn ystod y 25 mlynedd a aethai heibio cyn hynny, roedd yr undebau yn benderfynol na fyddai heddwch yn newid dim ar eu penderfyniad i hawlio mwy ar ran eu haelodau. Ochr yn ochr â'r cynnydd yn agweddau mlwriaethus yr undebau a'u haelodau gwelwyd twf y sosialaeth a oedd yn ymwybod â dosbarth ac a oedd yn amlwg yng nghymoedd De Cymru. Roedd gwerthoedd Rhyddfrydol, yn ogystal â'r blaid Ryddfrydol wedi dirywio eisoes cyn y rhyfel ond yn ystod y

I

II

III

IV

V

VI

VII

VIII

IX

X

rhyfel daeth llif y gefnogaeth i Lafur. Achoswyd y newid hwn yn nheyrngarwch undebau a gweithwyr a'r newid yn y patrwm pleidleisio o fewn y boblogaeth gyfan, yn rhannol, oherwydd Deddf Cynrychiolaeth y Bobl a barodd fod nifer y pleidleiswyr yng Nghymru wedi codi o tua 430,000 yn 1911 i 1,172,000 yn 1918. Roedd nifer sylweddol o'r pleidleiswyr newydd hyn yn ferched, ond milwyr wedi dychwelyd o'r rhyfel oedd y mwyafrif. Rhoddwyd y rhyddfraint iddynt fel gwobr, i gydnabod eu gwasanaeth dros eu gwlad.

I ffermwyr-denantiaid Cymru daeth y rhyfel â newid a chyfoeth. Bu cynnydd yn y galw am laeth a chynnyrch y bwtri, cigoedd a grawn. Amcangyfrifwyd bod prisiau amaeth wedi codi cymaint â 30% rhwng 1914 ac 1918. Cafodd ffermwyr eu helpu i wella eu dulliau ffermio gan gyrff fel Cyngor Amaethyddiaeth Cymru a'r 130 cangen o'r Gymdeithas Trefnyddiaeth Amaethyddol a gynigiai gyngor a help technegol. Sefydlwyd Cymdeithasau Rhandiroedd hefyd i gynnal ffermio ar raddfa fechan ac i sicrhau effeithiolrwydd. Hyd 1916 roedd y llywodraeth wedi gadael i'r diwydiant amaethyddol ei reoli ei hun ond, yn rhannol oherwydd cnydau gwael yn America a Phrydain ac am fod colledion ar y môr oherwydd gweithgaredd llongau tanfor y gelyn, bu'n rhaid deddfu a gweinyddu i sicrhau cyflenwad o fwydydd hanfodol. Sefydlwyd Pwyllgorau Amaethyddol y Rhyfel yn y Siroedd a bwriedid i'r rhain gydweithio'n glòs gyda'r Adran Gynhyrchu Bwyd. Gyda Deddf Cynhyrchu Grawn 1917 anogai'r llywodraeth well effeithiolrwydd wrth gynhyrchu bwydydd pwysig fel tatws, ceirch a gwenith drwy warantu pris penodol i'r ffermwyr. Gwarantwyd lleiafswm cyflog i'r gweision ffermydd a chawsant hwy sicrwydd economaidd am y tro cyntaf.

Ar waethaf cyfradd ymyrraeth y llywodraeth, llawer uwch nag a welwyd cyn hyn, roedd ymateb y gymuned wledig yn bositif. Y rheswm am hyn, yn ôl adroddiad cyfoes, oedd oherwydd 'bod ffermwyr yn gyffredinol yn awyddus i gyfrannu at yr ymdrechion cenedlaethol ac oherwydd yr ymdeimlad o hyder yn y rhagolygon am brisiau uwch'. Fodd bynnag, ni bu i bawb elwa. Gwelodd y tirfeddianwyr bonheddig werth eu stadau mawr yn dirywio gan fod trethi a chwyddiant yn lleihau yr incwm a gaent o'u rhenti. Ar ôl 1917 gwelwyd mwy a mwy o stadau a fu mewn bod ers canrifoedd yn cael eu rhannu a'u gwerthu, yn bennaf i denantiaid oedd yn awchu am dir. Ymysg y rhai cyntaf i gael eu gwerthu ar ocsiwn roedd stad Talbot, Margam, stad Hanbury, Parc Pont-y-pŵl yn Ne Cymru a stadau Glynllifon a Bodelwyddan yn y Gogledd. Roedd y newid ym mhatrwm daliadaeth tir yn ystod y cyfnod hwn mor arwyddocaol yn hanes amaethyddiaeth yng Nghymru fe'i galwyd yn 'chwyldro gwyrdd'.

## b) Y newid yn rôl merched

Cafodd effaith y rhyfel ar rôl a statws merched gryn sylw. Dadleuwyd bod merched wedi elwa'n fawr ar y rhyfel oherwydd eu bod wedi cael y cyfle i weithio mewn swyddi lle nad oedd croeso iddynt cyn hynny. Roedd eu rhyw yn rhwystr. Oherwydd argyfwng rhyfel, prinder dynion ar gyfer gwaith a'r newid agwedd, a fu cyn hyn yn gwahaniaethu rhwng y rhywiau yn y farchnad waith, cafodd merched eu rhyddhau a'u gosod ar lwybr cyfartaledd cymdeithasol a rhyddfreiniau gwleidyddol. Ac yntau'n Weinidog Arfau, Lloyd George oedd y cyntaf i sylweddoli effeithiau rhyfel ar yr economi yn gyffredinol ac ar y gweithlu yn arbennig. Gyda miloedd o ddynion yn gwirfoddoli, ac ar ôl 1916 yn cael eu gorfodi, i ymladd yn y llinell flaen pwy fyddai'n llenwi'r swyddi gwag yn y ffatrïoedd arfau ac mewn diwydiannau hanfodol eraill? Cafodd awgrym Lloyd George y gallai merched lenwi'r bwlch ei wfftio gan rai, yr undebau yn enwedig a oedd yn amheus tu hwnt o'r fath syniad. Ar waethaf llawer o wrthwynebu glynodd Lloyd George wrth ei fwriad o ddefnyddio merched i helpu gydag ymdrechion y rhyfel gan ddadlau y byddai 1.25 miliwn yn ychwaneg o weithwyr yn hwb sylweddol i gynnyrch diwydiannol.

Llun 50
'Brwydr Merched i ennill Hawliau'

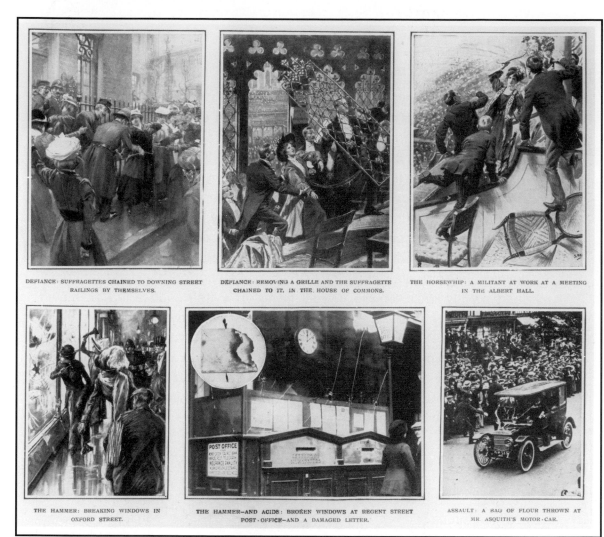

DEFIANCE: SUFFRAGETTES CHAINED TO DOWNING STREET RAILINGS BY THEMSELVES.

DEFIANCE: REMOVING A GRILLE AND THE SUFFRAGETTE CHAINED TO IT, IN THE HOUSE OF COMMONS.

THE HORSEWHIP: A MILITANT AT WORK AT A MEETING IN THE ALBERT HALL.

THE HAMMER: BREAKING WINDOWS IN OXFORD STREET.

THE HAMMER-AND ACIDS: BROKEN WINDOWS AT REGENT STREET POST-OFFICE—AND A DAMAGED LETTER.

ASSAULT: A BAG OF FLOUR THROWN AT MR. ASQUITH'S MOTOR-CAR.

Yn rhannol mewn ymateb i ymdrechion Lloyd George ar eu rhan ond yn bennaf oherwydd eu hanfodlonrwydd am nad oedd y llywodraeth yn gwneud defnydd ohonynt, gorymdeithiodd y *Suffragettes*, 30,000 ohonynt a'u harweinydd Christabel Pankhurst, drwy Lundain yng Ngorffennaf 1915 yn mynnu'r 'hawl i wasanaethu'. Manteisiodd y llywodraeth ar y cyhoeddusrwydd a'u cefnogi. Roedd argyfwng y rhyfel wedi perswadio Mrs Pankhurst, na ellid ei galw yn gyfaill i'r llywodraeth Ryddfrydol, fod angen i'r mudiad fabwysiadu agwedd newydd. 'Rydyn ni eisiau helpu Prydain er ei bod dan awdurdod Mr. Asquith a'r Rhyddfrydwyr,' meddai. 'Dylem ymdyrru i gefnogi'r wlad, nid y llywodraeth. Mae'n filwaith mwy o ddyletswydd arnom ni'r *suffragettes* i ymladd yn erbyn y Kaiser er mwyn rhyddid nag i ymladd yn erbyn llywodraethau gwrth-ryddfreinio'. Yn fuan, roedd Lloyd George yn cyflogi nifer cynyddol o ferched yn y ffatrïoedd arfau a rhwng Gorffennaf 1915 a Gorffennaf 1918 cododd y nifer o 255,000 i 948,000. Roedd hwn yn waith budr, peryglus, yr oriau yn hir a'r cyflog yn isel ond gweithiai'r *munitionettes*, fel y'u gelwid, yn galed i gynhyrchu mwy a mwy o fwledi a sieliau. Caent eu hannog gan y posteri propaganda oedd yn cyhoeddi, 'Cri ryfela'r merched yw gwaith, gwaith, gwaith' a 'Gall y sieliau mae'r merched yn eu gwneud achub bywydau eu gwŷr'.

Yn anffodus, ni newidiodd popeth, oherwydd er i Lloyd George addo lleiafswm cyflog teg, sicrhaodd yr undebau na châi merched yn y ffatrïoedd arfau ond tua hanner cyflog y dynion. Ar waethaf hynny, ymatebodd y merched i'r alwad gyda chymaint o frwdfrydedd ag a ddangoswyd gan y dynion yn ystod wythnosau a misoedd cyntaf y rhyfel. Erbyn 1918 câi merched eu cyflogi mewn amryw swyddi, yn gwneud gwaith porter a thocynnwr ar y rheilffyrdd, yn casglu arian ar y bysiau, yn plismona a chludo'r post, yn yrwyr a hyd yn oed yn torri beddau.

## Tabl 26

**Dosbarthiad ac amcangyfrif o'r gweithlu o ferched ledled Prydain:**

| Math o waith | Niferoedd a gyflogid |
|---|---|
| Gwasanaeth sifil/Adrannau o'r Llywodraeth | 200,000 |
| Clerigol/Gwaith swyddfa | 500,000 |
| Amaethyddiaeth | 250,000 |
| Arfau/Peirianwaith | 900,000 |
| Gwasanaeth cyhoeddus/tramiau, bysiau ac ati | 150,000 |
| Gwasanaeth cynorthwyol i'r Lluoedd arfog | 100,000 |
| Nyrsio | 120,000 |
| YMCA | 30,000 |

[Dyfynnwyd o N.B.Dearle, *The Labour Cost of the Great War* (1928)]

I

II

III

IV

V

VI

VII

VIII

IX

X

Roedd cymaint â 2.25 miliwn o ferched wedi dod i'r adwy, llawer mwy nag y bu i Lloyd George hyd yn oed feddwl fyddai'n bosibl. Roedd merched wedi profi eu gwerth. Yn ôl Herbert Asquith roeddent 'mor egnïol ac effeithiol â dynion'. Fel gwobr am eu gwasanaeth teyrngar cefnogodd Lloyd George Ddeddf Cynrychiolaeth y Bobl (1918) oedd yn rhyddfreinio merched oedd dros 30 oed (cyfrifid bod y rhai oedd dan 30 yn anaeddfed yn wleidyddol) a rhoi iddynt yr hawl i gael eu hethol i'r Senedd. Pasiwyd y cymal oedd yn cyfeirio at ryddfreinio merched gan Bwyllgor Seneddol o 385 pleidlais i 55. Llwyddwyd i ennill yn ystod pedair blynedd y rhyfel yr hyn y bu Mudiad y Merched yn brwydro amdano yn ofer am dros 50 mlynedd. Ond, ar waethaf y cam ymlaen, wedi'r dadfyddino, dyna droi'r cloc yn ôl. Patrwm cyflogi'r dyddiau cyn y rhyfel a gafwyd eto. Bu'n rhaid cael rhyfel arall i gyflymu'r broses o newid.

# Cyngor a Gweithgareddau

## (i) Cyffredinol

### Darllen Pellach

M. Beloff, *Wars and Welfare: Britain 1914-45* (London, 1983).

J.C. Dunn, *The War the Infantry Knew, 1914-19* (London, 1989).

P.J. Haythornthwaite, *The World War One Source Book* (Oxford, 1992).

C. Hughes, *Mametz: Lloyd George's Army at the Battle of the Somme* (Norwich, 1990).

K.O. Morgan, *Lloyd George* (London, 1974).

J. Richard (ed.), *Wales and the Western Front* (Caerdydd, 1994).

P. Simkins, *Kitchener's Army: The Raising of the New Armies, 1914-16* (Manchester, 1988).

K. Strange, *Wales and the First World War* (Adran Addysg Cyngor Sir Morgannwg Ganol, n.d.).

A. Thorpe, *The Longman Companion to Britain in the Era of the World Wars, 1914-45* (London, 1994).

R. Turvey, *Cymru a Phrydain, 1906-51* (Llundain, 1997).

R. M.Morris, *Sŵn yr Ymladd*, Cyfres CBAC/ Gwasg Prifysgol Cymru, Unedau Astudio Hanes, 1987.

R. M.Morris *Colli'r Hogiau*, Cyfres CBAC/ Gwasg Prifysgol Cymru, Unedau Astudio Hanes, 1984.

John W. Roberts, *Mudiadau ym Myd Merched*, Cyfres CBAC/ Gwasg Prifysgol Cymru, Unedau Astudio Hanes, 1983

Cyril D.Jones, Mudiadau Poblogaidd yng Nghymru a Lloegr 1815-1850, CAA

### Ymchwil

**Gan ddefnyddio'r llyfrau a restrir uchod:**

a) Amlinellwch brif nodweddion y brwydro ar y ffrynt gorllewinol.

b) Astudiwch gyfraniad (i) milwyr Cymru (catrodau) (ii) Lloyd George i'r ymdrech ryfel.

I
II
III
IV
V
VI
VII
VIII
IX
X

### (ii) Penodol i'r Arholiad

**Ateb Cwestiynau Strwythuredig**

**C**

a) **Eglurwch yn fyr brif nodweddion y rhyfela ar y ffrynt gorllewinol (24 marc)**

b) **I ba raddau y bu i Lloyd George gyfrannu tuag at ennill y Rhyfel Byd Cyntaf? (36 marc).**

### Cyngor

Yn gyntaf rhaid i chi chwilio am y geiriau allweddol sef a) 'rhyfela' b) 'cyfrannu' ac 'ennill'. Yna, dylech ystyried y cyngor a ganlyn ar gyfer y naill gwestiwn a'r llall.

a) Rhaid i chi ddelio â'r gair allweddol 'rhyfela' trwy drafod syniadau fel tactegau, strategaeth, arfau, brwydro a bywyd yn y ffosydd.

b) Bydd disgwyl i chi olrhain cyfraniad Lloyd George i ymdrech y rhyfel o'i welliannau economaidd pan oedd yn Ganghellor y Trysorlys at ei waith fel Gweinidog Arfau ac yn y Swyddfa Ryfel (1914-16). Dylai prif ffocws eich ateb fod ar ei gyfnod fel Prif Weinidog (1916-18) a'i ymdrechion i drefnu'r ymgyrch ryfel. Canolbwyntiwch yn arbennig ar ei gymhwyster fel arweinydd a'i sgiliau trefnu. Hefyd dylech asesu pa mor dda y perfformiodd Lloyd George trwy gymharu sut y bu iddo ddelio â phroblemau milwrol anodd a delio'n llwyddiannus â materion cartref. Nodwch hefyd gyfraniad pobl eraill, a ffactorau eraill a barodd ennill y rhyfel a gosod cyfraniad Lloyd George ochr yn ochr â'r rhain. Bydd angen mynegi barn yma.

### Ateb Cwestiynau Traethawd

Mae'r esiampl sy'n dilyn yn draethawd sy'n gofyn am ystyried dehongliad hanesyddol

'Newidiodd y Rhyfel Byd Cyntaf, yn fwy na dim arall, agweddau pobl tuag at ferched a sicrhau llwyddiant ymgyrch mudiad y *Suffragettes*.

[L.D. Owens, hanesydd, yn ysgrifennu ar agweddau ar hanes yr ugeinfed ganrif].

**C. Pa mor ddilys yw'r dehongliad hwn o bwysigrwydd y Rhyfel Byd Cyntaf fel ffactor a gyfrannodd at lwyddiant yr ymgyrch dros ennill y bleidlais i ferched?**

## Cyngor

Y geiriau allweddol yma yw 'dilys', 'pwysigrwydd', 'cyfrannu' a'llwyddiant'.

A manylu, mae hyn yn golygu

(i) dilys – a yw hwn yn ddehongliad cywir ac ydych chi'n cytuno ag ef?

(ii) pwysigrwydd – pa mor bwysig oedd y Rhyfel Byd Cyntaf? Bydd yn rhaid i ch werthuso hyn – yn fwy neu'n llai pwysig o'i gymharu â ffactorau eraill.

(iii) cyfrannu – mae hyn yn dweud wrthych fod y rhyfel wedi cyfrannu rhywbeth o safbwynt yr ymgyrch dros ennill y bleidlais i ferched. Bydd yn rhaid i chi werthuso'r cyfraniad.

(iv) llwyddiant – mae hyn yn dweud fod yr ymgyrch wedi llwyddo, Beth oedd rôl y rhyfel yn hyn?

Mae peth gorgyffwrdd yma, felly bydd gwneud cynllun yn bwysig er mwyn sicrhau na fyddwch yn ailadrodd. Bydd angen strwythuro eich traethawd yn y fath fodd fel bod y pwyntiau wedi eu gwahaniaethu'n glir ac wedi eu cefnogi ond yn ogystal eu bod yn cefnogi'r naill y llall.

Ni ddylech fodloni ar wneud dim mwy na phwysleisio rôl merched yn ystod y rhyfel oherwydd er bod hyn yn bwysig rhaid i chi hefyd ddweud sut roedd hyn yn gyfrifol am lwyddiant mudiad y *Suffragettes* e.e. gwobr am eu cyfraniad i'r ymdrech ryfel (rhaid disgrifio a gwerthuso hyn). Gallech sôn fod y gwobrau hyn wedi eu cynnig i nifer dethol o ferched ac nid i bob merch (merched dros 30 oed a enillodd y bleidlais gyda Deddf Diwygio 1918 ac ati). Bydd yr atebion gorau yn ymdrin yn eang â'r testun trwy bwysleisio ffactorau neu newidiadau gwleidyddol, cymdeithasol, economaidd a thechnolegol a gyfrannodd tuag at waith y *Suffragists*.

I

II

III

IV

V

VI

VII

VIII

IX

X

# MYNEGAI

I
II
III
IV
V
VI
VII
VIII
IX
X

**Diwydiant ac Amaethydiaeth:**
Diwygio (byd gwaith): 52, 56
Deddf Undebau Llafur (**1871**): 294
Deddf Anghydfod Llafur (**1906**): 313
Deddf Cau Tir (**1845**): 122
Mesurau Tir: 106, 108
Deddfau Ŷd: 32, 33 (diddymu), 61, 80, 282 (diddymu)

**Cyfraith a Threfn:**
Deddf Heddlu Llundain (**1829**): 32
Deddf Heddluoedd Sirol a Bwrdeistrefol **1856**): 33, 172
Deddf Corfforaethau Trefol (1835): 172
Deddf Carchardal: **176**
Mesur Romilly (**1810**): 165, (**1808**):177
Deddf Trawsgludo (**1779**): 64, 177
Deddfau Cynnull/Cyfuno (**1799-1800**): 64
Deddfau Cynnull/Cyfuno (**1824** – diddymu): 32
Deddf Derfysg: 60, 61, 74, 75, 87, 164

**Crefydd:**
Deddf Brawf a Chorfforaethau (diddymu **1828**): 32
Deddf Cyfnewid y Degwm (**1836**): 32, 100, 121, 272
Treth y Degwm (**1891**): 35, 126
Mesurau Datgysylltu: 262, 279, 300, 303
Deddf Datgysylltiad (**1920**): 36, 108, 300
Deddf Cau ar y Sul: 34, 205

**Deddfau Diwygio – Senedd/ Rhyddfraint:** 27 (**'32, '67, '84** + **Deddf y Tugel**), 32 (**'32**), 34 (**'84, '85** + **Tugel**),79 (**'32**), 97 (**'84**), 106 (**'84**), 272 (**'32**), 279 (**'67**), 281 (**'67 a '32**), 289, 291, 295, 354 a 358 (**1911**)
Deddf y Tugel: 27, 34
Deddf Cynrychiolaeth y Bobl (**1911**): 354, 358
Llywodraeth Leol (1888): 35
Mesur Ymreolaeth (1914): 303

**Deddfau Diwygio Cymdeithasol ac Economaidd:** 163
Deddf Iawndal y Gweithwyr: 160, 163
Deddf Pensiynau'r Henoed: 160, 163
Deddf Yswiriant Gwladol (**1911/12**): 36, 160, 163
Deddfau'r Tlodion: 32, 80, 100, 113 (**1834**),121, 122, 149, **151-9,** 160, 166, 169

I
II
III
IV
V
VI
VII
VIII
IX
X

I

II

III

IV

V

VI

VII

VIII

IX

X

I
II
III

V

I
II
III
IV
V
VI
VII
VIII
IX
X